Beiträge zur Wissenschaft
vom Alten und Neuen Testament
Siebente Folge

Herausgegeben von
Siegfried Herrmann und Horst Balz
Heft 13 · (Der ganzen Sammlung Heft 133)

Verlag W. Kohlhammer
Stuttgart Berlin Köln

Dietrich Rusam

Die Gemeinschaft der Kinder Gottes

Das Motiv der Gotteskindschaft und die Gemeinden
der johanneischen Briefe

Verlag W. Kohlhammer
Stuttgart Berlin Köln

Die Deutsche Bibliothek – CIP-Einheitsaufnahme

Rusam, Dietrich:
Die Gemeinschaft der Kinder Gottes : das Motiv der
Gotteskindschaft und die Gemeinden der johanneischen Briefe
/ Dietrich Rusam. – Stuttgart ; Berlin ; Köln ;
Kohlhammer, 1993
(Beiträge zur Wissenschaft vom Alten und Neuen Testament ; H. 133 =
Folge 7, H. 13)
ISBN 3-17-012357-2
NE: GT

Inhaltsverzeichnis

Vorwort

Die vorliegende Untersuchung ist die überarbeitete Fassung meiner Dissertation, die unter gleichem Titel im August 1991 bei der Augustana-Hochschule Neuendettelsau eingereicht und von der Promotionskommission im Februar 1992 angenommen worden ist. Sie ist zugleich die erste Dissertation aus Neuendettelsau nach der Verleihung des Promotionsrechtes an die Augustana-Hochschule im August 1990.

Anläßlich der Publikation gilt mein Dank vor allem meinem Doktorvater, Herrn Prof. Dr. Wolfgang Stegemann, der mein Interesse an den johanneischen Schriften geweckt und die Untersuchung angeregt hat. Er hat das Entstehen der Arbeit mit Interesse und weiterführender Kritik begleitet und auch in kritischen Phasen nie einen Zweifel daran gelassen, daß ich das Unternehmen erfolgreich beende. Großen Dank schulde ich auch meinem Zweitgutachter, Herrn Prof. Dr. Michael Wolter. Er rief mich im Herbst 1990 als seinen wissenschaftlichen Mitarbeiter an die Universität Bayreuth. Sein fachlicher Rat, seine intensive Begleitung und praktische Unterstützung ermöglichten den raschen Abschluß der Arbeit. Herrn Prof. Dr. Hans Schmoll, Neuendettelsau, verdankt die Arbeit einige Hinweise zur Drucklegung.

Viele Menschen haben mich in den Jahren des Schreibens begleitet. Besonders danke ich meinen Eltern, die mir viel Geduld, Verständnis und persönliche Anteilnahme entgegengebracht und mir durch ihre Unterstützung meinen Ausbildungsgang ermöglicht haben. Vielen Dank schulde ich auch Frau Andrea Siebert für das Korrekturlesen. Sie hat darüber hinaus in mühevoller Arbeit der Druckvorlage ihre Endgestalt gegeben.

Herrn Prof. Dr. Horst Balz und Herrn Prof. Dr. Dr. Siegfried Herrmann danke ich für die Aufnahme dieser Arbeit in die Reihe "Beiträge zur Wissenschaft vom Alten und Neuen Testament", Herrn Prof. Balz für mancherlei Anregungen. Auch dem Verlag W. Kohlhammer und seinem Lektor, Herrn Jürgen Schneider, bin ich für die Veröffentlichung der Arbeit zu Dank verpflichtet. Der Landeskirchenrat der Evang.-Luth. Kirche in Bayern hat für die Veröffentlichung der Arbeit einen namhaften Druckkostenzuschuß bewilligt. Hierfür sei an dieser Stelle ebenfalls herzlich gedankt.

Bayreuth, im Herbst 1992

Dietrich Rusam

Einleitung

1. Problemstellung

Die Anrede Gottes als Vater ist in der christlichen Literatur von Anfang an geläufig. Die älteste Schrift des Neuen Testaments, der erste Thessalonicherbrief, bezeichnet Gott ausdrücklich als "unseren Vater" (3,11.13), d.h. als Vater der Glaubenden. Dementsprechend kann Paulus im ersten Thessalonicherbrief die Glaubenden auch als Brüder bezeichnen.[1] In den ältesten Schichten der Evangelienüberlieferung finden sich allerdings vergleichsweise wenig Belege für die Vaterbezeichnung Gottes. In der Logienquelle[2] und dem Markusevangelium[3] wird Gott nur je viermal als Vater bezeichnet.[4]

Die Belege für den Gedanken der Vaterschaft Gottes sind im Matthäusevangelium (42) und vor allem im Johannesevangelium (109) wesentlich vermehrt. Die bevorzugte Gottesbezeichnung des johanneischen Jesus ist "Vater". Unbeschadet der Beobachtung, daß Gott im Johannesevangelium häufig dezidiert als Vater Jesu bezeichnet wird, spricht dieser Befund dafür, daß der Gedanke der Vaterschaft Gottes im johanneischen Schrifttum besonderes Gewicht hat. Wenn also im Johannesevangelium bewußt die Belege für die Anrede Gottes als "Vater" im Vergleich zu den Synoptikern vermehrt worden sind, dann ist zu vermuten, daß der Gedanke der Vaterschaft Gottes in der auf das Johannesevangelium folgenden johanneischen Literatur auch eine besondere Rolle spielt.

Eine erste Durchsicht der Wörter und Ausdrücke, die den Gedanken der Gotteskindschaft nahelegen, im Johannesevangelium und dem ersten Johannesbrief scheint diese Vermutung zu bestätigen: Während das Johannesevangelium nur an zwei Stellen von den τέκνα τοῦ θεοῦ spricht[5], belegt der wesentlich kürzere erste Johannesbrief diesen Ausdruck gleich viermal[6]. Ähnlich sieht das Ergebnis aus, wenn man die Formulierung "ἐκ τοῦ θεοῦ γεννᾶσθαι" betrachtet. Sie findet sich im 1Joh achtmal[7], während sie im Johannesevangelium nur ein- bzw. modifiziert fünfmal[8] auftaucht.[9] Offenbar haben - allein statistisch gesehen - im 1Joh die "τέκνα τοῦ θεοῦ" bzw. die "ἐκ τοῦ θεοῦ γεγεννημένοι" größeres Gewicht als noch im Evangelium. Von daher interessiert uns in dieser Arbeit vorrangig: Sind die Formulierungen, die der 1Joh gebraucht, um das Verhältnis zwischen Gott und den Gläubigen[10] zu beschreiben, zueinander in eine innere Beziehung zu

---

1   1Thess 1,4; 2,1.9.14.17; 3,7; 4,1.6.10.13; 5,1.4.12.14.25-27; vgl. K. SCHÄFER, Bruderschaft, 441: "Der 'Bruder'-Titel und die Forderung der 'Bruderliebe' gehören zum spezifischen *Bestand christlicher Gruppensprache* und christlichen Gruppenbewußtseins ..."

2   Mt 5,48 par. Lk 6,36; Mt 6,32 par. Lk 12,30; Mt 7,11 par. Lk 11,13; Mt 11,27 par. Lk 10,22 par.

3   Mk 8,38 par. Mt 16,27; Lk 9,26; Mk 11,25; 13,32 par. Mt 24,36 und Mk 14,36 par. Mt 26,39; Lk 22,24.

4   Dazu kommen noch Gleichnisse, in denen Gottes Verhalten zu den Menschen mit dem Verhältnis eines Vaters zu seinem Kind bzw. Kindern parallelisiert wird (Mt 7,9-11 par. Lk 11,11-13; Lk 15,11-32; vgl. R. FELDMEIER, Krisis 169).

5   Joh 1,12; 11,52.

6   1Joh 3,1.2.10; 5,2.

7   2,29; 3,9a.b; 4,7; 5,1a.b.4.18.

8   Joh 1,13 vgl. 3,3 (ἄνωθεν γεννᾶσθαι).5 (ἐξ ὕδατος καὶ πνεύματος γεννᾶσθαι).6 (ἐκ τοῦ πνεύματος γεννᾶσθαι).7 (ἄνωθεν γεννηθῆναι). Nach Joh 4,24 ist Gott mit Geist gleichzusetzen; "Geborensein aus dem Geist" ist inhaltlich nichts anderes als "Geburt aus Gott".

9   Vgl. auch den Gebrauch der Bezeichnung "ἀδελφοί" für Jünger bzw. Glaubende im Corpus Johanneum: Joh 20,17; 21,23 und 1Joh 2,7.10f; 3,10.12-17; 4,20f; 5,16; 3Joh 3.5.10.

10   Zu beachten ist hier z.B. die bereits vorausgesetzte Tatsache, daß die Bezeichnungen "Vater",

Sind die Formulierungen, die der 1Joh gebraucht, um das Verhältnis zwischen Gott und den Gläubigen[10] zu beschreiben, zueinander in eine innere Beziehung zu setzen und, wenn ja, in welche?

Der Hintergrund dieser Frage ist der: Das Heil, das der 1Joh den Gläubigen zuspricht, scheint auf den ersten Blick ganz disparat zu sein: Gottesgeburt, Gotteskindschaft, Gottes Samen in sich tragen, das "χρῖσμα" haben, aus Gottes Geist bekommen haben, Sündlosigkeit, (ewiges) Leben, Überwindung der Welt ... Steht hinter den Formulierungen, die vor allem im ersten Johannesbrief auftauchen, eine einheitliche Konzeption? Gibt es einen "hermeneutischen Schlüssel" für diese Formulierungen, der es uns dann auch ermöglichen könnte, soziologische Folgerungen bezüglich der johanneischen Gemeinde zu ziehen und so einen Beitrag zur - um es mit einem Begriff systematischer Theologie auszudrücken - johanneischen Ekklesiologie zu leisten? Die Gotteskindschaftsmotivik taucht nicht erst im 1Joh oder im NT auf. Ihre unterschiedlichen Ausprägungen sind zunächst Gegenstand der Untersuchung. Dabei soll - soweit möglich - auch nach der Trägergruppe der einzelnen Konzeptionen von Gotteskindschaft gefragt werden, um später mit den Gemeinden der johanneischen Briefe vergleichen zu können.

2. Forschungsgeschichtlicher Rückblick

Das Motiv der Gotteskindschaft in der johanneischen Literatur ist bereits das Thema von drei Arbeiten.

Die älteste ist die Dissertation von F.G. Schlafer "The Johannine Doctrine of Christian Sonship"[11]. Schlafer behandelt zunächst das Motiv der Gotteskindschaft im AT, sodann das Motiv im Judentum und der rabbinischen Literatur. Das dritte Kapitel untersucht das Motiv bei den Mysterienreligionen. Im folgenden werden diesbezüglich die Synoptiker, Paulus, der Jakobus-, Petrus- und Hebräerbrief untersucht. Der mit Abstand längste Teil der Arbeit (175 Seiten) ist die Untersuchung des Motivs der Gotteskindschaft in der johanneischen Literatur unter den Leitfragen "Wer sind die Söhne Gottes (1,12-13)?", "Wie wird man Kind Gottes (3,1-15)?" und "Was heißt es, Sohn Gottes zu sein (8,12-59)?". Der letzte Teil (85 Seiten) beschäftigt sich mit den Johannesbriefen unter den Stichpunkten "christliche Ethik" und "Implikationen der Sohnschaft". Schlafer macht hier zwar interessante Beobachtungen, erkennt aber nicht, daß das Motiv der Gotteskindschaft ekklesiologischen Bezug hat. Darüber hinaus verzichtet er auf die wissenssoziologische Fragestellung, bei der es um die Trägergruppe und das Milieu geht, in dem diese Literatur entstanden ist.

Die zweite Arbeit über das Motiv der Gotteskindschaft von Ab Hamrun Donatus mit dem Titel "Τέκνα Θεοῦ ἐκ Θεοῦ ἐγεννήθησαν" war dem Verfasser nur zugänglich über die Zusammenfassung in drei veröffentlichten Aufsätzen in der Zeitschrift "Melita Theologica" unter dem Titel "An Outline of St. John's Doctrine on the Di-

---

[10]   Zu beachten ist hier z.B. die bereits vorausgesetzte Tatsache, daß die Bezeichnungen "Vater", "Kinder", "Brüder" u.a. relationale Begriffe sind, d.h. sie beschreiben *Beziehungen* zwischen "Personen".

[11]   F.G. SCHLAFER, Doctrine (1949).

vine Sonship of the Christian"[12]. Bereits der Titel verrät, daß es Donatus darum geht, das Motiv der Gotteskindschaft des *einzelnen* Glaubenden zu beschreiben; der Gedanke, daß Gotteskindschaft ein ekklesiologisches Motiv ist, wird auch hier vernachlässigt. Donatus bemüht sich, die einzelnen Aspekte und Folgen der Gotteskindschaft in den Blick zu bekommen. Das Bild, das er zeichnet, bleibt aber deshalb farblos, weil auch er nicht über eine theologische Beschreibung dessen hinauskommt, was Gotteskindschaft heißt.

Die dritte Arbeit ist 1977 unter dem Titel "The Divine Sonship of Christians in the Johannine Writings" erschienen; ihr Verfasser ist M.Vellanickal[13]. Ähnlich wie Schlafer schaltet Vellanickal seiner Untersuchung einen traditionsgeschichtlichen Teil vor. Dort behandelt er die Gotteskindschaftsmetaphorik im AT, im Frühjudentum ("Later Judaism"), Hellenismus (Mysterienreligionen) und bei Philo, ehe er sich den Synoptikern und Paulus zuwendet. Bevor er aber das Motiv innerhalb des johanneischen Schrifttums untersucht, erläutert er die johanneische Terminologie, die verwendet wird, um das Motiv der Gotteskindschaft zu umschreiben. Dadurch geschieht allerdings eine Engführung auf bestimmte Begriffe, und Vellanickal ist im weiteren Verlauf seiner Arbeit auch nicht mehr in der Lage, andere Ausdrücke, die sehr wohl zum Motiv der Gotteskindschaft passen, aufzufinden. Seine Grundthese ist, daß die Gotteskindschaft der Christen eine persönliche Beziehung zu Gott impliziert; Prototyp dieser Beziehung ist Jesus Christus. Der Unterschied zwischen Christen und Christus besteht nach Vellanickal darin, daß die Gotteskindschaft der Glaubenden eine dynamische Sohnschaft ist, die in Glaube und Liebe bewahrt werden will, bis sie eschatologisch erfüllt wird. Anders als seine beiden Vorgänger behandelt er das Motiv der Gotteskindschaft nicht thematisch, sondern erarbeitet minutiös Exegesen zu den einzelnen Stellen, an denen "Gotteskindschaft" thematisiert wird.

3. Das methodische Problem

Alle drei Arbeiten beschränken sich darauf, die Folgerungen, die sich aus dem Leben der Kinder Gottes ergeben sollen, theologisch zu beschreiben. Durch Verzicht auf die Rückbindung des theologischen Entwurfs der Gotteskindschaft der Glaubenden an eine reale Gemeindesituation wirken die Arbeiten farblos[14]. Es wird nicht versucht, möglichst alle Begriffe, die der 1Joh verwendet, um das Verhältnis zwischen Gott und den Glaubenden zu beschreiben, zu berücksichtigen, um dann den Stellenwert des Motivs der Gotteskindschaft innerhalb der Theologie des ersten Johannesbriefes zu bestimmen. Das Motiv der Gotteskindschaft soll in Schlafers und Vellanickals Arbeiten auf dem Hintergrund der Tradition als einzigartig herausgestellt werden.[15] Auch dieses Anliegen darf angesichts neuerer Li-

---

12 A.H. DONATUS, τέχνα (1953/54) - diese Arbeit ist später zusammengefaßt und in drei Aufsätzen aufgeteilt herausgegeben worden in der Zeitschrift *Melita Theologica*: A.M. DONATUS, Outline, MelT 8 (1955), 1-26.53-71; 9 (1956), 14-38.
13 M. VELLANICKAL, Sonship (1977).
14 Vgl. R.A. CULPEPPER, Rezension zu M. VELLANICKAL, Sonship 449, der dies bei einem besonderen Problem an VELLANICKALs Arbeit bemängelt: "..., Vellanickal neglects the historical development and *Sitz im Leben* of John's doctrine of sinlessness."
15 Vgl. hierzu v.a. M. VELLANICKAL, Sonship 353-364.

teratur zur Vaterbezeichnung Gottes[16] als fragwürdig eingestuft werden. Dabei gerät nicht nur die Frage der motivgeschichtlichen Herleitung außer acht, sondern auch die Frage, ob der 1Joh das Motiv der Gotteskindschaft als eines unter vielen verwendet, oder ob das Motiv der Gotteskindschaft sogar die ekklesiologische[17] Leitmetapher des 1Joh ist. In der vorliegenden Arbeit soll zudem der Versuch unternommen werden, den Zusammenhang von Theologie und Praxis für die Gemeinden der johanneischen Briefe aufzuzeigen. Dabei ist es eben wichtig, möglichst alle Begriffe, mit denen v.a. der erste Johannesbrief das Verhältnis zwischen Gott und den Gemeindegliedern beschreibt, in den Blick zu bekommen. Erst dann kann ermessen werden, welchen Stellenwert der Gedanke der Gotteskindschaft innerhalb der johanneischen Theologie und Ekklesiologie einnimmt, erst dann kann versucht werden, sozialgeschichtlich auf die Gruppe(n) zurückzufragen, die Träger eines solchen Gedankenguts war(en). Das *Proprium* der vorliegenden Arbeit ist also der Versuch zu erweisen, daß und wie im ersten Johannesbrief das Motiv der Gotteskindschaft ekklesiologisch fruchtbar gemacht wird.[18]

Um uns die Eigenart der johanneischen Konzeption bewußt zu machen, sei zunächst ausführlich auf den Gedanken der Gotteskindschaft in der vorjohanneischen Tradition eingegangen. Das Motiv der Gotteskindschaft hat in der Geschichte verschiedene Ausprägungen erfahren. Der Gedanke, daß Menschen Gottes Kinder seien, ist in der Philosophie- und Theologiegeschichte ganz unterschiedlich begründet worden. Die ersten Kapitel der Arbeit wollen einen Einblick geben, wie unterschiedlich Gotteskindschaft verstanden und begründet worden ist. Es wurde darauf verzichtet, die verschiedenen Ausprägungen konsequent in chronologischer Reihenfolge darzustellen. Stattdessen sollen die Ergebnisse der Analysen des Begriffsfeldes "Gotteskindschaft" zum Ordnungsprizip der Darstellung gemacht werden. Damit soll der Anschein einer Traditionsgeschichte vermieden werden, die verlangen würde, daß für die einzelnen Autoren und deren Verwendung des Motivs im Detail noch einmal geprüft werden müßte, auf welche Traditionen sie zurückgreifen bzw. von welchen sie sich abheben. Zu verweisen ist hier auf die zu der einen oder anderen Konzeption von Gotteskindschaft bereits erschienene Spezialuntersuchung.[19] Andererseits kann dadurch die thematische Vielfalt und die Frage, warum in bestimmten Texten bestimmte Aspekte des Motivs wichtig sind, deutlicher noch auf die sozialgeschichtliche Fragestellung vorbereiten.

---

[16] Vgl. A. STROTMANN, Vater (1991).

[17] J.W. MILLER, Concept, behandelt durchaus Ausdrücke wie "Kinder Gottes" oder "aus Gott geboren sein" (42-47). Dagegen lassen die Untersuchungen über die Gotteskindschaft in der johanneischen Literatur bisher die Frage außer acht, ob und inwiefern das Motiv die Ekklesiologie der johanneischen Schriften (insbesondere des ersten Johannesbriefs) beeinflußt.

[18] Anders als K.-M. BULL in seiner erst kürzlich (1992) erschienenen Dissertation über die johanneischen Gemeinde(n) "Gemeinde zwischen Integration und Abgrenzung", wird in der vorliegenden Arbeit die Gestalt der johanneischen Gemeinde(n) auf dem Hintergrund der Profangeschichte skizziert. BULL hingegen versucht, die Geschichte der johanneischen Gemeinde(n) auf dem Hintergrund von drei hypothetisch rekonstruierten Redaktionen des Johannesevangeliums nachzuzeichnen. Sodann fragt er, in welchem Verhältnis die Briefe zu den einzelnen Redaktionsschichten stehen. Diese Vorgehensweise ist insofern äußerst problematisch, als sie mit vielen Hilfshypothesen auskommen muß.

[19] Zu nennen ist hier u.a. A. STROTMANN, Vater; W. SCHLISSKE, Gottessöhne; K. SCHÄFER, Gemeinde.

1. Hauptteil: Das Motiv der Gotteskindschaft
I. Gott als Vater aller Menschen

1. Zeus, der Vater der Götter und Menschen - die Konzeption in den Homerischen Epen

1.1 Etymologie

Etymologisch eindeutig erklärbar ist von den griechischen Götternamen allein der des Zeus (Gen.: Δι-ϝος). Der Name ist abzuleiten vom Wortstamm "div" - "leuchten". "Die ursprüngliche Bedeutung des indogermanischen djeus, der den Licht- und Himmelsgott bezeichnete, ist in der griechischen Sprache fast völlig verschwunden."[20] Dieser "Gott des hellen Himmels" wurde von Anfang an als "Vater" verehrt. Parallel zu "Ζεὺς πατήρ" findet sich nicht nur altindisch "Dyaus pitar" und lateinisch "Diespiter/Juppiter"[21], sondern u.a. auch der illyrische Gott "Δειπάτυρος", umbrisch "Jupater"[22]. Seine Funktion war u.a. die Herrschaft über den Götterstaat sowie über die Menschen. Die Hellenen glaubten, Zeus herrsche vom Berg Olymp aus. Als dieser Berg später mit dem Himmel gleichgesetzt wurde, wurde aus dem Herrn des Olymp zugleich Herr des Himmels, ja Herr des Weltalls. So wurde aus dem volksgebundenen ein universaler Gott. Schon bei Homer kommen die Götter vom Himmel (οὐρανοϑέν) und heißen die Himmlischen (Οὐρανίόνες; Il 5,373).[23] Homer hat der Vater-Funktion dieses Gottes mit der Formulierung Ζεὺς πατὴρ ἀνδρῶν τε ϑεῶν τε prägnant Ausdruck verliehen.[24] Die folgenden Beobachtungen beschränken sich auf Homer, da dieser vom siebten Jahrhundert ab "Gemeingut aller Hellenen" war.[25]

1.2 Zeus, der Vater der Götter und Menschen, bei Homer

Aufgrund seiner mannigfaltigen "Funktionen"[26] erweist sich Zeus als "unbestrittenes Oberhaupt der Götter und absoluter Weltenherrscher"[27]. Er wird bei Homer

---

20 O. KERN, Religion 181.
21 Die Bezeichnung Jupiters als *pater, genitor, sator* oder *parens* ist in der lateinischen Literatur der Augustus-Zeit reichlich belegt, wie die Aufstellung bei K. MÖLLER, Götterattribute 106 ausweist. Die *"pater*-Gruppe" der Belege - wie MÖLLER sie nennt - zieht sich "durch alle Phasen der augusteischen Dichtung" und "ist mit 62 Belegen die stärkste" (ebd. 112). MÖLLER legt dar, daß die Bezeichnungen aus der *pater*-Gruppe, die sich in der Dichtung auch für Mars (118 - Belege allerdings nur bei Ovid), für Apollo (126; vgl. 129: "Der Wert der pater-Gruppe relativiert sich dadurch, daß die entsprechenden Belege überwiegend nicht den pater mit universalem Anspruch, sondern vielmehr die ganz spezielle persönliche Vaterschaft meinen"), für Hercules (132), Sol (135), Liber (138), Aeneas (146), Neptun (150f), Romulus (153) und Janus (160) finden, bei keinem anderen Gott so dominierend sind wie bei Jupiter.
22 Vgl. R. MUTH, Einführung 74, Anm. 136; vgl. W. KRANZ, Griechentum 17; vgl. G. SCHRENK, Art. πατήρ κτλ., ThWNT 5 (1954), 951-953; vgl. M.P. NILSSON, Geschichte 336f; vgl. N. SÖDERBLOM, Werden 177; vgl. H. SCHWABL, Art. Zeus, PRE Suppl. 15 (1978), Sp. 1009.
23 Vgl. U. v. WILAMOWITZ-MOELLENDORF, Glaube I 327f.
24 Il 1,544; 4,68; 5,426; 8,49.132; 11,182; 15,12.47; 16,458; 20,56; 24,103; Od 1,28; 12,445; 18,137.
25 Vgl. O. KERN, Religion II 29.
26 Vgl. Od 14,327; 19,296f: Herr der "atmosphärischen Erscheinungen", der Fruchtbarkeit des Ackerbodens (Ζεὺς Χϑόνιος), Beschützer des Hauses und Symbol des Überflusses (Ζεὺς κτήσιος), Bewahrer der Pflichten und Rechte der Familie, Gewährleister der Beachtung der Gesetze, Verteidiger der Stadt (Ζεὺς πόλιευς), Gott der Reinigung (Ζεὺς καϑάρσιος), Gott der Mantik; vgl. die Zusammenstellung bei D. WACHSMUTH, Art. Zeus, KP 5 (1979) Sp. 1521-1524.
27 M. ELIADE, Geschichte I 234.

zwar als Ζεὺς πατὴρ ἀνδρῶν τε θεῶν τε bezeichnet, doch nie als Weltschöpfer.[28] Die Bezeichnung "Ζεὺς πατὴρ ἀνδρῶν τε θεῶν τε" impliziert also nicht den Gedanken, Zeus sei Schöpfer oder Stammvater der Götter und Menschen.[29] Was drückt Homer aber dann mit dieser Bezeichnung aus?

1.2.1 Der Patriarch der Götter

An etwa 300 Stellen erhält Zeus bei Homer eine nähere Wesensbestimmung, davon ist die häufigste "πατήρ" (ca. 100 Belege)[30]. "Die übrigen Prädikationen des Gottes kennzeichnen seine Machtfülle, seine physische Gewalt und seine Überlegenheit, geben aber keine Auskunft darüber, nach welchem politischen oder sozialen Modell seine leitende Stellung konzipiert worden ist."[31] In der Forschung hat sich deshalb die Auffassung durchgesetzt, daß Homer Zeus analog dem *pater familias*, dem Haushaltsvorstand einer Großfamilie, sieht.[32] So folgert H. Erbse zurecht: "Der Blickpunkt, von dem aus Zeus als Familienoberhaupt innerhalb einer patriarchalischen Ordnung der Götter erscheint, bietet die Möglichkeit, die verschiedenen Züge seines Wesens als Einheit aufzufassen. Sie konvergieren in der Vorstellung des strengen, aber gütigen Vaters, der den übrigen Göttern nicht nur an Kraft, sondern auch an Reife überlegen ist."[33] Das menschliche Gemeinschaftssystem der Großfamilie ist also auf das hellenische Götterpantheon übertragen worden. M.a.W.: Hermeneutischer Schlüssel für das Verständnis der Über- und Unterordnung sowie der Zuordnung der einzelnen griechischen Göttinnen und Götter bei Homer ist die griechische Großfamilie. Eine genealogische Verbindung der Götter untereinander ist damit nicht zwangsläufig vorausgesetzt, doch "die tatsächliche Vaterschaft (sc. des Zeus) gegenüber den wichtigsten jüngeren Göttern"[34] ist mit eingeschlossen. Nicht nur von den Göttinnen und Göttern, die genealogisch von Zeus abstammen, sondern auch von weiteren Göttern wird Zeus nämlich mit "πατήρ" angeredet.[35]

1.2.2 Der Patriarch der Menschen

Was von Zeus als Vater der Götter gesagt wurde, gilt von ihm modifiziert auch als Vater der Menschen. Im Unterschied zu den Göttern ist die Abhängigkeit der Menschen von Zeus jedoch nicht nur auf einzelne Handlungen oder Unterlassun-

---

28 Vgl. TH. V. SCHEFFER, Homer 73.
29 Vgl. H. SCHWABL, Art. Zeus, PRE Suppl. 15 (1978), Sp. 1011: Aus dem Gedanken "Zeus sei Vater" darf "ein Schluß auf einen Schöpfergott im eigentlichen Sinne ... nicht gezogen werden".
30 Vgl. H. SCHWABL, Art. Zeus, PRE Suppl. 15 (1978), Sp. 1010.
31 H. ERBSE, Untersuchungen 229.
32 Vgl. G.SCHRENK, Art. πατήρ κτλ., ThWNT 5 (1954), 953.
33 H. ERBSE, Untersuchungen 215; vgl. M.P. NILSSON, Geschichte I 337: Zeus als "Hausvater, der für das Haus sorgt und über die Mitglieder der Familie Gewalt hat"; bzw. ebd. 417: "Zeus als das Ebenbild des Hausvaters, des Hauptes der patriarchalischen Familie"; vgl. auch G.M. CALHOUN, Zeus 13: "On the whole, I am inclined to believe that the Olympian scenes of horseplay and Zeus's constant threats of personal violence are best understood as embodying in the main very primitive material in which the Olympians figure as a patriarchal family and Zeus as οἴκοιο ἄναξ."
34 H. SCHWABL, Art. Zeus, PRE Suppl. 15 (1978), Sp. 1011.
35 So wird Zeus von Thetis (Il 1,503), von seinem Bruder Poseidon (Il 7,446 vgl. Od 13,128), von seiner Frau und Schwester Hera (Il 5,757.762; vgl. Il 19,121) sowie von Ares (Il 5,872; vgl. Il 8,31; Od 1,45) bezeichnet.

gen beschränkt, sondern sie bezieht sich auf die ganze Existenz. H. Erbse konstatiert deshalb zurecht: "Also nur zwischen Zeus und den anderen Göttern besteht unter gleichen Bedingungen ein echtes Familienverhältnis, wie es, bei anderen Voraussetzungen im irdischen Bereich, aber ebenfalls unter gleichen Bedingungen zwischen Familienvätern und Kindern üblich ist."[36] "Ζεῦ πάτερ" findet sich als Gebetsanruf häufig im Munde von Menschen.[37] Besonders deutlich wird diese Abhängigkeit von Zeus in Od 20,201f, wo von Zeus gesagt wird: "οὐκ ἐλεαίρεις ἄνδρας, ἐπὴν δὲ γείνεαι αὐτός." Hier wird Zeus als der verstanden, dem die Menschen ihre Entstehung zu verdanken haben.[38]

Zeus wird darüber hinaus auch als "Vater der Menschen" bezeichnet, doch dabei ist stets der Abstand und die Abhängigkeit der Menschen von Zeus im Blick zu behalten. So verkehrt Zeus als Gott[39] niemals direkt mit den Menschen, sondern hat seine eigenen Möglichkeiten, auf das Schicksal der Menschen einzuwirken. Entweder schickt er seine Boten (Iris oder Hermes)[40], oder er offenbart seinen Willen durch Zeichen oder er erweckt direkt menschliche Regungen im Menschen. Die einzige Ausnahme findet sich in Il 15,693-695.[41]

Durch die Bezeichnung "Ζεὺς πατὴρ ἀνδρῶν τε θεῶν τε"[42] wird also Zeus in beiden Relationen als *pater familias* vorgestellt, wenngleich - aufgrund der unterschiedlichen Konstitution von Göttern und Menschen - in unterschiedlicher Schattierung.

1.3 Die Macht des Vaters - Das Zeus-Bild des Homer

Die Apposition "Vater der Götter und Menschen" ermöglicht es Homer, ein dynamisches Bild von Zeus zu zeichnen. Primär impliziert nämlich die Bezeichnung "Vater" für Homer nicht den liebenden, fürsorgenden Gott, sondern die absolute Überlegenheit des Zeus über Götter und Menschen. "Zeus steht über seine Söhne und Töchter die absolute Befehlsgewalt zu."[43] Völlig zu Recht hat G.M. Calhoun auf den Gebrauch der Wurzel ἀνάσσειν verwiesen. In Il 2,669 (vgl. Od 20,112) heißt es: "Ζεῦ πάτερ, ὅς τε θεοῖσι καὶ ἀνθρώποισι ἀνάσσεις."[44] Hier wird deutlich: Der Vater ἀνάσσει, ist Herr, gebietet. Tertium comparationis für die Übertragung der Großfamilie auf die Zusammenhänge zwischen Zeus und den übrigen Göttern

---

[36]   H. ERBSE, Untersuchungen 224.
[37]   Il 3,276.365; 7,179; 8,236; 12,164; 13,631; 17,19.645; 19,270; 21,273; Od 7,331; 20,89.201; 21,200; 24,351.
[38]   Vgl. W. SCHADEWALDT, Odyssee 266; dort lautet seine Übersetzung: "kein Erbarmen hast du mit den Männern, nachdem du sie selbst hast entstehen lassen"; vgl. H. SCHWABL, Art. Zeus, PRE Suppl. 15 (1978), Sp. 1011: "Gott, der hinter dem Werden steht ..."
[39]   In Menschengestalt tritt er sehr wohl mit Menschen in Kommunikation, so als Amphitryon mit Alkmene, die dann Herkules gebiert. Wenn jedoch eine Sterbliche den Zeus in seiner Göttlichkeit zu sehen wünscht, kostet das ihr Leben, wie der Mythos von Semele zeigt.
[40]   Vgl. N. SÖDERBLOM, Kompendium 231.
[41]   Vgl. H. ERBSE, Untersuchungen 219.
[42]   Vgl. o. S. 15, Anm. 24.
[43]   H. ERBSE, Untersuchungen 211; vgl. A. ZINZOW, Ζεὺς πατήρ 189: In der Bedeutung "Vater" ist "einseitig die patria potestas, die väterliche Gewalt und Autorität, nicht die Liebe und Fürsorge, gütige, wohlwollende Gesinnung ... ausgedrückt". Es wäre hier zu fragen, ob diese Unterscheidung antikem Denken überhaupt angemessen ist. Das eine wie das andere gehört untrennbar zum Vaterbild hinzu.
[44]   Vgl. Il 12,242: "ὅς πᾶσι θνητοῖσι καὶ ἀθανάτοισι ἀνάσσει"; vgl. Od 9,552 bzw. Od 13,25: "ὃς πᾶσιν ἀνάσσει"; vgl. Zeus als ἄναξ in Il 1,502 und 2,102 u.ö.

bzw. Zeus und den Menschen ist also die Macht und Befehlsgewalt des Zeus über Götter und Menschen.

Doch auch der homerische Zeus kann sich als wohlwollend und verständnisvoll erweisen, er ist "kein unberechenbarer Alleinherrscher, sondern ein auf Erhaltung der Ordnung bedachter Patriarch"[45]. In der Vaterbezeichnung verbinden sich Härte und Nachsicht wie bei einem leiblichen Vater der homerischen Zeit.[46] Die Bezeichnung "πατὴρ ἀνδρῶν τε θεῶν τε" erweist sich als Titel für Zeus, der dessen Charaktermerkmale andeuten will.

2. Der Schöpfer als Vater aller Menschen - zur Konzeption im Schöpfungsmythos bei Platon

Platon rezipiert im Schöpfungsmythos des "Timaios" den überkommenen Gedanken vom Götterpantheon, unterzieht ihn aber der Kritik. Seiner Überzeugung nach gibt es einen, dem Götterpantheon übergeordneten Schöpfergott, der dann auch die Bezeichnung "Vater" verdient.[47] Die Vaterschaft Gottes wird auf seine Schöpfertätigkeit zurückgeführt.[48] Dieser "Vater" ist die "personifizierte Idee des Guten, also das Ewig-Wirkende"[49]. G. Schrenk[50] vermutet hinter dem Gebrauch im "Timaios" einen "Erzeugergedanken" und verweist hierfür auf den Ausdruck "der erzeugende Vater" (ὁ γεννήσας πατήρ [37c])[51]. Aber wenn es konkret darum geht, was Gott am Menschen selbst schafft, findet "γεννᾶν" keine Anwendung: "θεῖον λεγόμενον ... σπείρας καὶ ὑπαρξάμενος ἐγὼ παραδώσω" (41c) - Gott wird das sogenannte Göttliche säen und dann (zur Erschaffung des Menschen) weitergeben. Auch in 42e ist nicht vom göttlichen Samen, sondern abstrakt von der ἀθάνατος ἀρχή die Rede.[52] Im "Timaios" wird "πατήρ" für Gott gern parallel mit "ποιητής"[53], oder "δημιουργός"[54] oder "τεκταινόμενος" (28c) gebraucht. Mit dem Ausdruck "ὁ γεννήσας πατήρ" beschreibt Platon also die Schöpfertätigkeit Gottes; "der Gedanke an eine Zeugung oder Ahnen"[55] ist nicht im Blick. Die Welt kann Platon - und darin spiegelt sich offenbar der besondere Gebrauch von γεννᾶν - sowohl als das Abbild des geistig Wahrnehmbaren (εἰκὼν τοῦ νοητοῦ) als auch als der Eingeborene (μονογενής; vgl. 92c) bezeichnen.

---

[45] H. ERBSE, Untersuchungen 213.

[46] Vgl. G. SCHRENK, Art. πατήρ κτλ., ThWNT 5 (1954), 949f: "der Vater als Hausherr und Erzieher".

[47] Vgl. zu dem Gedanken, daß Vater- bzw. Mutterschaft darauf basiert, daß der Gott den Menschen das Leben gegeben hat, bereits Euripides, der in frg. 839,3 eine dramatis persona über Gaia folgendermaßen sprechen läßt: ἡ δ᾽ ὑγροβόλους σταγόνας νοτίας παραδεξαμένη τίκτει θνατούς. ὅθεν οὐκ ἀδίκως μήτηρ πάντων νενομίσθαι.

[48] Vgl. 28c.37c.41a.42e.71d. Aber auch schon früher hatte Platon vom "Vater" reden können. In der "Politeia" war er für ihn die Idee des Guten, das Letzte, Höchste, das über allem Sein steht (Polit 6,506e vgl. 7,517b.c; Hi 1,279b sowie Polit 6,509b).

[49] U. V. WILAMOWITZ-MOELLENDORF, Platon I 598.

[50] G. SCHRENK, Art. πατήρ κτλ., ThWNT 5 (1954), 954,25f.

[51] Vgl. 41a: ὁ τόδε τὸ πᾶν γεννήσας; sowie 28c: γιγνώμενα καὶ γεννητά.

[52] Vgl. 69c: Gott als δημιουργός des Göttlichen im Menschen.

[53] Vgl. 28c: ποιητὴς καὶ πατὴρ τοῦδε τοῦ παντός.

[54] Vgl. 28a.29a.41a: δημιουργὸς πατὴρ τε ἔργων; vgl. 42e, wo einmal vom πατήρ, dann wieder vom δημιουργός die Rede ist; vgl. 69c sowie Polit 6,507c; 10,596d.597d.

[55] N. SÖDERBLOM, Werden 178.

18

Wie stellt sich Platon aber die Verbindung zwischen Gott und dem Götterpantheon vor? Hier scheint ein verwandtschaftliches Verhältnis zu bestehen. Die Götter werden - im Unterschied zu den Menschen - Kinder (παῖδες) genannt (42e). An drei von fünf Belegstellen ist mit dem "πατήρ" ausdrücklich *ihr* Vater, also der Vater der Götter, gemeint (41a; 42e; 71d). Zudem werden sie als seine γεννήματα (69c) bezeichnet. Platon stellt sich (ähnlich wie Homer) eine Götterfamilie vor, der der "Ober-Gott" als Vater vorsteht. Gleichwohl kann Platon Gott auch als δημιουργός der Götter - und nicht nur als ihren πατήρ - bezeichnen.[56] Auch hier ist demnach der Abstammungsgedanke fragwürdig; doch wie bei Homer dient die Familie als Modell zur Veranschaulichung der Abhängigkeiten.

Die Götter des Pantheon treten besonders bei der Menschenschöpfung in Aktion, wo sie überwiegenden Anteil an der Menschenschöpfung übernehmen; sie "vollenden und erzeugen" die Menschen, indem sie das Göttliche mit dem Sterblichen verweben (41c.d).[57] Von daher ist die Vokabel δημιουργεῖν auch auf die Schöpfungstätigkeit der Götter anwendbar (69c), zumal diese Gottes Schöpfungswerk nachzuahmen versuchen (μιμούμενοι τὸν σφέτερον δημιουργόν [42e vgl. 41c]). Doch sind die Götter im Timaios nicht die "πατέρες" der Menschen, sondern ihre "Zusammenbauer - συστήσαντες" (71d). Das Vater-Kind-Motiv findet also keine Anwendung bei der Beschreibung des Verhältnisses zwischen den Göttern des Pantheon und den Menschen.

Plutarch hat diese komplizierte Konzeption aus dem Timaios Platons vereinfacht: Als Schöpfer des menschlichen Körpers ist Gott für ihn δημιουργός, bezüglich der Seele allerdings, die ja göttlicher Abstammung ist, gilt er als Erzeuger (γεννητήρ).[58]

3. Der Vater hat alles gezeugt - zur Konzeption Philos

Philo gebraucht die Bezeichnung "Vater" für Gott in der überwältigenden Mehrzahl der Belege im Kontext von Schöpfung. Weil Gott alles (ἄπαντα) geschaffen hat (ἐγέννησεν), ist er der Vater von allem: "τῶν συμπάντων πατὴρ ἅτε γεγεννηκὼς αὐτά."[59] Innerhalb dieser Schöpfungstheologie konstruiert Philo geradezu eine große Familie:

a) Gott ist der Vater, der πατὴρ τῶν συμπάντων bzw. τῶν ἁπάντων bzw. τῶν πάντων[60], er hat alles (τὰ [συμ]πάντα, ἄπαντα, ὅλα, τὸν κόσμον) erschaffen (ἐγέννησεν)[61], Gott ist ὁ γεννήσας[62] bzw. ὁ γεννητής[63]. Philo nennt Gott in specLeg 2,165 sogar ὁ ἀνωτάτω πατὴρ θεῶν τε καὶ ἀνθρώπων (καὶ τοῦ συμπάντος κόσμου δημιουργός).[64]

---

56   Vgl. 42e: μιμούμενοι τὸν σφέτερον δημιουργόν.
57   Vgl. 41c.d: Gott beauftragt sie, nach Übernahme des von ihm selbst geschaffenen Göttlichen, dieses mit dem Sterblichen zu verweben (προσυφαίνειν) und so die Geschöpfe zu vollenden (ἐξεργάζεσθαι) und zu erzeugen (γεννᾶν).
58   Vgl. G. SCHRENK, Art. πατήρ ThWNT 5 (1954), 954, Anm. 48; vgl. R. VOLKMANN, Leben 55: "Demnach würde Gott der Vater der Welt genannt als Erzeuger der Seele, Schöpfer der Welt, aber als Bildner ihres Leibes."
59   Cher 49; vgl. ebr 30: "πατέρα εἶναι τοῦ γεγονότος" sowie mut 29 und imm 30.
60   Imm 19; plant 8; her 205; mut 29; somn 1,38.181.190; 2,26; specLeg 3,189 vgl. specLeg 2,30f u.v.ö.
61   Op 144; her 157.200; somn 1,76; cher 27.44.49; specLeg 1,329; det 54; sacr 65.
62   Cher 23.119; specLeg 1,96.330; plant 8; her 205; mut 29; somn 1,35.181.190; 2,26; specLeg 3,189.

19

In all 3,218 stellt Philo ausdrücklich fest, mit "ἐγέννησεν" meine er in diesem Zusammenhang "ἐποίησεν" (bzw. das sei das Gleiche). Philo übernimmt zwar die Rede vom Erzeugen (γεννᾶν) Gottes, verbindet damit aber keine naturhaft-physische Verwandtschaft zwischen Gott und dem Erzeugten.

b) So wie Gott der Vater ist, ist die Weisheit Gottes (σοφία) die Mutter der Schöpfung.[65]

c) Aus dieser "Ehe" zwischen Gott und seiner Weisheit geht als erstgeborener Sohn der Logos hervor.[66] Dieser Logos ist kein Mensch, sondern hat statt irdischer unvergänglicher Eltern.[67] Mit der Qualifizierung πρωτόγονος[68] ist der Logos über die übrige Schöpfung herausgehoben; er wird bei Philo auch mit der Ideenwelt gleichgesetzt.[69] Ebenso gilt aber die ganze Schöpfung als Sohn Gottes.[70] Mit dieser Konzeption vermag Philo, alles und jedes Lebewesen Gott zuzuordnen.

Philo faßt also das Verhältnis Gottes zu seiner Schöpfung in die Familienmetaphorik. Deshalb kann er von dem Begriff "Vater" für Gott auch so ausgiebig Gebrauch machen; ja "Vater" ersetzt bereits häufig die Bezeichnung "Gott"[71]. Nach virt 214 ist Gott schließlich der Vater des gedachten und des sinnlich wahrnehmbaren Alls.

Beim Gebrauch des Vaterbildes für Gott denkt Philo besonders an die Macht, die Gott durch seine Vaterschaft über die Schöpfung hat. So verbindet er häufig "πατήρ" mit dem Ausdruck "ἡγεμών"[72]. Im Mittelpunkt der Verwendung des Vatermotivs steht Gottes Anspruch auf den Menschen, weniger seine liebevolle Zuwendung zu seinen Kindern. Besonders deutlich wird dies in Jos 165, wo Gott als Vater gegen den sterblichen Vater (Jakob) ausgespielt wird, und zwar nicht etwa aufgrund seines Erbarmens und seiner Liebe, sondern aufgrund seiner Macht.[73]

Vor allen anderen Lebewesen hervorgehoben ist nach Philo der Mensch, denn obwohl Gott Vater von allem (Neutrum Plural) ist, ist doch der Mensch dem Vater der Welt am verwandtesten (συγγενέστατος). Hat er doch das eigenste Abbild der ewigen und glücklichsten Idee in seiner Vernunft empfangen (decal 134)! Zwar gilt generell die Vaterschaft Gottes jedem Menschen gegenüber, doch nennt Philo die Menschen mitunter erst dann Kinder Gottes, wenn sie um Gott als ihren Vater wissen (sobr 144f) und ihn als solchen anerkennen. Ein Bekenntnis zum

---

[63] SpecLeg 1,209; 2,30f.189; decal 53.107; aet 1; virt 85; somn 2,178; vitMos 2,205.209; praem 46; conf 149.

[64] Vgl. Homers Ausdruck "πατὴρ ἀνδρῶν τε θεῶν τε" in Il 1,544; 4,68; 5, 426; 8,49.132; 11,182; 15,12.47; 16,458; 20,56; 24,103; Od 1,28; 12,445; 18,137; vgl. auch OrSib 3,278 (vgl. u. S. 22).

[65] Det 54; fug 109; all 2,49 (μήτηρ τῶν συμπάντων); bzw. ἐπιστήμη: ebr 30, wo es heißt, sie habe Gottes Samen empfangen und den einzigen und geliebten wahrnehmbaren Sohn, diese unsere Welt als reife Frucht in Wehen geboren.

[66] Agr 51; vitMos 2,134; somn 1,215; conf 146.

[67] Fug 133; vgl. all 1,65, wo die σοφία mit dem λόγος identifiziert wird.

[68] Vgl. πρωτότοκος in Röm 8,29; Kol 1,18; Hebr 1,6.

[69] Vgl. M. HENGEL, Sohn 82f.

[70] Migr 193; specLeg 1,96; vitMos 2,134.

[71] Vgl. etwa op 46.84.89.156 u.v.ö.

[72] Ebr 131; vitMos 2,88; op 135; mut 127; imm 19; specLeg 1,32 (vgl. ebr 74: Gott als πατὴρ καὶ πανηγεμών).

[73] Vgl. vitMos 2,238, wo Gott als ἡγεμών von Göttern und Menschen bezeichnet wird.
Neben dieser Konzeption der großen, allumfassenden Schöpfungsfamilie finden sich bei Philo auch Stellen, die die Gotteskindschaft ganz bestimmter Personen ausdrücklich hervorheben. Dadurch wird eine besondere Zusammengehörigkeit dieser Personen mit Gott betont. Was also einen besonderen Bezug zu Gott hat, kann ausdrücklich als Sohn oder Tochter Gottes bezeichnet werden, so etwa die Gnadengaben (Chariten) in migr 31 oder generell das Gute (fug 62) oder die "vollkommene Wesensart" (all 3,219).

wahren Vater legen die Menschen dann ab, wenn sie "das" der Natur (i.e. Gott[74]) "Wohlgefällige" und "das Schöne" tun.[75] Kind Gottes ist jeder, der sich Gott als dem wahren Vater (hilfesuchend) zuwendet (vgl. somn 2,273). Wer so handelt, wer sich so Gott zum Vater erwählt, handelt weise; das Weise aber ist Gott mehr befreundet als untertan (sobr 55f).

Letzten Endes entscheidet sich die Gotteskindschaft der Menschen an ihrem Verhältnis zu Gottes Erstgeborenem, dem Logos. Wer sich ihm, der ja Anfang, Name und Wort Gottes, der ebenbildliche Mensch und der Anschauende, Israel, heißt, zuordnet, der wird würdig, Gottes Sohn zu heißen (conf 145f).

Besondere *Kinder Gottes*:

M. Hengel stellt in bezug auf besondere Gotteskinder bei Philo fest: "Sonderbarerweise ist Philo bei der Übertragung der Bezeichnung 'Sohn Gottes' auf Menschen außerordentlich zurückhaltend."[76] So gesteht Philo ausdrücklich Gotteskindschaft bzw. Zeugung durch Gott nur ganz wenigen Menschen zu:

(1) Hinsichtlich seiner Herkunft ist *Adam* keinem Sterblichen vergleichbar. Adam hatte als einziger Mensch keinen sterblichen Vater; sein einziger Vater war der ewige Gott (virt 203f).

(2) Aufgrund der allegorischen Auslegung von Gen 20,12[77] postuliert Philo für die "Tugend" *Sarah* (vgl. congr 1-6) allein männliche Abstammung; sie sei als mutterloses Prinzip aus Gott, dem Vater aller, allein geboren worden (her 62). Sie stamme nicht von der Materie, sondern vom Urheber und Vater des Alls (ebr 61). Es fällt auf, daß an beiden Stellen, die von der Geburt Sarahs aus Gott handeln, die allgemeine Vaterschaft Gottes ausdrücklich betont wird. Zudem wird diese Geburt aus Gott nicht von der konkreten Person der Heilsgeschichte "Sarah" ausgesagt, sondern wohl eher von der Tugend, für die "Sarah" allegorisch steht. Ähnlich verhält es sich mit

(3) *Isaak*: Nach Gen 21,6[78] - allegorisch ausgelegt - postuliert Philo für Isaak göttliche Zeugung. Isaak - nach der (freien) hebräischen Übersetzung "das Lachen" - ist für Philo das Symbol der reinen Freude, der Freiheit von Leidenschaften, also der Glückseligkeit (cher 7f). Da aber nach Gen 21,6 Gott Schöpfer des Lachens ist, "so kann Gott mit vollem Recht auch als Vater des Isaak bezeichnet werden"[79]. Gotteskindschaft wird also auch hier nicht von Isaak als einer konkreten Person der Heilsgeschichte ausgesagt.[80]

Die Erwähnung der Geburt bzw. Zeugung verschiedener Menschen aus Gott schließt die allgemeine Vaterschaft Gottes nicht aus. Philo sieht sich bei Adam,

---

74 Vgl. Philo von Alexandrien, Die Werke in deutscher Übersetzung II, hg. v. L. COHN u.a. 99, Anm 1.
75 SpecLeg 1,318; vgl. mut 205: Gott als Vater der tugendliebenden Seele.
76 M. HENGEL, Sohn 84.
77 Abraham spricht zu Abimelech über Sarah: "Auch ist sie wahrhaftig meine Schwester, denn sie ist meines Vaters Tochter, aber nicht meiner Mutter Tochter."
78 "Und Sarah sprach: Gott hat mir ein Lachen zugerichtet; denn wer es hören wird, der wird über mich lachen."
79 Det 124; vgl. all 3,219: "den Isaak hat der Herr erzeugt"; sowie mut 130f: Isaak - allegorisch gedeutet - ist Sohn Gottes, d.h. aber "das innere geistige Lachen" als das beste aller Hochgefühle ist Sohn Gottes.
80 In cher 106 wird jedoch zwischen Abraham und Isaak folgender Unterschied gemacht; Abraham stehe zu Gott in einem Schüler-, Isaak aber zu ihm in einem Sohnesverhältnis. Dieser Beleg darf aber nicht überbewertet werden, da nach sobr 56 sich Abraham als der Weise Gott zum Vater erwählt hat und ihm auch Sohn ist. Abraham steht hier als Vorbild für alle Weisen.

Sarah und Isaak aufgrund des biblischen Befundes und seiner allegorischen Auslegungsmethode gezwungen, eine Geburt bzw. Zeugung aus Gott anzunehmen. Doch sind die konkreten Gestalten der Heilsgeschichte deshalb in ihrer Stellung vor Gott eben nicht vor anderen herausgehoben.[81]

4. Gott als Vater aller - Vaterschaft Gottes im "Leben Adams und Evas"

Ähnlich wie im Philonischen Werk findet sich im "Leben Adams und Evas" die Bezeichnung Gottes als πατήρ τῶν [ἀ]πάντων bzw. τῶν ὅλων. Dort taucht die Formulierung insgesamt dreimal (AdEv 32,2; 35,2; 37,4) auf. Wie A. Strotmann festgestellt hat, ist diesen Stellen "der Bezug der Vaterbezeichnung Gottes zum Schöpfungsmotiv gemeinsam"[82]. Einzige Ausnahme ist AdEv 381f, wo die Vaterbezeichnung für Gott absolut gebraucht wird; dort ist kein Bezug zur Schöpfung faßbar. Auffällig ist freilich, daß - im Unterschied zu Philo - in AdEv das Wort "γεννᾶν κτλ" als term.techn. der Schöpfung vermieden wird.

In den Oracula Sibyllina taucht zwar nicht die Bezeichnung "Vater" für Gott auf, doch es finden sich Bezeichnungen wie "Allerzeuger - παγγενέτωρ", "Erzeuger - γενετήρ" bzw. "γενετής" ab. Aus OrSib 3,819 wird deutlich, daß unter den "γενετήρες" eines Menschen dessen Eltern zu verstehen sind. Insofern wird man durchaus vermuten können, daß in den Sibyllinen der Gedanke einer göttlichen Abkunft der Menschen vorauszusetzen ist.[83] Dabei erinnert der Ausdruck "γενετὴρ θεῶν πάντων τ᾽ ἀνθρώπων" (OrSib 3,279) an die Redeweise Homers.[84]

5. Die Verwandtschaft des Menschen mit Gott - die Konzeption im stoischen System Epiktets

Die Stoa kennt - ähnlich wie Philo - einen Schöpfergott, der als "Vater aller Menschen" gilt. Exemplarisch sollen hier Epiktets Vorstellungen skizziert werden, zumal dieser Philosoph zeitlich dem NT nahesteht.[85]

---

81 Auffällig ist zweifellos, daß Israel in dieser Konzeption der Gotteskindschaft von Philo nicht hervorgehoben wird. Philo schreibt Israel die Fähigkeit der Gottesschau zu. Dies schließt er aus seiner eigenen Übersetzung des Namens "Israel": אִישׁ רָאָה אֵל. Doch M. VELLANICKAL, Sonship 50f, kann keine einzige Belegstelle für seine Behauptung anführen, Gotteskindschaft werde bei Philo von der Gottesschau abhängig gemacht. Allein Israel besitzt nach Philo die Fähigkeit, Gott zu schauen, weil zwischen Gott und Israel ein besonderes Dienstverhältnis besteht (sacr 120; vgl. cher 67; all 2,34; migr 18). Die Schau des Vaters und Schöpfers des Alls ist für ihn der Gipfel der Glückseligkeit (Abr 57). Von dieser Gottesschau als höchster Erkenntnisstufe aus werden die Menschen, die nach Erkenntnis streben, in drei Klassen eingeteilt: (a) die Gott Schauenden, welche über die Schöpfung zum Schöpfer hinausstreben, (b) die Astronomen, welche nur den wahrnehmbaren Himmel, die harmonische Ordnung der Sterne betrachten und (c) die Skeptiker, die sich nur mit "inferioren Geisteskunststücken" abplagen und das Wesentliche außer acht lassen (congr 51f). Also genießt Israel durchaus in der Geschwisterschaft der Völker einen gewissen Vorrang; doch Philo bringt diese Besonderheit nicht mit dem Motiv der Gotteskindschaft in Verbindung.

82 A. STROTMANN, Vater 299. Auch für die Vaterbezeichnung Gottes in AdEv 35,5 und 36,3 vermutet STROTMANN diesen Bezug zum Schöpfungsmotiv.
Bei der Verwendung der Vaterbezeichnung Gottes ist neben dem Schöpfungsmotiv noch dem Erbarmungsmotiv faßbar; es ist dem ersteren jedoch nachgeordnet (vgl. STROTMANN, ebd. 300).

83 Vgl. OrSib 3,296.550.726; 5,284.328.360.489.500; vgl. auch OrSib 5,406: Gott, Erzeuger aller göttlich Inspirierten - "γενετήρα θεῶν πάντων θεοπνεύστων".

84 Vgl. Homers Ausdruck "Ζεὺς πατὴρ ἀνδρῶν τε θεῶν τε" in Il 1,544; 4,68; 5,426; 8,49.132; 11,182; 15,12.47; 16,458; 20,56; 24,103; Od 1,28; 12,445; 18,137; vgl. Epiktet, diss. 1,3,1: "ὁ θεός ἐστι πατὴρ τῶν τ᾽ ἀνθρώπων καὶ τῶν θεῶν"; vgl. Philo, specLeg 2,165: "ὁ ἀνωτάτω πατὴρ θεῶν τε καὶ ἀνθρώπων".

85 Vgl. R. BULTMANN, Moment 191: Die Gedanken Epiktets sind nicht "sein persönliches Eigentum ..., sondern typisch für eine Richtung in der geistigen Kultur der hellenistischen Welt"; vgl. A. BONHÖFFER, Epiktet 78: Was Epiktet von der Gottesverwandtschaft sagt, "geht in der That

5.1 Gotteskindschaft und Gottesgemeinschaft

M. Spanneut hat darauf hingewiesen, daß "die Beziehung zu Gott ... das Kernstück der Lehre E(piktet)s (ist)"[86]. Zwischen Gott und Mensch besteht nach Epiktet Gemeinschaft, "κοινωνία"[87]. Ermöglichungsgrund dieser Koinonia ist der Logos[88], die menschliche Vernunft, für Epiktet ein "Teil Gottes"[89]. Also können nur die Menschen, weil vernunftbegabt, mit Gott κοινωνία haben; denn den λόγος hat der Mensch gemeinsam mit den Göttern[90]. Nach diss. 1,12,26 ist der Mensch κατὰ γὲ τὸν λόγον nicht geringer oder kleiner als die Götter.[91]

Ähnlich wie Philo[92] ist auch Epiktet davon überzeugt: κοινωνία kann nur aufgrund einer gemeinsamen Basis zwischen Gott und Mensch möglich sein.[93] Hätte der Mensch also nicht den Logos, wie ihn Epiktet versteht, wäre für ihn κοινωνία zwischen Gott und Mensch nicht möglich. Die Gemeinschaft des Menschen mit Gott ist also - mit R. Bultmann - "eine in der Natur des Menschen angelegte. Der Mensch braucht sich nur besinnen, was ihn vom Tier unterscheidet, und er weiß, was ihn mit Gott verbindet ... Gottes Gaben sind Natürliches, Selbstverständliches"[94]. Die "Verwandtschaft mit Gott"[95] ist dem Menschen also von Natur aus eigen. Er kann dieser Verwandtschaft nicht verlustig gehen; sie ist ihm mit seiner Geburt als Anlage mitgegeben.

Epiktet kann diese Verwandtschaft noch genauer fassen. Der Mensch ist mit seiner vernunftbegabten Natur Sohn Gottes. Gott ist Vater der Götter und Menschen.[96] Der Mensch gilt als Abkömmling und Sohn Gottes[97], er hat Zeus zum πρόγονος[98]. Gott hat den Menschen gezeugt (bzw. geboren; diss. 4,10,16): ὅτι με σὺ ἐγέννησας, χάριν ἔχω, ὃν ἔδωκας. Mit dem Logos ist allen Menschen ein Stück göttlichen Wesens mitgeteilt, "welches durch alle Geschlechter - natürlich nicht ohne die beständige Fortwirkung Gottes - sich fortpflanzt und erhält"[99].

---

nicht hinaus über die Vorstellungen der ältesten Stoiker"; vgl. TH. ZAHN, Epiktet 29: Epiktets Gedanken von der Gotteskindschaft sind "altstoisch".

[86] M. SPANNEUT, Art. Epiktet, RAC 5 (1962), Sp. 611.

[87] Diss. 9,1,4: ... ὅτι κοινωνεῖν μόνον ταῦτα πέφυκε τῷ θεῷ τῆς συναναστροφῆς, sowie diss. 2,19,27: ... περὶ τῆς πρὸς τὸν Διὰ κοινωνίας.

[88] Diss. 1,9,4: ... κατὰ τὸν λόγον ἐπιπεπληγμένα.

[89] Diss. 2,8,10: μέρος θεοῦ.

[90] Diss. 1,3,3: τὸ σῶμα μὲν κοίνον πρὸς τὰ ζῶα, ὁ λόγος δὲ καὶ ἡ γνώμη κοινὸν πρὸς τοὺς θεούς; vgl. 4,11,3: Die Vernunft versucht, uns Menschen reinzuhalten.

[91] Κατὰ γὲ τὸν λόγον οὐδὲ χείρων τῶν θεῶν οὐδὲ μικρότερος; "... in materialem Sinne steht der Logos des Menschen hinter dem göttlichen nicht zurück, insofern die Wahrheit im grossen und ganzen, d.h. Grund und Ziel der Welt und des eigenen Lebens, auch vom Menschen vermöge seiner Vernunft vollständig erkannt werden" (A. BONHÖFFER, Epiktet 79).

[92] Vgl. det 164; fug 112; specLeg 3,128; s. S. 106.

[93] Dies ist eine allgemeine Vorstellung in der Antike und gilt für jegliche κοινωνία, vgl. M. WOLTER, Apostel 544-546.

[94] R. BULTMANN, Moment 178.

[95] Vgl. diss. 1,3,3 (ὁ λόγος ... κοινὸν πρὸς τοὺς θεούς) mit 1,9,1 (συγγένεια τοῦ θεοῦ καὶ ἀνθρώπων) sowie 1,9,22.25.

[96] Diss. 1,3,1 (ὁ θεός ἐστι πατὴρ τῶν τ᾽ ἀνθρώπων καὶ τῶν θεῶν) vgl. 1,9,7 (Gott als ποιητής, πατήρ sowie κηδεμών) vgl. 3,22,82 (τοῦ κοινοῦ πατρὸς ὑπηρέτης τοῦ Διός) sowie 3,24,3.

[97] Diss. 1,3,2 (γνοῇς, ὅτι τοῦ Διὸς υἱὸς εἶ); vgl. 1,9,6, wo gefragt wird, warum der Mensch sich nicht υἱὸς τοῦ θεοῦ nennen sollte, sowie 1,19,9 (der Mensch ist des Zeus eigener Sohn - τὸν ἴδιον υἱόν) oder auch den Kleanthes-Hymnus, wo Menschen zu Gott beten: ἐκ σοῦ γὰρ γένος ἐσμέν (IOANNIS STOBAEI Anthologii Libri I, rec. C.WACHSMUTH 25).

[98] Diss. 1,13,3: τοῦ ἀδελφοῦ τοῦ σαυτοῦ, ὃς ἔχει τὸν Διὰ πρόγονον, vgl. 4,1,154: die Götter sind οἱ ἀληθινοὶ πρόγονοι.

[99] A. BONHÖFFER, Epiktet 53.

Die Gotteskindschaft von Menschen sieht Epiktet also ähnlich begründet wie Platon. Gott wird zum Vater der Menschen durch deren Erschaffung. Nach Epiktet sind jedoch die Menschen von Natur aus Gottes Kinder, sie sind προηγούμενα bzw. ἀποσπάσματα Gottes (diss. 2,8,10f). Es besteht also ein genealogisches Abstammungsverhältnis. Für diese Vermutung spricht auch die Verwendung des Begriffs "σπέρμα" in diesem Kontext.[100]

Nach Zeno ist der Same eine Mischung der Seelenkräfte (σύμμιγμα καὶ κέρασμα τῶν τῆς ψυχῆς δυνάμεων)[101]. Diese Gedanken dürften auch bei Epiktet im Hintergrund stehen, wenn er von den σπέρματα spricht. "Epictet denkt die Besamung mit der göttlichen Vernunft durch die Eltern und Vorfahren vermittelt."[102] Nach diss. 1,13,3 haben ja alle Menschen Zeus zum Vorfahren (πρόγονος) und sind von derselben Abstammung von oben (τῆς αὐτῆς ἄνωθεν καταβολῆς). Wenden wir Zenos σπέρμα-Definition auf den Gedanken Epiktets, daß Gottes σπέρματα vorzugsweise auf die Vernünftigen (προηγουμένως εἰς τὰ λογικά) ausgegangen sind (diss. 1,9,4), so folgt daraus, daß bei der Zeugung ein Teil der Seele Gottes auf das Erzeugte übertragen wird.[103] Gleichwohl wird bei Epiktet noch eine Entwicklung des Erzeugten eingeräumt: Das neugeborene Kind ist noch kein "wirkliches Vernunftwesen, sondern wird es thatsächlich erst im Lauf der zwei ersten Hebdomaden, aber nicht etwa durch Mitteilung reinen Weltseelenpneumas, sondern durch Wahrnehmungen, Vorstellungen und Begriffe, aus welchen sich der Logos bildet und zwar insofern er Denkinhalt (Ep I 9,20 σύστημα ἐκ ποιῶν φαντασίων) als auch insofern er Denkkraft ist (D.L. 55; ecl. I,317; plac. IV,11 u. V,24)"[104]. Man kann also nicht sagen, daß das Neugeborene schon ein fertiger Mensch mit dem göttlichen Logos sei. Erst nach und nach gewinnt der Logos seine ganze Entfaltungskraft und vermag den Menschen zu durchdringen.

Menschen und Götter bilden qua Verwandtschaft ein eigenes System[105] bzw. eine πόλις[106]. Auffälligerweise spricht Epiktet hier nicht von einer Familie.[107]

5.2 Folgerungen aus dem Gedanken der Gotteskindschaft

5.2.1 Verwandtschaftspflichten

Epiktet setzt stillschweigend voraus, daß jedem Denkenden klar ist, welche Pflichten aus dem Sohnes- bzw. Bruder-Verhältnis folgen. So leitet er in diss. 2,10,7 aus

---

[100] Diss. 1,9,4: Gottes "σπέρματα" sind ausgegangen εἰς ἅπαντα μὲν τὰ ἐπὶ γῆς γεννώμενά τε καὶ φυώμενα, προηγουμένως δ᾽ εἰς τὰ λογικά; vgl. 1,13,3: υἱὸς ἐκ τῶν αὐτῶν σπερμάτων γέγονεν.
It ist kurzschlüssig, die Rede von den σπέρματα θεοῦ in diesen Zusammenhängen aus dem "λόγος σπερματικός" der Stoa erklären zu wollen. Dieser ist nach stoischer Auffassung "gar nicht speziell die im Menschen oder im Weisen zur Entfaltung kommende Gottesgabe der Vernunft, sondern eine kosmische Potenz, die nicht bloß im Menschen, sondern in allem Organischen wirkt, die Triebkraft der ganzen Weltentwicklung, da, was die Welt im Innersten zusammenhält und woraus sie sich periodenweise immer von neuem wieder bildet" (A. BONHÖFFER, Epiktet und das Neue Testament 96).
[101] Plutarch, coh ira 15.
[102] A. BONHÖFFER, Epiktet 53.
[103] Vgl. E. ZELLER, Philosophie III.1 200.
[104] A. BONHÖFFER, Epiktet 51.
[105] Diss. 1,9,4: τὸ σύστημα τὸ ἐξ ἀνθρώπων καὶ θεοῦ.
[106] Diss. 2,5,26: der Mensch als μέρος πόλεως, πρώτης μὲν τῆς ἐκ θεῶν καὶ ἀνθρώπων.
[107] Womöglich spiegelt sich in diesem Gebrauch die Auffassung, daß Männer die Verantwortung für die πόλις, das Staatswesen, tragen, Frauen aber die Verantwortung für den οἶκος (vgl. Philo).

dem Begriff "Sohn" unmittelbar Kindespflichten ab: "Nach diesem erinnere dich, daß du ein Sohn bist. Welches ist das Versprechen dieser Rolle? All das Deine für das deines Vaters zu halten, ihm in allem zu gehorchen, ihn bei niemand zu tadeln, nichts gegen ihn zu tun oder zu sagen, ihm überall den Vorrang zu lassen und nachzugeben, ihm nach Kräften zu helfen." Auch der Begriff "Bruder" beinhaltet demnach bestimmte Pflichten: nachzugeben, zu folgen, achtungsvoll zu reden, nie sich gegen den anderen eines der nicht dem Willen unterworfenen Dinge anzumaßen (diss. 2,10,8). "Man sieht sofort, daß diese Pflichten eigentlich nichts charakteristisches enthalten, sondern wesentlich dieselben sind, welche im Verkehr mit den Menschen überhaupt gelten."[108]
Epiktet versucht also, aus dem Verhältnis der Menschen zu Gott die Pflichten von Menschen den Mitmenschen gegenüber abzuleiten. Von seiner Anlage her gilt ihm der Mensch als ein sanftes und gemeinschaftsorientiertes Wesen (ἥμερον ζῷον καὶ κοινωνικόν[109]). Nächstenliebe gegenüber jedem Menschen wird aus der Gotteskindschaft aller Menschen gefolgert.[110] Diese Sorge um den Nächsten macht vor keinem Menschen Halt, nicht einmal vor einem Sklaven: "Willst du deinen Bruder nicht dulden, der Zeus zum Vater hat, der wie ein Sohn aus gleichem Samen wie du geboren ist und der von der gleichen göttlichen Abkunft ist?" (diss. 1,13,3 vgl. 1,9,4) Allgemeine Vaterschaft Gottes heißt konsequent, daß alle Menschen Geschwister sind, sie sind Verwandte, Brüder der Natur nach, Abkömmlinge des Zeus (συγγενεῖς, ἀδελφοὶ φύσει, τοῦ Διὸς ἀπόγονοι; diss. 1,13,4).

5.2.2 Die ethische Entwicklung des Menschen

Wir haben festgestellt[111], daß der Logos jedem Menschen verliehen ist; er macht ihn mit Gott verwandt, "aber wohlverstanden, noch lange nicht gottähnlich. Denn der Mensch muß seinen Logos ausbilden, bearbeiten (ἐκπονεῖν, ἐξεργάζεσθαι II,7,30; III,9,20), damit er zum ὀρϑὸς λόγος wird, worin auch das eigentliche Wesen Gottes besteht (II,8,2)"[112]. Der ὀρϑὸς λόγος ist also ethisches Ziel des Weisen, Materie, Arbeits- bzw. Bearbeitungsstoff (ὕλη) ist der λόγος.
Sünde (ἁμαρτία) ist bei Epiktet dabei "eine auf Unwissenheit beruhende Abweichung vom Pfad der Vernunft"[113]. Sie entsteht also dann, wenn sich der Mensch seines Logos, seiner Vernunft, d.h. seines Göttlichen in sich nicht bewußt ist. In diesem Fall kann er auch nicht vernunftgemäß handeln; er sinkt also - obwohl ihm die Gotteskindschaft als Anlage von Natur aus mitgegeben ist - auf die Stufe des Tieres zurück. "Das Hochgefühl des Weisen besteht darin, sich mit Gott eins zu wissen, in Gemeinschaft mit ihm zu sein."[114] Sündigen ist also lediglich "Folge von Unkenntnis"; insofern ist Tugend und Glückseligkeit lehrbar.[115]

---

[108] A. BONHÖFFER, Ethik 90.
[109] Diss. 2,10,14; vgl. 2,20,13; 3,13,5; 4,5,17.
[110] Vgl. A. BONHÖFFER, Epiktet und das NT 70 Anm. 2; vgl. auch M. SPANNEUT, Art. Epiktet, RAC 5 (1962), Sp. 611.
[111] S.o. S. 23.
[112] A. BONHÖFFER, Epiktet und das NT, 188.
[113] Ebd. 369.
[114] Ebd. 370.
[115] Vgl. TH. ZAHN, Epiktet 24.

Daraus resultiert der Gedanke von der prinzipiellen Gleichheit aller Sünden als "Abweichung von der Vernunft und Ausfluß verkehrter Sinnesrichtung"[116]. Für die Beurteilung eines Menschen ist es von daher nötig zu beachten, ob seine Sinnesrichtung verkehrt oder richtig ist; die einzelnen "Sünden" sind nicht maßgeblich. Insofern kann Epiktet sagen, daß der Weise auch im Schlaf, im Wein, in der Melancholie ein Weiser bleibe. Ihm wird zugerufen: "σὺ θεὸς εἶ ὦ ἄνθρωπε" (diss. 2,17,33). Zugespitzt formuliert ist der wahrhaft Weise im Grunde unfähig zu sündigen.

Doch auch die Stoiker rechneten "in der Praxis mit einer relativen sittlichen Güte der Thoren"[117]; deshalb räumten sie auch Unterschiede unter den Sünden ein und trugen so dem Gesetz bestimmter Strafen Rechnung, deren Maß eine Differenzierung der Sünde voraussetzt. Theorie und Praxis scheint hier zu divergieren.

Mit dem Logos trägt der Mensch zwar Göttliches in sich, doch er muß sich in allen seinen Taten dieses Logos würdig erweisen: "In dir selbst trägst du ihn (= Gott) herum und merkst nicht, wenn du ihn verunreinigst mit unreinen Gedanken, mit schmutzigen Handlungen" (diss. 2,8,13). Gotteskindschaft begründet also nicht einfach Sündlosigkeit, sondern sie ist vielmehr ethische Motivation, begründet also den ethischen Appell.[118] Gott ist nach Epiktet ein ethisch vollkommenes Wesen. Insofern ist alles Streben nach Vollkommenheit ein Streben nach Gottgleichheit (diss. 2,8,24-29) bzw. Gottähnlichkeit.[119]

Konkret soll der Mensch nach Epiktet die großen menschlichen Tugenden pflegen wie Reinheit bzw. Lauterkeit[120], Zuverlässigkeit[121], Schamhaftigkeit[122].

5.3 Der fürsorgende Vater - Das Gottesbild des Epiktet

Auf die Bezeichnung "πατὴρ καὶ κηδημών" - Vater und Fürsorger (vgl. diss. 1,9,7) - legt Epiktet im Unterschied zur Bezeichnung "κύριος" besonderen Nachdruck; kein Mensch ist in der Welt ein Waisenkind[123]; nichts ist Gottes Fürsorge entzogen (diss. 3,24,100.113). Gott hat ein Interesse an der Glückseligkeit der Menschen, er befähigt sie dazu, "ihrer Gotteskindschaft und Freiheit bewußt zu werden, sich mit Gott und dem Weltlauf in Einklang zu setzen und dadurch zur Glückseligkeit zu gelangen"[124]. Primär steht hinter dem Gottesbild des Epiktet die Fürsorge für die Menschen. Gott ist die "Personifizierung der höchsten Gedankeninhalte, die der Mensch fähig ist zu erzeugen, der sittlichen Gedanken"[125]. Dabei mag der Weise auch Trost finden. Die Gotteskindschaft, der Logos, die

---

[116] A. BONHÖFFER, Ethik 145.
[117] Ebd. 145.
[118] Vgl. A. BONHÖFFER, Epiktet und das NT, 289: rechte Handlungen sind "ethische Konsequenz des Bewußtseins ... der Gotteskindschaft".
[119] Diss. 2,14,12f: τὸν ἐκείνοις (= τοῖς θεοῖς) ἀρέσοντα καὶ πειστησόμενον ἀνάγκη πειρᾶσθαι κατὰ δύναμιν ἐξομοιοῦσθαι ἐκείνοις ... ὡς θεοῦ τοίνυν ζηλωτὴν τὰ ἑξῆς καὶ ποιεῖν καὶ λέγειν; vgl. auch diss. 2,19,26f: hier negiert es Epiktet, daß es sündlose Menschen geben kann. Das Ideal scheint zu hoch zu sein, zugleich gibt Epiktet seinen Vorsatz zu, seine Schüler auf Gott hinschauend zu machen (diss. 2,9,19).
[120] Καθαρότης: diss. 2,18,19; 4,11,5 u.ö.
[121] Πίστις: diss. 1,3,4; 2,4,1 u.ö.
[122] Αἰδώς: diss. 2,8,23; 2,28,27 u.ö.; vgl. M. SPANNEUT, Art. Epiktet, RAC 5 (1962), Sp.610.
[123] Diss. 3,24,15: ἔδει γὰρ ὅτι οὐδείς ἐστιν ἄνθρωπος ὀρφανός, ἀλλὰ πάντων ἀεὶ καὶ διηνηκῶς ὁ πατήρ ἐστιν ὁ κηδόμενος; vgl. Joh 14,18 sowie JosAs 11,13.
[124] TH. ZAHN, Epiktet 21 - vgl. diss. 3,24,2f.15; 1,6,40; 1,17,27; 1,19,9; enchir. 27.
[125] R. BULTMANN, Moment 178.

menschliche (und zugleich göttliche) Vernunft ist primär unverdiente Gabe Gottes. Als Gabe birgt sie in sich zugleich eine Aufgabe.
Auch das Gottesbild des bereits angesprochenen Kleanthes-Hymnus ist damit vergleichbar.[126] Hier wird Zeus zwar als "höchster, allmächtiger Gott", als "Herr der Natur" bezeichnet, aber in dem Augenblick, wo es um seine Beziehung zu "uns Menschenkindern" geht, wird er "allgütiger Zeus" oder "Vater" genannt[127].

6. Das Lob des Vatergottes - zur Konzeption des Flavius Josephus

Die Belege für die Vaterschaft Gottes bzw. für die Sohnschaft von Menschen sind bei Josephus wesentlich spärlicher als bei Philo. Josephus hat mit Philo den Gedanken gemeinsam, daß Gott der Vater aller (πατὴρ πάντων bzw. τῶν ὅλων) ist.[128] Anders als Philo knüpft Josephus an diese Bezeichnung aber keine schöpfungstheologischen Gedanken. Sie ist für ihn ein "Lobpreis Gottes" (ant 7,380). Dabei scheint er sich von der Bezeichnung "Vater der Götter und Menschen" distanzieren zu wollen; Gott ist seiner Meinung nach Schöpfer der menschlichen und göttlichen Dinge (δημιουργὸς ἀνθρωπίνων καὶ θείων; ant 7,380). Wenn Gott also der Vater von allen ist, ist er nach bell 3,375 auch der Vater von Selbstmördern. Bei ihnen wirkt sich die Vaterschaft Gottes deshalb negativ aus, weil sie böse handeln, obwohl auch sie Gottes Kinder sind.
Zugleich kennt Josephus den Gedanken, daß die Vater-Metapher das Moment des Erbarmens und der Zuwendung besonders betont. Dabei verwendet er den Ausdruck "πατὴρ καὶ δεσπότης" in anderer Weise als Philo den Ausdruck "πατὴρ καὶ ἡγεμών". Josephus denkt bei diesem Ausdruck sehr wohl an Gottes besondere Zuwendung denen gegenüber, die seine Kinder sind.[129] So wird durch den Ausdruck "πατὴρ καὶ δεσπότης" die Dynamik des Gottesbildes bei Josephus deutlich. Gott schenkt Erbarmen und beansprucht Gehorsam. Wichtig ist dabei die Reihenfolge der Bezeichnungen. Sie spricht dafür, daß für Josephus der Gedanke an Gott den Vater primär mit Gottes Zuwendung und Erbarmen verbunden ist.
An einer Stelle nennt Josephus Gott "Vater des hebräischen Volkes" (ant 5,93). Dieser Beleg für ein möglicherweise exklusives Verständnis der Vaterschaft Gottes, wird aber korrigiert durch ant 4,262, wo Gott "Vater des ganzen menschlichen Volkes" genannt wird. Schließlich wird Gott in ant 7,380 "Vater und Ursprung von allen" genannt[130]. Die Attribute "προστάτης τε καὶ κηδημὼν γένους τῶν Ἑβραίων" bringen lediglich seine besondere Verbundenheit mit Israel zum Ausdruck.

7. Der Vater aller als Richter aller (AssMos 10,3)

Der Gedanke einer Vaterschaft Gottes gegenüber allen Menschen scheint auch in Assumptio Mosis[131] 10,3 vorzuliegen. Dort heißt es: "Der Himmlische steht von

---

126 Vgl. o. S. 23, Anm. 97.
127 Vgl. M. POHLENZ, Stoa I 108-110.
128 Ant 1,20.230; 2,152; 7,380 vgl. 4,262.
129 Ant 1,20; 5,93. Beide Belege stehen im Kontext von Gottes Heilswirken seinem hebräischen Volk gegenüber (ant 5,93) bzw. allen gegenüber (ant 1,20).
130 Also auch bei Josephus taucht der Gedanke auf, daß Gott aufgrund der Schöpfung Vater der Menschheit ist; normalerweise wird in diesem Zusammenhang stärker Gottes (Schöpfer-)Macht betont.
131 L. ROST, Einleitung 112, setzt die Abfassung "im ersten Drittel des 1. Jh. n.Chr." an.

dem Herrschersitze auf und tritt aus seiner heiligen Wohnung, voll Zorn und voll Empörung wegen seiner Kinder." Dieser Zorn richtet sich nach V. 7 allein gegen die Heiden; Israel aber werde glücklich sein und in die Höhe steigen (V. 9). Hier gelten die Heiden als Kinder des Himmlischen! Das Privileg Israels besteht in einer bevorzugten Behandlung im Gericht; generell läßt sich jedoch sagen: Die Beziehung Gott - Mensch entspricht der Beziehung Vater - Kind; gerade weil die Menschen Gottes Kinder sind, scheint nach AssMos 10,3 Gott berechtigt zu sein, sie zu züchtigen (vgl. etwa auch Am 3,2). Hier taucht also eine ganz andere Seite der Vater-Sohn-Metapher auf.

8. Zusammenfassung

Die besprochenen Konzeptionen verbindet der Gedanke, daß Gott bzw. ein höchster Gott als Vater aller Menschen bezeichnet wird und von daher zu den Menschen eine besondere Verbindung hat. Bereits bei Homer war der Gedanke, daß der höchste Gott als Vater von Menschen bezeichnet werden kann, aufgetaucht. Hinter dieser Vorstellung stand der Gedanke eines patriarchalischen Vorstehers einer Großfamilie.

Im Schöpfungsmythos des Timaios findet sich dann die Idee, daß von Gott als Vater aufgrund seiner Schöpfungstätigkeit geredet werden kann. Von daher hat das altgriechische Pantheon seine Kritik erfahren. Nicht mehr eine Vielzahl von Göttern wie noch bei Hesiod oder Homer steht im Mittelpunkt, sondern ein einziger Gott, der als Urheber der Welt angesehen wird. Dabei geht Platon noch deutlich einen "Kompromiß" zwischen alter Götterwelt und dem Gedanken eines einzigen Schöpfergottes ein. Ganz vermag er sich noch nicht von der alten Mythologie zu lösen. Doch deutlich ist, daß Vaterschaft und Schöpfertätigkeit einander bedingen.

Von dem homerischen Götterpantheon hat sich dann die Stoa ganz gelöst. Hier wird das Verhältnis Gottes zu den Menschen und der Menschen untereinander auf dem Hintergrund von Gottes Vaterschaft allen Menschen gegenüber theoretisch durchdacht. Weil Gott den Menschen geschaffen hat, können Gott und Mensch gar nicht streng geschieden werden. Der Mensch hat Göttliches in sich, weil Gott sein Vater ist und ihn geschaffen, ja gezeugt hat. Die Verbindung zwischen Gott und Mensch besteht also nicht etwa aufgrund einer Geschichte, die Gott mit dem Menschen hat, sondern aufgrund dieser vorzeitlichen Tat Gottes. Allein in dieser Tat erweist sich Gottes Fürsorge für den Menschen.

Auch Philo hat den Gedanken der Vaterschaft Gottes aufgrund der Schöpfungstätigkeit Gottes rezipiert. Anders als etwa Epiktet sieht er keinen naturhaft-physischen Zusammenhang zwischen Gott und Mensch, und im Unterschied zu dem stoischen Philosophen verbindet er mit der Vaterbezeichnung für Gott eher dessen Macht über seine Schöpfung.

Fast überall, wo davon gesprochen wird, daß Gott oder ein Gott der Vater der Menschen bzw. ausdrücklich der Vater aller Menschen sei, bildet die Schöpfungstätigkeit Gottes den Hintergrund für diese Redeweise (vgl. auch AdEv). Einzige Ausnahme ist die homerische Rede von Zeus als Vater der Götter und Menschen (vgl. auch AssMos 10,3). Doch scheint gerade die homerische Konzeption auf alte Wurzeln zurückzugehen. Die Etymologie des Wortes "Vater" verweist uns nach J. Trier auf den Herrn im Ring der Großfamilie: "Idg. *pətḗr ist ein Begriff aus dem Bereich rechtlicher Ordnung. Weder die biologische noch die sentimentale Seite reicht aus, den alten Vaterbegriff zu bestimmen."[132] Nach Trier hat der Vaterbegriff der Indogermanen "einen politischen Schwerpunkt, einen Kern von Macht ..., der sein eigentliches Wesen ausmacht"[133].

Erst später implizierte die Redeweise von Gott als "Vater aller" (πατὴρ τῶν πάντων) den Gedanken, daß Gott die Welt und alle Menschen erschaffen habe.

Zu fragen ist, ob in der Bibel tatsächlich nirgendwo Gottes Vaterschaft Menschen gegenüber auf seine Schöpfungstätigkeit zurückgeführt wird.

"Der universale 'πατήρ' und seine Schöpfungstätigkeit in der Bibel und apokryphen Schriften"

In SapSal 14,3 wird Gott als Vater Israels und seiner Gerechten, aber auch - nach A. Strotmann - als Vater aller Menschen angesehen. Diese universale Vaterschaft wird jedoch durch den Kontext insofern eingeschränkt, als sie nicht gilt "für die uneinsichtigen Götzendiener, zu denen Israel nach Weish 15,4 per se nicht gehört"[134]. Gleichwohl kann man hinter SapSal 14,3 den Gedanken einer prinzipiell alle Menschen erhaltenden Fürsorge Gottes vermuten.[135]

Verben, die in der Hebräischen Bibel das Schöpferhandeln JHWHs ausdrücken können, werden in der LXX nur an zwei Stellen mit "γεννᾶν" wiedergegeben: Ez 21,35 (ברא ni) und Sach 13,5 (קנה hi). Allerdings liegt an keiner Stelle ein schöpfungstheologischer Hintergrund vor. Generell kennt die LXX nicht den Gebrauch von "γεννᾶν" κτλ. beim Beschreiben von JHWHs Schöpferhandeln. Der Begriff "γενετής" (vgl. OrSib) taucht nur in Hi 25,4, allerdings hier textkritisch völlig ungesichert, auf, und auch hier nicht nicht im Sinn von "Schöpfer".

Das NT hat den Gedanken einer Zeugung Gottes im Kontext von Schöpfungsaussagen wieder fast ganz aufgegeben. Der häufigste Ausdruck für "Erschaffen" ist hier "κτίζειν"[136] samt Derivaten; γεννᾶν κτλ. taucht in diesem Kontext nie auf. Die einzige Stelle, an der von Gottes "Gebären" im Zusammenhang der Schöpfung die Rede ist, ist Jak 1,18[137].

---

132 J. TRIER, Vater 259.
133 Ebd.
134 A. STROTMANN, Vater 141.
135 Zur Konzeption im Buch der Weisheit s.u. S. 38f.
136 Vgl. W. FOERSTER, Art. κτίζω κτλ., ThWNT 3 (1938), 1027,15f.
137 Vgl. auch Hebr 2,10, wo von den "Söhnen" im Zusammenhang mit einer Schöpfungsaussage die Rede ist (s.u. S. 96).

II. Gott als Vater Israels

1. Gott als gegenwärtiger Vater Israels bzw. der Juden

1.1 Aspekte im Alten Testament

1.1.1 Kindschaft im Alten Testament

Kinder gelten im Alten Testament als ein Segen Gottes.[1] Die Eltern übernehmen mit der Geburt des Kindes die Verpflichtung, es großzuziehen, sie haben Verantwortung für ihr Kind.[2] Das Alte Testament berichtet uns nicht von einer willkürlichen Ausübung des Oberhauptsrechtes des Familienvaters. Belohnung und Strafe werden in den Dienst der Erziehung gestellt (vgl. Prv 13,24). Die Eltern haben ihre Kinder zu erziehen und zu unterweisen.[3] "Übermäßige Strenge, die etwa bis zum Verletzen des Kindes geht, wird nicht gestattet."[4] R. de Vaux weist darauf hin, daß "die Erzieherrolle des Vaters ... es erklärlich (macht), daß der Priester, der den Auftrag hat zu unterweisen, 'Vater' genannt wird, Ri 17,10; 18,19. Joseph, der zum Ratgeber des Pharao bestellt wird, ist für ihn wie sein Vater, Gn 45,8."[5]
Neben der Wissens- und Normenvermittlung wird im AT häufig die Liebe zum eigenen Kind betont.[6] Bei Krankheit oder gar Tod des Kindes sind die Eltern verzweifelt.[7] "Es fällt geradezu auf, mit welchem emotionalen Aufwand alttestamentliche Erzähler von der Angst und Trauer der Eltern um ihre Kinder berichten. Gewöhnlich sind sie eher zurückhaltend in der Schilderung von Gemütsaufwallungen."[8] Im Unterschied zum griechisch-römischen Kulturkreis war im AT weder das Töten noch das Aussetzen von Kindern erlaubt. Tacitus schreibt hierzu: "Doch ist den Juden sehr an Bevölkerungszuwachs gelegen; selbst von den nachgeborenen Kindern eines zu töten, ist in ihren Augen eine Sünde (Hist V,5)."[9] Der Familienvater hatte im großen und ganzen "keine so weitgehende Macht über seine Kinder, wie sie etwa das römische Recht in der patria potestas gewährte. Wenn ein jüdischer Sohn seine Hand gegen den Vater erhoben hatte, so sollte dieser ihn nicht selber strafen, sondern mußte ihn anzeigen."[10]
Zusammenfassend läßt sich feststellen: Die alttestamentlichen Erzähler sehen das Verhältnis der Eltern - resp. des Vaters als Familienoberhaupt - zu den Kindern geprägt von Liebe und Fürsorge - und das durch alle Zeiten des AT hindurch. Liebe hat Erbarmen, Zuneigung und Schutz zum Inhalt, auch wo der Sohn ent-

---

1 Gen 24,60; 30,1; Ps 127,3-5; 128,3-6; Prv 17,6.
2 Sach 13,3; Jes 23,4; 49,21; 51,18; Jer 29,6 vgl. Prv 17,21.
3 Ex 10,2; 12,26; 13,8; Dtn 4,9; 6,7.20-25; 32,7.46; Prv 1,8; 6,20 vgl. Sir 30,1-13.
4 Vgl. S. KRAUSS, Archäologie II 20.
5 R. D. VAUX, Lebensordnungen I 91.
6 Vgl. 2Sam 19,1ff (Davids Klage über Absalom); 1Kg 3,16ff (Mutterliebe beim "salomonischen" Urteil).
7 Gen 37,34; Ri 11,35; 2Sam 12,15ff; 1Kg 14,1ff; 17,17f; Hi 1,20; auf diesem Hintergrund wird verständlich, wie groß in der Erzählung von Gen 22 das Opfer für Abraham war, als er seinen einzigen Sohn Isaak opfern sollte.
8 E.S. GERSTENBERGER, Frau 68.
9 Zit.nach W. STEGEMANN, Kinder 123.
10 Ebd. 123 (Dtn 21,18-21; Ex 21,17; Lev 20,9; Prv 20,20); in bezug auf das vorexilische Israel stellt F. NÖTSCHER, Altertumskunde 74 dagegen: "Die elterliche Gewalt war namentlich in der alten Zeit eine nahezu unumschränkte."

täuscht hat (vgl. 2Sam 19,1ff), Fürsorge meint Unterweisung und Erziehung, allerdings mitunter auch mit für heute unverhältnismäßig strengen Methoden (vgl. Dtn 21,18-20).

1.1.2 Gotteskindschaft des Volkes als Erwählungsaussage

H.D. Preuß bezeichnet wohl zu Recht "JHWHs erwählendes Geschichtshandeln an Israel zur Gemeinschaft mit seiner Welt" als theologische Mitte des Alten Testaments.[11] Dieses Handeln JHWHs wird mit ganz unterschiedlichen Worten beschrieben und umschrieben, in der Regel wird es in Erzählungen narrativ entfaltet.[12] Es geht weniger um das Wort "erwählen - בחר" (Dtn 4,37; 7,6f; 10,15; 14,2; Ps 33,12; 47,5; 135,4) selbst, das im AT erst sehr spät in diesem Zusammenhang auftaucht (Dtn, Pss, Dtjes), sondern vielmehr um den Inhalt, den dieses Wort hat, und um das Wortfeld, das sich um diese Vokabel rankt: קרא (rufen - Jes 41,9; 49,1; 51,2), חזק hi (ergreifen - Jes 41,9), בדל (aussondern - Lev 20,24.26; Num 16,9; 1Kg 8,53), ידע (erkennen - Gen 18,19; Jer 1,5; Hos 13,5; Am 3,2; Nah 1,7; Ps 144,3), גאל (auslösen - Ex 6,6; 15,13; Jes 43,1), אוה pi (begehren - Ps 132,13), פדה (freikaufen - Dtn 9,26; 15,15; 21,8; Jer 31,11; Hos 7,13; Sach 10,8; Ps 44,27), לקח ([in Beschlag] nehmen - Dtn 32,11), קנה (erwerben - Ex 15,16; Ps 74,2; Jes 11,11) - sie alle können einen Erwählungsvorgang zum Inhalt haben oder auf diesen abzielen. In jedem Fall meint "Erwählung"[13] des Volkes ein grundlegendes Heilshandeln JHWHs, das die Volksgeschichte begründet und gerade kein überzeitlicher Ratschluß Gottes ist.[14]
Wir werden zu fragen haben, wie die Rede von der Vaterschaft Gottes seinem Volk gegenüber bzw. der Sohnschaft des Volkes dieser Konzeption zuzuordnen ist.[15]
Im Alten Testament findet sich nur gelegentlich die Rede vom Vatersein JHWHs bzw. dem Sohnsein des Volkes. Das ist insofern auffällig, als die "Anrufung der Gottheit unter dem Vaternamen ... zu den Urphänomenen der Religionsgeschichte gehört"[16].

---

11 H.D. PREUSS, Theologie I 29.
12 So liegt z.B. auch in Gen 12,1-3 Erwählungshandeln JHWHs vor.
13 Dieser *terminus technicus* taucht im AT überhaupt nicht auf; "Erwählen" geschieht stets in der Geschichte und nie abstrakt.
14 Vgl. etwa Ps 33,12; vgl. aber JosAs 8,10: Dort wird in einem Gebet die Eingliederung Aseneths in die Nation erbeten, "die du auserwähltest, bevor wurden die (Dinge) alle" (ἐχλέγεσθαι πρὶν γεννηθῆναι τὰ πάντα - Übersetzung nach C. BURCHARD, Joseph und Aseneth 651). Die textkritische Diskussion darüber findet sich bei O. HOFIUS, Grundlegung 123-128. Vgl. auch AssMos 1,14, wo Mose sagt, er sei "auserwählt und vorbezeichnet, ... von Weltbeginn zum Mittler seines Bundes vorbereitet".
15 Beiseite gelassen sei hier die Rede von den Göttersöhnen (Gen 1,26f; 3,22; 6,1-4; 11,7; Dtn 32,8f; 33,2f; 1Kg 22,19; Ps 29,1; 82,1.6; 89,5-7; Jes 6,2-4.7f; Hi 1,6; 2,1; 38,7; Dan 3,25; 10,13.20f). Hier sind engelgleiche Wesen vorgestellt, die für unsere Fragerichtung, die Gottessohnschaft von Menschen, nicht von Belang sind. Dies gilt auch für die Rede von der Gottessohnschaft eines einzelnen, des Königs (2Sam 7,14; Ps 2,7; 89,27f). Gottessohnschaft dient hier dazu, einzelne Personen selbst vor dem erwählten Volk herauszuheben. In unserer Fragerichtung geht es aber gerade um das erwählte Volk.
16 G. SCHRENK, Art. πατήρ χτλ., ThWNT 5 (1954), 951,14f; vgl. J. ZIEGLER, Liebe 85.

Im AT selbst finden sich Spuren eines Mythos[17] (so z.B. in Gen 1,24[18]; Ps 139,15; Hi 1,21[19]; vgl. auch Ps 2,7), nach dem ein naturhaft-physischer Zusammenhang zwischen Gott und Mensch besteht: "Ps 90,2 wird sogar das Gegenüber der die Berge gebärenden Mutter Erde genannt, der Himmelsgott."[20] Wir können also davon ausgehen, daß im Alten Israel solche mythischen Motive bekannt waren.

Da im AT nicht mit einer einheitlichen Konzeption der Gotteskindschaft zu rechnen ist, seien die wenigen Stellen, die für unsere Fragestellung in Betracht kommen, gesondert untersucht.[21] Dabei ist wichtig, daß die Begriffe "Vater - אָב", "Mutter - אֵם", "Sohn - בֵּן" und "Tochter - בַּת" relationale Begriffe sind; wenn also vom "Sohn - בֵּן" die Rede ist, stellt sich automatisch die Frage nach dem Vater bzw. der Mutter. Deshalb kommen für unsere Fragerichtung alle atl. Stellen in Betracht, an denen sowohl vom Vatersein JHWHs dem Volk gegenüber die Rede ist, sowie die Stellen, die vom Sohnsein des Volkes bzw. der Volksangehörigen reden.

1.1.3 Israel als Gottessohn seit der Ägyptenzeit

Im Alten Testament ist Israels Gotteskindschaft im Exodusgeschehen festgemacht worden.

(1) Einer der ältesten Belege für die Gotteskindschaft Israels findet sich in *Hosea 11,1-3*[22].

Gegen ein naturhaft-physisches Verständnis grenzt sich Hosea dadurch ab, daß er dieses Motiv ganz seiner eigenen Verkündigung dienstbar macht. G. v. Rad weist auf folgenden Umstand hin: "Hoseas ganze Verkündigung ist heilsgeschichtlich verwurzelt. Man könnte fast sagen, daß er sich in seiner Argumentation da erst sicher fühlt, wo er sie geschichtlich fundieren kann."[23] So erhält das Verständnis vom Sohnsein Israels eine heilsgeschichtliche Begründung: Nicht Zeugung aus der Gottheit oder Schöpfung durch die Gottheit, sondern JHWHs erwählendes Geschichtshandeln macht Israel zum Sohn JHWHs. Das erscheint wie eine Abgrenzung vom Verständnis des Königs als Sohn JHWHs, wie es im Südreich vorhanden war, wo das Königtum durch eine einzige Dynastie repräsentiert wurde (vgl. Ps 2,7). Möglicherweise hat Hosea also in bewußter Abgrenzung gegen ein Gottes-

---

17 Vgl. A. DIETERICH, Mutter 91, der Spuren dieses alten Volksglaubens aus literarischen Zeugnissen für Römer, Griechen und Germanen nachweist; vgl. F. BÜCHSEL, Art. γεννάω κτλ., ThWNT 1 (1933), 667,34ff; vgl. G. V.D. LEEUW, Phänomenologie 86ff (§10).

18 Vgl. H. GUNKEL, Genesis 110, sowie W.H. SCHMIDT, Schöpfungsgeschichte 108.

19 Vgl. M. ELIADE, Art. Erde, RGG³ 2 (1958), Sp. 548f.

20 W. SCHLISSKE, Gottessöhne 117; vgl. ebd.: "Hi 38,28 greift ebenfalls mit der rhetorischen Frage nach dem Vater des Regens auf derartige mythische Zusammenhänge zurück, die vom göttlichen Regen-Sperma handeln."

21 Vgl. B. BYRNE, Sons 16: "Any attempt to construct a systematic pattern from these scattered sonship of God (fatherhood of God) references would clearly be misguided, Sonship is not an important or frequently occuring theme."

22 "(1) Als Israel jung war, gewann ich ihn lieb und rief ihn, meinen Sohn aus Ägypten; (2) aber wenn man sie jetzt ruft, so wenden sie sich davon und opfern den Baalen und räuchern den Bildern. (3) Ich lehrte Ephraim gehen und nahm ihn auf meine Arme; aber sie merkten es nicht, wie ich ihnen half."

23 G. V. RAD, Theologie II 147.

32

sohnverständnis des Königs im Südreich die Rede vom Gottessohn "demokrati-siert" (vgl. Hos 2,1).[24]

Hosea begründet die Gottessohnschaft Israels in einem geschichtlichen Ereignis, dem Auszug aus Ägypten. Es war *das* Befreiungserlebnis des Volkes schlechthin. Der Beginn der Volksgeschichte ist der Beginn der Sohnschaft Israels (vgl. Ex 1,7). Nach Hosea ist Israel "von Kindesbeinen an" (נַעַר) JHWHs Sohn (nicht eher, aber auch nicht später). Erwählung wie auch Sohnschaft Israels liegen be-gründet in der "unergründlichen und unbegründbaren Liebe JHWHs"[25] (vgl. Dtn 7,7). Zudem macht die Verwendung des Verbums קרא deutlich: Die Rede von der Sohnschaft fügt sich ein in die Gesamtkonzeption des Alten Testaments vom erwählenden Geschichtshandeln JHWHs an seinem Volk Israel.[26] Der Ausdruck "נַעַר" signalisiert zugleich die Hilfsbedürftigkeit des Volkes.[27] Nicht "wie ein Va-ter", sondern "als ein Vater" erbarmt sich JHWH nach Hos 11,1 über seinen Sohn Israel.

Die hier vorliegende Metapher möchte einen vorausgesetzten Konsensus artiku-lieren. Die Eindeutigkeit der Vergleichsgröße ist hierbei vorausgesetzt.[28] Der Va-ter gilt hier primär als einer, der seinen Sohn liebt.[29] Er kann seinem kleinen Sohn zukommen lassen, was dieser sich (noch) nicht selbst bieten kann: Schutz und Si-cherheit. Mit dem Ruf aus Ägypten sieht Hosea ein "Fürsorge-, Führungs- und Gehorsamsverhältnis" begründet.[30] Es geht hier weder um Zeugung aus der Gott-heit, noch um Adoption[31], noch um Berufung[32]. Bei Hos 11,1 fällt die Parallelität von V. 1a und V. 1b auf:

V. 1a: כִּי נַעַר יִשְׂרָאֵל וָאֹהֲבֵהוּ

V. 1b[33]: וּמִמִּצְרַיִם קָרָאתִי לִבְנִי

Israel war ein hilfsbedürftiges Kleinkind in Ägypten, und JHWH ein liebender Vater für Israel. Der Ruf aus Ägypten erfolgt aus Liebe. In seiner Liebe zu Israel erweist sich JHWH als Israels Vater. Hier ist gerade nicht an den Abfall Israels gedacht[34], sondern an die grundlose, liebevolle Zuwendung JHWHs an Israel. Dieses Handeln JHWHs wird freilich in V. 2 kontrastiert mit dem Verhalten Is-raels, das einem Sohnesverhalten nicht entspricht. V. 3 rekurriert wieder auf die väterlichen Taten JHWHs Israel gegenüber. Zwar ist das Gehen-lehren (רגל tiph) im AT für Eltern dem Kind gegenüber nicht belegt, doch im Zusammenhang mit dem Anthropomorphismus "auf die Arme nehmen" darf durchaus davon aus-

---

[24] Vgl. H. WILDBERGER, Neuinterpretation 196f: Hier wird ähnlich argumentiert, allerdings im Blick auf den Erwählungsglauben - ein Beleg dafür, wie verwandt sich Erwählungsglauben und das Verständnis vom Vatersein JHWHs bzw. vom Sohnsein Israels sind.

[25] H. WILDBERGER, Neuinterpretation 197; vgl. W.R. HARPER, Amos and Hosea 361: "The verb אהב is inchoative."

[26] Vgl. H.W. WOLFF, Dodekapropheton I 255; vgl. auch o. S. 31.

[27] Vgl. W. RUDOLPH, Hosea 214.

[28] Anders der Vergleich, bei dem der Konsensus erst hergestellt werden soll; vgl. J. ROLOFF, Neues Testament 92.

[29] Vgl. bes. E.G. HOFFMANN/H. V. SIEBENTHAL, Grammatik 588, dort heißt es zur Metapher: "Das durch den eigentlichen Gebrauch Bezeichnete und das, was der uneigentliche Gebrauch bezeichnet, haben eine bestimmte Zahl von gemeinsamen Merkmalen; ..." Hier ist es also die Vaterliebe, die die Brücke schlägt und die Metapher ermöglicht.

[30] Vgl. H.W. WOLFF, Dodekapropheton I 255.

[31] Ebd. 255.

[32] So W.H. SCHMIDT, Glaube 191.

[33] V. 1a: Als Israel jung war, | gewann ich ihn lieb
V. 1b: und aus Ägypten | rief ich meinen Sohn.

[34] So W. SCHLISSKE, Gottessöhne 174.

gegangen werden, daß sich die Aussage in V. 3 noch innerhalb der Vater-Sohn-Metapher bewegt. V. 3 füllt ja durch die Rede vom "auf die Arme nehmen" die Vater-Sohn-Metapher erst inhaltlich.

Ein Sohnschaftsverlust wird hier nicht ins Auge gefaßt. Daß Assur *König* über Israel wird (V. 5), schließt Israels Sohnschaft nicht aus.

Die Tatsache, daß das Verbum קרא (V. 1) zur Erwählungsterminologie gehört[35], deutet bereits darauf hin, daß die Metapher der Sohnschaft Israels in den Kontext der Erwählung des Volkes durch JHWH gehört.

"Zum theologischen Gebrauch des Wortes אהב im Alten Testament"

Hierzu stellt J.Ziegler fest: "In Beziehung von Personen untereinander bezeichnet 'ahab sehr häufig die natürliche Liebe zwischen den beiden Geschlechtern, sowohl die freie Liebe zwischen Jüngling und Mädchen als auch die eheliche Liebe zwischen Mann und Frau."[36] Nicht ganz so häufig belegt im AT ist die Liebe zwischen Vater (und Mutter) und Kindern.[37]

E. Jenni konstatiert, daß die Aussage, "daß JHWH sein Volk Israel liebt, ... eine verhältnismäßig junge Aussage (ist). Sie begegnet zuerst innerhalb eines Tradentenkreises, in dem Hosea, das Deuteronomium und Jeremia stehen, und zwar dort, wo im Zuge der theologischen Entfaltung des Erwählungsglaubens nach dem Grund der göttlichen Erwählung gefragt wird."[38] Nun findet sich aber gerade in diesen drei Schriften die Vater-Sohn-Metapher relativ häufig.[39]

Oft wird das Motiv der Liebe Gottes zu seinem Volk jedoch von der Ehemetapher abgeleitet, die ebenfalls erstmals im Hoseabuch auftaucht (Hos 1-3). Auch Jeremia hat dieses Bild der ehelichen Liebe aufgegriffen. Auffällig ist, daß Ezechiel, der die Ehemetapher in Kap 16 und 23 verwendet, die Rede von der "Liebe" JHWHs zu seinem Volk nicht kennt. Das Bild der Ehe findet sich auch noch bei Deuterojesaja (Jes 54,6).[40]

Im Deuteronomium wird zwar auch die Vater-Sohn-Metapher verwendet, doch scheint hier die Vorstellung von der Liebe Gottes vom Gebrauch der Metapher weitgehend abgelöst zu sein. "Die Absicht des Deut(eronomiums) mag vielleicht darin gelegen haben, pädagogisch Israel seinerseits die Pflichten der Gegenliebe zu lehren, nicht im ursprünglichen Sinne der sinnlichen Emotion, sondern in der Gestalt echten Gehorsams und reiner Ergebenheit (...) ... In diesem Sinne bedeutet JHWH lieben, sich in seinen Geboten aus Liebe zu ihm üben, sich ihm gehorsam unterwerfen (...)."[41] Das Dtn hat also das Vater-Sohn-Motiv und die Liebe Gottes zu seinem Volk voneinander getrennt, um sein eigenes Verständnis von Liebe zu JHWH artikulieren zu können. Diese Trennung von Liebe

---

35 Vgl. auch J.L. MAYS, Hosea 153.
36 J. ZIEGLER, Liebe 58; vgl. Gen 24,67; 29,18.20.30.32; 34,3; Ri 14,16; 16,4.15; 1Sam 1,5; 18,20; 2Sam 13,1.4.15; 1Kg 11,1f; 2Chron 11,21; Est 2,17; dabei erweist sich 1Sam 18,28 als einzige Stelle (ausgenommen die Belege im Hld) mit einer Frau als Subjekt; vgl. E. LUSSIER, God 12 (innerhalb seines atl. Teils): "It is noteworthy that in the human order the verb to love is not usually applied in the old Testament to the sentiments of the wife towards her husband, or of children to their parents, but uniquely to the conduct of superiors in relation to their subordinates."; vgl. E. JENNI, Art. אהב, THAT 1 (1971), Sp. 64: "Die primäre Liebesbeziehung unter Menschen ist diejenige zwischen Mann und Frau."
37 Gen 22,2; 25,28; 37,3f; 44,20; Prv 3,24 (vgl. Ruth 4,15).
38 E. JENNI, Art. אהב, THAT 1 (1971), Sp. 69.
39 Außer in Hos, Jer und Dtn findet sich das Vater-Sohn-Motiv noch in Jes, Num, Ex, Mal und den Pss. Aber auch Mal 1,2 und Dtjes (Jes 43,4) können von der Liebe Gottes zu seinem Volk reden; der Hintergrund von beiden Belegen ist die Verwendung des Vater-Sohn-Motivs (vgl. Mal 1,6 und Jes 43,3 - vgl. G. QUELL, Art. ἀγαπάω κτλ., ThWNT 1 [1933], 32,38: hier scheint "das Thema Vater Sohn ... variiert zu sein").
40 Vgl. G. QUELL, Art. ἀγαπάω κτλ., ThWNT 1 (1933), 32,34-38: "Die Vorstellung von Zion als JHWHs Eheweib steht vielleicht auch im Hintergrund, wenn Deuterojesaja die Liebe Gottes auf den gefühlsmäßig wirksamsten Ausdruck bringt, indem er sie neben die Mutterliebe, ja über sie stellt: mag es geschehen, spricht JHWH zu Zion, daß Mütter ihre Kindlein vergessen, ich vergesse dich nicht."
41 G. WALLIS, Art. אהב, ThWAT 1 (1973), Sp. 125; vgl. dagegen D. MCCARTHY, Notes 147, der der Überzeugung ist, Gotteskindschaft Israels und die Liebe Gottes müßten im Deuteronomium miteinander verbunden werden: "There is no reason why the two ideas could not work together. It is quite possible that both influenced Deuteronomy. This could be so in spite of the fact that the father-son relationship is but seldom mentioned in the book, and is not connected with the word for love (²hb). The one fact probably explains the other."

und Vater-Sohn-Motiv ermöglicht es dem Dtn, auch von der Liebe der Volksangehörigen zu JHWH zu reden bzw. diese zu fordern.[42] Diese Redeweise ist im AT noch später als die Rede von der Liebe JHWHs, die eben erst bei Hosea faßbar ist. "אהב ist hier weder vom Ehe-Gleichnis noch von der Vater-Sohn-Beziehung her bestimmt und daher nicht von Hosea her beeinflußt."[43]
Die Liebe JHWHs, und nicht seine Vaterschaft, ist der Grund für die Erwählung Israels (Dtn 4,37; 7,7f.13; 10,15; 23,6). Für das Deuteronomium folgt die Anwendung des Vater-Sohn-Motivs aus der Liebe, die JHWH für sein erwähltes Volk empfindet; noch bei Hosea liegen die Dinge umgekehrt: hier bildet die Vater-Sohn-Metapher die logische Voraussetzung für die Rede von der Liebe JHWHs zu seinem Volk.
Es ist deutlich geworden, daß die Rede von der Liebe JHWHs zu seinem Volk aus der familiären Kategorie der ehelichen bzw. auch elterlichen Liebe erwachsen ist.[44] Dies ist darauf zurückzuführen, daß das AT nur analog von Gott zu reden vermag. Menschliche Verhältnisbestimmungen werden angewandt, um Gottes Verhalten seinem Volk gegenüber anschaulich zu machen.[45]

(2) Von Hosea 11,1-3 abhängig ist die Notiz in *Exodus 4,22f*[46]. Israel ist JHWHs erstgeborener Sohn (vgl. Jer 31,20). In der israelitischen Großfamilie hatte der Erstgeborene stets Vorrang vor den Geschwistern (Gen 43,33; vgl. Dtn 21,17). "Als Erstlingsgabe waren alle Erstgeborenen Gottes Eigentum."[47] Wenn nun JHWH von *seinem* Erstgeborenen spricht, so ist dieser Erstgeborene in besonderer Weise sein Eigentum und genießt erst recht seine Liebe, Fürsorge und Zuwendung. Vielleicht gab die Anregung zu diesem Bildwort[48] die Tötung der Erstgeburt des Pharao sowie das Nachwirken von Hos 11,1. Auf jeden Fall ist der Verwandtschaftsgrad zwischen Vater und Erstgeborenem deshalb am größten (größer als zwischen Mutter und Kind oder zwischen Vater und anderen Söhnen), "weil ja nicht nur das *Blut*, sondern darüber hinaus das ihnen gemeinsame *Besitztum* sie verbindet"[49]. Bei Hos 11,1 hatten wir festgestellt, daß mit der Volkwerdung in Ägypten und dem Exodus die Sohnschaft Israels Gott gegenüber geschichtlich faßbar wird. Dazu paßt gut die singularische Formulierung von Ex 4,22. Für die Vermutung, daß Ex 4,22f jünger ist als Hos 11,1, spricht auch, daß in Hos 11,3 die Vater-Sohn-Metapher noch inhaltlich gefüllt wird, während hier die These, daß Israel JHWHs Sohn ist, hinführt zu der Aussage, daß Israel JHWH dienen soll (V. 23). Mit dieser Aussage wird die metaphorische Ebene bereits wieder verlassen; denn im AT findet sich sonst nicht die Rede davon, daß ein Sohn seinem Vater zu dienen hat. Die Begründung der Auszugsforderung "וְיַעַבְדֵנִי" wird man also

---

[42] Dtn 6,5; 10,12; 11,1.13.22; 13,4; 19,9; 30,6.16.20; vgl. G. WALLIS, Art. אָהַב, ThWAT 1 (1973), Sp. 118: "Von einer Gegenliebe der Söhne wird im AT direkt jedoch nicht gesprochen. Nur von Ruth wird berichtet, daß sie ihre Schwiegermutter liebgehabt habe (Ruth 4,15)."

[43] E. JENNI, Art. אהב, THAT 1 (1971), Sp. 71.

[44] "Sohnschaft" und "Liebe" treten auch über das AT hinaus häufig in Verbindung: ParJer 7,23; Mk 1,11; Kol 1,13 u.ö.

[45] Vgl. etwa auch den theologischen Gebrauch des Wortes גאל; H. RINGGREN, Art. גָּאַל, ThWAT 1 (1973), Sp. 887: "Wenn man auch nicht, ..., den religiösen Sprachgebrauch aus dem 'profanen' herleiten darf, so ist doch zuzugeben, daß Bedeutungsnuancen aus dem rechtlichen und wirtschaftlichen Bereich in den religiösen hinüberspielen."

[46] (22) "Und du sollst zu ihm sagen: 'So spricht JHWH: Israel ist mein erstgeborener Sohn; (23) und ich gebiete dir, daß du meinen Sohn ziehen läßt, daß er mir diene. Wirst du dich weigern, so will ich deinen erstgeborenen Sohn töten.'"

[47] R. DE VAUX, Lebensordnungen I 80; vgl. Ex 13,11-15; 22,25; 34,20; Lev 20,2-5.

[48] So W.H. SCHMIDT, Exodus I 214.

[49] A. SCHENKER, Gott 46. SCHENKER sieht hier den Grund für die Übertragung der Vatermetapher auf Gott gegeben; es war das Anrecht auf den Familienbesitz: "Die *Verwandtschaft* als Familienzugehörigkeit beruhte eben nicht allein auf den Banden des Blutes, sondern vor allem *auf dem Erbrecht, dem Recht auf Anteil am Besitz der Familie*" (ebd. 52). Man wird jedoch nicht ausgehend von Ex 4,22 alle Belege der Gottessohnschaft Israels interpretieren dürfen, zumal Hos 11,1-3 mit Sicherheit älter ist als Ex 4,22.

nicht zu eng an die Rede vom Sohnsein Israels JHWH gegenüber anbinden dürfen. Eine ganz ähnliche Formulierung zur Begründung der Auszugsforderung findet sich noch in Ex 7,16.26; 8,16; 9,1.13. Sie scheint fast eine stehende Wendung zu sein. Von den genannten Stellen her kann diese Formulierung in den eindeutig sehr spät interpolierten Abschnitt Ex 4,22f[50] eingedrungen sein. Man wird also nicht behaupten können, in Ex 4,22f stünde im Gegensatz zu Hos 11,1-3 weniger die Liebe als vielmehr "das Anrecht des Vaters auf seinen Sohn und der Einsatz für ihn im Vordergrund"[51]. Die Vater-Sohn-Metaphorik taucht also auch hier auf[52]. "Israel ist mein erstgeborener Sohn" ist ein Bekenntnis JHWHs zur Zusammengehörigkeit mit seinem Volk; und insofern findet sich auch hier ein Moment der vertrauten Nähe zwischen Gott und Volk.

(3) Vieles spricht dafür, daß Jeremia in einer ähnlichen Tradition steht wie Hosea.[53] Von daher ist es nicht verwunderlich, daß Jeremia die Metapher vom Sohnsein des Volkes und vom Vatersein JHWHs rezipiert. Ganz im Sinne Hoseas betont Jeremia besonders die Zuwendung des Vaters zu seinem Kind, seine Vertrautheit. *Jeremia 3,4* [54] scheint dabei Hos 11,1 geradezu vorauszusetzen; allerdings redet Jer 3,4 aus der Perspektive der Söhne. Mit dem Anruf "אָבִי" wird an die Liebe und Fürsorge JHWHs appelliert; ja sogar die Wurzel "נער" findet sich in diesem Vers. Von klein auf war der Vater der Vertraute des Sohnes. Jer 3,4 scheint ebenso wie Hos 11,1 die Volkwerdung Israels und den Auszug aus Ägypten im Blick zu haben. Hier wird ähnlich geschichtlich gedacht wie bei Hosea. Der Ausdruck "אַלּוּף" wird häufig bei Freundesbeziehungen verwendet[55], im Zusammenhang mit der Ehemetaphorik auch in bezug auf JHWH (Prv 2,17). Jer 3,4 könnte für Prv 2,17 die Vorlage gewesen sein, da in V. 3 von der "Hurenstirn" die Rede ist, obwohl in V. 4 eindeutig das Vater-Sohn-Motiv dominiert.

(4) Auch *Jesaja 1,2* [56] paßt in diesen Kontext, obwohl nicht ausdrücklich gesagt wird, daß Israel mit dem Auszuggeschehen zum Gottessohn geworden ist. Die Handlung JHWHs, des Vaters, ist "גדל pi" und "רום pil", also Kinder "großziehen" und "hochbringen" - dies sind Tätigkeiten von Eltern. Das "Abfallen - פשע" der Kinder vom Vater heißt nicht, daß damit das Vater-Sohn-Verhältnis aufgekündigt ist. Trotz ihres Abfalls können sich die Söhne nicht von ihrem Vater lossagen.[57] Mehr noch als bei Hosea wird in Jes 1,2 die Autorität und Erziehungsgewalt des Vaters gegenüber den Söhnen betont[58]. Auffällig ist, daß Jes 1,2 nicht von einer Zeugung oder Geburt (ילד) der Kinder durch den Vater (bzw. die Mutter) spricht, obwohl das gerade bei Jesaja und Deuterojesaja gerne im Zusammenhang

---

50 Vgl. W. SCHLISSKE, Gottessöhne 160.
51 So W.H. SCHMIDT, Exodus I, 214.
52 Vgl. B.S. CHILDS, Exodus 102: "That Israel is Yahweh's first-born son is a metaphor, which expresses the unique relation between god and his people (cf. Ho 11.1), but then the threat moves immediately beyond the metaphor to speak in grim, realistic terms of Pharao's first-born."
53 Vgl. H. WILDBERGER, Eigentumsvolk 112; vgl. H. HAAG, Sohn 226.
54 (3) Darum muß auch der Frühregen ausbleiben, und kein Spätregen kommt. Aber du hast eine Hurenstirn, du willst dich nicht mehr schämen (4) und schreist zu mir: 'Lieber Vater, du Vertrauter meiner Jugend!'"
55 Jer 13,21; Mi 7,5; Ps 55,14.
56 "Höret, ihr Himmel und Erde, nimm zu Ohren, denn JHWH redet! Ich habe Kinder großgezogen und hochgebracht, und sie sind von mir abgefallen."
57 Dies wird besonders durch V. 4 deutlich: *Obwohl* sie den Herrn verlassen, sind sie noch immer Söhne. Ziel ist, daß Israel versteht und JHWH erkennt (V. 2); Ziel ist nicht die Aufnahme in Sohnschaft oder die Adoption!
58 Vgl. W. SCHLISSKE, Gottessöhne 177.

mit גדל gebraucht wird: Jes 23,4; 49,21; 51,18. Der gemeinsame Gebrauch der Verben an diesen Stellen zeigt, daß das Aufziehen der Kinder als selbstverständliche Pflicht des Erzeugers bzw. der Gebärerin galt. In Jes 1,2 könnte "ילד" allerdings bewußt vermieden sein, um eine mythisch-naturhafte Auffassung vom Verhältnis zwischen JHWH und seinem Volk auszuschließen. Jes 1,2 paßt insofern gut in den Kontext von Hos 11,1, als an beiden Stellen das Heranreifen des Sohnes bei liebender Unterstützung durch den Vater angesprochen ist; an beiden Stellen ist der Grund der Anwendung der Vater-Sohn-Metapher die Erziehung und Unterstützung des Sohnes.[59]

(5) Ebenfalls auf die Ägyptenzeit und das Auszugsgeschehen als Grund der Rede von Gotteskindschaft weist *Numeri 11,12*[60]. M. Noth begnügt sich in seinem Kommentar zur Stelle mit dem Urteil: "ganz ungeläufig" und "sehr ungewöhnlich"[61]. Es findet sich hier - wie schon in Jer 31,20 - die Wurzel ילד. Doch läuft die rhetorische Frage des Mose darauf hinaus, daß *JHWH* mit dem Volk schwanger war und es geboren hat. Dies ist also der Grund der Vater- bzw. Mutterschaft JHWHs dem Volk gegenüber. Hier wird also der Gedanke rezipiert, daß derjenige Vater bzw. Mutter ist, der bzw. die gezeugt bzw. geboren hat. Num 11,12 macht also JHWHs Vater- bzw. Mutterschaft nicht am Auszug, sondern an der Volkwerdung Israels fest. Nach der Überlieferung des Alten Testaments ist aber Israel in Ägypten zum Volk geworden (Ex 1,7).[62] Nicht Moses, sondern JHWHs Aufgabe ist es, die Mutterfunktion auszuüben. Bei der Niederschrift dürfte der Gedanke der naturhaft-physischen Zusammengehörigkeit von Gottheit und Volk bereits überwunden sein. Das Verbum ילד ist in diesem Zusammenhang einzufügen in das Wortfeld von "erwählen" und ist eine Metapher für JHWHs erwählendes, geschichtliches Handeln.[63]

Auch die Mutterpflichten werden hier angesprochen, die mit der Geburt des Kindes anfallen: auf den Schoß nehmen (V. 12), dem Kind zu essen geben (V. 13), das Kind tragen (V. 14). Von einer Mutter wird erwartet, daß sie sich derart um ihr Kind kümmert; in gleicher Weise soll (und kann) Israel JHWHs Fürsorge erwarten. Die Aufzählung der elterlichen Pflichten berührt sich mit der Verwendung der Metapher in Hos 11,3, wo davon geredet wird, daß JHWH seinen Sohn auf die Arme nimmt.

---

[59] Eine Individualisierung des Gottesverhältnisses ist durch den Plural hier wohl kaum im Blick (so V. HERNTRICH, Jesaja 4); wahrscheinlich ist mit den "Söhnen" Israel und Juda gemeint. Hinzuweisen ist in diesem Kontext noch auf die Übersetzung der LXX von Jes 1,2, wo גדלתי mit ἐγέννησα wiedergegeben wird. Hier deutet sich an, daß die LXX über den MT hinausgeht. Mit dem Wortfeld "zeugen, gebären" (γεννᾶν bzw. ילד) hat die griechische Literatur offenbar weniger Probleme als ursprünglich die hebräische. Die Verwendung von "γεννᾶν" in Jes 1,8 muß nicht zwangsläufig das Vater-Sohn-Motiv von der metaphorischen auf eine naturhaft-physische Ebene heben. Israel ist Gottes Sohn, weil Gott dieses Volk gezeugt hat, d.h. weil Gott Israel geschaffen hat (vgl. den Sprachgebrauch von "γεννᾶν" mit Gott als Subjekt bei Philo von Alexandrien: all 3,219).

[60] (11) "Und Mose sprach zu JHWH: 'Warum bekümmerst du deinen Knecht? Und warum finde ich keine Gnade vor deinen Augen, daß du die Last dieses ganzen Volks auf mich legst? (12) Hab ich denn all das Volk empfangen oder geboren, daß du zu mir sagen könntest: Trag es in deinen Armen, wie eine Amme ein Kind trägt, in das Land, das du ihren Vätern zugeschworen hast? (13) Woher soll ich Fleisch nehmen, um es all diesem Volk zu geben? ... (14) Ich vermag all das Volk nicht allein zu tragen, denn es ist mir zu schwer.'"

[61] M. NOTH, Numeri 77.

[62] Vgl. Ex 1,9, wo zum ersten Mal vom *Volk* Israel geredet wird.

[63] Vgl. o. S. 31.

(6) Schließlich gehören in diesen Gedankenkreis noch *Deuteronomium 1,31* [64] und *Deuteronomium 8,5* [65] herangezogen werden. In der Wüste hat Israel erfahren, daß Gott wie ein Vater ihm gegenüber handelt. An beiden Stellen finden sich Vergleiche: JHWH handelt gegenüber Israel *wie* (כַּאֲשֶׁר) ein Vater; "נשׂה - tragen" ist sowohl mit JHWH als Subjekt (Jes 46,3) belegt als auch in familiärem Kontext (2Kg 4,19). Zu vergleichen ist in erster Linie Num 11,14, wo eine ähnliche Formulierung auch innerhalb der Eltern-Kind-Metapher auftaucht (vgl. auch Hos 11,3). Auch יסר pi - erziehen ist mit JHWH als Subjekt[66] belegt und tritt auch als familiäre Kategorie auf.[67] Wie ein Vater sich um seinen Sohn kümmert, kümmert sich JHWH um sein Volk (Dtn 1,13) und wie ein Vater weist er es zurecht.[68]

Die angeführten Belege erweisen sich häufig als Reflex auf den Gedanken von Hos 11,1-3. Damit hat diese Stelle im Hoseabuch die Rede von Gott als Vater im AT entscheidend geprägt.[69]

1.2 Die Konzeption im Buch der Weisheit

Das Motiv der Gotteskindschaft Israels taucht relativ häufig in der wahrscheinlich im 2.Jh.v.Chr. entstandenen[70] "Sapientia Salomonis" auf. Hier wird Gott immer wieder als Herr und Vater für Israel gedacht, und - ähnlich wie im AT - wird diese Metapher ganz unvermittelt eingeführt: SapSal 9,7; 11,10 (Vergleich[71]); 12,7.19-21; 16,21.26; 18,13; 19,6.[72] Wie im AT steht hierbei stets das besondere Verhältnis des Vaters seinen Kindern gegenüber im Vordergrund. JHWH liebt sein Volk.

Nach SapSal 16,26 lehrt Gott durch sein Tun seine Söhne, denen er seine Liebe gewährt (οὓς ἠγάπησας). "Nicht zuletzt ist bemerkenswert, dass diese einen Auftrag an die Menschheit haben, dass sich also mit der Bezeichnung ein Sendungsbewusstsein verknüpft - Erwählung verpflichtet - : durch Gottes Söhne sollte (künftig) der Welt 'das unvergängliche Licht der Tora gegeben werden' (18,4; der Gedanke begegnet auch sonst in der Literatur des hellenistischen Judentums, vgl.z.B. orac.Sib. 3,194; Jos.Ap. 2,218)."[73] Der Gedanke der Sendung ist neu gegenüber dem AT.

---

[64] 1,31: "... und in der Wüste, da hast du gesehen, daß dich JHWH, dein Gott, getragen hat, wie ein Mann seinen Sohn trägt, auf dem ganzen Wege, den ihr gewandert seid, bis ihr an diesen Ort kamt."

[65] 8,5: "So erkennst du ja in deinem Herzen, daß JHWH, dein Gott dich erzogen hat, wie ein Mann seinen Sohn erzieht."

[66] Lev 26,18.28; Jer 2,19; 10,24; 30,11; 31,18; 46,28; Ps 6,2; 38,2; 39,12; 94,12; 118,18; Dtn 4,36.

[67] Dtn 21,18; Prv 19,18; 29,17.

[68] Dtn 8,5; vgl. v.a. Prv 3,12 - יכח hi.

[69] Zu erwähnen ist noch Tob 13,4b. Hier können wir uns auf die genaue Analyse von A. STROTMANN, Vater 56, stützen, die feststellt, daß in Tob 13,4b die Vaterbezeichnung Gottes "Ausdruck der exklusiven persönlichen Beziehung zwischen Gott und Israel" ist. Was den Aspekt der Vaterschaft Gottes in diesem Zusammenhang angeht, stellt STROTMANN zwei Aspekte fest: Hinter dem ersten "steht ein Erziehungskonzept, das ohne Strafe nicht auskommen kann. Entsprechend ist auch die väterliche Liebe ohne Strafe nicht denkbar. ... Der zweite Aspekt der Vaterschaft Gottes, die unbeirrbare Treue Gottes zu Israel, ist nun nicht unabhängig von der erläuterten Erziehungskonzeption, sondern ist ein integraler Bestandteil" (ebd. 57).

[70] Vgl. D. GEORGI, Weisheit Salomos 395-397; vgl. auch die Diskussion bei U. BEJICK, Basileia 131 Anm. 1.

[71] Vergleiche finden sich auch in PsSal 18,4 und TLev 17,2.

[72] Vgl. auch 3Makk 5,7; 6,3.28; Jub 1,28; 2,20; 19,29; 4Esr 6,28; PsSal 17,30; Tob 13,4.

[73] G. DELLING, Bezeichnung 20.

Grund des besonderen Verhältnisses JHWHs zu seinem Volk ist seine Liebe (SapSal 16,21.26).[74] Auch einfache Zugehörigkeit Israels zu JHWH kann durch das Motiv der Gotteskindschaft ausgedrückt werden: "Du hast mich im vorhinein als König deines Volkes erwählt und als Richter deiner Söhne und Töchter"[75] (SapSal 9,7; vgl. 12,19-21; 16,21; 19,6). Auffällig ist auch die implizite Bezugnahme auf Belegstellen im AT: SapSal 11,10 ("Jene hast du nämlich wohl wie ein Vater geprüft, der zurechtweist, ...") bezieht sich auf Dtn 8,5 bzw. Prv 3,12. Gottes Vaterschaft, seine Liebe schließt Zurechtweisung mit ein. Auch SapSal 18,13 ("... so bekannten sie doch beim Untergang der Erstgeborenen, daß das Volk Gottes Sohn sei.") lehnt sich an alttestamentliche Stellen an: vgl. Hos 11,1 bzw. Ex 4,22 (vgl. Jer 31,9). Anders als bei Hosea, der mit dem Auszug aus Ägypten den Beginn der Sohnschaft geschichtlich verankert, geht es in SapSal 18,13 um die Erkenntnis der Feinde, daß Israel Gottes Sohn ist, beim Tod der Erstgeburt.

In SapSal 17,27.31 findet sich eine Vision vom kommenden Gottesvolk. Die Menschen sind alle Söhne ihres Gottes (πάντες υἱοὶ θεοῦ αὐτῶν). Gotteskindschaft meint hier Zugehörigkeit. Gott sammelt sich ein heiliges Volk, das der Messias gerecht regiert. Wer um Böses weiß, darf nicht bei ihnen wohnen.

Die Erwähnung der Vaterschaft Gottes im Buch der Weisheit ist "Ausdruck der verläßlichen Liebe und Zuwendung Gottes"[76], die sich äußert in Schutz, Rettung und Hilfe sowie in Erziehung und Fürsorge.[77]

1.3 Die Konzeption in "Joseph und Aseneth"

Der antike Roman "Joseph und Aseneth" wird von D.Sänger (mit guten Gründen) "etwa um das Jahr 38 n.Chr. oder schon etwas früher" datiert.[78] Inhaltlich geht es um die Liebesgeschichte zwischen Joseph, dem Sohn Jakobs, und Aseneth, der Tochter des Pentephres, des Hohenpriesters im ägyptischen Heliopolis. Ausführlich wird die Bekehrung Aseneths zum jüdischen Glauben (JosAs 10-18) thematisiert.

Nach JosAs 19,11 gibt Joseph der Aseneth mit drei Küssen den Geist des Lebens, den Geist der Weisheit und den Geist der Wahrheit. "Die Juden, die ... das übernatürliche Leben haben, leben ... in Rufweite Gottes, eng verbunden mit den Engeln, deren Speise sie essen, und in relativer Distanz zu den Nichtjuden, mit denen sie verkehren, sich aber nicht gemein machen dürfen ..."[79] Damit haben die Juden alles, was auch Gotteskindern zusteht. Sie führen eine Art Engelexistenz.[80] "Praktisch bedeutet das höchste Lebensqualität auf Erden, überirdische Schönheit, Kraft, Tugend und Weisheit, angenehmes Leben und göttlichen Schutz vor Gefah-

---

74 Vgl. FEz 18,3; dort steht auch das Erbarmen des Vaters über seine Kinder im Vordergrund.
75 Übersetzung nach D. GEORGI, Weisheit Salomos.
76 A. STROTMANN, Vater 140.
77 Vgl. ebd. 141.
78 D. SÄNGER, Erwägungen 104; vgl. C. BURCHARD, Joseph und Aseneth 614, der besonders vorsichtig als Entstehungszeitraum die Zeit zwischen dem späteren 2.Jahrhundert v.Chr. und dem Bar Kochba-Aufstand 132-135 n.Chr. angibt - ähnlich wie SapSal wird als Entstehungsort Ägypten angegeben (C. BURCHARD, ebd. 613).
79 C. BURCHARD, Joseph und Aseneth 606.
80 Vgl. ebd. 606.

ren und danach den Aufenthalt im himmlischen Ruheort (...)."[81] All dies sind Gaben Gottes zur "Steigerung der Lebensqualität" seines Volkes.

In JosAs erscheint Aseneth als "Prototyp einer Proselytin"[82], ja, sie bekommt sogar den Titel "Tochter des Höchsten und Braut Josephs" (JosAs 21,4). "Anders als in bestimmten jüdischen Gruppen wie Qumran und im Christentum hat nach JosAs nicht jedermann einen radikalen Existenzwandel nötig. Umkehr ist nur für die Nichtjuden."[83] JosAs steht ganz auf dem Boden des Erwählungsbewußtseins Israels. "Tochter des Höchsten" ist wie bei Joseph ein Adelsprädikat, eine Metapher für die Nähe zu Gott, in die Aseneth als Braut Josephs gekommen ist. Der "Eintritt in die Gotteskindschaft" entspricht hier dem "Eintritt in das Judentum". Die Konversion zum Judentum heißt für Aseneth auch Neuschöpfung[84], "ohne daß damit ein Abfall von ursprünglicher Geschöpflichkeit, der nun geheilt wäre, mitgedacht ist, erst recht nicht ein Sterben und Auferstehen wie Paulus es kennt ..."[85]. "Neuschöpfung heißt, von dem defizitären nur-menschlichen Status, den Nichtjuden von Haus aus haben, zu der engelgleichen Lebensfülle zu kommen, die Juden natürlicherweise besitzen."[86] Was das Judentum nach JosAs im Vergleich zur nichtjüdischen Existenz bietet, sind Privilegien, nicht Pflichten. Aseneth wendet sich dem einen, wahren Gott der Hebräer als ihrem neuen Vater zu (JosAs 12,8-15!). "Er bringt sie daraufhin von einem todgeweihten Dasein zum Leben (8,9; 15,5.12; 27,10) wie seinerzeit die übrige Schöpfung aus dem Nichtsein ins Sein (8,9; 12,1f)."[87] Dabei ist auffällig, daß Aseneth Gott nie als *ihren* Vater bezeichnet, und ihn auch nie im Vokativ "Vater" anruft. Sie betrachtet ihn allenfalls als Vater einer Personengruppe, der Juden. Insofern gilt die Vaterschaft Gottes ihr nur als Mitglied dieser Gruppe.

Man wird die Kategorie "Eintritt in die Gotteskindschaft" hier nicht überstrapazieren dürfen. Aseneth tritt zunächst in das Judentum ein. Damit erwirbt sie nicht nur eine höhere Lebensqualität, sondern auch die Zusage der Gotteskindschaft. Der Zusammenhang etwa zwischen beiden Heilskategorien ("Leben" und "Gotteskindschaft") wird in dieser Schrift nicht näher beleuchtet.[88]

Wenn Aseneth allgemein für die Bekehrung vom Heidentum zum Judentum steht, so steht Joseph allgemein für "den Juden", und stellvertretend für seine Glaubensgenossen. Aufgrund seiner Zugehörigkeit zum auserwählten Volk (JosAs 8,9) ist er der υἱὸς τοῦ θεοῦ (JosAs 6,2.6; 13,13; 18,11; 21,4; vgl. 23,10). Der Ausdruck

---

81 Ebd. 606.
82 Vgl. die Bezeichnung "Stadt der Zuflucht" in JosAs 15,7; 16,16; 19,8.
83 C. BURCHARD, Joseph und Aseneth 608.
84 JosAs 8,9; 5,15 vgl. 16,16; 18,9.
85 C. BURCHARD, Joseph und Aseneth 609.
86 Ebd. 609.
87 C. BURCHARD, Art. Joseph und Aseneth, TRE 17 (1988), 248.
88 Auch in den "Oracula Sibyllina" (eine Datierung ist schwer möglich, da die einzelnen Stücke verschiedenen Zeiten entstammen, "die ältesten aus der frühen Makkabäerzeit [z.B. III 46ff.], bis hin zu nachchristlicher Zeit [z.B. IV 128f.; 143f. 76 n.Chr.]" [L. ROST, Einleitung 85f].) wird an manchen Stellen die Sonderstellung Israels deutlich hervorgehoben, hier allerdings unter Verwendung von Derivaten der Vokabel γίνεσθαι: Nach OrSib 5,261 ist Jerusalem θειογενής (vgl. 5,249, wo über die Juden gesagt wird "Ἰουδαίων μακάρων θεῖον γένος οὐράνιόν τε - der seligen Juden himmlisches und göttliches Geschlecht"). Ähnlich wie in JosAs scheinen die Juden eine Art himmlische Existenz zu besitzen (vgl. OrSib 5,502: die Juden als λαὸς θεότευκτος). In OrSib wird den Juden eine besondere Nähe zu Gott zugesagt; sie führen sich auf göttlichen Ursprung zurück, wenngleich direkt von einer Geburt oder Zeugung aus Gott nicht die Rede ist. Die Hervorhebung der besonderen Herkunft der Juden steht im Dienst des "Erwählungsgedankens" (vgl. W. SCHWEITZER, Gotteskindschaft 99).

"Gottessohn" ist wie ein besonderes Prädikat. Ihn zeichnen ja "übermenschliche Schönheit" (6,3f) aus sowie "Hellsichtigkeit" (6,5f), Schönheit, Weisheit, Tugend, Kraft (13,13f) und eine ebenbürtige Braut (18,11 vgl. 21,4).[89] Diese engelgleiche Existenz der Juden als Gotteskinder wird von Joseph repräsentiert.

Darüber hinaus scheint in "Joseph und Aseneth" Gott als Vater ähnlich dargestellt zu werden wie in Psalm 68,6f, als Vater der Benachteiligten: In JosAs 11,13 spricht Aseneth sich Mut zu: "Oder er wird sehen meinen Waisenstand und beschirmen mich, denn er (selbst) ist der Vater der Waisen und der(er, die da) verfolgt sind, ein Beschirmer und der(er, die da) betrübt sind, ein Helfer."[90] Es wird hier zur Vorstellung, daß Gott der Vater der Juden ist, kein Widerspruch zu sehen sein. Die jüdische Trägergruppe, die hinter JosAs steht, ist es, die selbst zu den sozial Benachteiligten gehört. So geht es bei Aseneth, mit der ihre Eltern wegen ihrer Liebe zu Joseph gebrochen haben, darum, daß sie in Gott einen neuen Vater bekommt, einen Vater der sich ihr zuwendet in dem Augenblick, indem sie sich ihm zuwendet.[91]

Von besonderem Interesse für unsere Thematik ist die wissenssoziologische Fragestellung, also die Frage, auf welchem Hintergrund die skizzierten Gedanken vorstellbar sind. Als Trägergruppe ist hinter dem Roman eine jüdische Sondergruppe zu vermuten.[92] Die Funktion des Motivs Gotteskindschaft in JosAs ist es, die Kinder Gottes vor allen anderen hervorzuheben. Die ausdrückliche Betonung dieses Motivs läßt also eine Krisensituation vermuten, der mit dem Selbstbewußtsein, Kind Gottes zu sein, begegnet werden soll. Dazu paßt, daß Aseneth sich in JosAs 11,13 als Waise betrachtet[93], die durch den Übertritt zum Judentum einen (neuen) Vater bekommt. Wir haben also damit zu rechnen, daß die vorgestellte jüdische (Sonder-)Gruppe von ihrer Umwelt ausgegrenzt werden soll. Ihre Proselyten kommen als Waise, als von der Gesellschaft bereits Ausgegrenzte in die Gemeinschaft, die neue Identität und neue soziale wie familiäre Bindungen zu geben versucht.[94]

2. Gotteskindschaft und Hoffnung auf die Zukunft

2.1 Aspekte im Alten Testament

(1) Für den Gedankenkreis, in dem Gotteskindschaft als zukünftiges Hoffnungsgut ins Auge gefaßt wird, bietet ebenfalls das Hoseabuch den ältesten Beleg: *Ho-*

---

[89] Gegen C. BURCHARD, Joseph und Aseneth 608, der Joseph vor den anderen Juden herausgehoben sieht: "Das heißt, Joseph wird als der Sohn Gottes aus den Söhnen Gottes herausgehoben, weil in ihm sich die Lebensfülle, die allen eigen ist, konzentriert."

[90] Vgl. JosAs 12,13, wo die Passage wörtlich wiederholt wird.

[91] Zu den Aspekten der Vaterschaft Gottes in JosAs vgl. A. STROTMANN, Vater 275: Es geht um den Vater, "der das Kind vor äußeren Gefahren rettet und beschützt und ihm auf diese Weise Sicherheit und Geborgenheit schenkt".

[92] Vgl. C. BURCHARD, Art. Joseph und Aseneth, TRE 17 (1988), 247. BURCHARD hält die Sondergruppenhypothese für fragwürdig. Sein Argument lautet: "Das Buch selbst vertritt Judentum gegen den Polytheismus, nicht (auch) eine Form von Judentum gegen (eine) andere (ebd.)." Aber auch die johanneische Literatur - und hinter ihr sind wohl doch christliche "Sondergruppen" zu vermuten - vertritt wohl doch nicht christliche Überzeugungen gegen andere christliche Überzeugungen, sondern gegen den Abfall, also gegen das "Heidentum" (s.o. S. 170ff).

[93] Vgl. Joh 14,18 sowie Epiktet, diss. 3,24,15.

[94] Zu JosAs vgl. u. S. 162.

sea 2,1 [95]. Die Bezeichnung "Söhne des lebendigen Gottes" wird dem Satz "Ihr seid nicht mein Volk" entgegengestellt. Ob Hosea selbst den Ausdruck "בְּנֵי אֶל־חָי" geschaffen hat[96] oder nicht[97] mag dahingestellt bleiben. In jedem Fall entspricht dem Ausdruck "Söhne des lebendigen Gottes" nach Hos 2,1 inhaltlich der Satz "Ihr seid mein Volk". Auch hier findet sich also wieder Erwählungsterminologie. Der Satz "Ihr seid mein Volk" ist die Zusage der Erwählung. Im Vergleich zu Hos 11,1 fallen hier zwei Unterschiede auf:

(a) die futurische Formulierung. Sie ist auf die Zeichenhandlung von Hos 1 zurückzuführen. Würde jedoch Hos 2,1 präsentisch formuliert sein, wäre eine Verknüpfung mit Hos 1 schwer möglich.

(b) der Plural. Er geht auch auf die Zeichenhandlung von Hos 1 zurück, wo von den Kindern (Pl.) des Hosea die Rede ist. Es ist auch keine sich hier vielleicht andeutende Individualisierung der Angehörigen des Gottesvolkes im Blick. In Hos 2,2 geht es gerade um die Konstituierung dieses Gottesvolkes. Bezeichnenderweise liegt die Spitze dieses Gedankenganges nicht im "Söhne-JHWHs-Sein" bzw. "-Werden", sondern darin, daß JHWH Israels Gott sein wird und Israel JHWHs Volk (Hos 2,25). Der Erwählungsgedanke ist stets präsent.

Hosea gebraucht die Metapher vom Sohnsein Israels also sehr sparsam. Er redet vom Sohnsein des Volkes und nicht vom Vatersein JHWHs, weil sich damit besser die Erwähltheit des Volkes andeuten läßt. Es ist auch deutlich geworden, daß Hosea dabei weniger an die Erziehungsfunktion des Vaters und die Gehorsamsforderung des Sohnes denkt als vielmehr an die liebende Fürsorge des Vaters und die Hilfsbedürftigkeit des Sohnes (Hos 11,3). Hosea hat die Metapher ganz in den Dienst seiner Verkündigung von der geschichtlichen Entstehung der Gottessohnschaft Israels gestellt.

(2) Auch zu diesem Gedankenkreis finden sich vergleichbare Aussagen im Jeremiabuch: *Jeremia 3,14.22* [98]. Allerdings wird hier - anders als bei Hosea - nicht die Gotteskindschaft selbst als zukünftiges Heilsgut angesehen, sondern ihr Zuspruch begründet die Hoffnung auf ein (erneutes) heilvolles Eingreifen JHWHs für seinen Sohn. In Jer 3,6ff setzt der Vorwurf der Hurerei Israels und Judas ein eheähnliches Verhältnis zwischen JHWH und den beiden "Schwestern" voraus (Jer 3,8). In Jer 3,14 wechselt die Metapher: Juda und Israel sind Söhne (בָּנִים). Ähnlich frei war schon Hosea (Kap 1-3) mit den beiden Metaphern "Ehe" und "Vaterschaft - Kindschaft" umgegangen. Wie schon in Hos 2,1 ist die Folge der Kindschaft die künftige Sammlung (Jer 3,15.18). Allerdings wird in Jer 3,14.22 nicht das Attribut von Jes 30,1 "סוֹרְרִים" verwendet, sondern "שׁוֹבָבִים". Dieses Wort tritt noch einmal in Jer 50,6 im Kontext der Hirten-Herden-Metaphorik auf. Auf den abtrünnigen Sohn von Dtn 21,18.20 spielt also Jer 3,14.22 nicht an. Dadurch wird noch deutlicher: Israel bleibt JHWHs Kind trotz der eigenen Abtrünnigkeit.

---

95 "Es wird aber die Zahl der Israeliten sein wie der Sand am Meer, den man weder messen noch zählen kann. Und es soll geschehen, anstatt daß man zu ihnen sagt: 'Ihr seid nicht mein Volk', wird man zu ihnen sagen: 'Ihr Kinder des lebendigen Gottes!'"

96 So H.W. WOLFF, Dodekapropheton I 30f.

97 So W. RUDOLPH, Hosea, 56f.

98 (14) "Kehrt um, ihr abtrünnigen Kinder, spricht JHWH, denn ich bin euer Herr! Und ich will euch holen, einen aus einer Stadt und zwei aus einem Geschlecht, und will euch bringen nach Zion. ... (22) Kehrt zurück, ihr abtrünnigen Kinder, so will ich euch heilen von eurem Ungehorsam."

Gotteskindschaft ist der Grund für die Hoffnung auf die zukünftige Sammlung und die Heilung vom eigenen Ungehorsam.

Auffälligerweise begründet Jeremia den Umkehrruf an die Kinder nicht mit dem Vatersein JHWHs, sondern mit seinem Herrsein. Dies ist ein Beleg dafür, wie "vorsichtig" noch im Jeremiabuch mit der "Vater-Sohn-Metapher" umgegangen wird. Zugleich wird der Ort dieser Metaphorik deutlich: die Erwählungstheologie des Alten Testaments: JHWH, der Herr, ist es, der erwählt, - nicht JHWH, der Vater (vgl. Ex 20,2).

(3) Ähnlich wie in Jer 3,14.22 wird in *Jeremia 31,9.20*[99] die Gotteskindschaft Israels vorausgesetzt und dient als Grund für JHWHs Erbarmen. Hier wird erneut mit der Vaterschaft JHWHs Ephraim gegenüber dessen Liebe, Fürsorge und Erbarmen verbunden. Jeremia verwendet hier (3,20) - wie W. Eichrodt bemerkt - "das Vaterverhältnis als Bild der nimmer ersterbenden Liebe"[100]. Zwar steht der Terminus "אַהֲבָה" selbst nicht in diesem Zusammenhang, doch der Inhalt der Vaterliebe wird durchaus in Jer 31,20 umschrieben. Gerade an dieser Stelle wird die Aufsprengung des *ius talionis* unter Zuhilfenahme der Vater-Sohn-Metaphorik deutlich.

JHWHs Vaterschaft und Ephraims Sohnschaft - in Jer 31,9 sind in einem parallelismus membrorum beide Aspekte ausdrücklich erwähnt - manifestiert sich in geschichtlichen Heilstaten JHWHs. Ob dieser Vers eine geschichtliche Vorrangstellung der Joseph-Stämme im Auge hat[101], ist schwer zu beurteilen. Jedenfalls besteht die Sohnschaft Ephraims in seiner "Erwählung zum Heil"[102].

Neu im sog. "Trostbüchlein für Ephraim" ist nicht nur die Bezeichnung "אָב - Vater" für JHWH, neu ist auch der Terminus "יֶלֶד - Kind" innerhalb der Vater-Sohn-Metaphorik (Jer 31,20). יֶלֶד hat als Derivat von ילד (gebären, zeugen hi) ganz eindeutige genealogische Implikationen. Erst spät hat also sich genealogische Terminologie in die Beschreibung des Verhältnisses JHWH-Israel bzw. in die Gotteskindschaftsmetaphorik "eingeschlichen". Offenbar mußte man sich, als das "Trostbüchlein" entstand, nicht mehr gegen mythische Vorstellungen von einer (genealogischen) Abstammung des Menschen von Gott wehren.[103]

Das Verbum "יבל" taucht im AT nirgendwo als Vaterpflicht auf, doch sehr wohl im Kontext dessen, was Gott zu tun gedenkt.[104] Erneut geht es also um JHWHs erwählendes Geschichtshandeln. Jer 31,9 wird von Jer 3,21f weitergeführt. Beide Verse sind auch durch die Wortwahl (בְּכִי und תַּחֲנוּן) aufeinander bezogen[105].

---

[99] (9) "Sie werden weinend kommen, aber ich will sie trösten und leiten. Ich will sie zu Wasserbächen führen auf ebenem Wege, daß sie nicht zu Fall kommen; denn ich bin Israels Vater, und Ephraim ist mein erstgeborener Sohn. ... (20) Ist nicht Ephraim mein teurer Sohn und mein liebes Kind? Denn sooft ich ihm auch drohe, muß ich doch seiner gedenken; darum bricht mir mein Herz, daß ich mich seiner erbarmen muß, spricht JHWH."

[100] W. EICHRODT, Theologie I 113.

[101] So A. WEISER, Jeremia 286, Anm. 2.

[102] W. SCHLISSKE, Gottessöhne 146.

[103] Vgl. W. SCHLISSKE, Gottessöhne 147; ähnlich mag es sich mit dem Wort "בעל" verhalten, das in Jer 3,1-5.14 bedenkenlos auf JHWH angewendet wird. Jeremia steht offenbar auch nicht mehr in direkter Auseinandersetzung mit kanaanäischen Vorstellungen.

[104] Ps 60,11; 108,11.

[105] Vgl. auch Jes 66,13: JHWH tröstet wie eine Mutter; sowie Jes 40,1.

(4) Auch für Deuterojesaja ist die Rede von der Gotteskindschaft Israels der Grund für die Hoffnung auf die Sammlung des Volkes: *(Jesaja 43,6*[106]*)*. Deuterojesaja umschreibt JHWHs erwählendes Geschichtshandeln in dem Abschnitt Jes 43,1-7 mit verschiedenen Ausdrücken: ברא (V. 1.7), יצר (V. 1.7), גאל (V. 1) und קרא (V.1). Unter diesem Vorzeichen vermag Deuterojesaja auch von der Gotteskindschaft der Israeliten zu sprechen (V. 6). Beschrieben wird die neue Sammlung des Gottesvolkes. Insofern ist die Vermutung einer Individualisierung des Gottesverhältnisses auch hier fehl am Platz.[107] Erstmals bei Deuterojesaja wird hier deutlich, daß eine vorhandene Gotteskindschaft auch Hoffnung für die Zukunft impliziert. Israel ist jetzt schon Gottes Sohn und kann deswegen auch eine neue Heilszeit von seinem Vater und Schöpfer erwarten. Hier ist keine Rede von der Verpflichtung der Söhne. Bei Deuterojesaja wird somit - in gleicher Weise wie bei Hosea - deutlich, daß er die Metapher von der Sohnschaft Israels ganz in den Dienst seiner Verkündigung stellt: es wird neues Heil für die Söhne und Töchter JHWHs geben.

(5) Auch in "Tritojesaja" (Jes 56-66) dient die Vergewisserung der Gotteskindschaft der Betenden als Grund für die Bitte um ein neues Eingreifen JHWHs für sein Volk: *Jesaja 63,7-64,11*. Jes 63,15 scheint fast eine Entgegnung auf Dtn 32,20 zu sein, wo JHWH sich abwenden will: "Blicke vom Himmel" ist die Aufforderung zur liebevollen Zuwendung. Dem entspricht Jes 63,16, die Erinnerung und Vergewisserung der Vaterschaft JHWHs Juda gegenüber; seine Aufgabe ist das "גאל - auslösen". Diese Vokabel fügt sich in die Vater-Sohn-Metaphorik. "גֹּאֵל wird der jeweils nächste Verwandte eines Menschen genannt."[108] "Solidarität" steht hinter dem Gedanken des גאל. So klingt in Jes 63,16 "die Vorstellung von nächster Verwandtschaft" mit JHWH an.[109] Gerade das Verbum "גאל" ist offenbar über das Bild der Vaterschaft JHWHs seinem Volk gegenüber als *terminus technicus* in die Erwählungstheologie eingedrungen.

Judas Existenz ruht ganz auf JHWH, der für sein Volk der "Auslöser" ist. Das Bekenntnis der Zuversicht legt dem Vater das eigene Schicksal ganz in die Hände. Das Böse wird hier nicht (wie in Jes 45,7) als von JHWH geschaffen gedacht, sondern als von JHWH zugelassen (V. 17). In Jes 64,7 wird die Parallele zwischen dem Vater und einem Töpfer (anders als in Jes 45,11) positiv gewendet. Juda will sich ganz in die Hand des Vaters geben, er wird es - als liebender Vater - gut mit seinem Volk machen. Auch hier taucht Schöpfungsterminologie (V. 7b) im Dienst des erwählenden Geschichtshandelns JHWHs auf.

Auch in Tritojesaja wird demnach die Rede vom Vatersein JHWHs dezidiert in den Kontext der Erwählungstheologie gestellt.

(6) In *Maleachi 3,17*[110] wird JHWHs zukünftiges Heilshandeln mit dem verglichen, was ein Mann an seinem Sohn tut. Wie in Dtn 1,31 und Dtn 8,5 findet sich hier ein Vergleich (כַּאֲשֶׁר); doch der Anwendung des Vergleiches für zukünftiges Handeln entspräche auf der metaphorischen Ebene die Zusage der Gotteskindschaft für

---

106 "Ich will sagen zum Norden: Gib her! und zum Süden: Halte nicht zurück! Bring her meine Söhne und Töchter vom Ende der Erde."
107 Gegen K. ELLIGER, Deuterojesaja 301.
108 H. RINGGREN, Art. גָּאַל, ThWAT 1 (1973), Sp. 886; vgl. Lev 25,48f und Ruth.
109 H. RINGGREN, Art. גָּ, ThWAT 1 (1973), Sp. 889.
110 "Sie sollen, spricht JHWH Zebaoth, an dem Tage, den ich machen will, mein Eigentum sein, und ich will mich ihrer erbarmen, wie ein Mann sich seines Sohnes erbarmt, der ihm dient."

der Zukunft. Hier scheint erstmals das Wie-ein-Sohn-behandelt-Werden abhängig zu sein vom Dienen der Gottesfürchtigen (Mal 3,16). Das "Dienen - עבד" (Mal 3,18) erinnert an Ex 4,22 und ist vielleicht von dort aus in diesen Vergleich eingedrungen. Mal 3,17 hat nur die gottesfürchtigen Israeliten im Blick.

Zusammenfassend läßt sich feststellen: Hat im AT der Gedanke der Gotteskindschaft Israels eine futurische Komponente, so ist häufig die Sammlung des (endzeitlichen) Gottesvolkes im Blick (Hos 2,1; Jer 3,14; Jes 43,6).

2.2 Zur Konzeption in "Jesus Sirach"[111]

In Sir 51,10 und 23,1.4[112], jedesmal innerhalb von individuellen Klageliedern, taucht das Gotteskindschaftsmotiv im Zusammenhang mit der Hoffnung auf ein zukünftiges Eingreifen des Vaters auf. Die Erinnerung an die Vaterschaft Gottes "soll Gott an die von Anfang an bestehende Liebe zwischen ihm und dem Beter erinnern und ihn zur Hilfe zugunsten des Beters bewegen"[113].

2.3 Die Konzeption im Jubiläenbuch[114]

Bei der Betrachtung des Verhältnisses zwischen Vater und Sohn muß nicht - wie bisher - nur die Liebe des Vaters Motivation für die Anwendung der Metapher sein. Das Vater-Sohn-Verhältnis kann auch verstanden werden als ein wechselseitiges Liebesverhältnis. Die Metapher kann also nicht nur verwendet werden, um die liebevolle Hingabe und Fürsorge des Vaters dem Sohn gegenüber zu veranschaulichen, sondern auch die Liebe des Sohnes zum Vater kann bewußt impliziert sein. Damit beginnt man, das Vater-Sohn-Verhältnis weiter für die Beschreibung des Verhältnisses zwischen Gott und Mensch fruchtbar zu machen. Die Metapher betont nicht nur das Element der Liebe des Vaters, sondern auch das der Liebe des Sohnes.

So empfindet man angesichts des Abfalls Israels von seinem Gott und angesichts der Sünden des Volkes eine starke Diskrepanz zwischen dem Anspruch, Gottes Sohn zu sein bzw. Gott zum Vater zu haben und der Realität. Sohnschaft wird von daher häufig als Verheißung für die Zukunft gedeutet. Die Hoffnung auf Sünden-

---

111 Entstanden um 190 v.Chr. in Jerusalem (vgl. L. ROST, Einleitung 50). Zu den Bezügen zwischen den Schriften "Sapientia Salomonis" und "Jesus Sirach" vergleiche D. GEORGI, Weisheit Salomos 395-397.

112 Vgl. J. JEREMIAS, ABBA 32, Anm. 69.71, der beide Stellen als Übersetzungsfehler der LXX ansieht; ob es nun ein solcher war oder nicht, kann dahingestellt bleiben; sicher ist, daß z.Zt. der Übersetzung der LXX die Stellen derart individuell verstanden wurden.

113 A. STROTMANN, Vater 96.

114 Auch hier sei darauf hingewiesen, daß durchaus Individualpersonen Gottessöhne genannt werden können. Ausdrücklich als Gottessohn wird etwa der Messias bezeichnet (aethHen 105,2; 4Esr 7,28; 13,32.37.52; 14,9 - doch diese Stellen sind umstritten; vgl. hierzu aber E. LOHSE, Art υἱός χτλ., ThWNT 8 [1969], 361,24-362,5). Als Gottessohn gilt außerdem noch Noah, der nach aethHen 106,5 den Gotteskindern (τέχνα) im Himmel gleicht. Jene sind nach aethHen 13,8; 14,3 die gefallenen Engel. Ihnen gleicht Noah, weil aus ihm das neue Geschlecht stammen soll; er wird Riesen nicht dem Geist, sondern dem Fleisch nach zeugen (besonders interessant ist in aethHen 10,9f die Erwähnung der υἱοὶ τῆς πορνείας, die auf ewiges Leben hoffen - vgl. Joh 8,41!).

reinheit hängt mit der Verwendung des Motivs eng zusammen. Voraussetzung dafür war freilich ein gestiegenes Schuld- und Sündenbewußtsein.

Im Jubiläenbuch wird deshalb konstatiert, daß Israel von sich aus heillos und auf die Reinigung durch Gott angewiesen ist.[115] Es galt "die Sündenreinheit der messian. Heilsgemeinde als ein selbstverständliches Postulat"[116]. Dies ist die Voraussetzung für die Hoffnung auf allgemeine Sündlosigkeit durch die Beschneidung der Vorhaut des Herzens und die Schaffung eines reinigenden heiligen Geistes (Jub 1,21-25)[117]. Wenn Gott dies alles herbeigeführt haben wird, dann will er - so die Konzeption im Jubiläenbuch - für die Israeliten Vater sein und sie als seinen Sohn bzw. seine Söhne ansehen. Jub 1,25[118] deutet darauf hin, daß Hos 2,1 auf diese Vorstellungen eingewirkt hat. Eine neue und gerechte Natur soll nach Jub 5,12[119] zur Sündlosigkeit verhelfen. Die Gotteskindschaft Israels ist im Jubiläenbuch erst für die eschatologische Heilszeit verheißen.[120]

2.4 Christliche Interpolationen in den Testamenten der Zwölf Patriarchen

Bei den beiden Belegen TLev 18,6f und TJud 24,2f haben wir mit christlichen Interpolationen zu rechnen. Dies hat A. Strotmann mit guten Gründen wahrschein-

---

[115] Vgl. Jub 50,5: "Und die Jubiläen werden vorübergehen, bis Israel gereinigt ist von aller Sünde der Unzucht und Unreinheit und Befleckung und Verfehlung und des Irrtums und wohnt im ganzen Land, wenn es Vertrauen hat und (wenn) es für es keinen Satan mehr gibt noch irgend etwas Böses. Und das Land wird rein sein von jener Zeit an bis in alle Tage."
Vgl. aethHen 10,8; 98,6; 104,7; 107,1 (nach L. ROST, Einleitung 7 sowie K. BERGER, Jubiläen 296f schöpfen Jub und aethHen aus einer vergleichbaren Tradition). Der sündenfreie Zustand konnte negativ durch das Gericht über die Gottlosen (aethHen 10,20; 91,7f.14; 92,5; 100,4f; 108,2f; 62,11ff), aber auch positiv durch eine neue Geistmitteilung an die Auserwählten (vgl. aethHen 5,8f) erreicht werden (vgl. H. STRACK/P. BILLERBECK, Kommentar I 70-72).
In aethHen findet sich keine Notiz über die Gotteskindschaft von Menschen. Stattdessen ist in aethHen 62,11 von den Kindern des Menschensohnes die Rede. Auf sie werden Bezeichnungen verwendet wie "Heilige" (62,8), "Auserwählte" (62,8.11-13.15), "Gerechte" (62,12.13.15). Hier erscheint zum ersten Mal die persönliche Gerechtigkeit als Qualität der Kinder des Menschensohnes. Wenn die vier Bezeichnungen ("Heilige", "Auserwählte", "Gerechte" und "Söhne") alle auf einer Linie liegen, impliziert Sohnschaft geradezu persönliche Gerechtigkeit. Bezeichnend ist, daß in diesem Zusammenhang der terminus technicus "Auserwählte" noch recht häufig auftaucht - ein Hinweis auf die "Erwählungstheologie" des Alten Testaments.

[116] H. STRACK/P. BILLERBECK, Kommentar I 70. Ausgangspunkt dieser Überzeugung war wohl Jes 11,9.

[117] (Mose spricht:) (21) "Denn sie sind dein Volk und dein Erbe, das du errettet hast mit deiner großen Macht aus der Hand der Ägypter. Schaffe ihnen ein reines Herz und einen heiligen Geist, und sie mögen nicht verstrickt werden in ihrer Sünde von jetzt an bis in Ewigkeit. (22) Und es sagte der Herr zu Mose: "Ich kenne ihren Widerspruch und ihre Gedanken und ihren harten Nacken. Und sie werden nicht hören, bis wenn sie erkennen ihre Sünde und die Sünden ihrer Väter. (23) Und nach diesem werden sie umkehren zu mir in aller Rechtschaffenheit und mit ganzem Herzen und mit ganzer Seele. Und ich werde beschneiden die Vorhaut ihres Herzens und die Vorhaut des Herzens ihres Samens. Und ich werde ihnen schaffen einen heiligen Geist. Und ich werde sie rein machen, damit sie sich nicht von mir wenden von diesem Tag an bis in Ewigkeit. (24) Und es werden anhängen ihre Seelen mir und allem meinem Gebot. Und sie werden (für sich) mein Gebot tun. Und ich werde ihnen Vater sein, und sie werden meine Kinder sein. (25) Und sie alle werden genannt werden Kinder des lebendigen Gottes. Und es werden sie kennen alle Engel und alle Geister. Und sie sollen sie kennen, daß sie meine Kinder sind und ich ihr Vater in Rechtschaffenheit und Gerechtigkeit und daß ich sie liebe" (Übersetzung nach K. BERGER, Jubiläen 318).

[118] "Und sie alle heißen Kinder des lebendigen Gottes."

[119] "Und er machte für all sein Werk eine Natur, neu und gerecht, damit sie nicht sündigten in all ihrer Natur bis in Ewigkeit und damit sie gerecht seien, alle je nach ihrer Art alle Tage" (Übersetzung nach K. BERGER, Jubiläen 351).

[120] Vgl. A. STROTMANN, Vater 252.

lich gemacht.[121] Beide Stellen dürften Reflex sein auf die Darstellung der Taufe Jesu in Mt 3,16f. Verbindende Motive sind der geöffnete Himmel, die Ausgießung des Geistes über einen Einzelnen sowie die Vaterschaft Gottes bzw. die Sohnschaft des Einzelnen.[122]

3. Gotteskindschaft und rechtes Verhalten

3.1 Aspekte im Alten Testament

Der Zuspruch der Gotteskindschaft im Alten Testament motiviert zu rechtem Verhalten Gott und den Volksangehörigen gegenüber.

(1) In *Jesaja 30,1f*[123] werden diejenigen Israeliten als "abtrünnige Söhne" bezeichnet, die "eine Sünde auf die andere häufen". Hier kommt die erzieherische Funktion des Vaters gegenüber den Söhnen zur Sprache. Jedoch wird auch in diesem Vers deutlich: Söhne können abtrünnig werden, aber sie bleiben Söhne. Positiv gewendet heißt der Vers: Söhne JHWHs fassen mit ihm Pläne und gehen mit seinem Geist Bündnisse ein, um nicht zu sündigen.

Gerade weil sie JHWHs Söhne sind, können sie abfallen; der Gedanke erinnert daran, was Am 3,2 so ausdrückt: "Aus allen Geschlechtern auf Erden habe ich allein euch erkannt, darum will ich auch an euch heimsuchen all eure Sünde." Also auch Jes 30,1f gehört in den Kontext der Erwählungsterminologie. Das Attribut "סוֹרְרִים" erinnert an die Forderung der Todesstrafe für ungeratene Söhne in Dtn 21,18.20. Damit wird angedeutet, was den JHWHsöhnen eigentlich zukäme; zugleich wird die Metapher dadurch inhaltlich gefüllt: Wie ein Sohn soll Israel "geraten".

(2) In *Jeremia 3,19*[124] wird vor allem das gestörte Gottesverhältnis Israels angesprochen. Das singularische Suffix von "אֲשִׁיתֵךְ" ist aus der Tatsache zu erklären, daß in Jer 3,15-18 von der Sammlung des Gottesvolkes die Rede war. Israel und Juda sind nun wieder als zu einem Volk verschmolzen gedacht. Es geht um "Gesamtisrael"[125]. Die Formulierung "שִׁית בַּבָּנִים" meint "als zu den Söhnen (Plural) gehörig behandeln"[126]. In Jer 3,19 wird dadurch, daß der Gedanke der Adoption metaphorisch auf das Verhältnis zwischen Gott und Israel angewendet wird, deutlich gemacht, daß Israel und Juda gerade nicht als von Gott (genealogisch) abstammend betrachtet werden.

Auch hier wird als Vaterpflicht die Liebe und Fürsorge seinen Kindern gegenüber deutlich. Jer 3,19 hat das ursprüngliche Vorhaben JHWHs zum Inhalt.

---

121 Ebd. 161-164.
122 Einzig bezüglich TLev 4,2 und komplementär dazu bezüglich TLev 17,2 spricht sich STROTMANN für eine jüdische Herkunft aus (165f). Hier geht es jedoch um den Hohepriester, der als der ideale Sohn gekennzeichnet wird.
123 (1) "Weh den abtrünnigen Söhnen, spricht JHWH, die ohne mich Pläne fassen und ohne meinen Geist Bündnisse eingehen, um eine Sünde auf die andere zu häufen, (2) die hinabziehen nach Ägypten und befragen meinen Mund nicht, um sich zu bestärken mit der Macht des Pharao und sich zu bergen im Schatten Ägyptens!"
124 "Und ich dachte: Wie würde ich dich behandeln als wärst du zu meinen Söhnen gehörig, und dir das liebe Land geben, den allerschönsten Besitz unter den Völkern! Und ich dachte, du würdest mich dann 'Lieber Vater' nennen und nicht von mir weichen."
125 A. WEISER, Jeremia 38.
126 Vgl. W. GESENIUS, Handwörterbuch 824.

Bei der Betrachtung von Jer 3,19f wird klar: JHWHs Sohn hat sich dieser Sohnschaft entsprechend zu verhalten. Der Zuspruch der JHWH-Sohnschaft motiviert dazu, sich entsprechend diesem Zuspruch zu verhalten. Jer 3,19 ist wohl der älteste Beleg für die Bezeichnung "אָב - Vater" für JHWH im AT. Im Hoseabuch war sie noch nicht aufgetaucht. Jeremia beginnt, diese Sohnschaftsmetaphorik weiterzudenken.

(3) In ähnlicher Weise kommt auch in *Deuteronomium 14,1*[127] das Gottesverhältnis in den Blick.

Im Deuteronomium wird systematisch versucht, Sohnschaft Israels und Erwählung einander zuzuordnen. Die Verpflichtung, die aus der Sohnschaft folgt, wird in Dtn 14,2 mit der Erwählung begründet. Die Zusage der Sohnschaft ist also eine Form der Erwählungszusage. Bezeichnenderweise heißt es in Dtn 14,1: "Ihr seid Söhne *für* JHWH" und nicht "... Söhne JHWHs". Damit wird noch eine "Sicherung" gegen ein mythisches Verständnis eingebaut. Dtn 14,1 setzt voraus, daß man sich dessen bewußt ist, was Sohnschaft JHWHs impliziert: ein wechselseitiges *Liebes*verhältnis.[128] Deshalb steuert die Aussage auch zielstrebig auf die Verpflichtungen zu, die aus diesem Verhältnis für die Söhne resultieren.

(4) Auch bei Deuterojesaja dient die Metapher vom Sohnsein des Volkes der Motivation zur Korrektur des Gottesverhältnisses: *Jesaja 45,10f*[129]. Nach H.J. Hermisson[130] sind die Verse 9.10.11b sekundär eingefügt. In der Tat ist es schwer, diese Verse mit Jes 43,6[131] in Einklang zu bringen. In Jes 45,9-11 ist impliziert, die Eltern hätten die gleiche Verfügungsgewalt über ihre Kinder wie ein Töpfer über seinen Ton. Das mag im Alten Israel zwar faktisch so gewesen sein, doch im Kontext der Gotteskindschaftsmetaphorik klingt dieser Aspekt von Vaterschaft sonst nie an. Die Verwendung der Wurzel "ילד" in diesem Vers (Jes 45,10) spricht für eine recht späte Zeit. Die bewußte Apposition zu JHWH "der Heilige Israels und sein Schöpfer" setzt JHWH deutlich von den Söhnen ab. Die Argumentation der JHWHrede Jes 45,9-13 erinnert an die Argumentation JHWHs in Hi 38f: Individuellem Leid und Hader JHWH gegenüber antwortet JHWH mit seiner Schöpfermacht.

V. 10 scheint trotz des fehlenden כַּאֲשֶׁר ein Vergleich zu sein[132]. JHWH ist Israel gegenüber Schöpfer, so wie der Erzeuger eines Menschen sein Vater ist. Beide haben über das Geschöpf bzw. Kind nach vorexilischer Vorstellung eine vergleichbare Macht. In V. 11 ist aber eindeutig wieder metaphorisch von JHWHs Söhnen die Rede. Das Stichwort "Söhne" taucht recht unvermittelt auf; zuvor (V. 11a) war nur vom "Schöpfer", nicht vom "Vater" - JHWH - die Rede. Der Abschnitt kulminiert in der Heilszusage von Jes 45,13. Diese Heilszusage wird bereits vorbereitet durch die Erwähnung der "Söhne" in V. 11. "Sohnschaft" heißt Zugehörigkeit zum Vater, heißt wechselseitiges Liebes- und Vertrauensverhältnis. JHWH

---

[127] "Ihr seid Söhne für JHWH, euren Gott. Ihr sollt euch um eines Toten willen nicht wund ritzen noch kahl scheren über den Augen. (2) Denn du bist ein heiliges Volk für JHWH, deinen Gott, und JHWH hat dich erwählt, daß du sein Eigentum seist aus allen Völkern, die auf Erden sind."
[128] Vgl. o. S. 34.
[129] (10) "Weh dem, der zum Vater sagt: Warum zeugst du? und zum Weibe: Warum gebierst du? (11) So sprich JHWH, der Heilige Israels und sein Schöpfer: Wollt ihr mich zur Rede stellen wegen meiner Söhne? Und wollt ihr mir Befehl geben wegen des Werkes meiner Hände?"
[130] H.J. HERMISSON, Deuterojesaja I 14f.
[131] Vgl.o. S. 44.
[132] Vgl. C. WESTERMANN, Jesaja 135.

verfährt nicht willkürlich und despotisch mit seinen Söhnen. Die selbstverständlich vorausgesetzte Sohnschaft der Israeliten (V. 11) führt also auch hier zu einer Heilszusage (V. 13).

(5) Ähnlich wie in Jes 30,1f wird die Gotteskindschaft Israels im Moselied *(Deuteronomium 32)*[133] zum Grund für die Anklage der Kinder Gottes. Die Verse 5f[134] scheinen nicht der bisherigen, erstaunlich einheitlichen alttestamentlichen Konzeption zu entsprechen. In V. 5 ist als einziger Stelle den Israeliten die Sohnschaft wegen ihrer Abtrünnigkeit abgesprochen. Wer so gegen JHWH sündigt, ist nicht sein Sohn. Doch im Grunde ist (und bleibt) JHWH der Vater. Seine väterlichen Taten sind "עשׂה" und "כון pil" (machen und bereiten)[135]. So wird die Negation der Sohnschaft (V. 5) des Volkes durch den Hinweis auf die Vaterschaft JHWHs (V. 6) relativiert: von JHWH aus besteht das Vater-Sohn-Verhältnis weiter.

Interessanterweise wird hier (ähnlich wie in Jes 45,10f) "אָב" mit Schöpfungsterminologie verbunden (קנה, עשׂה, כון pil; vgl. Hi 31,15; Ps 119,73). Ähnlich wie in Jes 45,10f klingt dadurch die unbedingte Autorität des Vaters (und Schöpfers) über seine Kinder an. Auffällig ist, daß "ילד" zugunsten der Schöpfungsterminologie vermieden ist. JHWH steht als "Baumeister" Israel frei gestaltend gegenüber.[136]

Trotz deutlicher Anklänge an mythische Vorstellungen eines zeugenden und gebärenden Gottes ist dann in den Versen 18ff[137] der Mythos bereits vollends überwunden[138]; in Ps 90,2 werden genauso wie hier die beiden Verben "חיל" pil und "ילד" hi nebeneinandergestellt; dort werden sie allerdings im Kontext der Schöpfung verwendet.[139] Die "arglose" Verwendung der beiden Verben in bezug auf JHWH ist erst in exilisch-nachexilischer Zeit vorstellbar.[140] In V. 18 wird also keine Zeugungs-, sondern Schöpfungsterminologie verwendet (analog Ps 90,2 und Hi 38,28). Schöpfungsterminologie gebraucht v.a. Deuterojesaja, um das erwäh-

---

133 H.D. PREUSS, Deuteronomium 167, hat für das Moselied in Dtn 32 herausgearbeitet, daß es formkritisch "nur als (daher ebenfalls späteres, viele Einflüsse voraussetzendes) Mischgebilde zu kennzeichnen sein (wird), worin Traditionen wie Gattungen sich vereinen". Für die für uns in Betracht kommenden Verse dürfen wir mit exilisch-nachexilischen Traditionen rechnen. Nach E. SELLIN, Moselied 161, halten die meisten Exegeten das Moselied für exilisch; er selber plädiert für eine nachexilische Entstehung (ebd. 171); es wird aber auch mit späteren Zusätzen zu rechnen sein, z.B. VV. 5f.18.26f.36.43; vgl. hierzu H.D. PREUSS, Deuteronomium 166; sowie M. NOTH, Studien I 40, der das Moselied zu den jüngsten Einschüben des kanonischen Deuteronomiums rechnet.

134 (5) "Das verkehrte und böse Geschlecht hat gesündigt wider ihn; sie sind Schandflecken und nicht seine Kinder. (6) Dankst du so JHWH, deinem Gott, du tolles und törichtes Volk? Ist er nicht dein Vater und dein Herr? Ist er es nicht allein, der dich gemacht und bereitet hat?"

135 כון pil scheint erst sehr spät in Gebrauch gekommen zu sein, wird in den Psalmen bevorzugt verwendet, auch in Ps 68,10.

136 Vgl. W. SCHLISSKE, Gottessöhne 165.

137 (18) "Deinen Fels, der dich gezeugt hat, hast du außer acht gelassen und hast vergessen den Gott, der dich gemacht hat. (19) Und als es JHWH sah, wurde er zornig über seine Söhne und Töchter, (20) und er sprach: 'Ich will mein Antlitz vor ihnen verbergen, will sehen, was ihnen zuletzt widerfahren wird; denn es ist ein verkehrtes Geschlecht, es sind untreue Kinder.'"

138 Vgl. H. RINGGREN, Art. אָב, ThWAT 1 (1973), Sp. 18.

139 In Jer 2,27 wird die gleiche Terminologie verwendet. Doch hier wird die "ganze Sphäre ... ironisch und polemisch abgewiesen. Das mythische Reden vom erzeugenden oder gebärenden Gott hat sich Israel niemals ernsthaft zu eigen gemacht" (L. PERLITT, Vater 99). Zur Bedeutung von ילד in Dtn 32,18 vgl. F. RUPPRECHT, Felsen 53-62.

140 Vgl. J. KÜHLEWEIN, Art ילד, THAT 1 (1971), Sp. 735f; auch in Hi 38,28 wird ילד zur Umschreibung von JHWHs Schöpferhandeln verwendet.

lende Geschichtshandeln JHWHs seinem Volk gegenüber auszusagen. Das Wortfeld der Erwählungstheologie des Alten Testaments ist also auch hier zu finden.

V. 20 scheint V. 5 zu widersprechen. Hier werden die Kinder zwar als untreu (בָּם אֵמֻן לֹא) bezeichnet, doch sie bleiben Söhne trotz ihrer Untreue. JHWH bleibt ihr Vater (vgl. V. 6), er kann als solcher auch über sie zornig sein (V. 19 vgl. 15). Der Zorn JHWHs ist umschlossen von seiner Liebe zu seinen Söhnen. Auch Zorn kann im Dienst der Liebe stehen, und trotz seines Zornes verstößt er (nach V. 19) seine Kinder nicht.[141] Auch wenn JHWH sich abwendet, bleiben seine Kinder seine Kinder.

(6) *Maleachi 1,6; 2,10*[142] thematisiert das zwischenmenschliche Verhältnis. Die Verpflichtung, die die Gottessohnschaft mit sich bringt, erstreckt sich nicht nur auf das Gottesverhältnis, sondern auch das Verhältnis zu den Volksgenossen; es geht um כבד. Im Hintergrund steht hier offenbar das Dekaloggebot von Ex 20,12 (Dtn 5,16), das ebenfalls die Wurzel כבד verwendet.[143] Die Haltung des Vaters seinem Sohn gegenüber steht hierbei außer Frage und wird in diesem Zusammenhang (Mal 1,6) nicht in den Blick genommen. "JHWH ist Israels Vater und Herr."[144] Die Zusammenordnung dieser Epitheta fand sich bereits in Dtn 32,6. Die Rede vom Herrsein (אָדוֹן) JHWHs verläßt die Metapher von JHWHs Vatersein. Zwar galt im Alten Israel auch der Vater als Chef der Familie, doch ist die Anrede als "אָדוֹן" von Haus aus mit JHWH und nicht mit einem Familienvater verbunden.[145] Im Gegensatz zu Mal 1,6, wo nur Priester angesprochen waren, wendet sich Mal 2,10 an das Volk. Die rhetorische Frage nach der Vaterschaft JHWHs impliziert das vorauslaufende, bedingungslose "Ja" JHWHs zu seinem Volk. "Die Söhne eines 'Vaters' sind Brüder, und Brüder schulden sich Brüderlichkeit."[146] Dies ist die Argumentation bei Maleachi. Es wird versucht, Konsequenzen des Vater-Motivs aufzuzeigen, einen ethischen Impetus argumentativ zu entfalten. Auch hier findet sich Schöpfungsterminologie im Zusammenhang mit der Rede vom Vatersein JHWHs (ברא). Auch hier steht im Vordergrund die Verpflichtung der Söhne; allerdings sollen die Adressaten durch das prophetische Wort zum rechten Handeln überzeugt werden. "This personal relationship of god with his people led in the history of Israel to an ethical relationship, by which the god of the tribe has become the god of righteousness ..."[147] Gleichwohl wird man (trotz Ex 4,22) nicht sagen dürfen: "The son of god is the servant of god."[148]

(7) *Psalm 103,13*[149] macht den Vergleich des Vater-Sohn-Verhältnisses mit dem Verhältnis zwischen JHWH und den Juden abhängig vom menschlichen Verhalten. Dieser Vers berührt sich eng mit Mal 3,17; auch hier wird in einem Vergleich von JHWH als Vater geredet; auch hier ist das tertium comparationis das Erbar-

---

141 Vgl. V. 6: trotz V. 5 wird JHWH mit "Vater" bezeichnet.
142 (1,6) "'Ein Sohn soll seinen Vater ehren und ein Knecht seinen Herrn. Bin ich nun Vater, wo ist meine Ehre? Bin ich Herr, wo fürchtet man mich?', spricht JHWH Zebaoth zu euch Priestern, die meinen Namen beachten."
    (2,10) "Haben wir nicht alle *einen* Vater? Hat uns nicht *ein* Gott geschaffen? Warum verachten wir denn einer den andern und entheiligen den Bund mit unseren Vätern?"
143 Vgl. auch Mal 1,2, wo erstmals die Liebe Gottes zu seinem Volk erwähnt wird.
144 W. RUDOLPH, Maleachi 261.
145 Gegen R. GYLLENBERG, Gott 53.
146 L. PERLITT, Vater 53.
147 P.A.H. DE BOER, Son 201.
148 So P.A.H. DE BOER, Son 203.
149 "Wie sich ein Vater über Kinder erbarmt, so erbarmt sich JHWH über alle, die ihn fürchten."

men. In Ps 103,13 sind es die JHWHfürchtigen, denen JHWH sich gegenüber wie ein Vater verhält.

3.2 Zur Konzeption in "Jesus Sirach"

Die Vorstellung vom Gerechten als dem Sohn Gottes entspringt weisheitlicher Tradition.
Jesus Sirach kennt auch den Gedanken, daß der Gerechte[150] ein besonderes Gottesverhältnis hat, ja, Gottes Kind genannt werden kann. Aus der Kombination von Sir 34,24 und 4,10 wird deutlich: Während Gott den Armen generell Vater sein will (Sir 34,24), ist er es den übrigen Menschen nur, wenn sie sich selbst wie Väter verhalten (Sir 4,10).[151]
Sir 4,10 scheint Jer 3,19 vorauszusetzen; man kann vermuten, daß an beiden Stellen die Adoptionmetapher zugrunde liegt: "καὶ ἔσῃ ὡς υἱὸς ὑψίστου" meint, daß der Gerechte die Liebe und Fürsorge Gottes empfangen werde als sei er der Sohn und Gott der Vater![152]

4. Gotteskindschaft der sozial Benachteiligten

Einzig in Ps 68,6f[153] wird das Gotteskindschaftsmotiv auf sozial Benachteiligte angewendet. Erstmals ist nicht ethnische, sondern soziale Sohnschaft im Blick, wenngleich es auch hier nur um Israeliten geht.[154] JHWH wird in seiner Funktion den Benachteiligten gegenüber betrachtet (vgl. auch Sir 34,24). Die gesellschaftlichen Randgruppen dürfen sich des Erbarmens JHWHs als ihres Vaters sicher sein. Mit der Drohung gegen die "Abtrünnigen" (סוֹרְרִים) bewegt sich der Psalmist wieder innerhalb der Metapher. Das Wort ist bekannt aus der Forderung der Todesstrafe für ungeratene Söhne (Dtn 21,18.20), sowie aus Jes 30,1f.

5. Gotteskindschaft des leidenden Gerechten

Proverbien 3,12[155] sucht vornehmlich eine Antwort auf die Frage: Hat Leiden des Gerechten einen Sinn? Eine ägyptische Parallele - allerdings ohne den Vergleich mit dem Vater - bietet Pap. Insinger 20,13: "Das Schwere, das kommt, siehe Gottes Hand darin."[156] Deutlich ist auch hier: Der Zorn des Vaters, der die Leiden

---

150 Gemeint ist natürlich der gerechte Israelit (vgl. A. STROTMANN, Vater 93).
151 Vgl. ebd. 95.
152 Vgl. W. GRUNDMANN, Gotteskindschaft 36.
153 (6) "Ein Vater der Waisen und ein Helfer der Witwen ist Gott in seiner heiligen Wohnung, (7) ein Gott, der die Einsamen nach Hause bringt, der die Gefangenen herausführt, daß es ihnen wohlgehe; aber die Abtrünnigen läßt er bleiben in dürrem Lande."
154 Vgl. JosAs 11,13.
155 (11) "Mein Sohn, verwirf die Zucht JHWHs nicht und sei nicht ungeduldig, wenn er dich zurechtweist; (12) denn wen JHWH liebt, den weist er zurecht, und hat doch Wohlgefallen an ihm wie ein Vater am Sohn."
156 Zitiert nach H. RINGGREN u.a., Sprüche 21.

verursacht, ist umschlossen von seiner Liebe. Prv 13,24[157] weist aus, daß auch Prv 3,12 ganz in familiären Kategorien denkt.

6. Zusammenfassung

Eine Sonderstellung unter den Belegen im Alten Testament für die Gottessohnschaft eines Volkes nimmt Numeri 21,29[158] ein. Hier ist von den Söhnen des Gottes Kemosch die Rede; es sind diejenigen, die diesen Gott verehren, die zu diesem Gott gehören, eben die Moabiter. Generell wird sich mit P.A.H. de Boer sagen lassen: "The intimate relationship between a god and his tribe or people, expressed by means of terms borrowed from family life, from the begetting of children and the concept of fatherhood within the home, need not mean that a god was identified in literal sense as the ancestor of a clan or people."[159] בֵּן bezeichnet hier also lediglich die Zugehörigkeit eines Volkes zu seinem Gott.

Auch bei den Personennamen, die אָב als theophores Element haben, ist die Zugehörigkeit des Namensträgers zu der Gottheit im Vordergrund.

"אָב als theophores Element in israelitischen Personennamen"
Gedacht ist hier an Namen wie "Abram", "Abner", "Eliab", "Abihu", "Abiel", "Abija(hu)".[160] Diese Namen gehen wohl auf sehr alte Wurzeln zurück.[161] Nach M. Noth sind sie aus einer alten Stammesreligion entstanden.[162] Seiner Meinung nach "ging neben der physischen Verbundenheit von Gott und Stamm durch die Blutsverwandtschaft, wenn sie wirklich die ursprüngliche Vorstellung war, jedenfalls ein starker Zug persönlicher Beziehungen der Stammesgemeinschaft zu der persönlich gedachten Stammesgottheit ...; und es sei ausdrücklich darauf hingewiesen, wie sehr ein solcher persönlicher Einschlag einer Religion einen positiven Wert, vor allem auch in der Richtung auf eine ethische Gottesauffassung hin verleiht gegenüber religiösen Anschauungen, die in rein naturhaftmateriellen Kategorien verlaufen"[163]. Die mit "אָב" als theophorem Element gebildeten Personennamen sind nach Noth also ein Relikt aus der Zeit der Stammesreligion.[164]
Doch diese Namen müssen nicht zwangsläufig darauf hindeuten, daß ursprünglich die Vaterschaft JHWHs physisch gedacht wurde, vielmehr scheinen diese Namen ein Verständnis JHWHs als persönliche Schutzgottheit vorauszusetzen, ähnlich wie es in der babylonischen und assyrischen Religion der Fall war.[165]
Das Alte Testament spricht sehr spät und auch dann nur spärlich vom Sohnsein Israel-Judas und dem Vatersein JHWHs. Wir können also mit H. Vorländer vermuten, daß die Vorstellung von JHWH als persönlicher Gott eines Menschen auf das Verhältnis JHWHs zum Volk Israel übertragen wurde.[166]

---

157 "Wer seine Rute schont, der haßt seinen Sohn; wer ihn aber lieb hat, der züchtigt ihn beizeiten."
158 "Weh dir, Moab! Du Volk des Kemosch bist verloren. Man hat seine Söhne in die Flucht geschlagen und seine Töchter gefangen geführt zu Sihon, dem König der Amoriter."
159 P.A.H. DE BOER, Son 197.
160 Vgl. die Zusammenstellung bei J. BROSSEDER, Gott 35f, der 23 verschiedene israelitische Namen anführt, in denen der Gedanke "Gott als Vater" ausdrücklich enthalten ist.
161 H. HAAG, Sohn 225.
162 Vgl. A. SCHENKER, Elemente 57. SCHENKER nennt "jene Namen, die die Gottheit anstatt mit ihrem Namen JHWH oder mit einer Gottesbezeichnung wie 'Gott', 'König', 'Baal' mit einer *Verwandtschaftsbezeichnung* benennen" "altisraelitische Personennamen": "Die Gottheit wird durch solche Namen gleichsam in die Familie hineingenommen, so daß sie sich gleich wie ein besorgter Vater, Bruder oder Vatersbruder um die Familie annimmt."
163 M. NOTH, Personennamen 75.
164 Vgl. H. HAAG, Sohn 225; anders W.H. SCHMIDT, Glaube 189, der negiert, daß diese Namen auf den früheren Gedanken einer Blutsverwandtschaft zwischen Sippen- und Stammesgott und seiner Verehrerschar hindeutet.
165 Vgl. hierzu G. QUELL, Art. πατήρ κτλ., ThWNT 5 (1954), 968,20-969,13.
166 H. VORLÄNDER, Gott 293-301.

In Ez 16,20 wird die metaphorische Redeweise des Kindschaftsmotivs besonders deutlich: Hier wird promiscue von Jerusalems und JHWHs Kindern geredet; sogar das Verbum "ילד - gebären" wird in diesem Kontext gebraucht. "Ein Volk heißt thatsächlich auch Sohn oder Tochter des Landes, der Stadt, die es bewohnt."[167] Die Rede vom Vater Gott und vom Sohn Volk ist aber mythischer Herkunft. "Sind eigentlich mythische Reste gegebenenfalls noch festzustellen, so ist das Charakteristikum des alttestamentlichen Gebrauchs aber die direkte Antithese."[168]

Nahezu überall wo das Gotteskindschaftsmotiv auftaucht liegt der Akzent auf Gottes erbarmender Vaterliebe. Diese Tatsache ermöglichte v.a. Deuterojesaja und dem Deuteronomium die Einfügung der Rede von der Vaterschaft JHWHs in die eigene Erwählungs- (und Schöpfungs-)theologie. In diesem theologischen Sinn gehören die Verben ילד hi und חיל pil insofern eindeutig in das Wortfeld "erwählen" (vgl. Dtn 32,18). Die Sohnschaftsmetapher bringt deutlich zum Ausdruck: Israel-Juda hat selbst nichts zur Sohnschaft beitragen können, im Gegenteil: Statt sich zu seinem Vater zu bekennen, hat das Volk sich von ihm immer wieder distanziert. Das hat JHWH allerdings nicht daran gehindert, weiter von seinen "Söhnen" zu sprechen (vgl. Dtn 32,5.6). Auch wenn JHWH sich abwendet, bleiben sie seine Söhne. Die Durchhaltung der Sohnschaft auch in "schlechten Zeiten" ermöglichte Israel für die Zukunft die Hoffnung auf eine erneute Zuwendung seines Vaters.

Nirgends erscheint die Sohnschaft als eine zu erfüllende Aufgabe.[169] Die Aufgabe zur Bewährung wird nur in Dtn 32,5 auf die Spitze getrieben: Bewahrung gibt es nur in der Bewährung; doch nirgends wird gefordert: "Ihr sollt Söhne sein!"[170] Vielmehr wird Israel-Juda die Sohnschaft zugesprochen und dann positiv die Wirklichkeit angedeutet, die sich für Israel-Juda aus dieser Tatsache ergibt.

Häufig wird die Metapher von der Vaterschaft JHWHs mit Verben und Begriffen aus dem realen Familienleben in Verbindung gebracht.[171] JHWH verhält sich seinem Volk gegenüber immer wieder so, als wäre er der Vater und das Volk sein Kind.

Die Metapher wird aber auch häufig mit Schöpfungs- oder "Erwählungs-"terminologie angefüllt.[172] Singular und Plural (Sohn - Söhne) können promiscue gebraucht werden. Es scheint aber, daß im AT die Sohnschaft nicht durchgängig dem Volksganzen vorbehalten bleibt, sondern mitunter jedem einzelnen als Teil des Volkes zugesprochen wird (Dtn 14,1; 32,5 u.a.).[173] "Söhne Gottes sind die Israeliten als das von Gott erwählte Volk, das Volk des Eigentums, das ihm geheiligte Volk."[174]

Der Gedanke von Gott als Vater seines Volkes ist im AT "eines von vielen Bildern, womit das Verhältnis zwischen JHWH und Israel beschrieben wird"[175]. Die Auseinandersetzung mit mythischem Denken ist immer wieder spürbar geworden.

---

167 P. BAUR, Gott 485.
168 E. HÜBNER, Credo 659.
169 Vgl. W.H. SCHMIDT, Glaube 192.
170 Das widerspräche auch dem Bild: Sohn kann man nur durch den Vater werden.
171 Vgl. Hos 11,1-3; Jes 1,2; Jer 3,14.22; 31,20; Num 11,22; Dtn 1,31; 8,5; 32,18; Mal 1,6; 2,10; 3,17; Ps 68,6; 103,13; Prv 3,12.
172 Vgl. Jer 3,22; 31,9; Jes 43,6; Dtn 32,6; Jes 64,7.
173 Vgl. W.H. SCHMIDT, Glaube 192.
174 G. DELLING, Bezeichnung 18.
175 H. RINGGREN, Art. אָב, ThWAT 1 (1973), Sp. 19.

Dadurch wurde ein Fortschritt in der Terminologie erzielt.[176] Ganz vorsichtig und auch frühestens in spätexilischer bzw. frühnachexilischer Zeit wurden die Wurzel "ילד" und ihre Derivate in diese Metaphorik eingebracht. Dies war eben erst möglich, als ein mythisches Mißverständnis dieser Wurzel ausgeschlossen war.

Israel hat sich nicht einfach als "Sohn JHWHs" verstanden, und man wird sich hüten müssen, diese Konzeption in jede Darstellung des Verhältnisses zwischen JHWH und seinem Volk einzutragen. Hin und wieder im AT wird der Gedanke von Vaterschaft JHWHs und Sohnschaft des Volkes als Metapher verwendet. Die übrigen Aussagen über das Verhältnis zu Israel-Juda sind nicht in den Gedankenkomplex "Vaterschaft - Sohnschaft" einzuzeichnen, sondern umgekehrt: die Metapher vom Vater JHWH und seinem Sohn Israel-Juda illustriert das innige Verhältnis zwischen JHWH und seinem Volk.

Die alttestamentlichen Gedanken über die Gotteskindschaft des Volkes sind von erstaunlicher Geschlossenheit. Diese Sohnschaft basiert auf der Heilsgeschichte JHWHs mit seinem Volk; sie hat ihren Grund im Befreiungserlebnis des Auszugs aus Ägypten[177] und ist ein Motiv, das den Erwählungsgedanken des Volkes zum Inhalt hat. Noch im AT wird die Sohnschaft präsentisch dem Volk zugesprochen und ist Ausdruck für das besondere Verhältnis zwischen JHWH und Israel. Hier hat Gotteskindschaft und JHWHs Vaterschaft nichts mit JHWHs Schöpfungstätigkeit zu tun.[178] Die Metapher wird in verschiedener Weise ausgedeutet: es überwiegt deutlich das Fürsorge-Motiv, aber auch das Erziehungs-Motiv ist zu finden.

Bereits in Jesus Sirach, besonders deutlich dann im Jubiläenbuch und in den christlichen Interpolationen des TLevi (18,6f) und TJud (24,2f) läßt sich - was das Motiv der Gotteskindschaft angeht - eine charakteristische Verschiebung in Richtung Eschatologie beobachten. Zwar ist die alttestamentliche metaphorische Redeweise von der gegenwärtigen Vaterschaft Gottes Israel zumindest teilweise (Sir) noch gebräuchlich, doch rückt der Gedanke der Gotteskindschaft als Zukunftshoffnung stärker in den Vordergrund. Das Motiv erschöpft sich nicht einseitig in der Zusage von Gottes Vaterschaft; auch der Sohn sollte diesem Verhältnis entsprechen. Dieser Anspruch trat aber in schärfsten Widerspruch zur Gegenwartserfahrung des eigenen Daseins. Deshalb verband man die Hoffnung auf die Gotteskindschaft mit der Hoffnung auf die eschatologische Erneuerung. Erst dann - so der Gedanke - könne man sich "sohnesgemäß" verhalten. Interessanterweise findet sich im AT der Gedanke von der Sammlung des Gottesvolkes häufig in Zusammenhang mit der Gotteskindschaftsmetaphorik (Hos 2,1-3; Jer 3,14-19; 31,8f; Jes 43, 5-7). Bereits hier findet sich also die Vorstellung des Zusammenschlusses der Gotteskinder in der Endzeit.

---

[176] Vgl. W. SCHLISSKE, Gottessöhne 166.
[177] Damit ist nicht gesagt, die Gotteskindschaft Israels habe im Auszugsgeschehen ihren geschichtlich faßbaren Anfang.
[178] Vgl. den Exkurs, o. S. 29.

III. Gott als Vater gegenüber Angehörigen von Randgruppen

1. Die Konzeption von Gotteskindschaft in Qumran

1.1 Die Gemeinschaft von Qumran

Die Gemeinschaft, die als Trägergruppe hinter den Qumran-Texten steht, ist für die heutige Forschung gut rekonstruierbar.[1] Es handelt sich um eine klosterähnliche Gemeinschaft, die sich am Nordwestufer des Toten Meeres niedergelassen hatte. Ihre Entstehung ist auf Jerusalemer Priesterkreise zurückzuführen, die dem Jerusalemer Hohepriester vorwarfen, die Vorschriften des Gesetzes nicht genau genug zu befolgen. Kennzeichnend für die Gemeinschaft am Rande des Toten Meeres war neben ihrem hierarchischen Aufbau mit dem "Lehrer der Gerechtigkeit" an der Spitze (1QS 6,8-13) ihre strenge Disziplin (1QS 6,24-7,25) sowie ihre enge Gemeinschaft untereinander. In 1QS 6,2f werden gemeinsame Mahlzeiten, gemeinsame Lobpreisungen und gemeinsame Beratungen gefordert (vgl. 1QS 6,7f). Der neu Eintretende hatte sein persönliches Eigentum "in den Besitz der ganzen Gemeinde einzubringen, der von einem Aufseher verwaltet wurde"[2]. Der von allen anderen Menschen abgeschotteten Lebensweise der Mitglieder von Qumran entspricht ihr Erwählungsbewußtsein. Sie verstanden sich als "die Auserwählten des Wohlgefallens (Gottes)" (1QS 8,6; vgl. 1QH 4,32f; 11,9) bzw. als "heiliges Haus für Israel" (1QS 8,5f). Auf diesem grob skizzierten Hintergrund sollen nun die Gotteskindschaftsaussagen der Texte von Qumran interpretiert werden.

1.2 Die Verwendung von "Sohn" (בֵּן) in den Qumranschriften

Die Texte von Qumran stehen mit ihrem Sprachgebrauch von בֵּן als primärem Nomen einer Constructus-Verbindung dem Sprachgebrauch des AT sehr nahe. Viele Verwendungsmöglichkeiten von בֵּן im AT tauchen auch in den Qumranschriften auf. In erster Linie meint בֵּן den vom Vater gezeugten Sohn.[3] Ebenso wie im AT kann mit בֵּן auch "die gliedhafte Zugehörigkeit zu einem Volk oder zu einer Sippe ausgedrückt werden"[4]. Unter Verwendung von בֵּן kann auch ein einzelner aus einer kollektiven Gemeinschaft bezeichnet werden.[5] Ebenso kann mit בֵּן das Alter eines Menschen ausgedrückt werden.[6] Wie auch schon im AT

---

1   In unserem Zusammenhang kann nur auf wenige Aspekte der Gemeinschaft von Qumran eingegangen werden; vgl. zur ersten Orientierung W. GRUNDMANN, Essener 234-267; E. LOHSE, Umwelt 63-82 (Lit.).

2   E. LOHSE, Umwelt 72; vgl. Josephus, bell 2,122.

3   Vgl. H. HAAG, Art. בֵּן, ThWAT 1 (1973), Sp. 672; vgl. CD 4,13.15; 7,10; 8,20 vgl. CD 7,7; 19,3.

4   H. HAAG, Art. בֵּן, ThWAT 1 (1973), Sp. 673; vgl. den Ausdruck בְּנֵי יִשְׂרָאֵל in 1QS 1,23; frg 22,1,3; 4,5; CD 4,1; 14,4f; sowie den Ausdruck בני צדוק הכהנים in 1QS 5,2.9; 1QSa 1,2.24; 2,3; 1QSb 3,22; 4QFl 1,17; CD 3,21; 4,3; sowie den Ausdruck בני ארפחשד in 1QM 2,11 u.v.a.

5   Vgl. H. HAAG, Art. בֵּן, ThWAT 1 (1973), Sp. 674; vgl. den Ausdruck בן אדם in 1QS 11,20; 1QH 4,30; 10,28; 11,6.

6   Vgl. H. HAAG, Art. בֵּן, ThWAT 1 (1973), Sp. 674; vgl. 1QM 2,4; 6,14; 7,1-3; 1QSa 1,8.12f; CD 10,6f; 14,7.9.

kann בֵּן auch in verschiedenen bildhaften Ausdrücken verwendet werden[7], wenngleich auffällt, daß die in den Qumranschriften gebrauchten Bilder Licht (אור), Finsternis (חושך) u.a. sich im AT nicht finden.

Die Mitglieder der Gemeinschaft bezeichnen sich selbst als "Söhne des Lichts (אור - 1QS 1,9; 3,24f u.ö.)", "Söhne der Wahrheit" (אמת - 1QS 4,5f; 1QH 9,35 u.ö.), "Söhne des Rechts" (צדק - 1QS 3,22), "Söhne der Gnade" (חסד -1QH 4,32f u.ö.), "Söhne des Bundes" (ברית - 1QM 17,8)[8]. Hier soll durch בֵּן die Zugehörigkeit zu einer positiven Macht signalisiert werden[9]. Dies wird deutlich durch die Verwendung des Wortes erwählen (בחר) in bezug auf diejenigen, die vollkommen wandeln; denn sie hat Gott erwählt zum ewigen Bund (1QS 4,22). Deshalb können sie auch kurz als "Söhne seines Bundes" (בני בריתו - 1QS 17,8) bezeichnet werden. Auch die "Söhne des Rechts" können nach 1QS 3,22 sündigen, können Vergehen und treulose Taten durchführen. Man ist also nicht sündlos qua Rechtssohnschaft. Zudem wird in 1QS 3,22 der Fürst der Lichter als *Herr*, nicht als *Vater*, über die Söhne des Rechts apostrophiert. Die metaphorische Verwendung des Sohnschaftsgedankens wird hier - ähnlich wie im AT - also nicht konsequent durchgehalten.

1.3 Vater- und Sohnschaft in Qumran

1.3.1 Der menschliche Vater der Gemeinschaftsmitglieder (1QH 7,20f)

Der Eintritt in die Gemeinschaft von Qumran brachte für die Neu-Eintretenden - so der Gedanke innerhalb der Gemeinschaft - den Übergang von der Finsternis ins Licht, d.h. eingeschlossen ist hierbei auch die Absonderung von allen (früheren) Außenbeziehungen, hinsichtlich Arbeit, Vermögen und Ernährung (vgl. 1QS 5,8-23); auch der Kontakt zum eigenen Elternhaus wurde abgebrochen. Mit dem Eintritt wird der Mensch durch den Heiligen Geist zum Kind des Lichts und der Wahrheit erneuert (1QS 3,6-8; 1QH 16,12) bis er später zum Kind des Himmels wird, das den Engeln gleicht (1QS 4,22; vgl. syr.Bar. 51).

Die Ordnung der Gemeinschaft von Qumran sah auch das Amt eines "Aufsehers" (האיש מבקר) vor.[10] Nach CD 13,9 übernahm dieser Aufseher die Vaterfunktion für die (inzwischen elternlosen) Mitglieder der Gemeinschaft. Wie häufig im AT ist das tertium comparationis das Erbarmen des Vaters über seine Kinder.[11] Während allerdings in CD 13,9 ein Vergleich gebraucht wird, findet sich in 1QH 7,20f[12]

---

7   Vgl. H. HAAG, Art. בֵּן, ThWAT 1 (1973), Sp. 674.
8   Vgl. "Söhne des Himmels" in 1QHfrg. 2,10.
9   Vgl. W. GRUNDMANN, Frage 94: "In jedem Fall ist mit dem Wort Sohn, das durch den jeweiligen Genitiv qualifiziert wird, ein Zugehörigkeitsverhältnis, nicht aber eins der Abstammung und Verwandtschaft ausgesprochen ... Das zeitgenössische Judentum und auch das Neue Testament kennen ebenfalls Bildungen mit 'Sohn', in denen es nichts anderes als die Zugehörigkeit ausdrückt." Vgl. O. MICHEL/O. BETZ, Von Gott gezeugt 12: Dieser Gebrauch "dient als Bild für die enge Beziehung zu einer guten oder bösen Macht, die das ganze Wesen bestimmt".
10   Vgl. 1QS 6,12.20; CD 9,18.22; 13,6f.13.16; 14,8.10.13.20; 15,8.11.14.
11   Vgl. auch das aus dem AT übernommene Hirtenbild in CD 13,9; vgl. Ps 23.
12   "(20) Du setzt mich zum Vater allen Söhnen der Gnade (21) und gleichsam als Amme den 'Männern des Zeichens'. Sie sperren den Mund wie ein Säugli[ng...] auf, wie ein Kind sich ergötzt an der Brust seiner Amme." (Übersetzung nach J. MAIER, in: DERS./K. SCHUBERT, Qumran-Essener.

eine Metapher. Hier wird das Verhältnis des Beters[13] zu den "Söhnen der Gnade" (בני חסד) als ganzes in die Vater-Sohn-Metaphorik gekleidet. Die Vermutung von der Komplementarität der in 1QH 7,20f auftauchenden Vatermetapher und dem sich ebenfalls hier findenden Ammenvergleich greift hier wohl zu kurz, da die Stilfigur wechselt. Darüber hinaus haben wir bereits festgestellt, daß auch bei dem Vatergedanken in Qumran in erster Linie Liebe zu Zuwendung assoziiert wird und weniger die Autorität (vgl. 1QH 9,35; 4Q DibHam 3,4-10; CD 13,9). Der Vergleich mit der Amme soll die Vatermetapher weiterführen.[14] Im Zusammenhang mit dem Ammenvergleich (1QH 7,21: וכאמן) wird immer wieder auf die biblische Parallele Num 11,12 hingewiesen.[15] Im Gegensatz zu Mose bejaht aber der Beter seine Ammenfunktion für die Gemeinschaft.[16]

1.3.2   Die Ablösung der Gotteskindschaft vom Volk Israel (4QDibHam 3,4-10)[17]?

Auffälligerweise beginnt das Fragment mit der Anrede "אבי" und nicht mit "אבינו". Womöglich ist der "Lehrer der Gerechtigkeit" der Sprecher, der später stellvertretend für die ganze Gemeinschaft spricht.
Adressat der Vaterschaft Gottes ist in 4QDibHam 3,4-10 das Volk Israel. Hintergrund der Zeile 6 ist Hos 11,1-3 bzw. Ex 4,22.
Nun bleibt zu fragen, in welcher Weise die beiden Formulierungen von der Gottessohnschaft Israels (3,4f) und von der Züchtigung durch den Vater (3,6f) aufeinander bezogen sind. כול הגוים schließt an קרתה לישראל בני בכורי an. Darauf folgt parataktisch ובנים שמחנו לכה לעיני begründend mit "כיא" an. Darauf folgt parataktisch der Satz "ותיסרנו כיסר איש את בנו". Letztgenannter Halbsatz gehört deshalb nicht mehr zur Begründung (in den כיא-Satz), weil auch der folgende Halbsatz parataktisch angeschlossen ist (ותרבכו); und dieser kann wegen seines Inhaltes nicht mehr in den כיא-Satz gehören, da רבה nicht im Sinne von "Kinder aufziehen" gebraucht wird.[18] So bekommen wir folgende Satzstruktur[19]:

A: ובנים שמחנו לכה לעיני כול הגוים
B: כיא קרתה לישראל בני בכורי
C: ותיסרנו כיסר איש את בנו
D: ותרבכו אותנו בשני דורותינו

A: "Als Söhne aber hast du uns für dich gesetzt in den Augen von allen Völkern
B: und du nanntest Israel 'mein erstgeborener Sohn'

---

13 Vgl. zum Problem des Beters S. HOLM-NIELSEN, Ich 217-229, bes. 226.
14 Gegen G. JEREMIAS, Lehrer 190.
15 So O. BETZ, Volk 69; O. MICHEL/O.BETZ, Von Gott gezeugt 14, Anm. 59; G. JEREMIAS, Lehrer 191.
16 A.S. V. D. WOUDE, Vorstellungen 155f, hat dargelegt, daß es in 1QH 3,1-18 weder um die Zeugung des Messias geht (so S. BROWNLEE, Motifs 24; bzw. W. DUPONT-SOMMER, Messie 174-188) noch um die Zeugung der Gemeinde durch den Beter (so O. BETZ, Geburt 312-326). Vielmehr gehe es um das "Thema der Errettung durch Gottes Macht aus schlimmer Not ... Das Weib ist Bild der eschatologischen Gemeinde; daher gebiert sie nicht *einen* Neugeborenen, sondern sachgemäß *mehrere*". Der Text ist "Bild für die Wehen der eschatologischen Gemeinde" (ebd., 156).
17 Zum Text siehe M. BAILLET, recueil 202f.
18 Vgl. W. GESENIUS, Handwörterbuch 741f.
19 Vgl. M. VELLANICKAL, Sonship 31.

C: und du züchtigtest uns wie ein Mann seinen Sohn züchtigt
D: du ließest uns wachsen durch die Generationen."

Die Zeilen A,C und D stehen also auf der gleichen Satzebene.[20] Demnach steht im Zentrum der Zeilen die Begründung, daß Gott Israel seinen erstgeborenen Sohn gerufen hat.

Die Rede von der Gottessohnschaft Israels für die Augen der Völker (לעיני כול הגוים) meint analog zu Jes 52,10, daß eben diese Gottessohnschaft für die Augen aller sichtbar ist (vgl. auch 2Chron 32,23), d.h. es ist deutlich, daß die Sprechenden in besonderer Weise Objekt von Gottes Zuwendung und Barmherzigkeit sind. Daß hier an Gottes Barmherzigkeit gedacht ist, wird aus der biblischen Begründung deutlich, die ja Gottes Zuwendung und Liebe für Israel zum Hintergrund hat. Ein möglicher mythischer Gedanke der Zeugung wird durch Z. 4 und Z. 10 abgelehnt, wo einerseits von einem Erschaffen durch Gott die Rede ist (Z. 4) und andererseits von Gottes Erwählen (Z. 10). Die Formulierung "שמתנו ובנים" (שים mit doppeltem Akkusativ) weist ähnlich wie das אֲשִׁיתֵךְ in Jer 3,19 auf den Gedanken der Adoption; zudem taucht in 1QH 7,20 die gleiche Formulierung auf. Dort spricht der Beter: "ותשׂימני אב לבני חסד" - du hast mich zum Vater für die Söhne der Gnade gesetzt." Hier wie dort wird metaphorisch von der Adoption, also der Einsetzung in eine Sohnschaft gesprochen. Ähnlich vermutet M. Vellanickal, der für שים mit doppeltem Akkusativ die Bedeutung ausmacht "'planting' (establishing) someone in a special position which he did not have before"[21] und daraus "an adoptive sonship" zu begründen sucht.

In einem Vergleich wird die Vatermetapher auf die Züchtigung als *tertium comparationis* (כיא steht nicht vor איש, sondern vor dem Verbum יסר) ausgeweitet. Auch hierbei wird ebenfalls auf eine alttestamentliche Stelle angespielt: Dtn 8,5. Es geht in 4QDibHam 3,4ff primär um die Erziehung Israels durch Gott.[22] Auffälligerweise wird ab Zeile 10 Gottes Verhalten gegenüber Israel grundlegend anders als vorher dargestellt: "Er gießt seine Wut und seine Eifersucht über Israel aus in der ganzen Glut seines Zornes" (Zeile 10f). In Zeile 13 wird sogar das Unheil (הרעה) angesprochen, das von Gott bis ans Ende der Zeiten vor Israel hergeschickt ist. Unbeschadet des Befundes, daß in den Zeilen 4-7 die Beziehung zwischen Gott und Israel ideal dargestellt wird, kann aufgrund des Kontextes vermutet werden, daß "Israel mit Dtn 8,10f gesprochen ausgetilgt wird und damit auch seinen Status als Sohn Gottes verliert"[23].

1.3.3 Der göttliche Vater der Gemeinschaftsmitglieder (1QH 9,35)[24]

In 1QH 9,35 wird deutlich, daß Gott die elterliche Rolle für die Gemeinschaftsmitglieder, für die "Söhne der Wahrheit", zugedacht wurde. Auffällig ist, daß in

---

20 Zur Symmetrie des Aufbaus vgl. M. VELLANICKAL Sonship 31.
21 Ebd. 32.
22 Vgl. G. JEREMIAS, Lehrer 190.
23 A. STROTMANN, Vater 336.
24 "(35) Denn mein Vater kennt mich nicht, meine Mutter überließ mich Dir. Ja, Du bist ein Vater all den [Söhnen] Deiner Wahrheit, freuest Dich (36) ihrer, wie eine liebende Mutter über ihr Kind und wie ein Pfleger hegst Du am Busen alle Deine Geschöpf[e]" (Übersetzung nach J. MAIER, Qumran-Essener).

1QH 9,35 von den "Söhnen der Wahrheit", im folgenden Satz dann von den "Geschöpfen" Gottes geredet wird. Was die Adressaten der Vaterschaft Gottes in 1QH 9,35f angeht, schließen wir uns an die Vermutung von S.Holm-Nielsen an: "the illustrations are identical, and 'all Thy creatures' is, therefore, the same as 'the children of Thy truth'"[25]. Zu vergleichen ist im AT die Rede von Israel als Geschöpf Gottes (Jes 43,1.7.15). Den Mitgliedern wird Gott als Vater und Mutter angeboten.[26] In keiner Weise hebt aber der Gedanke der Gottessohnschaft die natürliche Abstammung auf[27]; beide schließen einander auch nicht aus.[28] Vielmehr ist die Zusage der Gottessohnschaft Substitution für verlorene familiäre Bindung. Ähnlich wie in 1QH 7,20 findet sich hier Vatermetapher und Mutter- bzw. Ammenvergleich. Hier wird auch besonders deutlich, daß die Vatermetapher in erster Linie an den Schutz, das Erbarmen und die Liebe, die die verwaisten Gemeinschaftsmitglieder erwarten, denken läßt.[29] Vielleicht kann man mit O. Michel und O. Betz hier vom Gedanken einer "geistlichen Kindschaft"[30] sprechen.

Der Ausdruck "Söhne der Wahrheit Gottes" bezieht sich zurück auf 1QH 9,32: "durch gewisse Wahrheit hast du mich gestützt und mit deinem heiligen Geist mich erfreut". Die Wahrheit Gottes, der die Mitglieder der Gemeinschaft angehören, hat als Antipoden das Unrecht: Nach 1QS 3,19 ist an der Stätte des Lichts der Ursprung der Wahrheit und aus der Quelle der Finsternis der Ursprung des Unrechts.[31] Deshalb werden in 1QpHab 7, 10-12 die Männer der Wahrheit bezeichnet als die Täter des Gesetzes, deren Hände nicht ablassen vom Dienst der Wahrheit. Die Söhne der Wahrheit Gottes sind also diejenigen, die Gottes Willen, der im Gesetz offenbart ist, tun. Sie halten sich an seine Wahrheit. Die Vater-Sohn-Metaphorik aus dem AT wird hier charakteristisch "umgebogen".

1.4 Zusammenfassung

Die Metapher der Gotteskindschaft wird in den Qumranschriften ähnlich verwendet wie im Alten Testament. Sie unterstreicht die besondere Zugehörigkeit der Mitglieder der Gemeinschaft von Qumran zu JHWH. Auch was die Verbreitung des Motivs innerhalb des Schrifttums von Qumran anlangt, ist eine Ähnlichkeit mit dem AT zu konstatieren: Es finden sich tatsächlich nur zwei sichere Belege für die Vaterschaft Gottes bzw. die Gottessohnschaft Israels bzw. der Mitglieder der Gemeinschaft innerhalb des ganzen bisher aufgefundenen und veröffentlichten

---

[25] S. HOLM-NIELSEN, Hodayot 57; vgl. F. NÖTSCHER, Hodajot 132.
[26] Zur Symmetrie des Aufbaus der Passage vgl. M. VELLANICKAL, Sonship 33.
       Auch was den Vergleich Gottes mit einer Frau oder einer Mutter angeht, finden sich Parallelen bei Deuterojesaja: Jes 42,24; 49,15 (vgl. Jes 66,13 und Ps 123,2). A. STROTMANN, Vater 348f, vermutet Jes 49,14f als Hintergrund von 1QH 9,36a; gleiches ist für 1QH 9,36b (Jes 43,1a.7.15) anzunehmen.
[27] So O. BETZ, Volk 72.
[28] So O. MICHEL/O. BETZ, Von Gott gezeugt 14, Anm.4: "אשׁה ילוד 1QH 11,21; 13,14; 18,12f.16".
[29] Vgl. G. JEREMIAS, Lehrer 190, der besonderen Nachdruck auf die Autorität des Vaters an dieser Stelle legen möchte sowie A. STROTMANN, Vater 355, die von der "erziehende(n) Liebe des Vaters im Kontext von 1 QH 9,35b.36: Zurechtweisung und Erbarmen" spricht.
[30] So O. MICHEL/O. BETZ, Von Gott gezeugt 14.
[31] Zum Zusammenhang von Wahrheit und gerechten Taten vgl. 1QS 1,12; 4,17.19.21.23-25; 6,15; 7,18f; 1QM 17,8 u.v.ö.

Schrifttums von Qumran (4QDibHam 3,4-10 und 1QH 9,35f). Vergleichbar "sparsam" war auch das AT mit diesem Motiv umgegangen. So steht wie im AT die Gotteskindschaft "in keinem Fall im Zentrum" des qumranischen Denkens.[32] Inhaltlich findet sich gegenüber dem AT eine charakteristische Verschiebung: Die Gotteskindschaftsmetaphorik in Qumran ist nur anwendbar auf die Gemeinschaftsmitglieder; und diese verstehen sich wiederum als diejenigen, die Gottes Willen tun (1QpHab 7,10-12). Wer also Gottes Willen nicht tut, wer sich nicht der Gemeinschaft der Erwählten anschließt, für den gilt auch nicht, was 1QH 9,35f zusagt: "Ja, Du bist ein Vater all den [Söhnen] Deiner Wahrheit, freuest Dich ihrer, wie eine liebende Mutter über ihr Kind und wie ein Pfleger hebst Du am Busen alle Deine Geschöpf[e]." Von daher erklärt sich auch eine Individualisierung der Gotteskindschaft. Beide Belegstellen im außerbiblischen Schrifttum von Qumran sprechen nicht von einer Gottessohnschaft der Gemeinschaft, sondern von Gottes Vaterschaft gegenüber den Gliedern der Gemeinschaft.

Als Gottes Kinder können nur die Mitglieder der Gemeinschaft bezeichnet werden, während alle Außenstehenden streng von dieser Gemeinschaft geschieden sind wie die Finsternis vom Licht (1QS 3,17-19.24f u.ö.). Die Gotteskindschaftsmetaphorik wird im Schrifttum der Gemeinschaft von Qumran dem eigenen Selbstverständnis dienstbar gemacht. Das elitäre Bewußtsein zeigt sich in der Anwendung der Metapher der Gotteskindschaft.

2. Gotteskindschaft und Wiedergeburt in den Mysterienreligionen

Die sog. Mysterienkulte entfalteten ihre Wirkung vom 7. vorchristlichen bis zum 4. nachchristlichen Jahrhundert.[33] Sie greifen zurück auf die altgriechischen Götter. Uns geht es um die Frage, ob die Initiation als Wiedergeburt des Mysten und derselbe dann als Kind der betreffenden Gottheit vorgestellt wird.[34]

2.1 Der Gemeinschaftsgedanke in den Mysterienreligionen

Manche Mysterienkulte kennen für ihre (männliche) Gottheit die Anrede "Vater". Belegbar ist diese Bezeichnung etwa für den phrygischen Kult (Anrede: Ἄττε πάππα)[35] sowie für Sarapis[36]. Im Vordergrund steht bei dieser Anrede nicht der Gedanke einer - aus den Kulten gar nicht belegbaren - Gotteszeugung[37], sondern eher die besondere Zugehörigkeit der Mysten zu ihrem Gott, die mit dieser Be-

---

[32] W. GRUNDMANN, Frage 96.
[33] G. BORNKAMM, Art. μυστήριον κτλ., ThWNT 4 (1942), 810,27-29; ebenso G. HAUFE, Mysterien 102; vgl. M. ELIADE, Geschichte I 271: Die eleusinischen Mysterien "wurden im 15. Jhd. begründet und dann fast 2000 Jahre lang gefeiert"; vgl. dazu G. BORNKAMM, Art. μυστήριον κτλ., ThWNT 4 (1942), 810: Eleusis war "Stätte der bedeutendsten Mysterien".
[34] Vgl. A. OEPKE, Art. Adoption, RAC 1 (1950), Sp. 105f, der ohne Quellenbeleg meint, es sei signifikant für die Anschauungen in den Mysterienreligionen, daß der Mensch erst durch eine besondere Weihe Gottes Kind werde.
[35] Vgl. H. GRAILLOT, Cybèle 1912, sowie A. DIETERICH, Mithrasliturgie 147.
[36] F. CUMONT, Textes I 345; vgl. Porphyrios, antrNymph 5.6: πάντων ποιητοῦ καὶ πατρὸς Μίθρου (auch in der Mithrasliturgie wird Mithras so bezeichnet, vgl. A. DIETERICH, Mithrasliturgie 6,12f).
[37] Vgl. etwa das Beiseitelassen des Wortstamms γεννᾶν κτλ..

zeichnung zum Ausdruck gebracht wird. Dafür spricht auch die Verwendung des kindlichen "πάππα", das im Gegensatz zu "πατήρ" eher das innige Verhältnis zwischen Vater und Kindern bzw. Gott und Mysten andeutet. Im Hintergrund steht aber bei Sarapis auch der Gedanke der Schöpfung. G. Schrenk vermutet in der Vateranrede zusätzlich den Gedanken des Hausvaters, da sich die Mysten untereinander häufig als ἀδελφοί betrachteten.[38] Es scheint, als ob im Mithraskult ein heiliges Mahl die Gemeinschaft der Brüder deutlich machen sollte: "Much is discussed about the significance of this rite and about the elements that constitued it; however one can recognize that the participation in the sacred banquet aming at evoking the redeeming undertaking of God again, with its cosmic values and the reflections on the soteriological prospectives of the familiarity relation that the entire mystery complex contributed in establishing between Mithras and his believers."[39] Die Unterschiede zwischen den Initiierten, die in der profanen Welt bestanden hatten, waren aufgehoben.[40] Die Mysten werden also als ἀδελφοί zusammengeschlossen. Insofern hatte - zumindest im Mithraskult[41] - die Initiation eine konkrete Wirkung: die Initiierten sahen sich als Brüder an. Das Schweigegebot bezüglich dessen, was bei der Initiation passiert war, hat zudem zwischen Initiierten und Nicht-Initiierten trennend gewirkt und hat bei ersteren ein elitäres Gefühl gefördert. Wir haben aber keine Erkenntnisse darüber, wie solche Bruderschaften ausgesehen haben könnten. Der Bezug zu christlichen Gemeinden legt sich deshalb nahe, weil von außen die christlichen Gemeinschaftsbildungen mitunter wie solche Mysterienvereine erschienen.[42] Die kultischen Mahlfeiern etwa des Sarapiskultes und der Orphik fanden nämlich - ähnlich wie die Zusammenkünfte der christlichen Gemeinden - in der Regel in Privathäusern statt.[43]

2.2 Terminologie

Es fällt auf, daß der Vorgang der Wiedergeburt aus der bzw. durch die Gottheit erst sehr spät terminologisch erfaßt wurde. Die Mithrasliturgie - ein Stück aus dem "Großen Pariser Zauberpapyrus", der etwa Anfang des 4. Jh. n.Chr. verfaßt

---

38 G. SCHRENK, Art. πατήρ κτλ., ThWNT 5 (1954), 953, 31-34; vgl. G. HAUFE, Mysterien 122, der allerdings diese Tatsache im Mithraskult auf den Gebrauch von "πατήρ" als Weihegrad zurückführt. Im Mithraskult war der höchste der sieben Weihegrade der des "πατήρ" bzw. "πατήρ πατρῶν", vgl. ähnlich M.J. VERMASEREN, Mithras 107; vgl. für "Jupiter Dolichenus" G. HAUFE, Mysterien 122; bzw. für den Dionysos-Kult A. DIETERICH, Mithrasliturgie 148; vgl. für die Mysterien in Eleusis W. BURKERT, Mysterien 48: "Bemerkenswert ist immerhin, daß die Bezeichnung 'Bruder', adelphos, in Mysterien gebraucht wird, insbesondere auch in Eleusis für die zugleich Geweihten." Hierbei stützt sich BURKERT auf Andok. 1,132; Platon, epist. VII 333e; Plutarch, Dio 56; Sopatros, Rhet.Gr. VIII 123,26 (ebd., 114, Anm. 76). Die Tatsache, daß sich gerade die zugleich Geweihten als Brüder anreden, ist aber eher darauf zurückzuführen, daß derjenige, der die Weihe vermittelt, als ihr "Vater" bezeichnet wurde.
39 G.S. GASPARRO, Mithraism 347; vgl. F. CUMONT, Religionen 64: "Der Neuling, welcher Zutritt zu dem heiligen Tisch erhält, wird als Gast der Gemeinde begrüßt und als Bruder unter Brüdern." vgl. auch A. DIETERICH, Mithrasliturgie 149: Auch im Mithraskult galten die Geweihten untereinander als Brüder.
40 Vgl. R. BULTMANN, Urchristentum 175.
41 Dies gilt auch für die Kulte der Attis und des Dionysos (vgl. G. SCHRENK, Art. πατήρ κτλ., ThWNT 5 [1954], 953,31-34).
42 Vgl. Minutius Felix 9,5: Über angebliche Initiationsriten der Christen wurden von einigen Heiden Gerüchte in Umlauf gesetzt; man malte sich aus, welche geheimnisvollen Dinge beim "Einweihen" der Initianden stattfinden mögen.
43 Vgl. H.-J. KLAUCK, Hausgemeinde 88-92 sowie A. V. DOBBELER, Glaube 258.

wurde, - belegt die Formulierungen "μεταγεννᾶσθαι" sowie "παλιγγενόμενος". J. Dey ist davon überzeugt, daß die Mithrasliturgie "inhaltlich auf eine frühere Zeit zurückgeht"[44]. Damit sind allerdings gerade die exakten Formulierungen nicht eingeschlossen. Corpus Hermeticum XIII belegt zehnmal das Wort "παλιγγενεσία"[45], doch der "Altertumswert" der hier vorkommenden Gedanken wird im allgemeinen nicht besonders hoch veranschlagt.[46] Außerchristliche Belege für das Wort "ἀναγέννησις" bzw. "ἀναγεννᾶν" sind sehr selten. Der älteste Beleg für das Wort "ἀναγέννησις" findet sich bei Philo[47]. "Ἀναγεννᾶσθαι" (vgl. 1Pt 1,3.23) taucht zudem noch bei Josephus auf[48].

Etymologisch leitet sich παλιγγενεσία von γίγνεσθαι - nicht von γεννᾶν - ab. Von daher ist in diesem Wort die "Vorstellung von der Geburt (eines Menschen), gar die von einer Geburt auf Grund geschlechtlicher Zeugung ... ursprünglich gar nicht vorhanden"[49]. Es sei hierfür auf den sprachgeschichtlichen Teil der Untersuchung von J. Dey hingewiesen[50], der zu dem Schluß kommt, "daß die παλιγγενεσία, wenn wir vom Gebrauch des Wortes in der religiösen Sprache absehen, ..., nicht zu einem irgendwie höheren Sein führt. Es handelt sich immer um das Wiederbringen eines früheren Zustandes ohne wesentliche Änderung."[51] Das Frühere erweist sich als nur "akzidentiell verändert"[52]. Die Tatsache, daß die Mysterienreligionen sonst speziell Wiedergeburtsterminologie nicht aufweisen, muß aber nicht dagegen sprechen, daß sie eine Zeugung (bzw. Geburt) aus der Gottheit beschreiben, die dann ein besonderes Verhältnis zwischen dem Mysten und der Gottheit konstituiert.

2.3 Die wichtigsten Mysterienkulte

2.3.1 Demeter als gebärende Mutter? (Die Mysterien von Eleusis)

In der Literatur differieren die Meinungen hier in erster Linie bei der Interpretation des sog. Synthema bei Clemens Alexandrinus, Protreptikos II,21,2. Dort heißt es: "Κἄστι τὸ σύνθημα Ἐλευσινίον μυστήριον· ἐνήστευσα, ἔπιον τὸν κυκέωνα, ἔλαβον ἐκ

---

44   J. DEY, ΠΑΛΙΓΓΕΝΕΣΙΑ 104.
45   Vgl. R. REITZENSTEIN, Poimandres: 339,4.6; 340,12; 341,5; 342,15; 343,12; 344,12.14; 345,16; 348,8.
46   Vgl. W. SCHWEITZER, Gotteskindschaft, der mit C.C.A. SCOTT, Hermetica II 374 bzw. J. DEY, ΠΑΛΙΓΓΕΝΕΣΙΑ 118, das Corp.Herm. XIII auf das Ende des 3. Jh. datiert; vgl. zudem J. BÜCHLI, Poimandres 37: "Jedoch ist es sehr unwahrscheinlich, dass der Evangelist (= Johannes) in irgendeiner Weise von der hermetischen Literatur abhängig ist, vielmehr sind die Verhältnisse umgekehrt." Vgl. auch K.-W. TRÖGER, Art. Hermetica, TRE 18 (1989), 749-752, der die griechischen Traktate ins 2./3. Jhd. datiert (749f).
47   Aet 8: Dort skizziert Philo die Ansicht der Stoiker, nach der die Erde "durch die Kraft des rastlosen Feuers" vergehe; doch durch die Umsicht des Weltenbauers entstehe eine ἀναγέννησις κόσμου. Darüber hinaus findet sich bei Philo kein weiterer Beleg für das Wort "ἀναγέννησις".
48   Bell 4,483; vgl. F. BÜCHSEL, Art. γεννάω κτλ., ThWNT 1 (1933), 671,35-672,1, der irrtümlicherweise den ersten außerchristlichen Beleg von "ἀναγεννᾶν" erst bei Sallust, περὶ θεῶν 4, entdeckt hat; BÜCHSEL vermutet aufgrund des Nachweises des Wortes "renatus" in den tauroboliati (vgl. F. CUMONT, Religionen 63) und in den Isis-Mysterien (vgl. Apuleius, met. XI, 21), daß die Formulierung des Sallust auf eine Überlieferung zurückgehen könnte, "die bis in urchristliche Zeit zurückgeht" (672,2-4).
     Weitere außerchristliche Belege finden sich noch bei Porphyrius, epistula ad Anebonem 2,6 ("ἀναγεννητικούς") und in der Historia Alexandri Magni, Recensio A 1.5.2 ("ἀναγεννᾷ").
49   F. BÜCHSEL, Art. γίνομαι, ThWNT 1 (1933), 685, Anm. 2.
50   J. DEY, ΠΑΛΙΓΓΕΝΕΣΙΑ 3-35.
51   Ebd. 33.
52   Ebd. 93.

κίστης, ἐργασάμενος ἀπεθέμην εἰς κάλαθον καὶ καλάθου εἰς κίστην. - Und so lautet das Synthema der eleusinischen Mysterien: 'Ich fastete, ich trank den Kykeon[53], ich nahm aus der Kiste, nachdem ich getan hatte, legte ich in den Korb und aus dem Korb in die Kiste.'"

Seit A.Körtes Aufsatz "Zu den eleusinischen Mysterien"[54] sah man immer wieder in dem Gegenstand, mit dem der Myste zu "hantieren" hatte (ἐργασάμενος), eine Nachbildung des Mutterschoßes der Demeter[55]. Dazu würde auch die Stelle bei Hippolyt, Refut V,7,34, passen, nach der bei der Mysterienfeier der Hierophant aufschreit: "Ἱερὸν ἔτεκε πότνια κοῦρον Βριμὼ Βριμόν, τουτέστιν ἰσχυρὰ ἰσχυρόν. - Den Heiligen gebar die hehre Brimo den Knaben Brimos, das ist der Starke den Starken." Mit Βριμώ (ἰσχυρά) wäre dann Demeter und mit Βριμόν (ἰσχυρόν) der Myste zu identifizieren. Der Myste wäre dann durch die Mysterienfeier von der Göttin neu- bzw. wiedergeboren.

Die älteste Urkunde von den Eleusinischen Mysterien haben wir aber im Homerischen Demeterhymnus, der "wohl aus dem 7. Jahrhundert" stammt.[56] In ihm wird derjenige glücklich gepriesen, der die Mysterien geschaut hat:

"ὄλβιος ὃς τάδ᾽ ὄπωπεν ἐπιχθονίων ἀνθρώπων·
ὃς δ᾽ ἀτελὴς ἱερῶν, ὃς τ᾽ ἄμμορος, οὔ ποθ᾽ ὁμοίων
αἶσαν ἔχει φθίμενός περ ὑπὸ ζόφῳ εὐρώεντι (480-482). -

Selig, wer das geschaut hat von den erdbewohnenden Menschen! Wer aber nicht geweiht ist und unteilhaftig der Weihen, der hat niemals in gleicher Weise ein Schicksal, als Toter im modrigen Dunkel."

Dieser Beleg, der als Kern der Mysterien die Schau, die Epoptie, bezeichnet, paßt nicht zur Deutung Körtes und anderer, durch das Hantieren mit dem Gegenstand sei der Myste Kind der Göttin geworden. Vielmehr ist die Epoptie Höhepunkt dieser Mysterien.[57] Zudem hat L. Ziehen richtig festgestellt[58], daß "ἐργασάμενος" wohl nicht der geeignete Ausdruck sei, um anzudeuten daß der Myste den κτεῖς berührt habe und über seinen Leib gleiten habe lassen. Darüber hinaus ist "κτεῖς" bei den Mysterien der Demeter durch Theodoret[59] nur unsicher bezeugt.

Es darf nicht als sicher gelten, daß bei dem von Hippolyt überlieferten Ausruf des Hierophanten unter dem geborenen Βριμός ein wiedergeborener Myste zu verstehen ist. Allein die Naassener bezogen diese Stelle im Homerischen Demeterhymnus auf die geistige Wiedergeburt des Gnostikers, die Geburt von oben. Dazu

---

53 Ein Mischtrank, dessen Hauptbestandteil Gerste war.
54 A. KÖRTE, Mysterien 116-126.
55 Vgl. A. OEPKE, Art. Adoption, RAC 1 (1950), Sp. 106; vgl. TH. HOPFNER, Art. Mysterien, PRE 16,2 (1935), Sp. 1239: "Der Myste empfing offenbar durch die Berührung der Nachbildung eines Mutterschoßes die Gewißheit, aus dem Schoße der Erdmutter wiedergeboren zu sein und damit ihr leibliches Kind zu werden." Vgl. G. HAUFE, Mysterien 105, der es allerdings offen läßt, ob hier ein Adoptions- oder Wiedergeburtsritus vorliegt; vgl. auch die Lösung von M.-J. LAGRANGE, Régénération 63-81.201-214, der allerdings den Gedanken der Gotteskindschaft des Mysten ablehnt und den Sinn der Handlung in der Darstellung der reichtumspendenden Fruchtbarkeit der Demeter bestehen läßt (74f). Seiner Meinung nach wird durch den Akt des Mysten symbolisch die Vereinigung der Gottheiten bewirkt und damit die Befruchtung der Göttin (201).
56 DEY, ΠΑΛΙΓΓΕΝΕΣΙΑ 44.
57 Vgl. Pindars Preis der Mysterien bei F. GRAF, Eleusis 79: Wer Epoptie hatte, "weiß des Lebens Ende, er weiß den gottgegebenen Anfang". Wissen um Ende und Anfang werden auf Epoptie, nicht aber auf ein Erleben am eigenen Körper zurückgeführt; vgl. generell die Betonung des "Sehens" der Zeremonien in den Quellen bei F. GRAF, Eleusis 81, Anm. 12.
58 L. ZIEHEN, Rezension zu O. KERN, Mysterien 152-154.
59 Graec.aff.cur. VII,11 (183 RAEDER); III, 84 (92 RAEDER).

meint J. Dey zu Recht[60]: "Hippolytus, Refut. V,8,1 (III, 89, W.) verspottet ihre Homererklärung, die auch in diesem Dichter gnostische Gedanken finden will, und Beispiele für diese Art, einen Text auszulegen, bietet die Naassenerpredigt genug. Wir dürfen uns darum auch hier nicht auf ihre Auslegung stützen." Der Gedanke einer Wiedergeburt des Mysten ist in den Mysterien von Eleusis also nicht zweifelsfrei belegbar.[61] Das einzige, was für ein grundsätzliches Mutter-Kind-Verhältnis zwischen Göttin und Mysten sprechen könnte, wäre der mütterliche Charakter der Δή-μητηρ.

Eine zweite Frage ist die, wie sich die Weihe auf das Leben des Mysten ausgewirkt hat. Der bereits erwähnte Demeterhymnus weist aus, daß der Myste (ὃς ταδ` ὄπωπεν) dem "Vergehen in modrigem Düster" entgeht. "Dieses Heil besteht in der Gewißheit, nach dem Tode glücklich zu sein."[62] Nach Sophokles (frg. 753) erwartet den Eingeweihten als einzigen ein Leben im Jenseits. Damit ist nicht der Tod der Uneingeweihten vorausgesetzt, sondern vielmehr ein dem irdischen Leben des Mysten wesentlich gleiches Leben. Den anderen wird es - in welcher Weise auch immer - schlecht(er) ergehen. Ähnlich belegt dies auch Clemens Alexandrinus[63]. Die Teilnahme am glücklichen Leben im Jenseits setzt also nicht zwangsläufig Wiedergeburt voraus. Das Leben im Diesseits nach der Initiation bekommt durch die Weihe auch prinzipiell keine andere Qualität. "Die ontologische Verwandlung des Initiierten bewahrheitete sich v.a. in seinem Leben nach dem Tod."[64] Eine sittliche Besserung bzw. Umgestaltung ist nicht belegt; "im Gegenteil, wie der feierliche Ausschluß der Mörder und anderer Verbrecher beweist, lag das gar nicht im Gedankenkreis der Mysterien"[65]. In anderen Religionen galt es sogar, noch strengere sittliche und religiöse Voraussetzungen zu erfüllen.[66]

2.3.2 Wiedergeburt durch Gottesschau (Die Isisweihe bei Apuleius und Plutarch)

Wichtigstes Zeugnis ist hier das XI. Buch der Metamorphosen des Apuleius[67]. Mit M. Dibelius läßt sich der Inhalt des Abschnittes folgendermaßen zusammenfassen: "Eingang ins Totenreich, Schau der dii inferi, glückliche Rückkehr, verbunden mit einer Fahrt durch alle Elemente; Lichterscheinungen und Schau der dii superi."[68]

---

60 DEY, ΠΑΛΙΓΓΕΝΕΣΙΑ 61.
61 Dies ist auch das Ergebnis W. SCHWEITZERs, Gotteskindschaft 146: Wiedergeburtsvorstellungen sind "nicht direkt nachweisbar". Vgl. W. BURKERT, Mysterien 84: "Am wenigsten ist für 'Wiedergeburt' in Eleusis zu gewinnen."
62 DEY, ΠΑΛΙΓΓΕΝΕΣΙΑ 63.
63 Stromateis III,17,2 (II,203,16) Pindars Preis der Mysterien: ὄλβιος ὅστις ἰδών κεῖν` εἶς ὑπὸ χϑόν`; οἶδε μὲν βίου τελευτᾶν, οἶδεν δὲ διόσδοτον ἀρχάν; vgl. Aelius Aristides, Eleus. 10 (II, 31 Keil).
64 M. ELIADE, Mysterium 208; vgl. J. LEIPOLDT, Mysterien 9: Der letzte Zweck der eleusinischen Weihe ist klar: "Es soll das Los des Gläubigen nach seinem Tode sichergestellt werden."
65 DEY, ΠΑΛΙΓΓΕΝΕΣΙΑ 64; vgl. G. BORNKAMM, Art. μυστήριον κτλ., ThWNT 4 (1942), 811, Anm. 17: in Eleusis waren Barbaren und Mörder vom Kult ausgeschlossen; vgl. TH. HOPFNER, Art. Mysterien, PRE 16,2 (1935), Sp. 1248; vgl. G. HAUFE, Die Mysterien 105.
66 Vgl. G. BORNKAMM, Art. μυστήριον κτλ., ThWNT 4 (1942), 811, Anm. 17; vgl. R. BULTMANN, Urchristentum 175: Im Mithraskult waren "nur Männer zugelassen".
67 Vgl. DEY, ΠΑΛΙΓΓΕΝΕΣΙΑ 86-90, vgl. aber auch Plutarchs "De Iside et Osiride".
68 M. DIBELIUS, Isisweihe 6. J. DEY, ΠΑΛΙΓΓΕΝΕΣΙΑ 92-94, schließt sich dieser Gliederung an und geht in seiner Untersuchung jede "Station" des Mysten einzeln durch.

Auf dem Hintergrund dieses Schemas läßt sich auch erklären, warum Plutarch "eingeweiht werden" (τελεῖσθαι) von "sterben" (τελευτᾶν) ableitet. Die Nachtmeerfahrt des Mysten deutet er als den freiwilligen Tod.[69] Zudem findet sich bei Apuleius der Gebrauch der Worte "*renatus und natalis*" sowie die Bezeichnung des Priesters als "*parens*" des Mysten. So scheint hier sich doch der Wiedergeburtsgedanke zu finden, zumal im Anschluß an die Weihe der "Mystengeburtstag (*natalis [dies] sacrorum*)" gefeiert wird.[70] Dem entspricht die Tatsache, daß nach J. Dey "*renatus*" dasselbe *bedeutet* wie "*reformavit ad homines*"[71]; denn auffällig bleiben die Ausdrücke allemal. Dey will bei den Formulierungen einen "übertragenen Sinn von Wiedergeburt" entdeckt haben.[72] Man wird ihm insofern recht geben können, als es sich offenbar nicht um eine Wiedergeburt zum Gotteskind, sondern nur um eine Neu-Konstituierung des Menschen handelt. Doch W. Burkert bemerkt dazu: "Der Tag nach der Weihe gilt jedenfalls als neuer 'Geburtstag'."[73]
"Wiedergeburt" und "Gotteskindschaft" wird man hier auseinanderhalten müssen. Beide gehören auch nicht zwangsläufig zusammen.
Die "Wiedergeburtsterminologie" könnte dadurch motiviert sein, daß für den Mysten in der Tat ein "neues Leben" nach der Weihe beginnt. J.Dey vermutet, es sei ein "von feindlicher Bedrohung freies Leben"[74]. Apuleius, met. XI,27 umschreibt dieses Leben mit "*reformatio*" des Mysten. Es handelt sich wohl um eine "Befreiung vom Zwang des Schicksals"[75]. Zugleich hat der Myste nach Apul XI,16 nun bei den Kultfeiern bestimmte zeremonielle Funktionen wahrzunehmen. Diese Aufgabe könnte nur insofern auch mit dem Wiedergeburtsgedanken verbunden werden, als nur der Wiedergeborene "*parens*" bei der Initiation anderer sein kann.[76] "Nach außen bleibt der Myste in seinem Alltagsleben durchaus der Alte."[77] Doch dieses "von feindlicher Bedrohung freie Leben" empfindet der Myste wohl auch als σωτηρία; deshalb kann er die Gottheit Ἴσις σωτεῖρα bzw. Ἄττις σωτήρ nennen.[78]

2.3.3 Wiedergeburt und Reinigung von den Sünden (Der phrygische Kult)

Im phrygischen Kult läßt bereits der Ritus den Gedanken der Wiedergeburt vermuten[79]: Der Myste steigt in eine Grube hinunter - dies kann als "Begräbnis" gedeutet werden. Der alte Mensch stirbt, und dank der blutigen Besprengung (über

---

69 Vgl. M. GIEBEL, Geheimnis 185.
70 Ebd. 184
71 Ebd. 98.
72 Ebd. 100.
73 W. BURKERT, Mysterien 84.
74 DEY, ΠΑΛΙΓΓΕΝΕΣΙΑ 100.
75 W. SCHWEITZER, Gotteskindschaft 153.
76 Vgl. Corp.Herm. XIII: "γενεσιουργὸς τῆς παλιγγενεσίας".
77 W. SCHWEITZER, Gotteskindschaft 154.
78 R. REITZENSTEIN, Mysterienreligionen, 39; vgl. W.D. BERNER, Initiationsriten 30.63; vgl. G. BORNKAMM, Art. μυστήριον κτλ., ThWNT 4 (1942), 811,33-812,3; vgl. G. HAUFE, Mysterien 102, wo allgemein von den Mysterienreligionen gesprochen wird.
79 R. REITZENSTEIN, Mysterienreligionen 45, beschreibt das "phrygische Mysterium der Wiedergeburt, der ἀναγέννησις", wie er es nennt; vgl. F. CUMONT, Religionen 63: "Zweck der Handlung ist die zeitweilige oder sogar ewige Wiedergeburt der Seele"; vgl. A. DIETERICH, Mithrasliturgie 163: "Daß die Taurobolienweihe meist mit der Formel renatus bezeugt wird, ... ist genugsam bekannt."

ihm wird ein Stier geopfert) wird er von allen seinen Sünden gereinigt[80], gelangt zu neuem Leben, wird als gottgleich betrachtet und ehrfurchtsvoll aus der Ferne angebetet.[81] Dazu weihten die Initiierten Altäre mit Inschriften, "in denen sie den Tag des Opfers als *natalicium*, als einen geistigen Geburtstag, bezeichnen"[82]. Allerdings läßt sich aus Prudentius nur ersehen, daß es sich um eine Weihe gehandelt hat.[83] Auch die Hinweise christlicher Schriftsteller auf den Taurobolienkult sind wegen ihrer Heidenpolemik wenig geeignet, als Quellen ausgewertet zu werden. Es bleiben also nur noch die Taurobolieninschriften selbst als Quellen übrig.[84] Hier zeigt sich folgendes: Nur eine einzige Inschrift weist die Formel "*in aeternum renatus*" auf.[85] Sie ist lokalisiert in Rom und datierbar auf das Jahr 376 n.Chr.[86] Dagegen deuten einige Inschriften an, daß eine Wiederholung des Tauroboliums erfolgen sollte.[87] J. Dey vertritt hier die Ansicht: "Die Wiederholung des Tauroboliums spricht gegen die Auffassung, daß es eine Wiedergeburt für ewig bewirkt habe."[88] Wer wiedergeboren ist, hat - so Dey - also ewiges Leben ein für allemal erhalten. Doch diesem Gedanken widerspricht die im phrygisch-vorderasiatischen Ritual lebendige Vorstellung von der periodischen Erneuerung der Welt. "Dieser Charakter des Periodischen, des 'Immer wieder', blieb bis zuletzt ein Signum der Kybelekultes."[89]

Im Taurobolienkult wurde durch den Blutbesprengungsritus wohl die Begabung mit neuer Lebenskraft, also wohl doch die "Wiedergeburt" des Mysten, dargestellt und erlebt. Blut dient in gemein-altorientalischer Anschauung als Symbol des Lebens. Ob hier physische oder psychische Kräfte gemeint waren, muß offenbleiben. Mit Sicherheit hat man sich auch hiervon "eine bestimmte Wirkung für das Fortleben im Jenseits versprochen"[90].

Mysterienweihe und Jenseitshoffnung hängen bei den Mysterienkulten also sehr eng zusammen. Die Weihe diente der Anbindung an die Gottheit, die dann dafür sorgen sollte, daß nach dem Tod ein "lebenswertes" Weiterleben gesichert sei. Insofern ist die Sehnsucht nach σωτηρία, wie sie W.D.Berner für die damaligen Menschen konstatiert[91], nur allzu verständlich. Aber schon *vor* dem Tod erfreute sich der Eingeweihte bereits einer "bevorzugten geistigen Situation"[92], die sich in einem elitären Bewußtsein gegenüber den Nicht-Initiierten geäußert haben kann.

---

[80] So F. CUMONT, Religionen 63.
[81] Vgl. Prudentius, perist 10,1006-1050.
[82] M. GIEBEL, Geheimnis 145.
[83] DEY, ΠΑΛΙΓΓΕΝΕΣΙΑ 66, Anm. 2 weist zurecht auf das Wort "*consecrandus*" (1012) hin.
[84] Vgl. DEY, ΠΑΛΙΓΓΕΝΕΣΙΑ 67, Anm. 7.
[85] "*Sextilius Agesilaus Aedesius taurobolio cribolioque in aeternum renatus aram sacravit*" (CIL VI,510), s.o. S. 62, Anm. 48.
[86] DEY, ΠΑΛΙΓΓΕΝΕΣΙΑ, 73.
[87] Vgl. CIL VI,502.504.512; X,1596.
[88] DEY, ΠΑΛΙΓΓΕΝΕΣΙΑ, 75; vgl. W. SCHWEITZER, Gotteskindschaft 157: Das Taurobolium wurde "wahrscheinlich alle 20 Jahre" wiederholt.
[89] M. GIEBEL, Geheimnis 146; vgl. zur Auseinandersetzung mit den übrigen Zeugen des Attiskultes DEY, ΠΑΛΙΓΓΕΝΕΣΙΑ 80-86.
[90] W. SCHWEITZER, Gotteskindschaft 158.
[91] W.D. BERNER, Initiationsriten 30.
[92] M. ELIADE, Mysterium 209.

2.3.4 Eine neue Seinsweise? (Der Mithraskult)

Für J. Dey ist es "von vornherein klar, daß wir in den Mithrasmysterien keine Wiedergeburtsvorstellungen ausdrücklich bezeugt haben"[93]. Gleichwohl meint G.S. Gasparro, in dem Ritus des Mithraskultes den Gedanken der Wiedergeburt feststellen zu können: "Very willingly and usually in relation to the sheme death-resurrection, applied to the event of mystery divinities, it is affirmed that the soteriological prospective of initiates consists a 'rebirth' with obtainig of a divine life."[94] Aus der "neuen Seinsweise"[95] meint sie also auf eine "Wiedergeburt" schließen zu können. Unbeschadet der Frage, ob der Myste tatsächlich eine "neue Seinsweise" o.ä. erlangte, war die Wirkung der Initiation der Zusammenschluß der Initiierten zu einer Bruderschaft, die sich vor anderen abschloß.[96]

2.4 Die Umgeborenen (Die sogenannte Mithrasliturgie)

Die sog. "Mithrasliturgie" hat mit dem Mithraskult nichts zu tun.[97] In der überkommenen Form stammt dieser Text aus einem Zauberpapyrus, der um 300 n.Chr. niedergeschrieben wurde. A. Dieterich vermutet seine Entstehung zwischen 100 und 150; "die Verwendung der einzelnen Begriffe in dieser frühen Zeit ist damit freilich noch nicht bewiesen"[98]. Wiedergeburtsterminologie taucht hier in zwei unterschiedlichen Formen auf: πάλιν γενόμενος (14,31)[99], μεταγεννᾶσθαι (4,13; 12,4)[100].

Gleich zu Beginn der Liturgie wird Mithras als erster Ursprung meines Ursprungs (γένεσις πρώτης τῆς ἐμῆς γενέσεως) bzw. als erster Anfang meines Anfangs (ἀρχὴ τῆς ἐμῆς ἀρχῆς πρώτη) bezeichnet.[101] Der Beter führt sein Entstehen auf Gott zurück. Die Mithrasliturgie kann dieses Handeln Gottes auch als γεννᾶν ausdrücken (12,1-3): Melde mich dem größten Gott, der dich gezeugt und geschaffen hat, daß ich ein Mensch bin (ἄγγειλόν με τῷ μεγίστῳ θεῷ, τῷ σε γεννήσαντι καὶ ποιήσαντι ὅτι ἄνθρωπος). Zu γεννᾶν wird ποιεῖν hinzugefügt, um eine genealogische Abhängigkeit auszuschließen.[102] In bezug auf die menschliche Herkunft kann die Mithrasliturgie sowohl von einem "γεννηθεῖς ἐκ θνητῆς ὑστέρας" (4,19) als auch von einem "γενόμενος ἐκ θνητῆς ὑστέρας" (12,2f) sprechen. Hier werden also γεννᾶν und γίνεσθαι promiscue gebraucht, während von Mithras außerhalb der Weihe nur ein γεννᾶν bzw. ποιεῖν gesagt werden kann.[103] Von Natur aus besteht also zwischen Beter und Mithras keine genealogische Abhängigkeit. Wir haben zu fragen, ob dies

---

93 J. DEY, ΠΑΛΙΓΓΕΝΕΣΙΑ 101.
94 G.S. GASPARRO, Mithraism 341; vgl. ebd. 340: "... acquisition of a new divine life".
95 So W.D. BERNER, Initiationsriten 26; vgl. M. ELIADE, Mysterium 208.
96 Vgl. o. S. 61.
97 G. HAUFE, Mysterien 122, Anm. 96; vgl. M.J. VERMASEREN, Art. Mithras, RGG³ 4 (1960), Sp.1022.
98 W. SCHWEITZER, Gotteskindschaft 140.
99 Zitate nach der Ausgabe von A. DIETERICH, Mithrasliturgie; "πάλιν γενόμενος" in 12,4 wurde allerdings von DIETERICH konjiziert - vgl. dazu J. DEY, ΠΑΛΙΓΓΕΝΕΣΙΑ 107.
100 Vgl. den Gebrauch des Wortes γένεσις (2,10; 4,8; 14,32) und γεννᾶσθαι (4,19; 12,1 u.ö.).
101 Vgl. die Rede von der ἀθάνατος ἀρχή in 4,10.
102 Man fühlt sich an Philo erinnert, nach dessen Auffassung ποιεῖν und γεννᾶν als Schöpfungstermini gleichbedeutend waren.
103 Vgl. 4,4: der Leib ist ein διαπεπλασμένον.

allerdings auch nach der "Weihe" der Fall ist. Das σῶμα τέλειον des Menschen besteht nach der Mithrasliturgie aus den Elementen Feuer, Erde, Wasser (2,12f; 4,1-3). Dieser Leib lebt im finsteren und durchleuchteten und im leblosen und erkalteten Kosmos (ἐν ἀφωτιστῷ καὶ διαυγεῖ κόσμῳ ἔν τε ἀψύχῳ καὶ ἐψυχομένῳ - 4,5f)[104]. Geburt zur Unsterblichkeit - ἀθάνατος γένεσις (4,8) - geschieht durch "Umgeburt" im νόημα (ἵνα νοήματι μεταγεννηθῶ - 4,13). W. Schweitzer vermutet hinter dem Wort "μεταγεννᾶσθαι" ein "Hinweggeboren werden", "was soviel bedeuten würde wie 'von der Erde weg in die Sphäre der Unsterblichkeit geholt werden'"[105]. Diese Deutung hat die meiste Wahrscheinlichkeit für sich. Der Myste wird als nun völlig in der Sphäre des Lichtes lebend vorgestellt. Es geht der Mithrasliturgie um einen derart radikalen Wechsel, daß dies nur mit einem Derivat der Vokabel "γεννᾶν" ausgedrückt werden kann. Γεννᾶσθαι trägt hier die Bedeutung "geboren werden" und nicht "gezeugt werden". Mit dieser "Hinweg-" oder "Umgeburt" verbunden ist ein "Wehen des Heiligen Geistes im Menschen" (ἵνα πνεύσῃ ἐν ἐμοὶ τὸ ἱερὸν πνεῦμα). Die Übersetzung W. Schweitzers bewährt sich auch bei der Stelle 12,4. Es fällt auf, daß auf die Geburt nicht der Tod folgt, sondern daß bruchlos von der "Hinweggeburt" geredet wird (12,1-4). Hier liegt also nicht nur eine andere Terminologie, sondern auch eine andere Konzeption von "Wieder-"Geburt vor als in den (anderen) Mysterienreligionen.

J. Dey hat die Stelle 14,31 (wieder entstanden sterbe ich - πάλιν γενόμενος ἀπογίνομαι) folgendermaßen erläutert: "Der Tod muß ... aufgefaßt werden als das Ende der Ekstase."[106] Der Myste kehrt "nun wieder in sein gewöhnliches sterbliches Leben zurück"[107]. Ort der Wiedergeburt ist also die Ekstase. Während der Ekstase vermag der Myste bereits in den in den διαυγὴς καὶ ἐψυχομένος κόσμος (4,5f) zu gelangen und so zu erahnen, was ihn nach dem realen Tod erwartet. Die Weihe erfüllt ihren Zweck erst dann, wenn das irdische Leben der "Begnadeten" zu Ende ist: "dann erst wird der sakramental vorgebildete Akt zur Tatsache"[108]. Diesbezüglich sind die Anschauungen in Mithrasliturgie und Mysterienreligionen durchaus vergleichbar. Eine ethische Erneuerung des Mysten findet wegen der Rückkehr in sein altes Leben nach der Ekstase nach der Vorstellung der Mithrasliturgie nicht statt. Nach 4,10-14 ist mit der Umgeburt das Schauen des unsterblichen Geistes sowie das Wehen des heiligen Geistes im Mysten verbunden.[109] Eine ethische Konsequenz ist damit nicht im Blick. Ähnlich ist der Gedanke in 10,3: "Die einzige Aufgabe des Geistes ist es, die Entrückung und Gottesschau herbeizuführen."

An zwei Stellen ist in der Mithrasliturgie vom Mysten als Kind (6,2) bzw. von Mithras als Vater (6,12) die Rede; beide stehen im Zusammenhang mit der Rede vom Ergehen des Mysten während der Ekstase. Das μεταγεννᾶσθαι begründet demnach die Gotteskindschaft. Gleichwohl wird in der Mithrasliturgie Mithras selber eher "κύριος" als "πατήρ" genannt.[110]

---

104 Aufgrund dieses Dualismus wird die Mithrasliturgie gerne in die Nähe von manichäischen und gnostischen Texten gerückt; vgl. R. REITZENSTEIN, Mysterienreligionen 46.
105 W. SCHWEITZER, Gotteskindschaft 141.
106 J. DEY, ΠΑΛΙΓΓΕΝΕΣΙΑ 105.
107 Ebd. 106.
108 A. DIETERICH, Mithrasliturgie 137.
109 Vgl. 10,23f: στὰς οὖν εὐθέως ἕλκη ἀπὸ τοῦ θεοῦ ἀτενίζων εἰς σεαυτὸν τὸ πνεῦμα (vgl. 6,4).
110 8,17; 10,25.31 u.ö.; vgl. die Attribute in 8,17-10,3, die sämtlich die Macht des Mithras, nicht aber seine Zuwendung, sein Erbarmen zum Inhalt haben.

Der Beter selbst bezeichnet immer wieder als "Sohn der N.N.", seiner leiblichen Mutter[111], gerade auch in direkter Nachbarschaft mit der Erwähnung Gottes, der hier entweder θεός (4,27) oder κύριος (8,17), nicht aber πατήρ genannt wird. Dabei würde die Bezeichnung "πατήρ" für Mithras in diesen Kontext besonders gut passen: der Myste hätte dann einen göttlichen Vater und eine menschliche Mutter, zumal es auffällt, daß der Myste über seine leibliche Mutter identifiziert wird (Sohn *der* N.N.) und nicht über seinen leiblichen Vater.

Kind des Mithras ist der Myste offenbar nur während der Weihe; danach "stirbt" er wieder. Wiedergeburt und Gotteskindschaft scheinen hier miteinander verknüpft zu sein, doch für den Mysten gibt es beides (Wiedergeburt und Gotteskindschaft) offenbar nur zeitlich begrenzt, nämlich während der Dauer der Weihe.

2.5 Geboren werden im Verstand (Die Hermetische Literatur)

Auf die Hermetische Literatur sei nur am Rande eingegangen, da sie eher als vom Neuen Testament abhängig beurteilt wird als umgekehrt.[112] Im Poimandres (Corp. Herm. 1) wird Gott als "Vater aller" bezeichnet: Ἅγιος ὁ θεὸς πατὴρ τῶν ὅλων (338,5 u.ö.).[113] Wie aus der Übersicht von J. Büchli hervorgeht[114], stammt diese Bezeichnung "deutlich" aus der griechischen Philosophie.[115] Hinter diesem Gebrauch steht konsequenterweise der Gedanke, "daß Gott diese Welt geschaffen hat"[116].

Im Traktat von der Prophetenweihe (Corp.Herm. 13) taucht nicht nur das Wort παλιγγενεσία auf[117], sondern es ist auch von einem παῖς θεοῦ die Rede.[118] So kann man vermuten, daß bereits im Corp.Herm. der Gedanke der geschlechtlichen Zeugung in das Wort "παλιγγενεσία" eingedrungen ist.[119] Dafür spricht auch die Verwendung der Wurzel γεννᾶν in diesem Kontext: ὁ γεννώμενος (340,3.4) bzw. ἐγεννήθεν ἐν νῷ (340,15f).[120] Wiedergeburt von Menschen ist eine Tat Gottes.[121] Gott ist es, der reinigt. Gleichwohl bedarf es eines menschlichen Hierophanten,

---

[111] 4,3.26; 8,17; 12,2.3.

[112] Vgl. C.C.A. SCOTT, Hermetica II 374, der Corp.Herm 13 auf Ende des 3.Jh. datiert. Gleichwohl ist die Ansicht der Hermetischen Literatur nicht belanglos, da die Hermetica auf ähnliche Traditionen zurückgreifen könnten wie die Strömungen, die in das NT eingeflossen sind.

[113] Zitierung nach R. REITZENSTEIN, Poimandres 317-360.

[114] J. BÜCHLI, Poimandres 177.

[115] Vgl. J. BÜCHLI, ebd. 178; vgl. G. SCHRENK, Art. πατήρ κτλ., ThWNT 5 (1954), 955, 12ff.

[116] J. BÜCHLI, Poimandres 178.

[117] 339,4.6; 340,12; 341,5; 342,15; 343,12; 344,12.14; 345,16; 348,8.

[118] 340,4; 341,6; 345,4; "τέκνον", das Wort, das der 1Joh (vgl. 1Joh 3,1) benutzt, um Gotteskindschaft auszudrücken, taucht hier nur in familiären Beziehungen auf: Hermes spricht Tat, seinen Sohn, als "τέκνον" an.

[119] Vgl. F. BÜCHSEL, Art. γίνομαι κτλ., ThWNT 1 (1933), 685, Anm. 2.

[120] Vgl. ἐξ οἵας μήτρας ἐγεννήθες (339,11f); diese Belegstelle (und nicht die von 340,15f, wie M. VELLANICKAL, Sonship 48, Anm. 14 irrtümlich behauptet) war von R. REITZENSTEIN, Poimandres, durch "ἀναγεννήθης" konjiziert worden; doch dazu bestünde allenfalls dann beschränktes Recht, "wenn dies Wort wenigstens noch einmal vorkäme, aber es kommt nur γεννᾶσθαι ..." (F. BÜCHSEL, Art. γεννάω κτλ., ThWNT 1 [1933], 672,10f).

[121] Vgl. die Rede des Hermes zu seinem Sohn Tat: χαῖρε λοίπον, ὦ τέκνον, ἀνακαθαιρόμενος ταῖς τοῦ θεοῦ δυνάμεσιν εἰς συνάρθρωσιν τοῦ λόγου (342,17f); Wiedergeburt basiert auf der σπορά (339,13f); der Aussäende ist der Wille Gottes (340,1f). Der Same des göttlichen Willens macht die Menschen zu Gotteskindern. Im Poimandres (Corp.Herm. 1) hatte sich die Reinigung der Seele von ihren Lastern und ihr Aufstieg zu Gott noch bei Eintritt des Todes vollzogen, hier geschieht sie bei der Wiedergeburt (vgl. R. REITZENSTEIN, Poimandres 231).

eines γενεσιουργὸς τῆς παλιγγενεσίας (341,5), der selbst bereits Gotteskind sein muß (341,5f).[122]

Es geht um eine Wiedergeburt ἐν νῷ (340,15f). "Nous ist hier offenbar in erster Linie als der Ort im Menschen anzusehen, an dem die ekstatische Verwandlung geschieht, der aber zugleich mit der Weltvernunft identisch bzw. ein Teil von ihr zu sein scheint."[123] Diese Wiedergeburt ist nicht mit den Augen verifizierbar (340,13-21); und wer Gottes Kind geworden ist, sieht nicht mit menschlichen Augen (340,20f). Wiedergeburt in der Hermetischen Literatur heißt: Die 12 Laster[124] werden durch die 10 Gotteskräfte[125] vertrieben (342,18-343,11).

Ziel der Wiedergeburt ist wahre Selbsterkenntnis und Ablegen der körperlichen Wahrnehmung (σωματικὴ αἴσθησις - 343,14-16). Man sieht alles im Verstand (ἐν τῷ νῷ - 344,11). Wiedergeburt ist Entfremdung von der materialen Welt. Der Wiedergeborene ist ein anderer als der er früher war, er ist Gottes Kind; obwohl der Leib der gleiche bleibt, das Ich ist ein anderes geworden.[126] Gottes Kind setzt sich zusammen aus den Gotteskräften. Implizit findet sich auch die Aufforderung, nicht zu fehlen: Hermes spricht zu seinem Sohn Tat: Εὐφήμεσον καὶ μὴ ἀδύνατα φθέγγου, ἐπεὶ ἁμαρτήσεις καὶ ἀποσβεσθήσεται σοῦ ὁ ὀφθαλμὸς τοῦ νοῦ (344,19-345,1). Gotteskinder, Wiedergeborene können die Gotteskindschaft also verlieren, sie haben die Gotteskindschaft unter Drohung des Verlustes zu bewähren.

Wiedergeburt kann auch ausgedrückt werden mit der Formel "ἡ ἐν θεῷ γένεσις" (341,22f) bzw. "ἡ κατὰ θεὸν γένεσις" (343,15) bzw. "ἡ γένεσις τῆς θεότητος" (342,2f), d.h. der Wiedergeborene wird gottähnlich.[127]

Gotteskindschaft und Wiedergeburt finden sich hier miteinander verknüpft, wenngleich Gotteskindschaft über die Vokabel "παῖς" ausgedrückt wird und nicht über das genealogische Abhängigkeit implizierende Wort "τέκνον"[128].

2.6 Zusammenfassung

Das Motiv der Gotteskindschaft findet sich - wie wir gesehen haben - sowohl in Qumran als auch im Gedankengut von Mysterienreligionen. Bei der Erforschung der Mysterienreligionen gilt es allerdings sehr vorsichtig zu sein mit dem Begriff "Wiedergeburt". Man sollte in die Rituale nichts hineintragen oder -lesen, was nicht belegbar ist. "Wiedergeburt" als Terminus findet sich kaum, weder terminologisch noch inhaltlich.[129] Deutlich ist in manchen Kulten der Zusammenschluß

---

122 Vgl. den *parens* bei der Isisweihe (s.o. S. 65).
123 W. SCHWEITZER, Gotteskindschaft 136.
124 Τιμωρίαι - 342,8-11.
125 Αἱ τοῦ θεοῦ δυνάμεις - 342,18.
126 Ἄμοιρος γὰρ τῆς ἐν ἐμοὶ οὐσίας (καὶ τῆς νοητῆς) ἄλλος ἔσται ὁ γεννώμενος θεοῦ θεὸς παῖς (340,3f) - diese Vermutung des Tat wird von Hermes bestätigt: τὸ πᾶν ἐν πάντι, ἐκ πάσων δυναμέων συνετός (340,5).
127 Vgl. 343,17-20 bzw. 340,4: ὁ γεννώμενος θεοῦ θεὸς παῖς.
128 So redet Hermes seinen Sohn Tat häufig mit "ὦ τέκνον" an (339,13; 340,2.7.13.21; 341,3.13.18; 342,1.6.8.12.19; 343,1 u.ö.).
129 Vgl. W. BURKERT, Mysterien 85: "Eine paradox-geheimnisvolle Antithese von Tod und Leben ist in den Mysterien immer wieder aufzuweisen; dazu gehören auch die Zeichen von Nacht und Tag, Dunkel und Licht, Unten und Oben; es gibt aber keinen Text, der so ausführlich und vollklingend von der 'Wiedergeburt' spricht wie Paulus oder das Johannesevangelium. Daß die Konzeption des Neuen Testaments von heidnischer Mysterienlehre direkt abhängig sei, ist phi-

70

der Mysten zu einer Bruderschaft (φρατρία oder φράτρα). Das Bruderschaftsbewußtsein diente - ähnlich wie in Qumran das Bewußtsein der Gotteskindschaft[130] - der Binnenstabilisierung der Gemeinschaft. Als Belege für die Anwendung der Gotteskindschaftsmotivik fanden sich in den Mysterienreligionen lediglich die "Vateranrede", nicht aber der Ausdruck "Sohn/Söhne Gottes". Diese Beobachtung weist darauf hin, daß das Motiv der Gotteskindschaft keine herausragende Rolle innerhalb der Mysterienreligionen gespielt hat.

Auffällig ist die Konzeption der Mithrasliturgie, nach der "Umgeburt" (μεταγέννησις) und Gotteskindschaft des Mysten logisch miteinander verbunden sind.

---

lologisch-historisch bislang unbeweisbar; um so weniger sollte man sie zum eigentlichen Schlüssel für Ritual und Verkündigung der ältesten Mysterien machen."

[130] Vgl. JosAs, o. S. 39-41.162.

IV. Das Motiv der Gotteskindschaft im Neuen Testament außerhalb der johanneischen Literatur

Ob Jesus selbst von Gott als dem Vater gesprochen hat, ist bei genauer Betrachtung der Belege in den Evangelien zumindest fraglich. "Nicht weniger als 170mal begegnet in den Evangelien das Wort Vater für Gott im Munde Jesu, und es scheint auf den ersten Blick gar kein Zweifel daran möglich zu sein, daß 'Vater' die Gottesbezeichnung Jesu schlechthin gewesen ist."[1] Doch die Verteilung der Belege gibt genaueren Aufschluß: Im MkEv finden sich 4, im LkEv 15, bei Mt 42 und im JohEv 109. Läßt man die Gebetsanrede zunächst einmal beiseite, "so findet sich die Bezeichnung Gottes als Vater bei Markus 3mal (8,38 par. Mt 16,27; Lk 9,26; 11,25; 13,32par.Mt 24,36) und in Q 4mal bzw. 6mal (Mt 5,48 par. Lk 6,36; Mt 6,32 par. Lk12,30; Mt 7,11 par. Lk 11,13; Mt 11,27 par. Lk 10,22 par.)."[2] Mit zunehmendem Alter der Evangelienschriften nimmt in der Regel die Bezeichnung "Vater" für Gott ab.[3]

1. Gott als Vater aller Menschen - Zur Konzeption im Matthäusevangelium

Im Matthäusevangelium ist Jesus *der* Gottessohn schlechthin. Dies wird schon deutlich bei der matthäischen Geburtsgeschichte: Maria wird schwanger "von dem heiligen Geist" (Mt 1,18; vgl. 1,20); das Hoseazitat in Mt 2,15[4] weist in die gleiche Richtung. Zurecht bemerkt W. Stegemann: "In eindrucksvoller Konzentration auf die *Person* Jesu führt Matthäus seine Leser von eher vordergründigen Aussagen über Herkunft und Bedeutung Jesu zu deren wahren Hintergründen: Jesu wahrer Ursprung ist in *Gott*, er ist der *'Sohn'* Gottes."[5]

Matthäus hat alle markinischen Belege für die Gottessohnschaft Jesu übernommen[6] und sogar noch vermehrt. Folgende Belege stammen aus dem MkEv: Jesu Gottessohnschaft wird erwähnt bei der Verklärung (Mt 17,5), im Gleichnis von den bösen Weingärtnern (Mt 21,37f), in der Offenbarungsrede (Mt 24,36), bei der Nachfrage vor dem Hohen Rat (Mt 26,62f) und bei dem Bekenntnis des heidnischen Hauptmanns (Mt 27,54). Zusätzlich hat das MtEv noch die Lästerungen der Vorübergehenden in Mt 27,40.43, die Jesu Anspruch gelten, Gottes Sohn zu sein, sowie die triadische Formel in Mt 28,19. Diese Lästerungen der Vorübergehenden weisen aus, daß Matthäus in seiner Konzeption von der Gottessohnschaft

---

1   J. JEREMIAS, Abba 33.
2   R. FELDMEIER, Krisis 169.
3   R. FELDMEIER, Krisis 169, vermutet, daß die Vermehrung der Belege für die Vaterschaft Gottes in den jüngeren Evangelien nur möglich war, "weil Jesus selbst in neuer und besonderer Weise von Gott als dem Vater gesprochen hat, sowohl in Logien wie in Gleichnissen". Dieser Argumentation wird man mit Vorsicht begegnen müssen.
4   "Aus Ägypten habe ich meinen Sohn gerufen." Dieses auf das Volk Israel bezogene Zitat aus Hosea 11,1 wird in Mt 2,15 auf Jesus umgedeutet.
5   W. STEGEMANN, Versuchung 35.
6   Vgl. den Abschnitt über die Gottessohnschaft im Markusevangelium, u. S. 91-93.

Jesu auf den leidenden Gerechten (Jes 52,13-53,12) abzielt. "Jesu Gottessohn-schaft ist hier verhüllt unter der Schmach des Leidens und gerade nicht aufweis-bar."[7]

Für Matthäus ist Jesus der für alle sichtbare über die Erde schreitende Gottes-sohn. Anders als bei Markus ist die Gottesstimme bei der Taufe Jesu nicht allein an Jesus gerichtet, sondern an alle Anwesenden: "Dieser ist mein geliebter Sohn, an dem ich Wohlgefallen habe" (Mt 3,17). Was vorher eigentlich nur Joseph of-fenbart worden war (Mt 1,20), wird hier bereits öffentlich von Gott bekannt: Jesus ist sein Sohn. "Die erste ausdrückliche Identifizierung Jesu als 'Sohn Gottes' be-hält Matthäus Gott selbst vor ..."[8] Auch die Versuchung dient dem Erweis der Gottessohnschaft Jesu (Mt 4,3.6). Bereits vor dem Bekenntnis des Petrus, in dem dieser - im Unterschied zum MkEv - Jesus nicht nur als Christus, sondern auch als "Sohn des lebendigen Gottes" bekennt, wird Jesus von einem "unreinen Geist" (Mt 8,29) und sogar von den Jüngern als Gottessohn erkannt: Du bist wahrhaftig Got-tes Sohn - ἀληθῶς θεοῦ υἱὸς εἶ (Mt 14,33).

Dementsprechend finden wir bei Mt auch mehr Stellen als im MkEv, in denen Gott ausdrücklich als "Vater Jesu" bezeichnet wird: Bei Mt spricht Jesus 15 bzw. 16mal[9] von Gott als "πατήρ μου", wobei Mt es 7mal in seine Vorlage eingefügt hat.[10] Ein Beleg findet sich in der Einleitung zu einem Gleichnis aus Q (18,10) und drei Belege in Sätzen, die Matthäus in eine markinische Erzählung eingefügt hat (15,13; 16,17; 26,53); dazu 3- bzw. 2mal im Mt Sondergut (18,19.35; 25,34) und le-diglich in Mt 12,50 ist die Bezeichnung eindeutig traditionell. Damit will Matthäus Jesus von vornherein als den Sohn Gottes proklamieren, der sich durch eben diese Gottessohnschaft auch von allen anderen Menschen abhebt.[11] Inhaltlich bedeutet diese einzigartige Stellung Jesu zunächst, daß Gott sich in ihm als seinem Sohn of-fenbart (Mt 16,16f), - das heißt, daß durch Jesus Menschen in ein besonderes Verhältnis zu Gott geführt werden (Mt 11,25-27)[12]. Jesus, der Gottessohn in seiner Bindung zu seinem Vater, ist das Kriterium für die eschatologische Rettung (Mt 7,21; 10,32f; 12,50; 16,27; 18,35). Das Leiden Jesu ist Bestandteil des Willens sei-nes Vaters (Mt 26,39.42). Jesus verheißt in seiner Gottessohnschaft seinen Jün-gern Gebetserhörung (Mt 18,10.19). Als Gottessohn vermag Jesus auch über das Gericht hinaus den Seinen Verheißungen zu geben (Mt 20,23; 25,34; 26,29).

Aufgrund dieser Beobachtungen dürfte das MtEv die Gotteskindschaft von Jesus-anhängern eigentlich gar nicht kennen, zumindest nicht eine präsentische. In der Tat sind die beiden Belege, die sich im MtEv für die Gottessohnschaft der Jesus-anhänger finden, futurisch formuliert: Mt 5,9[13].44-48[14]. Beide Belege finden sich in

---

7   E. SCHWEIZER, Art. υἱός, ThWNT 8 (1969), 381,16f.
8   W. STEGEMANN, Versuchung 38.
9   Der Beleg Mt 25,34 läßt sich nur bedingt dazuzählen.
10 In Q: 7,21; 10,32f; in Mk: 12,50; 20,23; 26,29.42.
11 Vgl. auch die Belege, in denen Jesus Gott "Vater" nennt: Mt 11,25f sowie die Belege, in denen Gott "Vater" genannt wird in unmittelbarer Korrelation zum "Sohn": Mt 11,27; 28,19.
12 Doch auch Mt 11,27 sagt nicht, daß es das gleiche Verhältnis sein muß, in dem Jesus bereits steht, und der Vers besagt schon gar nicht, daß damit ein Sohnschaftsverhältnis zwischen Gott und den Jesusjüngern konstituiert wird; vgl. H.W. MONTEFIORE, God 37: "... it refers to a reve-lation by the Son of knowledge of the Father, not to an alteration of status into adopted sonship of those to whom that revelation is made."
13 "Selig sind die Friedensstifter, denn sie werden Söhne Gottes heißen."
14 "(44)... Ich aber sage euch: Liebt eure Feinde und bittet für die die euch verfolgen, (45) damit ihr Söhne werdet (γένησθε) eures Vaters im Himmel. Denn er läßt seine Sonne aufgehen über

der Bergpredigt und sind matthäisches Sondergut (Mt 5,9) bzw. in Q eingefügt (Mt 5,45). Gottessohnschaft äußert sich nach dem MtEv im Verhalten; *zukünftige* Gotteskindschaft und gegenwärtiges rechtes Verhalten bedingen einander. Es ist kein Zufall, daß beide Stellen auf friedenstiftendes Verhalten abzielen. "Sowie man Ps 2 und Sach 9 kombiniert, hat man auch hier den Gedanken, daß der 'Sohn Gottes' der 'Friedensbringer' der Welt ist."[15] Der Titel "Sohn Gottes" ist hier vom Volk Israel abgelöst und wird über eine ethische Kategorie neu definiert.[16] Motivgeschichtlich scheint sich hier die Übertragung einer messianischen Bezeichnung auf die Menschen zu finden.

Doch in der Bergpredigt findet sich häufig der Gedanke von Gottes *gegenwärtiger* Vaterschaft den Menschen gegenüber (Mt 5,16.44-48; 6,1.6-9.14f.18.26.32; 7,11). Dazu kommen noch die Belege Mt 10,20.29; 18,14; 23,9. Immer wieder wird auf Gottes väterliches, fürsorgendes Schöpfungshandeln für *alle* Menschen abgezielt.[17] Der Matthäusevangelist möchte offenbar zwischen Gottes Vaterschaft gegenüber den Menschen und der Gottessohnschaft von Menschen unterscheiden. Daß Gott der Menschen Vater ist, heißt für ihn noch lange nicht, daß die Menschen seine Söhne sind.[18] Dies wird besonders deutlich anhand von Mt 5,45a: "... damit ihr Söhne *werdet* (γένησθε) eures Vaters im Himmel." Gottes Vaterschaft für die Menschen ist unbezweifelte Tatsache; jedoch die Gottessohnschaft der Menschen ist nicht in gleicher Weise selbstverständlich.[19] Der Zuspruch der bedingungslosen Vaterschaft Gottes fragt nach entsprechendem menschlichen Verhalten und möchte die Menschen zu entsprechendem Verhalten veranlassen. "Die Jünger sollen sich *schon jetzt als die Söhne Gottes beweisen,* obwohl die Entscheidung darüber erst beim Jüngsten Gericht fallen wird."[20] Deshalb kann Mt 5,48 auch sagen: "Darum sollt ihr vollkommen sein, wie auch euer Vater im Himmel vollkommen ist." Gott erweist sich nach Matthäus prinzipiell als der Vater aller Menschen - und dies nicht etwa im Sinn einer naturhaften, schicksalsgemäßen Gegebenheit, sondern aufgrund seiner Fürsorge für seine Geschöpfe.[21] Doch im besonderen ist

---

Böse und Gute und läßt regnen über Gerechte und Ungerechte. (46) Denn wenn ihr liebt, die euch lieben, was werdet ihr für Lohn haben? Tun nicht dasselbe auch die Zöllner? (47) Und wenn ihr nur zu euren Brüdern freundlich seid, was tut ihr Besonderes? Tun nicht dasselbe auch die Heiden? (48) Darum sollt ihr vollkommen sein, wie auch euer Vater im Himmel vollkommen ist."

[15] H. WINDISCH, Friedensbringer 249; vgl. dort auch weitere religionsgeschichtliche Belege für die Verbindung von "Frieden bringen" und "Gottessohnschaft"; vgl. auch G. THEISSEN, Gewaltverzicht 178: "Friedenmachen und Feindesliebe gehören zusammen; beides ist mit dem Sohn-Gottes-Titel verbunden."

[16] Zurecht konstatiert G. THEISSEN, Gewaltverzicht 178, hier einen "weisheitlich bestimmte(n) Sohn-Gottes-Begriff".

[17] Vgl. H.W. MONTEFIORE, God 38f, der überzeugend darlegt, daß die Bergpredigt (wie auch die lukanische Feldrede) an das Volk und nicht bloß an die Jünger Jesu gerichtet ist; gegen M. VELLANICKAL, Sonship 65, der meint: "The observation at the end in Mt 7:28-29 about the crowd belongs to the secondary redaction which shows the tendency to widen the audience in the primitive Church."

[18] Vgl. E. SCHWEIZER, Art. υἱός κτλ., ThWNT 8 (1969), 392, 25f: "So sehr Gott als Vater aller erscheint (...), so wenig schließt das ein, daß alle Menschen seine Söhne sind."

[19] Vgl. Mt 5,9: μακάριοι οἱ εἰρηνοποιοί, ὅτι αὐτοὶ υἱοὶ θεοῦ κληθήσονται. 1Joh 3,1 scheint sich geradezu gegen ein solches "κληθήσονται" zu wenden, um die "Realität" der Gotteskindschaft zu betonen.

[20] W. SCHWEITZER, Gotteskindschaft 218.

[21] H.W. MONTEFIORE, God 39, meint zu Mt 5,48 zurecht: "Jesus can only be referring here to God as the Father of all men."
In diese Kategorie gehört auch Mt 7,7-11; hier überträgt der mt Jesus das Vater-Sohn-Motiv auf das Verhältnis Gott - Mensch.

er der Vater derer, die seinen Willen tun[22] bzw. der Vater derer, die sich wie seine Söhne verhalten.[23] "Die Sohnschaft ist hier also nicht eine natürlich gegebene, sondern sie ist begründet in der Vaterliebe Gottes, durch die erst Gehorsam und damit Sohnschaft ermöglicht wird."[24]

Dabei dient das Motiv der Gotteskindschaft der metaphorischen Umschreibung des Kommens in das Himmelreich; so kann der Jesus, wie ihn das MtEv verkündigt, in 7,21 sagen: "Es werden nicht alle, die zu mir sagen: Herr, Herr!, in das Himmelreich kommen, sondern die den Willen meines Vaters im Himmel tun." Von daher erklärt sich auch der eigentümliche Ausdruck "Söhne des Reichs" (υἱοὶ τῆς βασιλείας)[25]. Gotteskindschaft hat bei Matthäus eine eschatologische Dimension. Sie findet ihre Vollendung erst bei der Parusie Jesu.

Der synoptische Vergleich bei Mt 5,47[26] macht deutlich: Das MtEv stellt die Bruderliebe der Feindesliebe gegenüber; d.h. es versteht hier dezidiert nur die Jesusanhänger als "Brüder". Diese Erkenntnis legt den Gedanken nahe, daß auch an allen anderen Stellen "ἀδελφός" eine Kategorie ist, die im MtEv allein auf die Jesusanhänger angewendet wird: Mt 5,22-24; 7,3-5; 18,15.21.35; 23,8; 25,40; 28,10. Nach dem MtEv baut Jesus eine egalitäre Gegengesellschaft zu seinem gesellschaftlichen Umfeld auf, in der die menschlichen Unterschiede nicht mehr gelten sollen. Schlüsselstelle hierfür ist Mt 23,8f: "(8) Aber ihr sollt euch nicht 'Rabbi' rufen; denn einer ist euer Lehrer, ihr alle aber seid Brüder; (9) und nennt keinen von euch 'Vater' auf der Erde, denn einer ist euer himmlischer Vater." Dies zeigt, wie wichtig dem MtEv die Anrede Gottes als "Vater" ist.

Auch der auferstandene Jesus nimmt sich bei Matthäus - trotz seiner zweifellos herausragenden Stellung als Gottessohn - aus dieser "Brüdergemeinschaft" nicht aus: in Mt 28,10 beauftragt er die Frauen am Grab, das Gesehene "seinen Brüdern" zu verkündigen (vgl. Joh 20,17). In Mt 28,9 vollziehen die Frauen vor Jesus die Proskynese, in gleicher Weise wie die Jünger in Mt 14,33. Dort bekennen sie Jesus als Sohn Gottes - hier (Mt 28,10) bittet er die Frauen, seine "Brüder" zu benachrichtigen[27]. Das bedeutet: Jesus stellt in Mt 28,10 - was seine Relation zu Gott anlangt - die Jünger ausdrücklich auf die gleiche Stufe mit sich selbst.

---

[22] Vgl. Mt 13,43: "Dann werden die Gerechten leuchten wie die Sonne in ihres Vaters Reich. Wer Ohren hat, der höre!"

[23] G. SCHRENK, Art. πατήρ κτλ., ThWNT 5 (1954), 991,9f: "Das Wort Vater gehört denen, welche die Botschaft 'euer Vater' von Jesus annehmen." Auch in Mt 17,25f wird das Vater-Sohn-Motiv metaphorisch auf Gott und die Jünger Jesu übertragen (im Unterschied zu Mt 7,7-11, wo das Vater-Sohn-Motiv metaphorisch auf Gott und prinzipiell alle Menschen angewendet wird).

[24] E. SCHWEIZER, Art. υἱός κτλ., ThWNT 8 (1969), 393,2-4; vgl. H.W. MONTEFIORE, God 44: "In the Sermon on the Mount, it is the peacemakers who will be called the sons of God, presumably by their action they will have shown their filial imitation of their Heavenly Father. This saying appears to have a universal application, although it was certainly addressed specially to the disciples of Jesus."

[25] Dem Begriff der Gottessohnschaft korreliert die "παλιγγενεσία" (Mt 19,28) nur insofern, als beide eschatologischen Bezug haben. Matthäus gebraucht beide Begriffe, um metaphorisch von dem Leben nach der Auferstehung zu sprechen.

[26] "Und wenn ihr nur eure Brüder grüßt, was tut ihr Besonderes? Tun nicht dasselbe auch die Heiden?" Im LkEv (6,27f.32-36) findet sich das Wort "Bruder" hier nicht.

[27] In der Versuchungsgeschichte wird zudem ausdrücklich betont, daß man nur Gott anbeten solle (Mt 4,10; vgl. Dtn 6,13). Nur Gott (und seinem Sohn) darf Proskynese erwiesen werden (vgl. Mt 2,2.8.11; 28,19). Nach Mt 11,27 und 28,18 ist Jesus geradezu gottgleich (vgl. Mt 14,33). In Mt 28,10 werden die Jünger zwar als "Brüder" Jesu bezeichnet; doch damit ist nicht impliziert, daß ihnen auch Proskynese erwiesen werden müßte.

Wir hatten herausgefunden, daß nach dem MtEv sich die Jünger schon in der Gegenwart als Gottessöhne beweisen sollen, d.h. als Nachfolger Jesu gehören sie schon jetzt zur neuen Welt. Deshalb kann Jesus sie hier als seine Brüder bezeichnen.

Wir fassen zusammen:

(1) Gott ist prinzipiell Vater aller Menschen. Dies äußert sich in seiner Fürsorge für alle Menschen.[28]

(2) Gott ist im besonderen Vater derer, die seinen Willen tun.

(3) Diese "sind" aber damit nicht einfach seine Söhne; sondern sie werden erst Gottessöhne genannt "werden". Gotteskindschaft ist also der Lohn der Nachfolge Jesu, Lohn der Gemeindeglieder[29].

(4) Gleichwohl werden sie bereits jetzt als Brüder zusammengeschlossen. Ein Kennzeichen dieser egalitären Bruderschaft ist aber nicht bloß die Bruderliebe, sondern die Feindesliebe, die sich gerade auf den Außenstehenden richtet; denn nach dem MtEv ist auch für den Außenstehenden Gott der Vater.[30]

"παλιγγενεσία in Mt 19,28"

Der Sprachgebrauch des Wortes "παλιγγενεσία" in Mt 19,28 unterscheidet sich signifikant von der zweiten neutestamentlichen Belegstelle Tit 3,5.[31] Matthäus verbindet mit dem Gedanken der παλιγγενεσία das Sitzen des Menschensohnes auf dem Thron seiner Herrlichkeit (Mt 19,28: ... ἐν τῇ παλιγγενεσίᾳ, ὅταν καθίσῃ ὁ υἱὸς τοῦ ἀνθρώπου ἐπὶ θρόνου δόξης αὐτοῦ). F. Büchsel[32] hat deutlich gemacht, daß die Vorstellung von παλιγγενεσία in Mt 19,28 motivgeschichtliche Parallelen bei Philo und Josephus hat[33]. Seiner Meinung nach wird "der jüdische Glaube an die Totenauferstehung und Welterneuerung ... in dieses Wort gekleidet"[34]. Darauf deutet vor allem die lukanische Parallele; dort heißt es "ἐν τῇ βασιλείᾳ μου" (Lk 22,30). παλιγγενεσία ist also für Matthäus kein präsentischer Begriff, sondern weist auf die Endzeit. W. Schweitzer spricht sich dafür aus, hinter παλιγγενεσία sowohl den Gedanken der Erneuerung der Menschen als auch den der Erneuerung der Welt zu vermuten.[35] Dies ist deshalb wahrscheinlich, weil bloße Erneuerung des Menschen der Auferstehung gleichkommt; doch "Auferstehung" heißt in den Evangelien stets ἀνάστασις und nicht παλιγγενεσία.[36] Anders als in Tit 3,5 findet sich hier eine kosmische παλιγγενεσία-Vorstellung.

---

[28] Vgl. Eph 3,15, wo davon geredet wird, daß aus Gott, dem Vater, alle Vaterschaft im Himmel und auf Erden genannt wird; vgl. Eph 4,6, wo von Gott als "πατὴρ πάντων, ὁ ἐπὶ πάντων καὶ διὰ πάντων καὶ ἐν πᾶσιν" die Rede ist - der Eph scheint - ähnlich wie das MtEv - Gottes Vaterschaft prinzipiell als Vaterschaft allen Menschen gegenüber zu begreifen; vgl. auch Eph 1,2; 2,18; 5,20; 6,23;

[29] Vgl. hierzu auch P. HOFFMANN, Priestertum 56-58. Zugleich wird man nicht sagen können, Sohnschaft sei erwerbbar. Das *passivum divinum* in Mt 5,9 behält es Gott vor, seine Söhne zu bezeichnen.

[30] Diese Tatsache wird konsequent von H. FRANKEMÖLLE, Jahwebund 159-177, ausgeblendet.

[31] Zu Tit 3,5 s.u. S. 100-102.

[32] F. BÜCHSEL, Art. παλιγγενεσία, ThWNT 1 (1933), 685-688; hier 687,34-37.

[33] Vgl. Philo, cher 114: "μετὰ τὸν θάνατον ... εἰς παλιγγενεσίαν ὁρμήσομεν"; sowie legGai 325: "ἐκ παλιγγενεσίας ἀνήγειρας"; Philo versteht die "παλιγγενεσία" als endzeitliches Geschehen, das sich erst nach dem Tod an den Menschen vollzieht; vgl. auch J. DEY, ΠΑΛΙΓΓΕΝΕΣΙΑ 33: "Aus den bisherigen Ausführungen ist klar geworden, daß die παλιγγενεσία, wenn wir vom Gebrauch des Wortes in der religiösen Sprache absehen, ..., nicht zu einem irgendwie höheren Sein führt. Es handelt sich immer um das Wiederbringen eines früheren Zustandes ohne wesentliche Änderung."

[34] F. BÜCHSEL, Art. παλιγγενεσία, ThWNT 1 (1933), 687,35f.

[35] W. SCHWEITZER, Gotteskindschaft 18f.

[36] Wäre eine Kombination mit Lk 20,36 legitim, so würde sich der Schluß nahelegen: Die παλιγγενεσία (Mt 19,28) macht die Menschen zu Gottes Söhnen (vgl. Lk 20,36). Doch dieser Gedanke ist allein aus dem MtEv nicht zu begründen.

2. Gott als Vater des neuen Israel

2.1 Gotteskindschaft bei Paulus

Paulus verwendet unterschiedliche Ausdrücke, um von der Gotteskindschaft von Menschen zu sprechen: υἱοὶ τοῦ θεοῦ[37], τέκνα τοῦ θεοῦ[38], υἱοθεσία[39]. Dabei sind für Paulus die Begriffe υἱοί und τέκνα deckungsgleich. Auffällig ist, daß diese Ausdrücke, die von der Gotteskindschaft von Menschen reden, in Relation zum gesamten paulinischen Werk, das im NT erhalten ist, recht spärlich sind. Es finden sich lediglich eine längere (Röm 8,14-23) und eine kürzere (Gal 4,5-7) Passage, und daneben kurze Notizen[40]. So taucht im 1. Korintherbrief z.B. überhaupt kein Hinweis auf das Motiv der Gotteskindschaft auf.[41]

Ähnlich wie das Johannesevangelium (Joh 8) setzt sich auch Paulus mit dem Selbstverständnis Israels auseinander, die Juden seien Kinder Gottes (Röm 9,4.6-8[42]).

In Röm 9,4 faßt "υἱοθεσία" eine Reihe von Privilegien Israels zusammen: ἡ δόξα (die Herrlichkeit), αἱ διαθῆκαι (die Bundesschlüsse), ἡ νομοθεσία (die Gesetzgebung), ἡ λατρεία (der Gottesdienst), αἱ ἐπαγγελίαι (die Verheißungen). Gotteskindschaft wird hier zur Umschreibung, zur Chiffre für die besondere Zuwendung Gottes zu Israel. Paulus setzt voraus, daß Israel sich als Sohn Gottes verstanden hat; diese Gottessohnschaft in der Geschichte möchte er für die Gegenwart nicht in Abrede stellen. So nennt er die Juden seine Brüder und Verwandten nach dem Fleisch (κατὰ σάρκα - Röm 9,3). Die Zugehörigkeit zum σπέρμα Ἀβραάμ ist für ihn nach wie vor Kriterium der Gotteskindschaft, doch es geht um eine Zugehörigkeit, die durch Glaube vermittelt ist.[43] Dies macht Röm 9,8 deutlich: "τὰ τέκνα τῆς ἐπαγγελίας λογίζεται εἰς σπέρμα". Es heißt hier nicht, die Kinder der Verheißung *seien* σπέρμα, sondern sie würden zum σπέρμα, d.h. zu den Kindern Abrahams, *gerechnet*. Die Zugehörigkeit zu den Söhnen ist der Meinung des Paulus nach nun nicht mehr an die Zugehörigkeit zum jüdischen Volk gebunden. Für Paulus besteht also ein Widerspruch "zwischen der nach dem Zeugnis der Schrift ganz und allein Israel geltenden Heilszusage und dessen augenblicklicher Heilsferne".[44]

---

[37] Röm 8,14.19; 9,26; 2Kor 6,18; Gal 3,26; 4,6f.

[38] Röm 8,16f.21; 9,8; Phil 2,15.

[39] Röm 8,15.23; Gal 4,5; vgl. Eph 1,5; vgl. auch den Ausdruck τέκνα τῆς ἐπαγγελίας (Röm 9,8; Gal 4,28) sowie υἱοὶ φωτός (1Thess 5,5) sowie υἱοὶ ἡμέρας (1Thess 5,5).

[40] Röm 9,8; 2Kor 6,18; Gal 3,26; 4,28; Phil 2,15; vgl. 1Thess 5,5.

[41] Zu berücksichtigen wäre allerdings der jeweilige Kontext eines Paulusbriefes, um manchen Spitzenaussagen gerecht zu werden. Es wird hier jedoch darauf verzichtet, die Unterschiede zwischen den Sohnschaftsaussagen der einzelnen Briefe zu beleuchten.

[42] "(6) Aber ich sage damit nicht, daß Gottes Wort hinfällig geworden sei. Denn nicht alle sind Israeliten, die von Israel stammen; (7) auch nicht alle, die Abrahams Nachkommen sind, sind darum seine *Kinder*. Sondern nur 'was von Isaak stammt, soll dein Geschlecht genannt werden' (Gen 21,12), (8) das heißt: nicht das sind Gottes *Kinder*, die nach dem Fleisch *Kinder* sind; sondern nur die *Kinder* der Verheißung werden zur Nachkommenschaft gerechnet." Vgl. auch Röm 9,26.

[43] Ähnlich verfährt Joh 8. Den Juden wird die physische Abrahamskindschaft nicht abgesprochen (Joh 8,37), wohl aber die Gotteskindschaft (VV. 42-44) und die "praktische" Abrahamskindschaft (V. 39). Doch im Gegensatz zu Paulus begründet Joh 8 diesen Wechsel nicht biblisch, sondern macht ihn am Verhalten Jesus gegenüber fest. Nicht hinterfragbare Voraussetzung ist hierbei, daß Gott Jesu Vater ist (vgl. Joh 8,38.40).

[44] M. WOLTER, Evangelium 209.

Aus dem Gedankengang in Gal 3,27-29 ist zweierlei zu folgern:

(1) "Christi zu sein" (V. 29) entspricht "Christus angezogen zu haben" (V. 27).

(2) "Σπέρμα Abrahams zu sein" (V 29) entspricht "Gottes υἱός zu sein" (V. 26).

Insofern kann nicht einfach gesagt werden, Gott habe sein Volk verstoßen (Röm 11,1f), und die Gotteskindschaft sei von Israel auf die Glaubenden übergegangen. Die Zugehörigkeit zu Abraham ist weiterhin Kriterium der Gotteskindschaft; Paulus meint aber eine Zugehörigkeit nach der Verheißung (Röm 9,7-9)[45]. Im Unterschied zum joh Schrifttum begründet Paulus diese These biblisch anhand von Gen 21,12 und Hos 2,1.[46]

Durch die Tora sind die Juden als Sünder mit den Heiden gleichgestellt; durch Christus sind die Christen als Gotteskinder mit den Juden gleichgestellt. Gottes Heilshandeln richtet sich nun nicht mehr nur auf die Angehörigen des auserwählten Volkes, sondern auf jeden Glaubenden (Röm 9,6-8; vgl. Gal 4,28). Im Glauben an Jesus Christus, auf den nach Paulus ja auch die Tora weist (vgl. Röm 10,5ff; 2Kor 3; Gal 4,21ff; 1Kor 10), können Menschen als Kinder Gottes bezeichnet werden. Insofern integriert Paulus das Motiv der Gotteskindschaft in seine Verkündigung von Recht, Gültigkeit und Funktion der Tora.

Diese Ablösung der Gotteskindschaftsmetaphorik von der Beziehung allein auf die Juden wird auch deutlich durch einen Vergleich von Phil 2,14-16[47] mit der alttestamentlichen Vorlage Dtn 32,5[48]. Der Grund dafür, daß die Glaubenden - und nicht die Juden - von Paulus als Kinder Gottes betrachtet werden, liegt in der Taufe (Gal 3,26f[49]). Gleichwohl ist nach Gal 3,26f nicht etwa die Taufe als der zeitliche Beginn der Gotteskindschaft anzusehen.[50] Paulus entwirft keine Lehre von der Gotteskindschaft.[51] Der Verweis auf die Taufe dient vielmehr der Vergewisserung der Gotteskindschaft: die Söhne Gottes sind doch getauft und haben damit Christus angezogen.

2.1.1 Die Metapher der Adoption

Der Begriff "υἱοθεσία - (Einsetzung in die) Sohnschaft", den Paulus insgesamt viermal (Röm 8,15.23; 9,4; Gal 4,4; vgl. Eph 1,5) verwendet, legt die Vermutung

---

[45] Ähnlich denkt Joh 8, da der Gedankengang hier die These impliziert: wahre Abrahamskindschaft ist Gotteskindschaft (vgl. V. 39b.40).

[46] Joh 8 zielt im Gegensatz zu der paulinischen Argumentation auf eine Ablösung der Gotteskindschaft vom jüdischen Volk. Dieses wird mit dem Verhalten der Juden zu Jesus, der ja Gottes Sohn ist, und nicht biblisch begründet; vgl. u. S. 194f.

[47] "(14) Tut alles ohne Murren und ohne Zweifel, (15) damit ihr ohne Tadel und lauter seid, Gottes Kinder ohne Makel mitten unter einem verdorbenen und verkehrten Geschlecht, unter dem ihr scheint als Lichter in der Welt, (16) dadurch daß ihr festhaltet am Wort des Lebens, mir zum Ruhm an dem Tage Christi, so daß ich nicht vergeblich gelaufen bin noch vergeblich gearbeitet habe."

[48] "Das verkehrte und sündige Geschlecht (γενεὰ σκολιὰ καὶ διεστραμμένη) hat gesündigt wider ihn; sie sind Schandflecken und nicht seine Kinder."

[49] "(26) Denn ihr seid alle durch den Glauben Gottes *Söhne* in Christus Jesus. (27) Denn ihr alle, die ihr auf Christus getauft seid, habt Christus angezogen." G. DELLING, Söhne 616, meint hierzu: "Das Bild vom 'Anziehen' z.B. des Heils meint schon im Alten Testament, daß man von dem 'Angezogenen' völlig bestimmt wird, s.z.B. Jes 61,10".

[50] Gegen A. OEPKE, Art. Adoption, RAC 1 (1950), Sp. 107: "Die A.(doption) fixiert sich für den einzelnen zeitlich in der Taufe (Gal. 3,27)."

[51] Paulus kann den Ausdruck "Kinder der Verheißung" parallel mit dem Ausdruck "Kinder Gottes" (Röm 9,8; vgl. Gal 4,28.31) gebrauchen; vgl. auch den Ausdruck "Söhne des Lichts" bzw. "Söhne des Tages" in 1Thess 5,5.

nahe, Paulus habe die Glaubenden als in die Sohnschaft eingesetzt, also als von Gott adoptiert betrachtet. Das Wort taucht in der griechischen Literatur erstmals im 2. vorchristlichen Jahrhundert bei Diodor von Sizilien auf[52] und bedeutet nach P. Wülfing v. Martitz *"Annahme an Kindes Statt*; dgg sind verbale Entsprechungen υἱὸν τίθεμαι u(nd) υἱὸν ποιέομαι im Sinn von *adoptieren* alt"[53]. Tatsächlich wird diese Vermutung durch die Belege bei Diodorus bestätigt. Die Konstruktionen, in denen das Wort auftritt, sind erstaunlich einheitlich: Jedesmal taucht die Verbindung "εἰς υἱοθεσίαν" auf, und jedesmal wird sie verbunden mit einer Form von "διδόναι". Stets geht es um Menschen, die in die Sohnschaft jemandes eingesetzt werden, obwohl sie genealogisch nicht voneinander abstammen.[54] Eine solche Adoption kann rechtsgeschichtlich als "rechtsgeschäftliche Begründung eines Vater-Sohn- (allgemeiner Eltern-Kindes-) Verhältnisses"[55] bezeichnet werden. Sie hat also einen zeitlichen Beginn.

In unserem Zusammenhang geht es darum, ob das Wort υἱοθεσία für Paulus lediglich das Ergebnis eines (gedachten) Einsetzungsaktes beschreibt, oder ob es den Einsetzungsakt mitbeinhaltet.[56] Mit anderen Worten: bedeutet υἱοθεσία Sohnschaft oder Adoption? Für Paulus käme als Akt dieser Einsetzung nur die Taufe der Glaubenden in Frage. Nun fällt aber auf, daß Paulus an keiner Stelle, an der er von der Taufe spricht, das Wort υἱοθεσία damit in Zusammenhang bringt - ja nicht einmal in Gal 3,26f, wo er von der Taufe der Söhne Gottes redet.[57] Dies deutet darauf hin, daß Paulus den (abstrakten) Begriff "υἱοθεσία" (Gal 4,5; Röm 8,15.23; 9,4) im Sinne von "Sohnschaft" gebraucht und damit nicht direkt[58] einen

---

52 Bibliotheca Historica 31.26.1; 31.26.4; 31.27.5. P. WÜLFING V. MARTITZ, Art. υἱοθεσία, ThWNT 8 (1969), 400, Anm. 1, hat eine Inschrift bei W. DITTENBERGER, Sylloge Inscriptionum Graecarum II (³1916) 102, gefunden, die auf 200 bis 197 v.Chr. datiert wird. Vgl. bei WÜLFING V. MARTITZ weitere spätere Belege.

53 P. WÜLFING V. MARTITZ, Art. υἱοθεσία, ThWNT 8 (1969), 400,28f; vgl. L. WENGER/A. OEPKE, Art. Adoption, RAC 1 (1950), Sp. 99-112; vgl. F. LYALL, Law 458-466; vgl. B. BYRNE, Sons 79f; vgl. die Belege ebd.

54 Vgl. Diodorus, bibliotheca historica 31.26.1: Nach dem Tod des Aemilius erbten τοὺς υἱοὺς αὐτοῦ τοὺς δοθέντας εἰς υἱοθεσίαν. Vgl. ebd. 31.26.4: Dort heißt es, Publius Scipio sei κατὰ φύσιν der Sohn des Aemilius gewesen, doch er sei δοθεὶς δὲ εἰς υἱοθεσίαν Σκιπίωνι τῷ παιδὶ τοῦ Ἀννίβαν. Vgl. ebd. 31.27.5: Als Aemilius, der Vater des Scipio κατὰ φύσιν starb, hinterließ er seine Güter diesem und dem Fabius τοῖς δοθεῖσιν εἰς υἱοθεσίαν.
Zu beachten ist noch, daß sich in der paganen griechischen Literatur - soweit wir sie besitzen - kein einziger weiterer Beleg des Wortes "υἱοθεσία" findet. Vgl. noch die beiden anderen außerchristlichen Belege dieses Substantivs bei Diogenes Laertius (3. Jh. n.Chr.), vitPhil 4,53 und bei Eutropius (4. Jh. n.Chr.), breviarum ab urbe condita 7.10.12. Beide konstruieren υἱοθεσία mit dem Verbum ποιεῖν.

55 L. WENGER, Art. Adoption, RAC 1 (1950), Sp. 99.

56 E. SCHWEIZER, Art. υἱοθεσία, ThWNT 8 (1969), 402,5-7: "Da aber υἱότης erst später aufkommt, ist nicht sicher, ob das Wort noch überall den Akt oder auch das Ergebnis dieses Aktes (...) bezeichnet."
Häufig wird die Meinung geäußert, Paulus habe die Glaubenden als von Gott adoptiert angesehen (so M. VELLANICKAL, Sonship 69-71; W.M. CALDER, Adoption 372-374, T. WHALING, Adoption 223-235, M.W. SCHOENBERG, Notion 51-75; vgl. DERS., Huiothesia 115-123; vgl. auch W. TWISSELMANN, Gotteskindschaft 56, Anm. 2: "Er [Paulus] läßt die Kindschaft durch Adoption entstehen, nennt die Adoptierten aber doch τέκνα [R 8,16ff.].").

57 Auch K. SCHÄFER, Gemeinde 39, muß einräumen, daß in Gal 3,26-28 von Bruderschaft "terminologisch freilich ... nicht gesprochen" wird; vgl. auch ebd. 45.
Dagegen T.M. TAYLOR, Abba 62-71, der der Meinung ist, die Taufe sei der Ort, an dem nach Paulus die Glaubenden von Gott adoptiert werden.

58 Die vollzogene Taufe ist gleichwohl theologisch der Grund, von υἱοθεσία zu sprechen. In Röm 8,15.23; Gal 4,5f haftet die υἱοθεσία am Geist. Durch *einen* Geist werden aber alle zu *einem* Leib getauft (1Kor 12,13); Geistgabe gehört also zur Taufe (vgl. u. S. 213).

Akt der Einsetzung verbindet. Mit dem Ausdruck "υἱοθεσία" bringt Paulus also die Kindschafts-Metapher auf den Begriff.[59]

Zu Recht hat M.W. Schoenberg hier von einer "metaphor of adoption" bei Paulus geredet (vgl. Jer 3,19).[60] Paulus betont dann mit dem Begriff "υἱοθεσία", daß die Juden (Röm 9,4) wie auch die Christen (Gal 4,5) nicht "genealogisch" von Gott abstammen, sondern daß sie sich als seine Kinder ihm als ihrem Vater zugehörig betrachten dürfen. M. Vellanickal hat Israels Gottessohnschaft als Hintergrund für die Konzeption des Paulus vermutet.[61] Für die Metapher der Adoption läßt sich als motivgeschichtliche Parallele Jer 3,19 und 4QDibHam 3,4-10 anführen.[62] Nach Paulus sind die Juden - ebenso wie die Christen - nicht von Natur aus Gottes Söhne. Insofern ließe sich bei Paulus - mit M.Vellanickal - sogar von einer "adoptive nature of Israel's sonship"[63] reden.[64] Paulus versteht Israel als von Gott in die Sohnschaft eingesetzt, adoptiert[65]; deshalb kann er den Begriff "υἱοθεσία" auf Israel anwenden (Röm 9,4). "Sohnschaft empfangen" (υἱοθεσίαν ἀπολαμβάνειν - Gal 4,5; vgl. Röm 8,15: ἐλάβετε πνεῦμα υἱοθεσίας) meint "als Söhne angesehen, behandelt werden". Paulus parallelisiert demnach die Glaubenden nicht mit aus Gott Geborenen, vielmehr dient ihm der Gedanke der Adoption als Metapher für das Verhältnis der Glaubenden zu Gott. Er will nicht sagen, daß der einzelne bei seiner Taufe von Gott adoptiert werde, sondern es geht ihm darum, daß seit Christus es auch für die Heiden möglich ist zu rufen: "Abba, lieber Vater!" Deshalb verbindet er die Taufe nirgends mit dem Begriff υἱοθεσία. Die vollkommene υἱοθεσία ist nach Röm 8,23 zudem ein zukünftiges und eschatologisches Gut.[66] Hier begegnet Gotteskindschaft als das Ziel, auf das sich menschliche Hoffnung richtet.

In Röm 8,23 versteht Paulus υἱοθεσία - im Unterschied zu allen anderen Belegen - als Erlösung vom Leib (ἀπολύτρωσις τοῦ σώματος). Diese Erlösung kann aber erst bei der Auferstehung der Toten geschehen; für diese erwartet Paulus die Befreiung von der φθορά, dem σῶμα ψυχικόν und die Einkleidung in ein σῶμα πνευματικόν (1Kor 15,41-46)[67]. Die Glaubenden werden hier einerseits von der Schöpfung un-

---

59   Was das paulinische Schrifttum angeht ist A. SCHENKER, Gott 23, rechtzugeben, der in dem Gedanken, daß der Sohn der Familienerbe sein werde, den Grund für die Übernahme der Gotteskindschaftsmotivik sieht: "Paulus liegt also dem Bilde der Gotteskindschaft die Vorstellung vom Sohne zugrunde, der als *Sohn Erbe des Familieneigentums* ist, auf das er eine *sichere Anwartschaft* hat, aber über das er jetzt noch keine Verfügungsgewalt besitzt."

60   M.W. SCHOENBERG, Huiothesia 121f; gegen DERS., Notion 75: "For *hyiothesia* contains the implication that Christ is the Son of God by nature; we are sons of God in a different way, named by adoption (cf. Rom.8,3-32 with 8,15-23). Yet at the same time *hyiothesia* in the Apostle's usage is more than a metaphor. It is a statement of fact. A Christian *is not merely like* a son of God, he *is* a son of God (Rom. 8,16f; Gal. 4,7)."

61   M. VELLANICKAL, Sonship 69f.

62   Vgl.o. S. 47f und 57f.

63   M. VELLANICKAL, Sonship 70.

64   Vgl. Jer 3,19.

65   Vgl. Röm 11,1f, wo Paulus negiert, daß Gott das Volk Israel verstoßen habe, das er zuvor *erwählt* hat (ὃν προέγνω).

66   Vgl. dazu J. SWETNAM, Expectation 102-108, der im besonderen das Verbum "ἀπεκδέχεσθαι" untersucht und vermutet, es könne hier die Bedeutung von "to infer" (folgern) haben. Seine Paraphrasierung des Verses entfernt sich gleichwohl kaum von anderen Auslegungen: "The thought is that the Christians lament in the face of present suffering even though they are certain of future glory, and they lament precisely because the glory or redemption of their bodies is in the future - it is something arrived at by inference and is not a factor of their present experience" (107).

67   Vgl. P. V.D. OSTEN-SACKEN, Beispiel 267: "Wenn der Apostel υἱοθεσια durch ἀπολυτρωσις του σωματος ημων erläutert, so zeigt dies, welches Phänomen ihn dazu bewogen hat, die Sohnschaft

terschieden, da sie den Geist als ἀπαρχή erhalten haben (Röm 8,23)[68]; sie werden aber andererseits eschatologisch mit ihr zusammengeschlossen, "denn auch die Schöpfung wird frei werden von der Knechtschaft der Vergänglichkeit zu der herrlichen Freiheit der Kinder Gottes" (Röm 8,21). Im folgenden (Röm 8,24) beschreibt Paulus die Dialektik von dem, was *schon* geschehen, und dem, was *noch nicht* erfolgt ist, mit anderen Worten als mit Begriffen aus dem Motiv der Gotteskindschaft: "Denn wir sind zwar gerettet, doch auf Hoffnung. Die Hoffnung aber, die man sieht, ist nicht Hoffnung; denn wie kann man auf das hoffen, was man sieht (Röm 8,24)?" Eben diesen Gedankengang hat er vorher mit Ausdrücken umschrieben, die zu dem Wortfeld der Gotteskindschaft gehören.[69]

Zum Gebrauch des Gotteskindschaftsmotivs bei Paulus sollen noch drei Aspekte angemerkt werden:
(1) D. v. Allmen hat die Frage gestellt: Ist der οἶκος ekklesiologische Leitmetapher für die paulinische Ekklesiologie oder dienen die Einzelmetaphern - wie die Gedanken "Gott als Vater", "Jesus als Sohn Gottes", "die Gläubigen als Kinder oder Söhne Gottes", "die Gläubigen als Erben", "die Gläubigen als Brüder", "Die Gläubigen als Sklaven und Diener" u.a.[70] - lediglich der Verdeutlichung von Einzelaspekten theologischer wie ekklesiologischer Art? D. v. Allmen beantwortet diese Frage in letzterem Sinn, und G. Schöllgen begründet dieses Ergebnis mit folgender Überlegung: "Einem derart kreativen und originellen Autor wie Paulus war die Vorstellung, daß die Kirche sich nach dem Modell der antiken Hausgemeinschaft organisiert, wohl viel zu einfach gestrickt, um sein ekklesiologisches Denken grundlegend bestimmen zu können."[71] Das Motiv der Gotteskindschaft ist also bei Paulus eines unter anderen (wie etwa das Knechtschaftsmotiv).[72]
(2) Paulus verwendet neben der Anrede "Brüder" für die Gemeindeglieder der von ihm gegründeten Gemeinden bevorzugt auch die Anrede "τέκνα" (1Kor 4,14; 2Kor 6,13; Gal 4,19; vgl. Timotheus bzw. Onesimus als Kind des Paulus in 1Kor 4,17 bzw. Phlm 10). In 1Thess 2,7f.11f und 1Kor 4,15 deutet er an, was er damit meint: Paulus hat die Christen in Christus Jesus durch das Evangelium gezeugt (ἐγέννησα)[73], er hat sich wie ein Vater um die Gemeinden gekümmert. Sie sind

---

68   als Gabe der Zukunft zu bestimmen: Das Sein des Glaubenden als ϑνητὸν σῶμα, seine Vergänglichkeit und damit sein Bestimmtsein durch das Leiden, das sich im Seufzen kundtut."
Nach Paulus geht diese Absetzung darauf zurück, daß die Glaubenden mit Christus mitleiden (συμπάσχειν); vgl. P. V.D. OSTEN-SACKEN, Beispiel 269: "Darin, daß es Mitleiden mit Christus ist, unterscheidet sich das Leiden der Geretteten vom Leiden der Schöpfung."
69   Vgl. auch Röm 8,15 mit 8,26: "... der Geist vertritt uns mit unaussprechlichem Seufzen."
70   D. V. ALLMEN, famille 61f; bzw. G. SCHÖLLGEN, Hausgemeinden 81.
71   Hausgemeinden 82.
72   Paulus kann die Glaubenden auch "die Auserwählten - ἡ ἐκλογή" nennen (Röm 11,7); vgl. das Motiv der Erben (Röm 8,17; Gal 4,7; vgl. auch Gal 3,29, wo die Erbschaft an die Abrahamskindschaft gekoppelt ist); vgl. das Motiv der Abrahamskindschaft (Röm 4,1; 9,7; 2Kor 11,22; Gal 3,7; vgl. v.a. Gal 3,29: "Gehört ihr aber Christus an, so seid ihr ja Abrahams Nachkommenschaft und nach der Verheißung Erben."); vgl. die Knecht-Metapher von Röm 6,17-22.
73   Schon im AT wird das Verhältnis des Meisters zu seinem Schüler durch die Anreden "Vater" bzw. "Sohn" charakterisiert: 2Kg 2,12 (vgl. F. BÜCHSEL, Art. γεννάω κτλ., ThWNT 1 [1933], 664, Anm. 3).
Im Frühjudentum galt der Gesetzeslehrer als der Erzeuger und Vater seines Schülers (vgl. z.B. Sanhedrin fol. 19,2: "Wenn einer den Sohn seines Nachbars das Gesetz lehrt, so sieht die h.Schrift das so an, als habe er ihn gezeugt; [vgl. 99,2] Baba mezia II,11: "Der Vater hat einen nur in diese Welt gebracht; der Lehrer aber, der ihn Weisheit lehrt, bringt ihn zum Leben in der zukünftigen Welt." - zitiert nach A. V. HARNACK, Terminologie 110).

seine Gründungen und darum seine von ihm gezeugten Kinder.[74] Er hat sie gepflegt, ihnen am Evangelium Gottes und am Leben Anteil gegeben, sie liebgewonnen, sie ermahnt, getröstet und beschworen, ihr Leben würdig des Gottes zu führen. Er hat die menschliche Vaterfunktion für sie übernommen.

(3) In Anlehnung an das Alte Testament spricht Paulus metaphorisch von den Kindern Gottes - so wie er metaphorisch von den Kindern des Fleisches (Röm 9,8) oder den Knechten spricht. Ähnliches läßt sich beim Gebrauch des Ausdrucks "Kinder des Fleisches" nachweisen.[75] Paulus macht sich die atl. Gebrauchsweise von בֵּן zu eigen, nach der die Zugehörigkeit auch mit בֵּן ausgedrückt werden kann; denn qua sarkischer Verfaßtheit könnten alle Menschen als "Kinder des Fleisches" bezeichnet werden. Doch Paulus versteht unter den "Kindern des Fleisches" in Röm 9,8 nur diejenigen, die "fleischlich gesinnt sind" (Röm 8,1-17). Ein "Kind des Fleisches" ist also nur derjenige, der sich seiner sarkischen Verfaßtheit entsprechend *verhält*.[76] Der paulinische Gebrauch von υἱός und τέκνον außerhalb des Motivs der Gotteskindschaft zeigt, wie frei Paulus mit diesen Metaphern umgehen kann.

2.1.2 Die Gabe des Geistes (πνεῦμα υἱοθεσίας)

Paulus bindet das Motiv der Gotteskindschaft eng an die Gabe des Geistes.[77] Der Geist ist es, der die Sohnschaft bewirkt.[78] Dabei ist einzuräumen, daß es Paulus hier nicht um die Ermöglichung des "Haltens der Gebote" (vgl. 1Joh 3,24; 4,13), der "Reinheit" (Jub 1,23-25)[79] des "Wandels in seinen Geboten" (TJud 24,2-4)[80] geht. Ihm ist hier der Zuspruch der Gewißheit der Gotteskindschaft wichtiger. Der Geist ist bei ihm nicht Gottes "Waffe" gegen die Sünde, sondern Gottes "Waffe" gegen die σάρξ. Die Beziehung von Christen zu Gott als Beziehung zwischen Kindern und Vater wird sowohl in Röm 8,15, als auch in Gal 4,6 durch ein πνεῦμα hergestellt, das vom menschlichen πνεῦμα unterschieden ist. Das πνεῦμα steht der menschlichen σάρξ gegenüber (Röm 8,1-17), darf also als Gegengewicht gegen die sarkische Verfaßtheit des Menschen gelten. Dieses πνεῦμα ist einmal das πνεῦμα

---

74 Insofern ist es kein Zufall, daß die Anrede "τέκνα" im Römerbrief nicht auftaucht.
75 Vgl. den Ausdruck "υἱοὶ τῆς ἀπειθείας" in Eph 2,2; 5,6; Kol 3,6.
76 Diesbezüglich ist auch Röm 8,14 zu deuten. Hier liefert Paulus ein Kriterium an die Hand, wer als Gotteskind bezeichnet werden kann: ὅσοι γὰρ πνεύματι θεοῦ ἄγονται. Paulus fügt zwar an "οὗτοι υἱοὶ θεοῦ εἰσιν", doch dieses "εἰσιν" entspricht wohl eher einem "καλοῦνται" (vgl. 1Joh 3,1).
77 Vgl. TJud 24,2-4; Jub 1,23-25.
78 Deshalb ist die Vermutung von U. WILCKENS, Römer 149, kaum aufrecht zu erhalten, Paulus seien "Differenzen zu jüdischen Aussagekomplexen" zu attestieren: Die "Kinder Gottes" würden bei Paulus nicht als gesetzestreue Gerechte charakterisiert; ihr Ausharren bestünde nicht in treuer Torabewahrung. Als Beleg kann dabei von Wilckens nur angeführt werden, daß die Formel "die Gott lieben" (vgl. Röm 8,28a) in jüdischer Tradition seit dem Dtn vielfach durch Gesetzesbewahrung konkretisiert sei (Dtn 5,10; 7,9; 11,1; 30,16; Dan 9,4; TBen 3,1; 1QH 16,13; vgl. die Belege der verwandten Ausdrücke "ihn lieben und ihm dienen" bzw. "ihn lieben und auf seinen Wegen gehen" bei P. V.D. OSTEN-SACKEN, Beispiel 66, Anm.23). Paulus dagegen hebe in V. 28a auf das Berufensein ab. Doch nirgendwo tritt hier die Gotteskindschaft in den Blick und dort, wo die Gotteskindschaft Israels auftaucht, wird sie nirgends mit platter "Torabewahrung" inhaltlich gefüllt. Die These, daß sich in jüdischem Denken die Heilshoffnung Israels auf Gesetzeswerke gründe, entbehrt für das Motiv der Gotteskindschaft jeder Textgrundlage.
79 Vgl. o. S. 45f.
80 Vgl. o. S. 46f.

θεοῦ (Röm 8,9.14), einmal das πνεῦμα τοῦ υἱοῦ αὐτοῦ (Gal 4,6) und einmal das πνεῦμα υἱοθεσίας (Röm 8,15). Paulus bindet Geistgabe und Sohnschaftszusage auch terminologisch ganz eng aneinander.

Nach Paulus spricht Gott dem Menschen nicht nur die Gotteskindschaft zu, sondern durch den Geist ist Gott selbst der Urheber der Antwort des Menschen (vgl. Phil 2,13). Nach Gal 4,6 ergibt sich offenbar die Sendung des Geistes Christi als Folge aus der Gotteskindschaft (ὅτι δέ ἐστε υἱοί, ἐξαπέστειλεν ὁ θεὸς τὸ πνεῦμα τοῦ υἱοῦ αὐτοῦ ...). In Röm 8,15 ist dieser Kausalzusammenhang nicht so deutlich. Paulus versteht jedoch in jedem Fall den Geist als Kriterium der besonderen Beziehung der Glaubenden zu Gott[81], in diesem Fall als Zeugen der Gotteskindschaft.[82] Der Geist ist für Paulus die ἀπαρχή der endzeitlichen Kindschaft, nach der die Glaubenden sich sehnen (Röm 8,23).

2.1.3 Gottes Sohn und Gottes Söhne

Insgesamt 17mal findet sich im paulinischen Schriftenkorpus für Jesus die Bezeichnung "Sohn - υἱός". Auffällig ist, daß an fast allen Stellen die Bezeichnung mit dem Possessivpronomen verbunden ist: "sein Sohn"[83]. L. Goppelt weist darauf hin, daß diese Wendung "demnach nicht als traditioneller Titel, sondern in ihrem spezifischen Inhalt gemäß gebraucht (wird), um Jesu Beziehung zu Gott auszusagen"[84].

Die Rede von der Gottessohnschaft Christi bei Paulus läßt sich in drei Gruppen gliedern: *(1)* Nach Röm 1,4 ist Christus mit seiner Auferstehung in die Gottessohnschaft eingesetzt. Auch sonst bezeichnet er den Auferstandenen häufig als Sohn Gottes.[85] *(2)* Daneben redet Paulus im Zusammenhang mit Jesu Sendung in die Welt vom Sohn Gottes.[86] *(3)* Schließlich ist bei Paulus gelegentlich im Zusammenhang mit dem Kreuzestod die Rede von Jesus als dem Gottessohn.[87] Damit will er besonders die Einheit des Willens Gottes mit seinem Sohn betonen.[88]

Paulus spricht von Jesus als Sohn Gottes auf dem Hintergrund von Jesu Präexistenz oder seiner Auferstehung (vgl. v.a. Röm 1,3f) - also in der Regel nicht im Zusammenhang mit der irdischen Existenz Jesu. Mit anderen Worten: der Sohn Gottes hat bei Paulus eine himmlische Existenzweise. Deshalb betont Röm 8,3 die Sendung des Sohnes "in der Ähnlichkeit des Fleisches - ἐν ὁμοιώματι σαρκός".

---

81 Vgl. Röm 8,9b: "Wer aber Christi Geist nicht hat, der ist nicht sein" (Paulus hätte auch formulieren können: "Wer Christi Geist nicht hat, der ist nicht Kind Gottes."- vgl. Gal 4,6); vgl. auch Röm 8,11: "Wenn nun der Geist dessen, der Jesus von den Toten auferweckt hat, in euch wohnt, so wird er, der Christus von den Toten auferweckt hat, auch eure sterblichen Leiber lebendig machen durch seinen Geist, der in euch wohnt." Hier geht es gar nicht darum, Gottes Kind zu sein oder nicht, sondern hier geht es um die Auferstehung von den Toten.

82 Vgl. M. VELLANICKAL, Sonship 79: "So the Spirit is Witness of our adoption as sons."

83 Röm 1,3f.9; 5,10; 8,3.29.32; 1Kor 1,9; Gal 1,16; 2,20; 4,4-6; 1Thess 1,10; Ausnahmen: 1Kor 15,28 ("der Sohn"); 2Kor 1,19 ("Sohn Gottes" - vgl. Eph 4,13).

84 L. GOPPELT, Theologie 398.

85 Röm 1,9; 8,29; 1Kor 1,9; 15,28; 2Kor 1,19; Gal 1,16; 1Thess 1,10; vgl. Eph 4,13; Kol 1,13.

86 Röm 1,3; 8,3.32; Gal 4,4.

87 Röm 5,10; Gal 2,20.

88 Normalerweise verbindet Paulus Tod und Auferstehung Jesu mit der Bezeichnung "Christus" (Röm 1,4; 3,24; 5,6.8; 6,4; 14,9 u.ö.).

Die gleiche Beobachtung läßt sich bei den Glaubenden machen. Vollendete Gotteskindschaft gibt es für sie erst mit ihrer Auferstehung; von daher geht es für sie um die Gleichgestaltung mit dem Sohn. Gottessohnschaft ist stets (auch für Jesus) eine eschatologische Gabe Gottes. Auferstehungszusage ist Gotteskindschaftszusage.

Im paulinischen Schriftenkorpus finden sich zwei Stellen, an denen die Beziehung zwischen dem Gottessohn und den Söhnen Gottes reflektiert wird: Gal 4,4-7 und Röm 8,29.[89]

(1) Gal 4,4-7: Hier werden die Glaubenden terminologisch dadurch von Jesus unterschieden, daß von ihnen gesagt wird, sie würden die υἱοθεσία empfangen (V. 5). Sie sind zwar auch υἱοί (V. 6), doch sie sind es nicht von vornherein (vgl. V. 7: ὥστε οὐκέτι εἶ δοῦλος, ἀλλὰ υἱός). Der Begriff "υἱοθεσία" setzt also voraus, daß "Sohnschaft" nicht von vornherein vorhanden war (im Unterschied zum präexistenten Gottessohn), sondern den Glaubenden erst später zugesprochen worden ist.

(2) Röm 8,29: Hier wird - im Rahmen des Gotteskindschaftsmotivs einzig im paulinischen Schrifttum - Jesus in ein unmittelbares, nicht über die Beziehung zu Gott hergestelltes Verhältnis zu den Glaubenden gebracht. Zu vergleichen wäre in der Evangelienliteratur nur noch Mt 28,10 und Joh 20,17. Im Gegensatz zu Mt 28,10 und Joh 20,17 setzt Paulus Jesus terminologisch von den Glaubenden ab, und zwar durch die Bezeichnung "πρωτότοκος"[90]. Darüber hinaus ist in Röm 8,29 im eschatologischen Sinn von der Gotteskindschaft der Glaubenden die Rede: Gott hat die Glaubenden dazu bestimmt, συμμόρφους τῆς εἰκόνος τοῦ υἱοῦ αὐτοῦ zu sein. Nach 2Kor 4,4 ist Christus das Ebenbild Gottes (vgl. Phil 2,6: Christus als ἐν μορφῇ θεοῦ). Die Glaubenden sollen also erst Jesus gleichgestaltet werden εἰς τὸ εἶναι αὐτὸν πρωτότοκον ἐν πολλοῖς ἀδελφοῖς. Das Ziel der Gleichgestaltung ist diese Bruderschaft mit Jesus und mit den anderen Glaubenden, eine Bruderschaft, in der Jesus als ἀπαρχὴ τῶν κεκοιμημένων (1Kor 15,20; vgl. 1Kor 15,23), als der älteste und damit Erstgeborene gelten darf.

Nicht zufällig hat Paulus vorher eschatologisch von der Gotteskindschaft als ἀπολύτρωσις τοῦ σώματος ἡμῶν gesprochen (Röm 8,23). Gleichgestaltung mit Christus heißt für Paulus also Erlösung vom ψυχικὸν σῶμα[91] (vgl. 1Kor 15,49; Phil 3,20), Bruderschaft mit Jesus und also Gotteskindschaft, die die Glaubenden zu empfangen ersehnen (Röm 8,23). Die Gotteskindschaftszusage in der Gegenwart ist nichts anderes als die Gewißheit: "Wir sind gerettet auf Hoffnung - τῇ γὰρ ἐλπίδι

---

89 Diese Korrelation ist für das paulinische Schriftenkorpus insofern wichtiger als für das joh Schrifttum, als bei Paulus der Sohn Gottes und die Söhne Gottes terminologisch schwieriger zu unterscheiden sind. Freilich wird Christus, im Gegensatz zu den Glaubenden, von ihm nie "τέκνον" genannt, jedoch verwendet er - wie bereits erwähnt - für die Glaubenden den Ausdruck τέκνα τοῦ θεοῦ in gleicher Weise wie υἱοὶ τοῦ θεοῦ (vgl. Röm 8,14.19; 9,26; 2Kor 6,18; Gal 3,26; 4,6f. mit Röm 8,16f.21; 9,8; Phil 2,15).

90 Vgl. im joh Schrifttum die Bezeichnung μονογενής (1Joh 4,9; Joh 3,16).

91 In 1Kor 15,49 stellt Paulus dem σῶμα πνευματικόν das σῶμα ψυχικόν gegenüber (vgl. 1Kor 2,14). In Röm 7,14 ist die Antithese σαρκινός und πνευματικός (vgl. 1Kor 3,1; vgl. die Gegenüberstellung von σάρξ und πνεῦμα in Röm 7). Paulus verbindet also mit dem Attribut ψυχικός in erster Linie die Kategorie der σάρξ, meint also auf jeden Fall die Erlösung vom sarkischen Leib, wenn er von der Verwandlung der Menschen in einen σῶμα πνευματικόν spricht (1Kor 15). Wenn Paulus von der menschlichen σάρξ redet, verbindet er in erster Linie die Neigung der Menschen zum Sündigen (s.o.). Auch der Christ ist nach Paulus also nach wie vor σάρξ und hofft auf die Erlösung vom σῶμα τῆς ἁμαρτίας bzw. vom σῶμα τοῦ θανάτου (Röm 6,6; 7,23).

ἐσώθημεν (Röm 8,24)."[92] Diese Überzeugung würde in der Metapher der Gotteskindschaft lauten: "Wir sind Gottes Kinder auf Hoffnung." Zeuge dieser Hoffnung
ist das πνεῦμα, das als ἀπαρχή ein Angeld auf die künftige Gotteskindschaft ist.[93]
U. Wilckens hat diesbezüglich festgestellt: "Da der Geist 'Vorausgabe' vom Eschaton her ist, ist auch die Sohnschaft, die er bezeugt, eine endzeitliche Setzung Gottes, die allein im Wort gegenwärtig, deren leibhaftige Realisierung an uns jedoch
in der Zukunft verborgen bei Gott ist, verwirklicht vorerst allein in dem auferstandenen Christus als dem Sohn."[94]

2.1.4 Theologische Folgerungen aus der Adoptionsmetapher

(1) Die Bruderschaft der Glaubenden[95]
Der Zuspruch der Gotteskindschaft für die Glaubenden bleibt für Paulus nicht
folgenlos. Er spricht die Adressaten seiner Briefe fast durchgängig mit "ἀδελφοί"
oder "ἀγαπητοί" an.[96] Auch erinnern seine ethischen Empfehlungen an die Adressaten seiner Briefe immer wieder daran, daß der Nächste innerhalb der Gemeinde
"Bruder" ist. Paulus scheint innerhalb der Gemeinde eine "Bruderschaftsethik" zu
proklamieren (Röm 14,10)[97]. Auch kann Paulus eine Gruppe von Gemeindegliedern mit dem Ausdruck "die Brüder" zusammenfassen[98], ebenso wie er einen Einzelnen auch als "Bruder" bezeichnen kann.[99] Die häufige Anrede der Adressaten
als "Brüder" steht in auffälligem Kontrast zu den vereinzelten Hinweisen im Corpus Paulinum auf die Gotteskindschaft der Glaubenden. Es ist also zu vermuten,
daß sich bei Paulus der Gedanke der Bruderschaft der Glaubenden gegenüber
dem Gedanken ihrer Gotteskindschaft verselbständigt hat. Doch auch im Corpus
Paulinum finden sich doch immer wieder Hinweise auf den Urgrund dieser
großen Bruderschaft: es ist Gottes Vatersein den Glaubenden gegenüber.[100] So

---

92 Vgl. U. WILCKENS, Römer 152: Die Christen, "die nach dem Zeugnis des Geistes 'Kinder Got-
    tes' sind" (vgl. Röm 8,16.18f) werden "in der Wirklichkeit Gottes als solche hervortreten".
93 Auch Christus kann ἀπαρχή genannt werden (1Kor 15,20.23); er ist der "Erstling und damit
    Vorbote" der Auferstehung, und damit ist er - mit den Worten von Röm 8 - die ἀπαρχή der
    endzeitlichen Gotteskindschaft.
94 U. WILCKENS, Römer 157.
95 Die Vorstellung der Gemeinde als "Bruderschaft" bei Paulus hat erst kürzlich K. SCHÄFER,
    Gemeinde behandelt.
96 Ἀδελφοί im Vokativ: Röm 1,13; 7,1.4; 8,12; 10,1; 11,25; 12,1; 15,14.30; 16,17; 1Kor 1,10f.26; 2,1;
    3,1; 4,6; 7,24.29; 10,1; 11,33; 12,1; 14,6.20.26.39; 15,1.31.50.58; 16,15; 2Kor 1,8; 8,1; 13,11; Gal
    1,11; 3,15; 4,12.28.31; 5,11.13; 6,1.18; Phil 1,12; 3,1.13.17; 4,1.8; 1Thess 1,4; 2,1.9.14.17; 3,7;
    4,1.10.13; 5,1.4.12.14.25 (vgl. 2Thess 1,3; 2,1.13.15; 3,1.6.13).
    ἀγαπητοί im Vokativ: Röm 12,19; 1Kor 10,14; 2Kor 7,1; 12,19; (vgl. Phlm 1;).
    Vgl. besonders die Kombination von beiden Ausdrücken in Phil 4,1; 1Kor 15,58 und Phlm 16;
    zum familiären Hintergrund von "ἀγαπητός" vgl. O. WISCHMEYER, Adjektiv 476-480.
97 "Du aber, was richtest du deinen Bruder? Oder du, was verachtest du deinen Bruder? ..."; vgl.
    Röm 14,13.15.21; 1Kor 5,11; 6,5f.8; 7,12.15; 8,11-13; 1Thess 4,6.10 (vgl. 2Thess 3,6.15; 1Tim 5,1;
    6,2).
98 Röm 16,14; 1Kor 15,6; 16,11f.20; 2Kor 8,23; 9,3.5; 11,9; Gal 1,2; Phil 4,21; 1Thess 5,26f ("[26]
    Grüßt alle Brüder mit dem heiligen Kuß. [27] Ich beschwöre euch bei dem Herrn, daß ihr die-
    sen Brief lesen laßt vor allen Brüdern."); vgl. Eph 6,23; Kol 1,2; 4,15; 1Tim 4,6; 2Tim 4,21.
99 Quartus: Röm 16,23; Sosthenes: 1Kor 1,1; Apollos: 1Kor 16,12; Timotheus: 2Kor 1,1; Titus:
    2Kor 2,13; Epaphroditus: Phil 2,25; Timotheus: 1Thess 3,2 (vgl. Kol 1,1); vgl. einen Anonymus
    in 2Kor 8,18.22; 12,18; vgl. Tychikus in Eph 6,23; Kol 4,7; Onesimus in Kol 4,9.
100 Vgl. K. SCHÄFER, Gemeinde 36, der in der Charakterisierung der Christen als "Söhne" bzw. als
    "Kinder Gottes" und als "Erben" ein "bedeutendes Begründungsmoment" für die Rede von der

bezeichnet Paulus Gott häufig als "unseren Vater"; so etwa in der Briefeingangs-formel in Röm 1,7.[101] Dabei fällt - wie bereits erwähnt - auf, daß die Bezeichnung "Vater" für Gott im gesamten paulinischen Schrifttum relativ selten ist. Die Nen-nung des Vaters hat stets "emphatischen"[102] Charakter. "So wird das Wort nicht abgenutzt."[103] Jesus Christus ist derjenige, durch den die Gotteskindschaft, und damit diese große Bruderschaft ermöglicht wurde (Gal 4,4-7); deshalb spricht Paulus auch von seinen "Brüdern im Herrn" (Phil 1,14; vgl. Gal 3,26[104]).

Festzuhalten bleibt allerdings, daß Paulus sein Verhältnis zu seinen Gemeinden nicht durchgängig als bruderschaftliches beschrieben hat.[105] Dies entspricht sei-nem freien Umgang mit der Metapher.

(2) Gotteskindschaft und Ethik

Ähnlich wie der 1Joh[106] kann Paulus einerseits den Gotteskindern etwas zuspre-chen und andererseits eben dieses von ihnen fordern: In Gal 3,27 sagt er den Glaubenden zu, sie hätten mit ihrer Taufe Christus angezogen (Χριστὸν ἐνεδύσασθε), während er in Röm 13,14 dazu aufruft, Christus anzuziehen (ἀλλὰ ἐνδύσασθε τὸν κύριον Ἰησοῦν Χριστόν). Was hier ethische Forderung ist, ist dort Wirklichkeit. Dies hat P.v.d.Osten-Sacken schon anhand von Röm 8,12f und Gal 5,16ff aufgezeigt: "Immer dann, wenn Paulus von dem einmaligen Geschehen der Kreuzigung und Auferweckung Jesu und von dem entsprechenden einmaligen Ge-schehen der Taufe spricht, dominiert die Betonung des definitiv Geschehenen (Aor., Perf.). Reflektiert er jedoch auf das anhaltende Leben in der Zeit, so wird deutlich, daß sich das einmal Geschehene in Gestalt eines gegenwärtigen Kampfes aktualisiert (...). ... Der in Kreuz und Auferweckung pars pro toto errun-gene Sieg wird immer dann von neuem manifest, wenn Verheißung und Gesetz kraft des Geistes Gottes neu zur Einheit kommen."[107] Es erweist sich hier die Ver-kündigung der Gotteskindschaft als Illustration zur Verkündigung des Paulus von Ziel und Funktion der Tora.

Bruderschaft der Gemeinde findet. SCHÄFER hat darüber hinaus zwei weitere Argumentations-linien zur Begründung der Bruderschaft ausgemacht:
(1) Aus Phil 1,14 schließt er, daß die Bruderschaft "durch das (gemeinsame) Stehen im Herr-schaftsraum des κύριος vermittelt ist" (40).
(2) Ferner verbinde "die Teilhabe an der Heilswirkung des Sterbens Christi ... die mit Christus verbundenen Menschen auch untereinander zu Brüdern und Schwestern" (40).

[101] Vgl. 1Kor 1,3; 2Kor 1,2; Gal 1,3; Phil 1,2; Phlm 3, aber auch sonst in Gal 1,4; Phil 4,20; 1Thess 1,3; 3,11.13; vgl. auch die Formel in 1Kor 8,6 ("Gott, der Vater, aus dem alle Dinge sind und wir zu ihm"), die an die philonische Rede von Gott als dem "Vater von allem" erinnert (vgl. Eph 3,15; 4,6 sowie 1,2; 2,18; 5,20; 6,23; Kol 1.2.12; 3,17; 2Thess 1,1f; 2,16; 1Tim 1,2; 2Tim 1,2; Tit 1,4). Prozentual findet sich die Bezeichnung "Vater" für Gott in den Deuteropaulinen Eph und Kol häufiger als in den echten Paulusbriefen. An anderen Stellen vermag Paulus auch dezidiert von der Vaterschaft Gottes Jesus Christus gegenüber zu reden, so in Röm 15,6; 2Kor 1,3; 11,31; vgl. Eph 1,3.17; Kol 1,3.
[102] Vgl. G. SCHRENK, Art. πατήρ κτλ., ThWNT 5 (1954), 1011,22.
[103] Ebd. Z.23.
[104] "Denn ihr seid alle durch den Glauben Gottes Söhne in Christus Jesus."
[105] Vgl. unten die Tatsache, daß er sie auch τέκνα nennen kann; abgesehen davon hat M. WOL-TER, Apostel 553f, gezeigt, daß Paulus auch sein Verhältnis zur Gemeinde im Horizont des hellenistischen Freundschaftsverständnisses gesehen hat (vgl. 2Kor 7,2f: "εἰς τὸ συναποθανεῖν καὶ συζῆν" - "Diese Terminologie beschreibt ... die unaufhebbare Gemeinschaft von Freunden und ist gerade als Begriffspaar außerhalb des NT belegt" (vgl. Euripides, Orest. 307f; Euripides, Ion. 582f; Plautus, mil.glor. 1275; Horaz, carm. 3,9,24 u.ö.).
[106] Vgl. 1Joh 3,9 mit 2,1.
[107] P. V.D. OSTEN-SACKEN, Heiligkeit 56.

Gotteskindschaft als Zuspruch schließt nach Paulus etwa Furcht (Röm 8,15) aus. Phil 2,14-16 zeigt zudem, daß Paulus die Möglichkeit der sittlichen Bewährung der Gotteskindschaft kennt. Zügelloser Lebenswandel und Gotteskindschaft passen nicht zusammen.[108] Der Vergleich von Phil 2,14-16 und seiner atl. Vorlage Dtn 32,5 macht ebenfalls deutlich, daß Gotteskindschaft und Sündigen nicht zusammenpassen; Sünde "paßt" nur zum "verdorbenen und verkehrten Geschlecht" (γενεὰ σκολιὰ καὶ διεστραμμένη), von dem sich die Gotteskinder zu distanzieren haben. Ausdrücklich behauptet Paulus die Unvereinbarkeit von Gotteskindschaft und Sünde jedoch nirgendwo. Dies wäre seiner Theologie auch insofern fremd, als er von der "sarkischen Verfassung"[109] aller Menschen ausgeht und von daher stets mit der Realität und Macht der Sünde auch im Leben der Christen rechnet. Interessanterweise setzt er allerdings die Möglichkeit, *Knecht* Gottes zu sein, und die andere, *Knecht* der Sünde zu sein, diametral einander gegenüber (Röm 6,16-23).[110] Doch sagt Paulus auch hier nichts von Sündlosigkeit der Knechte Gottes. Deutlich wird dies an der ethischen Forderung in Röm 6,19, die sich aufgrund der "ἀσθένεια τῆς σαρκός" selbst an die Knechte der Gerechtigkeit richtet: Gebt eure Glieder hin an den Dienst der Gerechtigkeit zur Heiligung - παραστήσατε τὰ μέλη ὑμῶν δοῦλα τῇ δικαιοσύνῃ εἰς ἁγιασμόν. Auch diejenigen, die nach Paulus auf der "richtigen" Seite stehen, brauchen wegen ihrer sarkischen Verfassung noch Ermahnungen. Knecht Gottes zu sein heißt "lediglich", als Ziel stets das ewige Leben vor Augen zu haben (Röm 6,22f).[111]

2.1.5 Das Motiv der Gotteskindschaft innerhalb der paulinischen Toraverkündigung

Paulus begründet die Gottessohnschaft der Christen in Gal 4,4-7[112]. Durch die Sendung Christi (γενόμενον ὑπὸ νόμον) sind sie von der Knechtschaft befreit und können die Sohnschaft empfangen. Gotteskindschaft ist seit Christus eine Möglichkeit für Menschen. Für Paulus sind die Christen Söhne durch den Sohn (Gal 4,6).

---

108 Vgl. Röm 6,4: "So sind wir ja mit ihm begraben durch die Taufe in den Tod, damit, wie Christus auferweckt ist von den Toten durch die Herrlichkeit des Vaters, auch wir in einem neuen Leben wandeln." Auch hier ist die Taufe in einen Zusammenhang gebracht mit einem "besseren" Lebenswandel.

109 Vgl. P. V.D. OSTEN-SACKEN, Heiligkeit 58: "Das chronologische Faktum des Andauerns der Zeit besagt *anthropologisch*, daß der Mensch, wiewohl vom Geist bestimmt, doch noch 'im Fleisch' lebt und damit der Anfechtung ausgesetzt ist. Als Kampfexistenz ist sein Leben Bewährungsexistenz, die der Verheißung sowohl wie der Drohung ausgesetzt ist ..."

110 Vgl. im 1Joh die Gegenüberstellung der Kinder Gottes und der Kinder des Teufels (1Joh 3,10).

111 Röm 6,8.23; 10,5; 1Kor 4,10-12; 2Kor 5,4.15; 13,4; Gal 2,19f; 6,8; Phil 1,21; 4,3 u.ö.

112 "(4) Als aber die Zeit erfüllt war, sandte Gott seinen Sohn, geboren von einer Frau und unter das Gesetz getan, (5) damit er die, die unter dem Gesetz waren, erlöste, damit wir die Kindschaft empfingen. (6) Weil ihr nun Söhne seid, hat Gott den Geist seines Sohnes gesandt in unsere Herzen, der da ruft: Abba, lieber Vater! (7) So bist du nun nicht mehr Knecht, sondern Sohn; wenn aber Sohn dann auch Erbe durch Gott."
Ähnliche Gedanken liegen der deuteropaulinischen Stelle Eph 2,18 zugrunde; hier heißt es: "Denn durch ihn (i.e. Christus) haben wir beide in *einem* Geist Zugang zum Vater." Durch Christus ist die Beziehung zwischen Gott und Menschen hergestellt. Sie ist einer Vater-Sohn-Beziehung vergleichbar.

Erlösung derer, die unter dem Gesetz stehen[113], heißt nicht Erlösung vom Weg der Sünde, sondern vielmehr Erlösung von der Behaftung mit der Sünde[114] und damit Eröffnung der *Gewißheit* der eschatologischen Rettung bzw. die Gewißheit, Leben zu empfangen (vgl. Röm 8,13)[115]. Und weiter ist daraus zu folgern: Dieses Heilshandeln Gottes kommt nicht mehr nur den Angehörigen des auserwählten Volkes zugute, sondern jedem Glaubenden (Röm 9,6-8[116]; vgl. Gal 4,28). Die Funktion der Tora ist damit eine andere geworden als etwa noch bei Philo: Sie stellt "nicht mehr die Identität der Juden als Gotteskinder in Abgrenzung von den Heiden für die verheissene Erlösung sicher, sondern gerade umgekehrt ihre Gleichstellung als Sünder im Endgericht"[117]. Qua sarkischer Verfassung[118] aller Menschen vermag nach Paulus die Tora ihrem Täter eben nicht eine lebenschaffende Gerechtigkeit zu verleihen. Deshalb wendet sich Paulus gegen eine Rechtfertigung aus den Gesetzeswerken (vgl. Gal 3,10-14[119]). Insofern entspricht der Rechtfertigung aus den Gesetzeswerken der Begriff "δοῦλος" und der Rechtfertigung aus Glauben der Begriff "τέκνον" (bzw. "υἱός") in Gal 4,4-7. Paulus kommt es bei dieser familiären Relation besonders auf die innige Beziehung zwischen Kind und Vater an. In Christus können die Glaubenden zu Gott rufen: "Abba, lieber Vater!"[120] Die Vermutung, daß es Paulus um die Eröffnung der Gewißheit der

---

[113] Gemeint sind hier die "Juden", die zwar unter dem Gesetz standen, denen jedoch nach Röm 9,4 bereits die Kindschaft gehört. Sie werden hier von den "Christen" deutlich unterschieden.

[114] Auf das Problem "Paulus und das Gesetz" kann in diesem Rahmen nicht näher eingegangen werden. Es sei diesbezüglich verwiesen auf E. STEGEMANN, Tora; sowie auf W. STEGEMANN, Nomos; sowie auf P. V.D. OSTEN-SACKEN, Heiligkeit 56: "Vom Evangelium und von Jesus Christus her erschließt Paulus die Schrift als Verheißung und als Gesetz. Charakteristisch ist dabei, daß in der Zeit vor Christus Verheißung und Gesetz als jeweiliges Wort Gottes nicht zusammenfinden, ausgenommen bei Abraham. Die Verheißung bleibt auf der Seite Gottes (ohne ungültig zu werden), während das Gesetz den Menschen bei seiner Sünde behaftet."

[115] Deshalb kann Paulus auch theologisch aus der Kindschaft folgern, daß die τέκνα etwas ererben werden, und von daher auch κληρονόμοι sind (Röm 8,17; Gal 4,7; vgl. Gal 3,18.29; 4,1.30). Erbe zu sein heißt aber, etwas fest in Aussicht zu haben, was man jetzt noch nicht bekommt. Das, was Paulus den Glaubenden in Aussicht stellt, ist das "Reich Gottes" (Gal 5,21), d.h. ist vor allem das "Leben" (Röm 6,4.22f; 10,5; 2Kor 4,5; Gal 6,8; Phil 4,3). "To be an 'heir (of God)' is to be one destined to receive the inheritance of eternal life from his hands" (B. BYRNE, Sons 101). Hier wird bereits deutlich, daß Gotteskindschaft bei Paulus auch eine starke futurisch-eschatologische Komponente aufweist.

[116] "(6) Aber ich sage damit nicht, daß Gottes Wort hinfällig geworden sei. Denn nicht alle sind Israeliten, die von Israel stammen; (7) auch nicht alle, die Abrahams Nachkommen sind, sind darum seine *Kinder*. Sondern nur 'was von Isaak stammt, soll dein Geschlecht genannt werden' (Gen 21,12), (8) das heißt: nicht das sind Gottes *Kinder*, die nach dem Fleisch *Kinder* sind; sondern nur die *Kinder* der Verheißung werden zur Nachkommenschaft gerechnet."
Nach Gal 4,4-7 erfahren die Juden durch Christus eine Befreiung von der Behaftung mit der Sünde und die Christen empfangen die Kindschaft.

[117] E. STEGEMANN, Tora 15; vgl. Röm 9,6-8.

[118] Vgl. Gal 2,16, wo Paulus das neutrale πᾶς ζῶν des Psalmwortes (Ps 143,2) in πᾶσα σάρξ ändert; vgl. Röm 9,8: "das heißt: nicht das sind Gottes Kinder, die Kinder τῆς σαρκός sind ..."; vgl. auch Röm 6,19, wo Paulus die Knechte Gottes ermahnt wegen ihrer ἀσθένεια τῆς σαρκός.

[119] Nach E. STEGEMANN, Tora 12, besteht der Fluch des Gesetzes darin, "daß die ἐξ ἔργων νόμου *alles* das, was in dem Buch der Tora geschrieben ist, tun müssen".

[120] Vgl. J. JEREMIAS, Theologie I 73, der herausgefunden hat, daß "ἀββά" eben kein Lallwort eines Kleinkindes ist, sondern "daß schon seit vorneutestamentlicher Zeit auch die erwachsenen Söhne und Töchter ihren Vater mit 'abba anredeten"; gegen G. SCHRENK, Art. πατήρ κτλ., ThWNT 5 (1954), 985,1f: "Der sprachliche Nachweis entspricht dem Befund, daß 'abba das Lallwort des Kleinkindes ist wie das gr πάππα ..."; vielleicht hat Jesus selbst diese Anrede verwendet.
"ἀββά" findet sich an drei Stellen im NT: Gal 4,6; Röm 8,15 und Mk 14,36. Dies ist mit Sicherheit auch die chronologische Reihenfolge der Belege.

eschatologischen Rettung bei der Einführung des Gotteskindschaftsmotivs geht bestätigt Röm 8,14-16[121]. Ausdrücklich wird hier auf die zwei Zeugen hingewiesen: Der Geist selbst bezeugt gemeinsam mit dem den Glaubenden eigenen Geist (συμμαρτυρεῖ) die Gotteskindschaft. Nach dem AT wird durch das Zusammenstimmen zweier Zeugen eine Aussage voll bestätigt (Dtn 19,15). Paulus geht es hier also um die Gewißheit der Adressaten über ihre eigene Gotteskindschaft. Auch hier dient der δοῦλος als negative Folie für die Beschreibung der Gotteskindschaft.[122]

2.1.6 Zusammenfassung

Obwohl die Glaubenden erst in der Endzeit als wahre Kinder Gottes und Geschwister Christi bezeichnet werden können, gilt ihnen schon jetzt die Zusage, daß sie Gottes Kinder sind (Röm 8,16). Motivgeschichtlich stellt sich die Lage folgendermaßen dar: Wo Paulus von der gegenwärtigen Sohnschaft der Glaubenden spricht, greift er zurück auf atl. Vorstellungen; den Gedanken, daß es vollendete Gottessohnschaft aber erst für die Auferstandenen geben kann, haben wir auch im Jubiläenbuch und in TJud 24 (christlich interpoliert) gefunden.[123]
Die zugesprochene Gotteskindschaft hinterläßt bereits jetzt nachweisbare Spuren; so verstehen sich etwa die Gemeindeglieder als Brüder[124]; so können die Glaubenden schon jetzt zu Gott rufen "αββα ὁ πατήρ" (Röm 8,15) - es ist tatsächlich aber

---

Zum möglichen Zusammenhang von Mk 14,36; Gal 4,6 und Röm 8,15; vgl. auch T.M. TAYLOR, Abba 62-71. Seiner Meinung nach ist die Taufe der Ort, an dem nach Paulus die Glaubenden von Gott adoptiert werden. Seit der Taufe können die Christen Gott so anrufen wie es Jesus in Gethsemane tat. Im Gebet in Gethsemane "ἀββά, ὁ πατήρ introduced *the prayer of submission to the will of God:* ... In Galatians and Romans it is the coming of the Spirit of Christ *at baptism*, to dwell in the believer, which enables him to say as Christ does in Gethsemane, ... This marks by his crying out, as early Christian tradition asserted his Lord had done in Gethsemane, ἀββά, ὁ πατήρ?" (67) Das Problem an seiner Argumentation ist jedoch die Tatsache, daß Paulus dieses Gebet von Gethsemane gekannt haben muß; das MkEv ist allerdings jünger als die Paulusbriefe. Und auch eine mündliche Tradition anzunehmen, auf die sich Paulus stützt und die erst ca. 30 Jahre später im MkEv schriftlich greifbar wird, ist äußerst spekulativ. Damit soll nicht in Abrede gestellt werden, daß der Anruf "ἀββά, ὁ πατήρ" eine Überlieferungsgeschichte hatte, wohl aber, daß er überlieferungsgeschichtlich unbedingt an das Gethsemanegebet Jesu zu binden ist. Bereits das MtEv und auch das LkEv verzichten auf diesen Gebetsanruf Jesu in Gethsemane.
An allen drei ntl. Stellen ist der Ausdruck eine Gebetsanrede und hat emphatischen Klang. Deshalb wird man die Besonderheit der 3 Belege nicht in die Weise einebnen dürfen wie es V. McCASLAND, Abba 79-91, tut, der meint, daß von den 125 ntl. Belegen des Wortes "Vater" für Gott allein Mk 14,36 die Erinnerung bewahrt hat "of the form in which they all - certainly a great many of them - once stood" (85).

121 "(14) Denn welche der Geist Gottes treibt, die sind Gottes *Söhne.* (15) Denn ihr habt nicht einen knechtischen Geist empfangen, daß ihr euch abermals fürchten müßtet, sondern ihr habt einen kindlichen Geist empfangen, durch den wir rufen: Abba, lieber *Vater!* (16) Der Geist selbst bezeugt zusammen mit unserem Geist, daß wir Gottes *Kinder* sind." Eine ähnliche "Beschwörung" der eigenen Gotteskindschaft kennt der 1Joh (3,1): Wir sind Gottes Kinder (ἐσμέν).
122 Motivgeschichtlich scheint ein Bezug zu Hos 11,1f vorzuliegen. Beidemale geht es um eine Befreiung aus der Knechtschaft zur Sohnschaft. *Das* Befreiungserlebnis der Christen ist nach Paulus aber die Heilstat Christi und nicht der Auszug aus Ägypten.
123 Vgl. Jub 1,25; TJud 24,3; vgl. o. S. 45-47.
124 Röm 8,29 behauptet ja nicht, daß die Glaubenden auch erst in der Endzeit als Brüder zusammengeschlossen werden.

der Geist, der so in ihnen ruft. Die Gotteskinder jedoch werden erst noch offenbar werden (Röm 8,19).

So ist die Gotteskindschaft der Christen - analog der Gottessohnschaft des irdischen Jesus - noch nicht volle Wirklichkeit, sondern Gabe und Ziel des Eschaton. Deshalb kann Paulus in 1Kor 15,20.23 Jesus die ἀπαρχή nennen. Jesus ist in der Endzeit der "*primus* (ἀπαρχή - πρωτότοκος) *inter pares* (ἀδελφοί)". Um dieses Ziel zu erreichen, werden alle Glaubenden verwandelt (vgl. 1Kor 15,51b: πάντες δὲ ἀλλαγησόμεθα; vgl. V. 52b). W. Grundmann faßt diesen Gedanken so zusammen: "So wird die vollendete Gottessohnschaft zum Ziel der gesamten Schöpfung, die Gottessohnschaft selbst zur Sinnmitte des Menschheitsgeschehens und so werden die Gottessöhne zu Mithelfern des Sohnes - 'Miterben des Christus' - an der Sinnverwirklichung und Zielerreichung des geschaffenen Lebens."[125]

Bei Paulus sind "Leben" und Gotteskindschaft zukünftige, endzeitliche Gaben.[126] Auch von dem Geist der Sohnschaft (πνεῦμα υἱοθεσίας - Röm 8,15) kann Paulus sagen, daß er lebendig macht.[127] In 1Thess 5,10[128] ist von einem Leben mit Christus die Rede. Paulus verkündigt damit - ähnlich wie der 1Joh: "Leben" gibt es nur als "Leben für die Kinder Gottes".[129]

Mit dem Begriff "Gotteskindschaft" (υἱοθεσία) verbindet Paulus die Freiheit in der Bindung an Gott. Diese Freiheit wird auf dem Hintergrund der Knechtschaft dargestellt. Das Motiv "Gotteskindschaft" hat die Funktion, die neue Freiheit zu verdeutlichen (vgl. Röm 8,20f[130]). Paulus wählt die Metapher der Gotteskindschaft nicht als Hintergrund für seine Ekklesiologie, sondern er ordnet das Motiv der Gotteskindschaft seiner Verkündigung von der Gültigkeit und Funktion der Tora unter und zeichnet es in diese Verkündigung ein. Mit anderen Worten: "Gotteskindschaft" ist bei Paulus eine Funktion der Erläuterung seiner Ansicht über die Tora.

Der freie Umgang des Paulus mit der Gotteskindschaftsmetapher zeigt sich auch an der Tatsache, daß er in 1Thess 2,7 Gott auch als Mutter bezeichnen kann.

Das Gotteskindschaftsmotiv dient nicht dem Entwurf der paulinischen Ekklesiologie[131], es dient allenfalls der Darlegung von bestimmten ekklesiologischen Aspekten.[132] K. Schäfer hat herausgearbeitet, daß die Bezeichnung "ἀδελφός" bzw. "φιλαδελφία" bei Paulus stets eine ethische Motivation impliziert: "Die wesentliche

---

[125] W. GRUNDMANN, Geist 184.
[126] Vgl. Röm 1,17; 2,7; 6,4.22f; 8,2.6.13; 2Kor 4,10; 5,4 ("Denn solange wir in dieser Hütte sind, seufzen wir und sind beschwert, weil wir lieber nicht entkleidet, sondern überkleidet werden wollen, damit das Sterbliche verschlungen werde von dem Leben."); Gal 6,8.
[127] 1Kor 15,45; vgl. Röm 8,2.
[128] "Denn Gott hat uns nicht bestimmt zum Zorn, sondern dazu, das Heil zu erlangen durch unsern Herrn Jesus Christus, der für uns gestorben ist, damit, ob wir wachen oder schlafen, wir zugleich mit ihm leben."
[129] Vgl. den verschiedenen Gebrauch des Substantivs ζωή, das meist im Sinne des zukünftigen Lebens gebraucht wird (so in 2Kor 5,4; 2,16; 4,10ff; Gal 6,8; Röm 2,7; 5,21; 6,22f), und des Verbums ζῆν, das meist im Sinne des gegenwärtigen irdischen Lebens gebraucht wird.
[130] "(20) Die Schöpfung ist ja unterworfen der Vergänglichkeit - ohne ihren Willen, sondern durch den, der sie unterworfen hat -, doch auf Hoffnung; (21) denn auch die Schöpfung wird frei werden von der Knechtschaft der Vergänglichkeit zu der herrlichen Freiheit der *Kinder* Gottes."
[131] Trotz der Anrede "Brüder"; vgl. die Bezeichnung der Gemeinde in Jerusalem als οἱ ἅγιοι (Röm 15,25f.31; 1Kor 16,1; 2Kor 8,4; 9,1.12), die allerdings auch eine allgemeine und nur den Jerusalemern vorbehaltene Bezeichnung sein könnte; vgl. aber auch den Begriff ἐκκλησία τοῦ θεοῦ, der bei Paulus zwar auftritt (1Kor 1,2; 10,32; 11,16.22; 15,9; 2Kor 1,1; Gal 1,13), jedoch nie im Zusammenhang mit der Gotteskindschaft.
[132] Vgl. K. SCHÄFER, Gemeinde, der lediglich das Motiv der Bruderschaft verhandelt.

Funktion dieses Titels (i.e. des 'Bruder-Titels') liegt darin, das christliche Gruppenbewußtsein in bestimmter Weise zu explizieren und somit auch die Gruppenkohäsion zu festigen."[133]

Die Ekklesiologie wird bei Paulus eher vom Bild des σῶμα Χριστοῦ her skizziert (1Kor 3,1-17; 10,1-22; 12,4-31)[134]. Hierzu bemerkt J. Hainz: "Die paulinischen Aussagen über das σῶμα Χριστοῦ sind ausschließlich auf 'Gemeinde' bezogen und nicht auf 'Kirche'."[135] Paulus gebraucht das Wort κοινωνία, um das Spezifikum der christlichen Gemeinde zu benennen. κοινωνία entsteht aufgrund der Teilhabe an der gemeinsamen Gabe (μετέχειν; vgl. 1Kor 10,16f). Weil *ein* Brot ist, sind die Vielen *ein* Leib. Dies gilt, weil alle teilhaben an *einem* Leib. An 1Kor 10,1-22 wird deutlich: Nach Paulus basiert die Gemeinde auf dem Herrenmahl; paulinische Ekklesiologie ist eucharistische Ekklesiologie. An keiner Stelle, an der Paulus seine Ekklesiologie skizziert, verwendet er Gotteskindschaftsmotivik.[136]

"Gotteskindschaft in 2Kor 6,14-7,1"[137]

Ähnlich wie auch sonst bei Paulus wird hier Gotteskindschaft als ein zukünftiges Gut dargestellt. Wichtig ist, daß die Forderung nach Absonderung (V. 17a) eine Folge aus der Zusage von V. 16 ist, da letztere mit διό angeschlossen wird.[138] Die Sohn- und Tochterschaftszusage in 2Kor 6,18 ist eine "Demokratisierung" der Zusage von 2Sam 7,14, die dort an David als König ganz Israels gerichtet ist.[139] Hier ist die einzige Stelle im NT, an der die Nathanweissagung auf die Gemeinde bezogen wird. An dieser Stelle versucht also der Autor, die Gotteskindschaft der Glaubenden biblisch zu begründen, ja es ist hier der Versuch zu sehen, sich mit dem Problem "Gotteskindschaft der Glaubenden und Israel" auseinanderzusetzen. Dies geschieht hier allerdings anders als in Röm 9. Das Erwählungsbewußtsein wirkt sich hier gegen Israel abgrenzend aus: "Nicht Israel, sondern *wir* sind die Erwählten", dies scheint der Abschnitt zu sagen. Die Stoßrichtung gegen Israel ist auch aus dem Gebrauch der atl. Zitate abzulesen. Im Alten Israel galt ursprünglich Israel selbst bzw. sein König Objekt der Erwählung und Adressat der Sohnschaftszusage.

2.2 Gotteskindschaft bei Markus

Im ältesten Evangelium taucht das Motiv der Gotteskindschaft nur spärlich auf. Gottes Sohn ist für den Markusevangelisten zunächst einzig Jesus; dementsprechend gliedert sich das Evangelium:

Der Überschrift "Anfang des Evangeliums von Jesus Christus, dem Sohn Gottes" (Mk 1,1) entspricht die Proklamationsformel[140] von Mk 1,11 "Du bist mein gelieb-

---

133 K. SCHÄFER, ebd. 441.
134 Vgl. die Bezeichnungen in 1Kor 3,9: ϑεοῦ γεώργιον, ϑεοῦ οἰκοδομή; vgl. zudem G. SCHÖLLGEN, Hausgemeinden 82: "Gegen die Vermutung, daß der οἶκος die ekklesiologische Leitmetapher des Paulus darstellt, spricht als erste Beobachtung, daß er die Kirche nicht ein einziges Mal ausdrücklich als οἶκος, οἶκος ϑεοῦ o.ä. bezeichnet, während konkurrierende ekklesiologische Metaphern wie etwa 'Leib Christi' wiederholt explizit vorgestellt werden."
135 J. HAINZ, Ekklesia 261; vgl. E. SCHWEIZER, Kirche 272-292.293-316; dies ist deshalb wichtig festzuhalten, da - wie wir noch sehen werden - auch die 1Joh eine konkrete Gemeinde im Blick hat und nicht bloß einen theoretischen, ekklesiologischen Entwurf bietet.
136 Zur paulinischen Ekklesiologie vgl. etwa J. HAINZ, Ekklesia; sowie DERS., Koinonia.
Zur soziologischen Analyse der paulinischen (und deuteropaulinischen) Gemeinden vgl. F. WATSON, Paul; sowie M.Y. MACDONALD, Churches.
137 Auf die Besonderheit dieses Abschnittes im paulinischen Schrifttum braucht nicht näher eingegangen zu werden. Es sei hier verwiesen auf die Einleitungen, die weitere Hintergrundinformation geben: W.G. KÜMMEL, Einleitung 249f; H.-M. SCHENKE/K.M. FISCHER, Einleitung 110f; P. VIELHAUER, Geschichte 153.
138 Vgl. den Gedankengang in 2Kor 7,1.
139 Vgl. B. BYRNE, Sons 194.
140 Anders P. VIELHAUER, Erwägungen 206, der in Mk 1,11 eine Adoptionsformel vermutet; vgl. P. VIELHAUER, Geschichte 344f.

ter Sohn, an dir habe ich Wohlgefallen" bei der Taufe. Diese Botschaft ist nur an Jesus gerichtet; seine Sohnschaft ist also noch nicht öffentlich. Allerdings wissen die unreinen Geister (Mk 3,11; 5,7) sehr wohl, wen sie vor sich haben; an beiden Stellen wird er von ihnen als Sohn Gottes erkannt. Die Verklärungsgeschichte mit einer weiteren Proklamation[141] der Gottessohnschaft Jesu, diesmal aber vor einem kleineren Jüngerkreis (Petrus und die Zebedaiden) macht Jesu Status Gott gegenüber "halböffentlich" (Mk 9,7). Im Gleichnis von den bösen Weingärtnern spricht Jesus dann verhüllt von seiner eigenen Gottessohnschaft (Mk 12,1-12), ähnlich in der apokalyptischen Rede in Mk 13,32. Öffentlich macht er sie vor dem Hohen Rat erst, als er danach gefragt wird (Mk 14,61f). Schließlich wird Jesus in Mk 15,39 kurz nach seinem Tod am Kreuz von einem heidnischen Hauptmann als Gottessohn akklamiert: "Wahrlich, dieser Mensch ist Gottes Sohn gewesen!"[142]

Der Konzeption des Markus, wonach Jesus als Gottessohn verkündet werden soll, entspräche die Anrede Gottes als "Vater" durch Jesus. Dies geschieht im Markusevangelium jedoch nur an einer einzigen Stelle, dem Gebet in Gethsemane (Mk 14,36: "αββα ὁ πατήρ, πάντα δυνατά σοι· παρένεγκε τὸ ποτήριον τοῦτο ἀπ᾽ ἐμοῦ.")[143]. Der Ausdruck "πατήρ/πάτερ μου" als Gottesbezeichnung (vgl. Mt 26,42) findet sich im Munde Jesu im MkEv überhaupt nicht. Insgesamt gibt es nur 4 Stellen, an denen Gott "Vater" genannt bzw. als "Vater" bezeichnet wird. Zwei davon bringen Gott als Vater ausdrücklich mit Jesus in Verbindung (Mk 8,38[144]; und eben das Gebet in Gethsemane in Mk 14,36). Auch die dritte Stelle geht in die gleiche Richtung; hier - in Mk 13,32[145] - wird zwar Gott als Vater bezeichnet, ohne daß ihm ein Possessivpronomen beigelegt wurde, doch wird die Vaterbezeichnung hier in Korrelation zu dem Sohn, d.h. zu Jesus Christus, gebraucht. So bleibt als Beleg für den Gedanken der Gotteskindschaft der Jesusanhänger im Markus-Evangelium allein Mk 11,25, wo Jesus zu seinen Jüngern spricht: "Und wenn ihr steht und betet, so vergebt, wenn ihr etwas gegen jemanden habt, damit auch euer Vater im Himmel (ὁ πατὴρ ὑμῶν ὁ ἐν τοῖς οὐρανοῖς) euch eure Übertretungen vergebe." Entgegen der Meinung von H.F.D. Sparks[146] halten wir diesen Vers nicht für eine sekundäre In-

---

[141] Vgl. P. VIELHAUER, Erwägungen 207f.

[142] P. VIELHAUER, Erwägungen 209, bezeichnet diesen Ruf als "Akklamation" des Gottessohnes.

[143] "Abba, mein Vater, alles ist dir möglich, so nimm diesen Kelch von mir." Hier ist die dritte und letzte Belegstelle für die Bezeichnung "Abba" für Gott im NT (vgl. Röm 8,15; Gal 4,6); d.h. im Grunde wird Gott so nicht *bezeichnet*, er wird so vielmehr *angerufen*. Hier, in der "Krise des Gottessohnes" verdeutlicht die Anrufung Gottes mit dem Wort "Abba" Jesu besondere Verbundenheit mit Gott und sein Zutrauen zu ihm. Er legt seinem Vater alles in die Hände.

[144] "Wer sich aber meiner und meiner Worte schämt unter diesem abtrünnigen und sündigen Geschlecht, dessen wird sich auch der Menschensohn schämen, wenn er kommen wird in der Herrlichkeit seines Vaters mit den heiligen Engeln."

[145] "Von dem Tage aber und der Stunde weiß niemand, auch die Engel im Himmel nicht, auch der Sohn nicht, sondern allein der Vater."

[146] H.F.D. SPARKS, Doctrine 241-262.
Die Gründe für die Vermutung der Interpolation sind:
(1) Er gehört bereits formgeschichtlich zu einer anderen Gattung als sein Kontext: Mk 11,22-24 ist ein Schluß *a minore ad maius* (V. 22 ist Imperativ - V. 23 ist begründendes Argument - V. 24 ist der Schluß [vgl. K. BERGER, Formgeschichte 97]), während V. 25(f) sich als Hinweis auf den Zusammenhang von Tun und Ergehen erweist (beide Gattungen sind allerdings Untergattungen der Gattung "Argumentation").
(2) Der Ausdruck "ὁ πατὴρ ὑμῶν ὁ ἐν τοῖς οὐρανοῖς" ist singulär bei Markus und findet sich sonst nur bei Matthäus (Gleiches läßt sich für das Wort "παράπτωμα" und den Ausdruck "ἔχειν τι κατά τινος" [Mt 5,23; vgl. Mt 6,14f; 18,35] konstatieren).
(3) Aber auch der Bruch zwischen Mk 11,24 und 25 spricht nach Sparks für eine sekundäre Interpolation von V. 25 (und von V. 26; auch Mk 11,26 erweist sich als Interpolation aufgrund von

terpolation vom Matthäustext her, da neben der fehlenden textkritischen Grundlage nicht geklärt werden kann, warum Mk 11,25 hier interpoliert worden sein soll. Inhaltlich werden die Verse 24 und 25 zusammengehalten durch das Thema "Gebetserhörung": Das Verbum "προσεύχεσθαι" findet sich in beiden Versen, ist somit die Klammer zwischen beiden Versen. V. 25(f) erweist sich im jetzigen Kontext als zweite Bedingung für die Gebetserhörung. Die erste war der Glaube daran, daß man das Erbetene empfängt (V. 24).

Der Markusevangelist läßt auffälligerweise die Rede von Menschen als Söhnen oder Kindern Gottes beiseite[147]; auch der Gedanke der Bruderschaft der Glaubenden fehlt fast völlig bei Markus. Einzig die Erzählung von der Abweisung seiner leiblichen Verwandten durch Jesus in Mk 3,31-35 legt die Vermutung nahe, daß Familienmetaphorik benutzt wird, um die Jesusjüngergruppe zu identifizieren. Doch der Bruderschaftsgedanke wird hier nicht konsequent durchgehalten: diejenigen, die Gottes Willen tun, werden von Jesus als seine Brüder, Schwestern und seine *Mutter* bezeichnet (Mk 3,35; vgl. ähnlich Mk 10,29f).

Es findet sich bei Markus für den Gedanken, daß Jesus Gott als Vater derer verkündigt habe, die Gottes Willen tun, also nur ein einziger Beleg (Mk 11,25). Der Markusevangelist scheint es aufgrund seiner Konzeption der Verkündigung der Gottessohnschaft Jesu in der Regel vermieden zu haben, von einer Gottessohnschaft der Menschen zu reden.[148] Doch aufgrund von Mk 3,35; 4,11 und Mk 10,29f ist die Vermutung H.W. Montefiores zu kritisieren, nach der Jesus seinen Jüngern nicht "a different status than to the multitudes" gab[149]. Die Jesusjünger sind vor der Masse hervorgehoben, wenngleich dabei die Gotteskindschaftsmetaphorik kaum angewendet wird.

In Mk 10,24 spricht Jesus seine Jünger mit "τέχνα" an[150]. Auch der Gichtbrüchige wird von Jesus "τέχνον" genannt (Mk 2,5; Mt 9,2).[151] Das Wort "τέχνον" wird bei Markus, wie auch sonst im Neuen Testament gebraucht, um das Verhältnis zwischen Kindern und ihren Eltern zum Ausdruck zu bringen (Mk 10,29f; 12,19; 13,12). In Mk 2,5 und 10,24 wendet sich Jesus also dem Gichtbrüchigen wie ein Vater zu und in Mk 10,24 belehrt er seine Jünger wie ein Vater.

Mt 6,15, ist aber im Gegensatz zu Mk 11,25 auch noch textkritisch eindeutig als sekundär anzusehen).

(4) Ein synoptischer Vergleich von Mk 11,20-33 und Mt 21,20-27 mache zudem deutlich: Matthäus übernimmt die markinische Perikope ohne wesentliche Änderungen, läßt aber Mk 11,25(.26) ganz weg. "This suggests that both verses, and not one only were lacking in St. Matthew's copy of Mark - i.e. ist suggests that 11[25], no less than 11[26], is a later addition to the text of Mark" (H.F.D. SPARKS, Doctrine 244f).

147 Doch in Mk 7,27 (vgl. Mt 15,26) spricht er von den τέχνα, die zuerst satt werden sollen. Hier wird wohl das jüdische Selbstverständnis rezipiert, die Juden seien die Kinder Gottes.

148 Wenn aber W. REBELL, Leben 72-78, aufgrund von Mk 10,29f und Mk 3,20f.31-35 die These aufstellt, daß im MkEv die Gemeinde als Familie Gottes angesehen würden, so ist dies insofern problematisch, als sich eben in MkEv so gut wie kein einziger Beleg dafür findet, daß Gott als Vater der Jünger, d.h. der Glaubenden, verstanden wird.
H.W. MONTEFIORE, God 31-46, stellt demgegenüber heraus, daß Vaterschaft Gottes und menschliche Sohnschaft nicht unbedingt auf den Begriff gebracht werden müßten; Vaterschaft Gottes und Gotteskindschaft könnten im MkEv auch umschrieben werden (vgl. ebd. v.a. 35). So sei der Gedanke von Gottes Vaterschaft allen Menschen gegenüber in Mk 10,6 und 12,27 und eine väterliche Beziehung zwischen Gott und den Menschen in Mk 12,17.29 zu vermuten.

149 H.W. MONTEFIORE, God 36.

150 Matthäus und Lukas haben die Anrede "τέχνα" in diesem Zusammenhang beiseite gelassen.

151 In der Parallele bei Lukas (Lk 5,20) nennt Jesus den Gichtbrüchigen "άνθρωπε". Offenbar hat Lukas an der Bezeichnung "τέχνον", die im allgemeinen nur für leibliche Kinder gebraucht wird (Lk 1,7.17; 2,48; 14,26; 15,31; 18,29; 20,31; 23,28; vgl. Act 2,39; 7,5; 21,5.21), Anstoß genommen.

2.3 Gotteskindschaft bei Lukas

Der Lukasevangelist verankert - ähnlich wie Matthäus - Jesu Gottessohnschaft bereits in der Geburt. So wird der Stammbaum Jesu in Lk 3,23-38, der von Joseph bis auf Adam zurückreicht, durch den einleitenden Satz sofort wieder relativiert, nach dem Jesus nur für einen Sohn Josephs *gehalten* wurde (Lk 3,23). Gleichwohl drückt sich das LkEv bei der Ankündigung der Geburt Jesu vorsichtig aus: Jesus wird "Sohn des Höchsten" genannt werden (Lk 1,32 vgl. 1,35). Ähnlich wie das MtEv kennt das LkEv die Taufe des Gottessohnes (Lk 3,22) und die folgende Prüfung der Gottessohnschaft durch den Versucher (Lk 4,3.9). Auch im LkEv erkennen die unreinen Geister den Gottessohn sofort (Lk 4,41; 8,28). Die Gottessohnschaft Jesu wird ferner erwähnt in der Verklärung (Lk 9,35), im Weingärtner-Gleichnis (Lk 20,13), sowie vor dem Hohen Rat, wo Jesus ausdrücklich danach gefragt wird (Lk 22,70). Das LkEv legt damit auf die Gottessohnschaft Jesu weniger Gewicht als noch das MtEv. Gleichwohl ist auch für das LkEv Gott der Vater Jesu. So verweist etwa der 12jährige Jesus im Tempel aufgrund des Vorwurfs der Maria darauf, daß Gott sein Vater sei.[152] Statistisch gesehen betont das LkEv besonders häufig Jesu Gottessohnschaft am Beginn und am Ende von Jesu irdischem Wirken.[153] Bei der Geburt Jesu sowie bei seinem Tod erweist sich im besonderen seine Gottessohnschaft, also seine göttliche Abkunft.

Deshalb spricht im Gegensatz zum MtEv (Mt 28,10) im LkEv der auferstandene Jesus nicht von den Jüngern als seinen Brüdern sondern dezidiert von Gott als *seinem* Vater (Lk 24,49; vgl. Mt 28,10).

In den *Acta* findet sich der Gedanke von der Gottessohnschaft Jesu seltener; er ist hier nicht zentral, faßt aber die Verkündigung des Paulus zusammen (Act 9,20).[154]

An der Stellung zu Jesus entscheidet sich nach Lukas auch die Beziehung der Jesusnachfolger zu Gott. Nach dem sog. "johanneischen Logion" (Lk 10,22 par Mt 11,27) versteht auch das LkEv Jesus als denjenigen, der seine Anhänger in ein besonderes Verhältnis zu Gott führt. Doch auch das "johanneische Logion" redet nicht von einem Sohnschaftsverhältnis, in das die Glaubenden geführt werden sollen.[155]

Fast alle Stellen, die im LkEv von Gott als dem Vater von Menschen reden, hat das LkEv aus Q übernommen: Lk 6,36; 11,2 (Vaterunser); 12,30-32.[156] Anders als das MtEv vertritt Lukas aber den Gedanken nicht, daß Gott prinzipiell der Vater aller Menschen aufgrund seiner väterlichen Fürsorge ist. Mit Ausnahme von Lk 6,36[157] beziehen sich alle genannten Stellen auf die Jesusanhänger.[158] Wo immer bei Matthäus Gott als "Vater" von prinzipiell allen Menschen vorgestellt wird, hat Lukas entweder diese Stellen in seinem Sinn "geglättet", d.h.: er hat entweder eine

---

152   Lk 2,49; vgl. Lk 9,26; 10,21f; 22,29f.42; 23,34.46; 24,49.
153   Das Gebet in Gethsemane beginnt mit der Anrede "Vater" (Lk 22,42) ebenso wie zwei Worte Jesu am Kreuz (Lk 23,34.46).
154   Auch Act 13,33-36 ist Paulus in den Mund gelegt.
155   Gegen M. VELLANICKAL, Sonship 67: "So Christ becomes the mediator of the divine sonship of man."
      Bei dem Markusevangelisten hatten wir allerdings noch keinen Unterschied zwischen dem "Volk" und den "Jüngern" feststellen können.
156   Ausnahme: Lk 12,32; vgl. Act 1,4.7; 2,33.
157   Die Feldrede ist - wie die Bergpredigt bei Matthäus - an das Volk gerichtet.
158   Vgl. Lk 12,32, die einzige lukanische Belegstelle, die Matthäus nicht aufweist: "Fürchte dich nicht, du kleine Herde! Denn es hat eurem Vater wohlgefallen, euch das Reich zu geben."

andere Bezeichnung für Gott eingefügt[159] oder den Vers ganz ausgelassen (bzw. er war ihm gar nicht bekannt)[160], oder er interpretiert den Vers so, als wäre Gott allenfalls Vater der Jesusanhänger.[161] In die gleiche Richtung geht auch das Gleichnis vom verlorenen Sohn in Lk 15, das aufgrund seiner allegorischen Doppelbödigkeit[162] hier auch hinzugezogen werden soll. Der Vater sagt bei der Ankunft seines Sohnes (V. 24): "... dieser mein Sohn war tot und ist wieder lebendig geworden" (vgl. V. 32). Wenn der Sohn für den Vater tot war, dann war er während der Zeit seiner Abwesenheit auch gar nicht sein Sohn gewesen. Er ist es erst wieder geworden, als er heimkehrte und damit "lebendig" wurde. Derjenige kann demnach als Sohn Gottes bezeichnet werden, der akzeptiert: "Gott ist mein Vater."

An einer Stelle läßt der Lukasevangelist erkennen, was er mit der Gotteskindschaft verbindet: In Lk 20,36 redet Jesus über die Auferstandenen: "Denn sie können hinfort auch nicht sterben; denn sie sind den Engeln gleich und Gottes Söhne, weil sie Söhne der Auferstehung sind." Auferstehung der Gerechten, Gottesreich und ewiges Leben gehören nach Lukas untrennbar zusammen (vgl. Lk 10,25; 14,14; 18,18). Wer aufersteht, empfängt ewiges Leben und gilt als Sohn Gottes. Als "Gottes Söhne" können also nur Auferstandene bezeichnet werden.[163]

Zudem ist in Lk 6,35 die Beilegung der Bezeichnung "Söhne Gottes" futurisch formuliert: "Vielmehr liebt eure Feinde; tut Gutes und leiht, wo ihr nichts dafür zu bekommen hofft. So wird euer Lohn groß sein, und ihr werdet Söhne des Allerhöchsten sein (ἔσεσθε υἱοὶ ὑψίστου)."[164]

Im LkEv finden sich weniger Belege für die Gottessohnschaft von Menschen als im MtEv. Mehr als im MtEv ist für den Lukasevangelisten Gottessohnschaft von Menschen ein zukünftiges Gut, das es anzustreben gilt; jedoch bleibt auch hier der Ausdruck "Gottessohn" eine Metapher für die engelgleiche Existenz des Menschen nach der Auferstehung, da dieser Gottessohn auch "Sohn der Auferstehung" genannt werden kann. Obwohl die Glaubenden erst in der Zukunft des Gottesreiches die völlige Gotteskindschaft erhalten, kann Lukas Gott auch als gegenwärtigen Vater der Jesusnachfolger bezeichnen (Lk 12,32). Auch der Lukasevangelist bewegt sich - ähnlich wie Paulus - damit in der Spannung zwischen gegenwärtigem Zuspruch und eschatologischer Vollendung der Gotteskindschaft. Von hier aus

---

159 Vgl. Mt 6,26 mit Lk 12,24 sowie Mt 10,29-31 mit Lk 12,6f; vgl. auch Mt 6,9 mit Lk 11,2: die Anrede im "Vaterunser" hat Lukas - anders als Matthäus - nicht verändert. Bei Matthäus beginnt das Vaterunser mit der Anrede "πάτερ ἡμῶν ὁ ἐν τοῖς οὐρανοῖς", bei Lukas mit einem "einfachen" "πάτερ". Die matthäische Version erweist sich hier als von Matthäus selbst geprägt, da der Ausdruck "πατὴρ ἡμῶν ὁ ἐν τοῖς οὐρανοῖς" sonst nur im MtEv vorkommt; deshalb gilt die lukanische Fassung als die ursprüngliche. Dazu kommt noch die Beobachtung von T.W. MANSON, Prayer 104: "We know from other places in the Gospels that the form of address used by our Lord in prayer was, in fact, the simple word 'Father'." MANSON verweist hierfür auf Gal 4,6; Röm 8,15; Mk 14,36, wo jedesmal der Gebetsruf "ἀββά, ὁ πατήρ" auftaucht.
160 So bei Mt 5,16.45; 6,1.6-8.14f.18; 18,14.
161 Vgl. Mt 7,11 (Bergpredigt) mit Lk 11,13 (Einleitungsformel in Lk 11,1 bzw. 11,5: der Vers Lk 11,13 ist also an die Jünger gerichtet).
162 Vgl. Verse wie Lk 15,18f.21, die diese Doppelbödigkeit erahnen lassen.
163 Dazu paßt die eschatologische Ausrichtung von Lk 12,32. Die Verheißung der Gabe des Reiches entspricht der Zusage, daß die Auferstandenen Gottes Söhne sind. Vgl. die Konzeption bei Paulus, dazu bes. S. 83-85.
164 Der Verweis Jesu auf die Menschen, die - obwohl sie böse sind - ihren Kindern Gutes tun können (Lk 11,9-13), dient wie das Gleichnis vom verlorenen Sohn (Lk 15,11-32) zur Illustration der Vatergüte Gottes und will nicht eine Einsetzung in Gottessohnschaft verdeutlichen. Lukas unterscheidet hier zwischen Gottes Vaterschaft und der menschlichen Sohnschaft ähnlich wie Matthäus.

wird verständlich, weshalb Lukas Jesus nie als "Bruder" von Menschen, etwa seiner Jünger, bezeichnen kann.

Es finden sich im LkEv auch kaum Belege dafür, daß Lukas die Menschen bzw. die Jünger Jesu als Brüder verstanden hat. Die Bruderschaft von Menschen ließe sich allenfalls aus den beiden Stellen schließen, die sich auch bei Matthäus - und damit in Q - finden, die also Lk aus der Tradition übernommen hat: Lk 6,41f (Mt 7,3-5) und 17,3 (Mt 18,15). Dies gilt jedoch nicht für Lk 22,32. Dort sagt Jesus zu Petrus: "Ich aber habe für dich gebeten, daß dein Glaube nicht aufhöre. Und wenn du dereinst dich bekehrst, so stärke deine Brüder."

Die Bezeichnung "Brüder" für die Gemeindeglieder hat sich dann in der Apostelgeschichte durchgesetzt.[165] Auffällig ist, daß dem offensichtlich nicht eine Betonung der Gottessohnschaft der Christen (Act 11,26) entspricht. Lk 22,32 ist also die erste Bezeichnung der Jünger als Brüder im lukanischen Schrifttum; daß sie sich auch noch im Mund Jesu findet, ist kein Zufall. Jesus gilt somit als derjenige, der die Bruderschaft der christlichen Gemeinde begründet hat. Für Lukas gelten die Christen deshalb als "Brüder", weil sie die Hoffnung haben, einst als Kinder der Auferstehung Gotteskinder zu sein.

2.4 Gotteskindschaft im Hebräerbrief

Der Hebräerbrief spricht besonders häufig von Jesu Gottessohnschaft: Hebr 1,2.5.8; 3,6; 4,14; 5,5.8; 6,6; 7,3; 10,29. Anders als bei Paulus gilt für den Hebräerbrief Jesus grundsätzlich als der Sohn, d.h. auch Jesu irdisches Wirken wird mit dem Titel "Sohn (Gottes)" in Verbindung gebracht: Hebr 1,2; 3,6; 5,8; 6,6. Dagegen bleibt festzuhalten, daß außer in dem Zitat von 2Sam 7,14 in Hebr 1,5 Gott nie als Vater bezeichnet wird.[166]

Der Sohn ist Sohn Gottes von Ewigkeit zu Ewigkeit (Hebr 1,8; vgl. 7,28), er geht auch in seinem genealogischen Ursprung direkt auf Gott zurück (Hebr 1,5; 5,5). Diese Auffassung wird noch durch Hebr 7,3 bestätigt; dort wird von Melchisedek gesagt, als "vaterlos, mutterlos, ohne Stammbaum weder Anfang der Tage noch Ende des Lebens habend (ἀπάτωρ ἀμήτωρ ἀγενεαλόγητος, μήτε ἀρχὴν ἡμερῶν μήτε ζωῆς τέλος ἔχων)" gleiche er dem Sohn Gottes. Aufgrund der hier gegebenen Definition des Gottessohnes bezeichnet der Hebräerbrief nicht Menschen als Gottessöhne. Jesus als der Gottessohn hat eine einzigartige Sohnschaft. In 2,10[167] findet sich aber der Ausdruck "Söhne - υἱοί" für Menschen. Die Bruderschaft der Glaubenden untereinander[168] und mit dem Gottessohn selbst liegt in deren gemeinsamer präexistenter Herkunft begründet, wodurch die Erlösung der "Vielen" durch

---

[165] Ἀδελφοί bzw. ἀδελφέ im Vokativ: Act 1,16; 2,29.37; 3,17; 6,3; 7,2; 13,15.26.38; 15,7.13; 21,20; 22,1.13; 23,1.5f; 28,17. Aber auch sonst werden die Christen als ἀδελφοί bezeichnet: Act 1,15; 3,22; 9,17.30; 10,23; 11,2.12.29; 12,17; 14,2; 15,1.3.22.32f.36.40; 16,2.40; 17,6.10.14; 18,18.27; 21,7.17; 22,5.13; 28,14f.21. Nur zwei Belegstellen des Wortes ἀδελφός in der Act beziehen sich nicht auf die Gemeinde (Act 1,14; 12,2).

[166] In Hebr 12,9 werden ausdrücklich die τῆς σαρκὸς ἡμῶν πατέρες gegen den πατὴρ τῶν πνευμάτων abgesetzt. Wenn Gott also überhaupt als Vater der Christen bezeichnet werden kann, dann als ihr "Vater der Geiste", dem man sich unterzuordnen hat.

[167] "Denn es ziemte sich für den, um dessentwillen alle Dinge sind und durch den alle Dinge sind, daß er den, der viele Söhne zur Herrlichkeit geführt hat, den Anfänger ihres Heils, durch Leiden vollendete."

[168] Ἀδελφοί im Vokativ: Hebr 3,1.12; 10,19; 13,22; vgl. den Aufruf zum "Bleiben in der φιλαδελφία" in Hebr 13,1; vgl. Hebr 8,11, wo auch ein bruderschaftliches Verhältnis zwischen den Christen vorausgesetzt ist.

das einmalige Leiden des einen, der sich nicht "schämt ..., sie Brüder zu nennen" (Hebr 2,11f; vgl. 2,17), erst möglich wird.[169]

In Hebr 12 wird das Verhältnis Gottes zu den Christen mit dem eines Vaters zu seinen Kindern verglichen (Hebr 12,5-7). Diese Parallelisierung zieht sich durch die Verse Hebr 12,4-11. Die Angeredeten sind zwar nicht einfach Söhne Gottes, doch Gott behandelt sie so, wie ein Vater seine Söhne behandelt, daher schulden sie ihm ebenso wie einem leiblichen Vater Gehorsam und Unterordnung, ja viel mehr (πολλῷ μᾶλλον - Hebr 12,9)[170]. In Hebr 12,5.7 präzisiert das "ὡς" die Aussage und "führt die Eigenschaft einer Pers., Sache, Handlung u.ä. ein, auf die es im Zshg. ankommt"[171]. Die "Sache, auf die es im Zusammenhang ankommt", ist die Erziehung der Menschen. Ziel dieser "Erziehung" ist das Anteilhaben an Gottes Heiligkeit (Hebr 12,10)[172]. Der Verweis auf das menschliche Vater-Sohn-Verhältnis ist der Versuch, eine Analogie aufzuzeigen, da das Gott-Mensch-Verhältnis die menschliche Vater-Sohn-Verbindung bei weitem übersteigt: πολλῷ μᾶλλον (Hebr 12,9).

Inhaltlich greift hier der Hebräerbrief auf atl. Gedankengut zurück; auch in Dtn 8,5 wird die väterliche Erziehung als Vergleich genommen für den Umgang JHWHs mit seinem Volk.[173] Das hebräische Wort יסר pi - erziehen - ist aber durchaus auch als familiäre Kategorie belegt: Dtn 21,18; Prv 19,18; 29,17. Zudem wird in Hebr 12,5f ausdrücklich Prv 3,11f zitiert.

Grundgedanke ist: "Leiden ist eine Züchtigung Gottes und Ausdruck seiner Liebe gegenüber seinen Kindern."[174] G. Bornkamm hat in diesem Zusammenhang einen charakteristischen Unterschied zwischen dem Gottessohn und den Söhnen herausgearbeitet: "Im Blick auf Christus mußte es darum heißen: 'Obwohl er der Sohn war, lernte er aus dem, was er litt'" (5,8). Im Blick auf die Glaubenden dagegen kann es jetzt nur noch heißen: 'Weil ihr Söhne seid, erleidet ihr die Zucht Gottes.'"[175]

2.5 Zusammenfassung

Bei Paulus und Lukas ist den Glaubenden die Gotteskindschaft zwar schon für die Gegenwart zugesprochen, wird aber erst eschatologisch voll wirksam.[176] Diese Beobachtung berührt sich mit dem, was wir für Aspekte des Gotteskindschaftsmotivs im Alten Testament, für Jesus Sirach und das Jubiläenbuch herausgefunden ha-

---

[169] Gegen W. TWISSELMANN, Gotteskindschaft 73f: "Wir finden also hier den wichtigen Gedanken, daß die Vaterschaft Gottes ursprünglich in der Schöpfung begründet ist."
[170] Auffällig ist hier die Bezeichnung Gottes als πατὴρ τῶν πνευμάτων.
[171] W. BAUER, Wörterbuch, Sp. 1774f (ὡς III); vgl. Hebr 6,19; 11,9; 12,27.
[172] Vgl. Hebr 2,11: erst dann ist ein Mensch Bruder Jesu bzw. "Sohn".
[173] Bereits bei der Behandlung dieser Stelle hatten wir festgestellt, daß das Handeln JHWHs gegenüber Israel mit dem Terminus "Erziehen - יסר" beschrieben werden kann: Lev 26,18.28; Jer 2,19; 10,24; 30,11; 31,18; 46,28; Ps 6,2; 38,2; 39,12; 94,12; 118,18; Dtn 4,36.
[174] G. BORNKAMM, Sohnschaft 215; dieser Gedanke ist bereits im Hiobbuch gedacht worden (Hi 5,17-27). Insofern beruft sich der Hebräerbrief auch hier auf atl. Traditionen; weiteres atl. und frühjüdisches Material zu diesem Themenbereich bei G. BORNKAMM, Sohnschaft 215-218.
[175] G. BORNKAMM, Sohnschaft 224.
[176] Bei Markus und im Hebräerbrief wird dagegen die Gotteskindschaftsmetaphorik nicht verwendet, um die eschatologische Vollendung der Glaubenden zu illustrieren (vgl. Hebr 12,28f sowie Mk 13,26f).

ben.[177] Auch die christlichen Interpolationen in den Testamenten der Zwölf Patriarchen (TLev 18,6f und TJud 24,2f) liegen auf dieser Linie und verstärken noch die Vermutung, daß es sich bei ihnen um *christliche* Interpolationen handelt. Generell wird im NT stärker als im AT die eschatologische Ausrichtung der präsentischen Zusage der Gotteskindschaft betont.

3. Wiedergeburt und Gottesgeburt im Neuen Testament

3.1 Wiedergeburt als Angeld auf die eschatologische Rettung

3.1.1 Gotteskindschaft und Wiedergeburt im 1.Petrusbrief

Im Neuen Testament begegnet das Wort "ἀναγεννᾶν" lediglich an zwei Stellen des 1.Petrusbriefs: 1Pt 1,3.23. Die Wiedergeburt der Glaubenden ist eine Wiedergeburt zu einer *lebendigen* Hoffnung (εἰς ἐλπίδα ζῶσαν)[178]; d.h. ihr Erweis steht für die Glaubenden noch aus.[179]

Der Verfasser des 1Pt verbindet den Gedanken der Wiedergeburt dabei nicht mit dem Gotteskindschaftsmotiv. Die Glaubenden sind nicht wiedergeboren als Gotteskinder. Dem entspricht, daß der 1Pt keinen einzigen Beleg dafür hat, daß die Gemeindeglieder als Kinder Gottes gelten.[180] Selbst der Gedanke, daß Gott Vater der Glaubenden ist, findet sich im 1Pt kaum: In 1,2 erhält Gott zwar die Apposition "Vater", doch dies wohl entsprechend dem Vers 1,17, wo es heißt, daß die Glaubenden Gott als Vater anrufen (ἐπικαλεῖσθαι). In 1Pt 1,3 wird von Gott dagegen ausdrücklich gesagt, daß er der Vater Jesu Christi sei.

Dagegen kann der 1Pt die Gemeinde als ἀδελφότης bezeichnen (1Pt 2,17; 5,9) und die Gemeindeglieder als ἀγαπητοί anreden (1Pt 2,11; 4,12). Die Bezeichnung "Bruder(-schaft)" hat sich also verselbständigt; sie ist abgelöst von der Frage nach dem Vater. So erhält in 1Pt 5,12 Silvanus die Apposition "ὁ πιστὸς ἀδελφός" ohne jegliches Possessivpronomen bzw. ohne Genitiv. "Ἀδελφός" scheint sich hier zu einer Art Bezeichnung oder Titel für jeden Glaubenden verfestigt zu haben.

Was den Gedanken der Wiedergeburt angeht, kommt es für den Glaubenden darauf an, über die in ihm wohnende Hoffnung Rechenschaft ablegen zu können (1Pt 3,15). In 1Pt kann Hoffnung beschrieben werden als Hoffnung, die sich auf Gott richtet (3,5) - oder auch auf die in der Offenbarung Jesu Christi angebotene Gnade (1,13). Menschen, die solche Hoffnung haben sind nach 1Pt wiedergeboren. Hoffnung weist über sich hinaus. Auch 1Pt 1,23 weist in diese Richtung: Die Wendung "durch das lebendige und bleibende Wort Gottes - διὰ λόγου ζῶντος θεοῦ καὶ μένοντος" schließt die feste Hoffnung auf das zukünftige Bleiben dieses Wortes in sich.

Ermöglichungsgrund der Wiedergeburt ist die Auferstehung Jesu Christi von den Toten (vgl. 3,21), ihr Ziel ist die Bewahrung zur Rettung (σωτηρία), die erst im Eschaton (ἐν καιρῷ ἐσχάτῳ) offenbar sein wird (1Pt 1,5). Dieses Ziel (τέλος τῆς

---

177 S.o. S. 41-47.
178 In 1Pt 1,3 ist Gott Subjekt der Wiedergeburt; in 1Pt 1,23 können wir ein *passivum divinum* vermuten.
179 1Pt 2,24 beschreibt dabei nicht das Geschehen der Wiedergeburt der Glaubenden; "ἵνα ταῖς ἁμαρτίαις ἀπογενόμενοι τῇ δικαιοσύνῃ ζήσωμεν" ist eine Metapher dafür, daß die Heilstat Christi die Menschen in die Pflicht nimmt.
180 In 1Pt 1,14 ist von den τέκνα ὑπακοῆς die Rede.

πίστεως) wird in 1Pt auch als Rettung der Seelen (σωτηρία ψυχῶν) bezeichnet (1Pt 1,9). Die Glaubenden können sich in ihrem Leben auf diese σωτηρία zubewegen, sie können in ihr zunehmen (1Pt 2,2). 1Pt sieht also die Glaubenden in der Spannung zwischen dem, was bereits geschehen ist (ἡ ἀνάστασις Ἰησοῦ Χριστοῦ), und dem, was noch aussteht (ἡ σωτηρία ψυχῶν). Zusammengebunden wird beides durch die lebendige Hoffnung der Menschen, die vom bereits Geschehenen ausgeht und auf die Zukunft gerichtet ist. Diese Hoffnung wird als etwas derart grundlegend Neues empfunden, daß der Verfasser des 1Pt davon sprechen kann: "Gott hat die Glaubenden zu einer lebendigen Hoffnung wiedergeboren" (1Pt 1,3-5).

Besonders interessant ist in diesem Zusammenhang der Vergleich der Glaubenden mit neugeborenen Säuglingen (1Pt 2,1-3). Er ist auch im palästinischen Judentum belegt.[181] Hier (bJeb 48b; TrGerim 2; PesK 61b)[182] wird der Proselyt mit einem Neugeborenen verglichen. Er hat wie das neugeborene Kind keine frühere Existenz hinter sich.[183] Alle Verwandtschaftsbeziehungen aus der "heidnischen Zeit" gelten also nicht mehr.[184] Der Vergleichspunkt mit dem Kleinkind ist die Freiheit von Sünde und Schuld.[185]

Im palästinischen Judentum wird die Beschneidung des Proselyten allerdings nicht als Wiedergeburt gedeutet, sondern Beschneidung und Taufe werden vielmehr - wie auch in 1Pt 2,1-3 - mit einer Wiedergeburt *verglichen*. E. Sjöberg weist zu Recht darauf hin: "Die Beschneidung und die Taufe bewirken an sich nicht die Veränderung. Sie sind Zeichen des Übertritts und gehören unauflöslich dazu, aber sie haben selbst keine sakramentale Wirkung. Die Beschneidung ist nur das Zeichen des Bundes, in den der Proselyt jetzt eintritt; die Taufe bewirkt die kultische Reinheit wie die Waschungen in der jüdischen Religion."[186] Grundsätzlich erwartet sich der 1Pt die Rettung auch nicht von der Taufe (3,21); der Verweis auf die Taufe macht aber der eigenen Rettung gewiß.

In 1Pt 2,1-3 wird der Vergleich der Neugeborenen auch auf die Christen angewendet.[187] *Tertium comparationis* ist hier jedoch das Verlangen der Neugeborenen nach der vernünftigen, lauteren Milch (λογικόν ἄδολον γάλα), die dafür sorgt, daß die Neugeborenen zunehmen - und hier wird der Vergleich wieder verlassen - "εἰς σωτηρίαν"[188]. Das Attribut λογικός soll offenbar die Beziehung der "Milch" von 1Pt

---

181 Der älteste schriftliche Beleg für diesen Gedanken findet sich in einer Baraitha in bJeb 48b (vgl. auch 62a; sowie bJeb 22a); vgl. E. SJÖBERG, Wiedergeburt 44-85; SJÖBERG datiert den Beleg auf die Mitte des zweiten nachchristlichen Jahrhunderts, ist aber zugleich der Meinung, der Satz sei "aber sicher schon früher formuliert" worden (ebd. 46, Anm. 2); vgl. TrGerim 2,6.

182 Zu den Belegen vgl. U. MELL, Schöpfung 183-190.

183 Vgl. E. SJÖBERG, Wiedergeburt 46.

184 Siehe bBQ 88a; bJeb. 62a, Resch Laqisch (A II); vgl. E. SJÖBERG, ebd. 47ff - das Geschlechtsregister des Heiden wird beim Übertritt ungültig, weil der vorhergehende Teil des Lebens nicht mehr existiert.

185 H. STRACK/P. BILLERBECK, Kommentar III 422; vgl. E. SJÖBERG, Wiedergeburt 46, Anm. 1; vgl. U. MELL, Schöpfung 183f.

186 E. SJÖBERG, ebd. 50.

187 Vgl. hierzu auch Barn 6,11: "Denn dadurch also, daß er uns durch die Vergebung der Sünden erneuert hat, hat er uns zu einem anderen Typus gemacht, so daß wir die Seele von Kindern haben."

188 N. BROX, Petrusbrief 188, meint hierzu: "Das Bild ist völlig hinreichend erklärt, wenn ihm als Sinn entnommen wird, daß die Christen sich so intensiv und 'hungrig' um das Wort der unverfälschten Wahrheit bemühen sollen, wie der Säugling mit aller möglichen Vitalität nach der für sein Gedeihen notwendigen Milch verlangt und dadurch an Leben und Gewicht zunimmt (αὐξάνω)."

2,2 zum "λόγος" herstellen. 1Pt 1,23 spricht von einer Wiedergeburt aus dem unvergänglichen Samen (ἐκ σπορᾶς ... ἀφϑάρτου) durch das bleibende Wort des lebendigen Gottes.[189] Durch dieses bleibende Wort bekommen die Christen des 1Pt Nachricht von der Auferstehung Jesu Christi von den Toten (vgl. 1Pt 1,25)[190]. In 1Pt geht es deshalb wiederholt um den Glauben an das Wort (2,8; 3,1)[191]. 1Pt 2,25 beschreibt demnach das, was bei der "Wiedergeburt" geschieht, mit anderen Worten: "Denn ihr wart wie die irrenden Schafe; aber ihr seid nun bekehrt zu dem Hirten und Bischof eurer Seelen." Wiedergeboren-Sein ist in 1Pt eine Metapher für Bekehrt-Sein; denn Bekehrung findet stets nur über die Rede (ῥῆμα - 1Pt 1,25) bzw. das "Wort - λόγος" statt.

Die Metapher der "Wiedergeburt" im 1Pt betont in besonderer Weise die Gewißheit der von Gott geschenkten σωτηρία[192] bzw. der Hoffnung auf die σωτηρία[193], die sich auf das von Gott gegebene, bleibende[194] Wort gründet. "Wiedergeburt" ist aber nicht etwas, auf das man sich berufen könnte, sondern sie ist Verpflichtung, aus der Taten folgen sollen (1Pt 1,22f)[195]. "Einen Anfang hat die Wiedergeburt gesetzt, nicht etwas Abgeschlossenes 2,2."[196]

3.1.2 Gotteskindschaft und Wiedergeburt im Titusbrief

In Tit 3,5 begegnet - anders als in 1Pt, wo von "ἀναγεννᾶσϑαι" die Rede ist - das Wort "παλιγγενεσία"[197]. Schon die Etymologie des Wortes - es leitet sich (wie bereits festgestellt[198]) von γίνεσϑαι und nicht von γεννᾶν her - läßt vermuten, daß das "Bad der Wiedergeburt" nichts mit dem Motiv der Gotteskindschaft zu tun hat. Auch was dieses Motiv anlangt, haben wir in den Pastoralbriefen den gleichen Befund wie im 1.Petrusbrief. Gotteskindschaft und παλιγγενεσία werden im Titusbrief nicht miteinander verbunden. Das Motiv der Gotteskindschaft taucht in den Pastoralbriefen ausdrücklich gar nicht auf, es findet sich lediglich in den Briefeingangsformeln die Apposition "Vater" zu "Gott" (1Tim 1,2; 2Tim 1,2; Tit 1,4). Auch die Pastoralbriefe haben die Gemeindeglieder als Brüder verstanden (1Tim 4,6; 6,2; 2Tim 4,21); doch diese Bezeichnung findet sich im Titusbrief - ebenso wie in 1Pt - überhaupt nicht und auch im 1Tim und 2Tim taucht diese Bezeichnung nur selten auf.

---

189 Dieser Gedanke weist vielleicht auf den Schöpfungsbericht von Gen 1 (vgl. Jak 1,18), wo Gott auch als erschaffend durch sein Wort dargestellt wird.
190 "τὸ δὲ ῥῆμα κυρίου μένει εἰς τὸν αἰῶνα. τοῦτο δέ ἐστιν τὸ ῥῆμα τὸ εὐαγγελισθὲν εἰς ὑμᾶς."
191 Der Gedanke, daß die Christen im Augenblick ihrer Taufe wiedergeboren werden ist hier nicht im Blick.
192 Vgl. 1Pt 1,5: Gottes Macht ist es, durch die die Glaubenden durch den Glauben zur Rettung der Seelen bewahrt werden.
193 Vgl. F. BÜCHSEL, Art. γεννάω κτλ., ThWNT 1 (1933), 673,15f: "Die Wiedergeburt besteht im Grunde darin, daß man hoffen darf um der Auferstehung Jesu willen."
194 Vgl. 1Pt 1,22-25 (Der Abschnitt hebt die Unvergänglichkeit des Wortes heraus und betont die Vergänglichkeit des Fleisches); vgl. 1Pt 1,18f.
195 Vgl. Tit 2,11-15 und 3,4-8: Hoffnung auf noch ausstehendes Heil und gehorsamer Wandel in der Gegenwart sind auch hier Wirkung des λουτρὸν παλιγγενεσίας bzw. der Reinigung durch Christus.
196 F. BÜCHSEL, Art. γεννάω κτλ., ThWNT 1 (1933), 673,6f.
Zur Gemeinde, die hinter 1Pt zu vermuten ist, vgl. J.H. ELLIOTT, Home.
197 Nach der Untersuchung von J. DEY, ΠΑΛΙΓΓΕΝΕΣΙΑ 151, dürfen wir aber voraussetzen, daß παλιγγενεσία und ἀναγέννησις synonym gebraucht werden können. Für diese Vermutung spricht, daß 1Pt 1,3.23 ἀναγεννᾶσϑαι ähnlich gebraucht wie Tit 3,5 παλιγγενεσία.
198 S.o. S. 62.

Ähnlich wie im 1.Petrusbrief gilt Gott in Tit 3,5 als Urheber der "Wiedergeburt" des Menschen; hier wie dort geht es primär um die endzeitliche Rettung (σωτηρία) der Menschen: Gott, der σωτήρ, rettete (ἔσωσεν) "durch das Bad der Wiedergeburt und Erneuerung des heiligen Geistes". Die Pastoralbriefe können sowohl Gott als auch Christus "σωτήρ" nennen: In 1Tim 1,1; 2,3; 4,10; Tit 1,3; 2,10; 3,4 wird jeweils Gott als σωτήρ bezeichnet; in 2Tim 1,10; Tit 1,4; 2,13; 3,6 ist Christus der σωτήρ. Was den Titusbrief betrifft, so fällt auf, daß in allen drei Aussagekomplexen, in denen die Bezeichnung σωτήρ auftritt, zunächst Gott als σωτήρ bezeichnet wird und unmittelbar im Anschluß daran Christus. Offenbar stellt sich Titus vor, daß die Initiative zur Errettung (σωτηρία) von Gott ausgeht.[199]

In Tit 3,5 wird "Bad der Wiedergeburt (λουτρὸν παλιγγενεσίας)" und Erneuerung im heiligen Geist (ἀνακαίνωσις πνεύματος ἁγίου)" genannt. Wiedergeburt und Erneuerung scheinen sachlich übereinzustimmen. "Neuschöpfung und Wiedergeburt besagen beide, daß dem Leben des Menschen eine Tat Gottes, nicht sein eigenes Tun seinen Anfang gibt, der zwischen Früher und Jetzt entscheidend trennt."[200] Der Zusatz ἀνακαίνωσις πνεύματος ἁγίου soll das Wort παλιγγενεσία vor einem Mißverständnis schützen. Gott gebiert den Menschen nicht aus sich; vielmehr kommt das Handeln Gottes am Menschen vom Menschen aus gesehen einer Wiedergeburt gleich, von Gott aus ist es eher zu charakterisieren als Erneuerung durch den heiligen Geist.

Dabei fällt die parallele Konstruktion von Tit 2,11-15 und 3,4-8 auf:

(11) Ἐπεφάνη γὰρ ἡ χάρις τοῦ θεοῦ σωτήριος πᾶσιν ἀνθρώποις

(12) παιδεύουσα ἡμᾶς, ἵνα ἀρνησάμενοι τὴν ἀσέβειαν καὶ τὰς κοσμικὰς ἐπιθυμίας σωφρόνως καὶ δικαίως καὶ εὐσεβῶς ζήσωμεν ἐν τῷ νῦν αἰῶνι,

(13) προσδεχόμενοι τὴν μακαρίαν ἐλπίδα καὶ ἐπιφάνειαν τῆς δόξης τοῦ μεγάλου θεοῦ καὶ σωτήρος ἡμῶν Ἰησοῦ Χριστοῦ,

(14) ὃς ἔδωκεν ἑαυτὸν ὑπὲρ ἡμῶν ἵνα λυτρώσηται ἡμᾶς ἀπὸ πάσης ἀνομίας καὶ καθαρίσῃ ἑαυτῷ λαὸν περιούσιον, ζηλωτὴν καλῶν ἔργων.

(15) Ταῦτα λάλει καὶ παρακάλει καὶ ἔλεγχε μετὰ πάσης ἐπιταγῆς.

(4) ὅτε δὲ ἡ χρηστότης καὶ φιλανθρωπία ἐπεφάνη τοῦ σωτῆρος ἡμῶν θεοῦ,

(5) οὐκ ἐξ ἔργων τῶν ἐν δικαιοσύνῃ ἃ ἐποιήσαμεν ἡμεῖς ἀλλὰ κατὰ τὸ αὐτοῦ ἔλεος ἔσωσεν ἡμᾶς διὰ λουτροῦ παλιγγενεσίας καὶ ἀνακαινώσεως πνεύματος ἁγίου,

(6) οὗ ἐξέχεεν ἐφ᾽ ἡμᾶς πλουσίως διὰ Ἰησοῦ Χριστοῦ τοῦ σωτῆρος ἡμων,

(7) ἵνα δικαιωθέντες τῇ ἐκείνου χάριτι κληρονόμοι γενηθῶμεν κατ᾽ ἐλπίδα ζωῆς αἰωνίου.

(8) Πιστὸς ὁ λόγος· καὶ περὶ τούτων βούλομαί σε διαβεβαι-οῦσθαι, ἵνα φροντίζων καλῶν ἔργων προΐστασθαι οἱ πεπιστευ-κότες θεῷ· ταῦτά ἐστιν καλὰ καὶ ὠφέλιμα τοῖς ἀνθρώποις.

---

[199] Dem entspricht, daß die einzige Belegstelle des Verbums "σῴζειν" Gott als Subjekt hat: Tit 3,5.
[200] J. DEY, ΠΑΛΙΓΓΕΝΕΣΙΑ 163.

Die Beziehung zwischen beiden Komplexen wird deutlich durch die wörtlichen Entsprechungen.

In den Versen 2,11 und 3,4 wird das Subjekt des Erscheinens genannt. Die Verse 2,12 und 3,5 betrachten in diesem Licht die menschlichen Werke.[201] Tit 2,13f und 3,6f nehmen die Wirkung auf die Menschen in den Blick, während der jeweilige Schlußvers eine Bekräftigung darstellt. Thema beider Gedankenkreise ist die Rettung (σωτηρία) der Menschen. Tit 2,11-15 betrachtet das Geschehen stärker aus dem Blickwinkel der Menschen; Tit 3,4-8 stärker aus dem Blickwinkel Gottes.

Dem Ausdruck "διὰ λουτροῦ παλιγγενεσίας καὶ ἀνακαινώσεως πνεύματος ἁγίου" ist einer Aussage in Tit 2,11-15 vergleichbar: hier heißt es von Christus "damit er uns erlöste von aller Ungerechtigkeit und reinigte sich selbst ein Volk zum Eigentum - ἵνα λυτρώσηται ἡμᾶς ἀπὸ πάσης ἀνομίας καὶ καθαρίσῃ ἑαυτῷ λαὸν περιούσιον". Reinigung ist auch die Wirkung des λουτρὸν παλιγγενεσίας. So weist das "Bad der Wiedergeburt" auf die Taufe[202], da die Taufe schon in der vorpaulinischen Verkündigung "als Sitz im Leben für die Sündenvergebung ... zu sehen"[203] ist. Wiedergeburt (Tit 3,5) und Reinigung (Tit 2,14) werden als bereits geschehen vorgestellt. Tit 2,11-15 zieht daraus Folgerungen für das Leben der Glaubenden; Tit 3,4-8 beschreibt die Heilstat Gottes, die den Glaubenden im Bad der Wiedergeburt, also in der Taufe zugeeignet wird. Während also Tit 2,11-15 eher paränetischen Charakter hat, betont Tit 3,4-8 besonders die Tatsache, daß den Glaubenden das Heil *geschenkt* wird.

Tit 3,4-8 präzisiert Tit 2,11-15 insofern, als die in Tit 2,12f geforderten Taten in Tit 3,4-8 Folge des göttlichen Erbarmens ist, das sich im λουτρὸν παλιγγενεσίας und der ἀνακαίνωσις πνεύματος ἁγίου bzw. der Reinigung durch Christus äußert. Aufgrund von Werken der Gerechtigkeit (Tit 3,5), die die Glaubenden vollbracht haben, kann man die σωτηρία nicht verdienen; "Werke der Gerechtigkeit" sind Folge der (sittlichen) Erneuerung[204] bzw. Reinigung und damit selbst Folge der σωτηρία. So dient auch hier die "Wiedergeburt" - ähnlich wie die "Reinigung" durch Christus - als Metapher für die Erneuerung (ἀνακαίνωσις) des Menschen. Diese Metapher betont zum einen die Bedeutung des Existenzwandels; sie stellt zum anderen diesen Existenzwandel deutlich als Gottestat am Menschen heraus.

3.2 Gottesgeburt im Jakobusbrief

Nach Jak 1,18 hat Gott die Glaubenden nach seinem Willen geboren durch das Wort der Wahrheit. Das griechische Wort "ἀποκύειν" ist mit "gebären" zu übersetzen.[205] Damit ist aber nicht etwa gesagt, daß der Verfasser des Jakobusbriefs an einen weiblichen Gott gedacht hätte.[206]

---

[201] Das Stichwort παιδευούσα erinnert an den Hebräerbrief (Hebr 12,5-11), wo von der παιδεία als Zeichen väterlicher Liebe Gottes die Rede ist.

[202] Vgl. F. BÜCHSEL, Art. παλιγγενεσία, ThWNT 1 (1933), 688,2f; vgl. W. SCHWEITZER, Gotteskindschaft 310: "Leider ist es hier (in Eph 5,26) wie dort (in Tit 3,5) durchaus unsicher, ob sich der Begriff auf die Taufe bezieht, oder ob nicht durch einen allgemeinen, bildlichen Ausdruck die Reinigung der Gemeinde oder der einzelnen Gläubigen bezeichnet werden sollte."

[203] G. BRAUMANN, Taufverkündigung 41 (vgl. auch 39f).

[204] Vgl. F. BÜCHSEL, Art. παλιγγενεσία, ThWNT 1 (1933), 688,3-5: "Sie (= ἡ παλιγγενεσία) ist nicht einseitig als Gelangen zu einem neuen Dasein nach dem Ende des bisherigen oder als sittliche Erneuerung zu fassen, sondern umfaßt beides."

[205] In Jak 1,15 wird τίκτειν parallel mit ἀποκύειν gebraucht.

[206] Zur Frage nach dem "Geschlecht" Gottes vgl. K. BERGER, Männlichkeit 712-714.

Die Geburt der Glaubenden aus Gott geschieht, damit sie Erstlinge (ἀπαρχή) seiner Schöpfung seien (Jak 1,18). In Jak 1,18 scheint - im Unterschied zu 1Pt 1,3.22f - die Geburt aus Gott schon in der Gegenwart voll zur Wirkung gekommen zu sein. Hier ist zunächst nicht von einer Zukunftshoffnung die Rede. Zugleich steht aber für den Jakobusbrief noch etwas aus, wenn er die Glaubenden als Erstlinge seiner Schöpfung (ἀπαρχή τινα τῶν αὐτοῦ κτισμάτων) bezeichnet. Für Paulus war der auferstandene Christus der Erstling der Entschlafenen (ἀπαρχή τῶν κεκοιμημένων - 1Kor 15,20.23); d.h. die Glaubenden hatten begründete Hoffnung, Christus gleichgestaltet zu werden. Der Jakobusbrief erwartet offenbar ähnliches für alle Geschöpfe Gottes, wenn er (nur) die Glaubenden als ἀπαρχή τινα τῶν αὐτοῦ κτισμάτων bezeichnet. Hoffnung auf zukünftiges Heil gibt es nach Jak 1,18 also weniger für die Glaubenden als vielmehr für diejenigen, die nicht von Gott geboren sind, für alle Geschöpfe.

Jak 1,18 will dabei deutlich die Vorstellung abwehren, die Glaubenden wären als die von Gott Geborenen in gewisser Weise selbst göttlich; deshalb spricht er von der ἀπαρχή τινα τῶν αὐτοῦ κτισμάτων und nicht etwa von der ἀπαρχή τινα τῶν αὐτοῦ τεκνῶν bzw. υἱῶν. Gott hat die Glaubenden geboren; doch sie sind auch seine Geschöpfe. Dementsprechend verbindet der Jakobusbrief den Gedanken, daß Gott die Glaubenden geboren hat, nicht mit dem Motiv der Gotteskindschaft.

Der Gedanke, daß Menschen Gottes Kinder oder Söhne sein könnten, begegnet im Jak überhaupt nicht. Gott wird an nur zwei Stellen als "Vater" bezeichnet; allerdings beide Male ohne Genitiv oder Possessivpronomen, sondern absolut: Jak 1,27 (hier parallel mit "θεός" gebraucht); 3,9 (hier parallel mit "κύριος" gebraucht).[207] Demgegenüber taucht die Anrede "ἀδελφός" für die Gemeindeglieder verhältnismäßig häufig im Jakobusbrief auf.[208]

Diese Häufigkeit der Bezeichnung "ἀδελφός" für ein Gemeindeglied und die Seltenheit der Bezeichnung "πατήρ" für Gott deuten darauf hin, daß sich beide Anreden im Bewußtsein des Schreibers bereits verselbständigt haben und unabhängig voneinander verwendet werden. In Jak 4,11f wird "ἀδελφός" sogar promiscue mit "πλήσιον" verwendet.

Die Rede von der Geburt aus Gott hat in Jak 1,18 in erster Linie die Funktion, die Adressaten des Briefs, und damit die Christen, vor den anderen Geschöpfen hervorzuheben. *Sie* sind erwählt.[209]

Im Unterschied zu 1Pt 1,3.23 geht es in Jak 1,18 nicht um eine Wiedergeburt. Jak 1,18 spielt auf den priesterschriftlichen Schöpfungsbericht an. Gott erschafft die Kreaturen (im Jak: gebiert die Glaubenden) durch sein Wort. Auch in 1Pt 1,23 ist das Wort Gottes das Mittel, durch das die (Wieder-)Geburt erfolgt. Es ist - wie in Gen 1 - als schöpferische Kraft Gottes vorgestellt. Zudem verweist in Jak 1,18 der Ausdruck "ἀπαρχή τινα τῶν αὐτοῦ κτισμάτων" auf die Schöpfung.

Die Geburt aus Gott ist ebenso wie in 1Pt eine Metapher für die Bekehrung der Menschen. Das Wort ist nach Jak 1,21 in die Glaubenden eingepflanzt und hat die Kraft, "eure Seelen zu retten - σῶσαι τὰς ψυχὰς ὑμῶν". Hier tritt eine Zukunftshoff-

---

207 Vgl. Jak 1,17, wo Gott als "Vater der Lichter" bezeichnet wird.
208 ἀδελφός im Vokativ (in Verbindung mit μου): 1,2; 2,1.14; 3,1.10.12; 5,12.19;
   ἀδελφός mit ἀγαπητός im Vokativ: 1,16.19; 2,5;
   ἀδελφός im Vokativ: 4,11; 5,7.9.10;
   vgl. Jak 1,9; 2,15; 4,11; dort wird jedesmal der Glaubende als "Bruder" bezeichnet.
209 Vgl. W. SCHWEITZER, Gotteskindschaft 324f.

nung für diejenigen, die Gott geboren hat, in den Blick: Sie hoffen (wie die Christen des 1Pt) auf die Errettung der ψυχαί.[210] In 1Pt 1,9 wird als Ziel des Glaubens (τέλος τῆς πίστεως) die Rettung der Seelen (σωτηρία ψυχῶν) bezeichnet[211].

Ähnlich wie Tit 2,11-15 und 1Pt 1,22f fordert auch Jak 1,18 von denen, die Gott geboren hat, gute Taten. So bringt Jak 1,22 den Gedanken der Geburt durch das Wort der Wahrheit mit der Aufforderung zum Handeln zusammen: "Seid aber Täter des Wortes und nicht Hörer allein; sonst betrügt ihr euch selbst."

3.3 Zwischenbilanz

Auch wenn Wiedergeburt (1Pt 3.23; Tit 3,5) und Gottesgeburt (Jak 1,18) nie ausdrücklich mit der Gotteskindschaftsmetaphorik in Zusammenhang gebracht werden, ist ihre Funktion eine vergleichbare. Ähnlich wie das Motiv der Gotteskindschaft bei Paulus betont die Wiedergeburtsmetapher in 1Pt und Tit sowie die Gottesgeburtsmetapher in Jak den gesetzten Anfang, der auf seine Vollendung im Eschaton wartet bzw. auf die Rettung (σωτηρία; vgl. 1Pt 1,5.9; Tit 2,11.13; 3,4.6; Jak 1,21) des Glaubenden bzw. der ψυχαί zielt.

---

[210] Vgl. W. SCHWEITZER, ebd. 327: Für Jak 1,18 gilt: "die eschatologische Beziehung steht nicht im Vordergrund".

[211] Vgl. auch Tit 2,11-15 und 3,4-8; in beiden Abschnitten geht es um die σωτηρία der Menschen.

V. Das Motiv der Gotteskindschaft in der johanneischen Literatur - das Familienmodell im ersten Johannesbrief

1. Zur Zuordnung von κοινωνία und Gotteskindschaft

Der Verfasser des ersten Johannesbriefs versteht die Verbundenheit Gottes mit den Gemeindegliedern als eine κοινωνία (1Joh 1,3.6). Dieser Begriff steht wie eine Überschrift mehrfach am Anfang des Briefes. Der 1Joh bezeichnet hierbei nicht nur das Verhältnis der Glaubenden untereinander, sondern auch das Verhältnis zwischen den Glaubenden und dem "Sohn" bzw. dem "Vater" als κοινωνία. Diese beiden Relationen (das Verhältnis der Glaubenden untereinander und das Verhältnis zwischen den Glaubenden und dem "Sohn" bzw. dem "Vater") sind theologisch also vergleichbar; beide verdienen die Qualifikation "κοινωνία". 1Joh 1,3b betont dabei noch einmal ausdrücklich, daß es nicht um eine Gemeinschaft nur unter Menschen geht, sondern um die Gemeinschaft untereinander (V. 3a) und die mit dem "Vater und seinem Sohn Jesus Christus" (V. 3b). Obwohl bereits der Stoa der Gedanke der Gemeinschaft von Menschen mit Gott geläufig war[1], ist die Vorstellung einer κοινωνία zwischen Gott und Mensch doch bemerkenswert[2]; deshalb hat der Verfasser des 1Joh V. 3b ausdrücklich angefügt.

1.1 Gemeinschaft und Familie

Beide Relationen, auf die der Begriff "κοινωνία" angewendet wird - das Verhältnis der Glaubenden untereinander und das Verhältnis zwischen den Glaubenden und dem "Sohn" bzw. dem "Vater" -, sind für den Verfasser des 1Joh familiärer Art (vgl. dazu Epiktet, diss 2,14,8). Gott ist der Vater, die Gemeindeglieder sind "Brüder". κοινωνία ist also nicht nur unter Geschwistern (1Joh 1,3.7) möglich, sondern auch zwischen Vater und Kindern (1Joh 1,3.6).

Diese familiären Relationen bieten sich als Metapher auch insofern für den johanneischen Gedankengang geradezu an, als es die Unterschiedenheit des Vaters von den Kindern bzw. seine Vorrangstellung andeutet, gleichzeitig aber ihre Bezogenheit aufeinander, ja ihre Verwandtschaft verdeutlicht.

Diese κοινωνία ist nicht an eine gerade aktuelle Übereinstimmung gebunden oder bezieht sich nur auf ganz bestimmte "Segmente" innerhalb des Menschen (etwa den menschlichen λόγος), nein, die Gemeinschaft Gottes mit Menschen, von der der 1Joh spricht, gilt umfassend. Wenn der Begriff "κοινωνία" tatsächlich "der hellenistischen Freundschaftsethik entstammt"[3], ist zunächst nach seinem philosophischen Gebrauch zu fragen.

Schon die platonische und aristotelische Philosophie hat die Möglichkeit einer κοινωνία zwischen Herr und Sklave, sowie zwischen Gott und Mensch negiert. M.S. Shellens begründet die Ablehnung des Aristoteles, den Terminus κοινωνία auf das

---

[1] S.o. S. 23f.
[2] Nach der Meinung von Flavius Josephus etwa ist κοινωνία zwischen Göttlichem und Sterblichem "ungeziemend" (ἀπρεπής) (bell 7,344).
[3] M. WOLTER, Pastoralbriefe 26.

Verhältnis Herr - Sklave zu übertragen[4], mit der Tatsache, daß es sich bei der Sklaverei gerade nicht "um eine zweiseitige Beziehung, sondern um ein ganz einseitiges Nutzungsverhältnis (1160b 30) (handelt), wobei der Gegenstand dieses Nutzungsverhältnisses kein Mensch im Rechtssinne ist, sondern eine Sache, ein Gegenstand, an dem man Eigentum haben kann, so daß schon das Wort 'Verhältnis' mit dem unvermeidbaren Anklang an Zweiseitigkeit hier keinen Platz hat"[5]. R. Ritter weist darauf hin, daß "nur ein Zusammenschluß, bei dem die Menschen etwas miteinander gemein haben, ... eine Gemeinschaft (ist)"[6]. Gemeinschaft ist bei Aristoteles stets zielgerichtet; das gemeinsam Nützliche (τὸ κοινὸν συμφέρον) ist das Ziel jeder κοινωνία (Polit. I 2, 1252 a 26-28; V 8, 1133 a 19-24). "Wer völlig autark ist wie die Götter, kann nicht in Gemeinschaft stehen."[7]

κοινωνία ist also nur möglich unter einander vergleichbaren Partnern; κοινωνία setzt etwa nach Philo Ähnlichkeit und Verwandtschaft (det 164; vgl. fug 112) bzw. eine "Gleichheit der Art nach" (specLeg 3,182) voraus. κοινωνία ist für Philo nur denkbar unter Gefährten und Geschwistern (somn 2,83).

1.2 Die Ermöglichung der Gemeinschaft: Liebe

Im 1Joh werden diese formal familiären Relationen mit dem Gedanken der brüderlichen, kindlichen bzw. väterlichen *Liebe* gefüllt. Ähnlich wie der Terminus κοινωνία dient dem Verfasser die "ἀγάπη" zur Beschreibung *beider* Relationen.[8] Dies wird besonders deutlich anhand von 1Joh 4,11 ("Ihr Lieben, hat uns Gott so geliebt, so sollen wir uns auch untereinander lieben").

Man kann sich dem johanneischen Verständnis von κοινωνία auch noch von einer anderen Richtung nähern. Das Verständnis des 1Joh von κοινωνία scheint sich im wesentlichen mit dem paulinischen zu decken.[9] Nach der Analyse der paulinischen

---

[4] EE 1241b 17-24: ἐπεὶ δ᾽ ὁμοῖος ἔχει ψυχὴ πρὸς σῶμα καὶ τεχνίτης πρὸς ὄργανον καὶ δεσπότης πρὸς δοῦλον, τοῦτον μὲν οὐκ ἔστι κοινωνία; οὐ γὰρ δύ᾽ ἐστίν, ἀλλὰ τὸ μὲν ἕν, τὸ δὲ τοῦ ἑνὸς οὐδέν. Vgl. EN VIII 13,1161 a 32 - b 10.

[5] M.S. SHELLENS, Verhalten 152; vgl. H. KLEES, Herren 16: "Der Sklave ist ganz seines Herrn, und für ihre Beziehungen zueinander läßt sich höchstens in analoger Weise von einem Rechtsverhältnis, der Voraussetzung einer κοινωνία, sprechen."

[6] R. RITTER, Freundschaftsphilosophie 62; er verweist hierfür auf Polit. VIII 8, 1328 a 25-28.

[7] R. RITTER, ebd. 62.

[8] Die Liebe zum "Bruder" wird thematisiert in 1Joh 2,10; 3,10.14.18.23; 4,7.12.20 ("Wenn jemand spricht: 'Ich liebe Gott.', und haßt seinen Bruder, ist ein Lügner; denn wer seinen Bruder nicht liebt, den er sieht, kann Gott nicht lieben, den er nicht sieht.").21; vgl. auch die Anrede "ἀγαπητοί" in 1Joh 2,7; 3,2.21; 4,1.7.11 vgl. 3Joh 2.5.11, die deutlich macht, daß es um eine geschwisterliche Liebe geht; vgl. O. WISCHMEYER, Adjektiv 476-480.
Die Liebe des Vaters zu seinen Kindern (bzw. Gottes zu den Menschen) wird thematisiert in 1Joh 2,15; 3,1 ("Seht, welche Liebe hat uns der Vater gegeben, daß wir Gottes Kinder sollen heißen.").17; 4,16.
Die Liebe der Glaubenden zu Gott gilt als einseitig von Gott geweckt; aus sich heraus lieben die Glaubenden nicht, weil sie es nicht können (4,10: "Darin besteht die Liebe: nicht daß wir Gott geliebt haben, sondern daß er uns geliebt hat ..."); dementsprechend ist in 1Joh 4,19 die Liebe der Glaubenden als Folge der Liebe Gottes angesprochen: "Laßt uns lieben, denn er hat uns zuerst geliebt." Gottesliebe wird zum Kriterium der Bruderliebe (5,2), und umgekehrt (4,20f).

[9] Vgl. P. PERKINS, Koinonia 631-641, der auf inhaltliche Parallelen hinweist, die zwischen den Aussagen von Phil 1,5 und 1Joh 1,3 bestehen (635: "Both traditions associate *koinonia* with the preaching of the gospel 'from the beginning'."), sowie von 1Kor 1,9 und 1Joh 1,3 (635: "Both the Pauline and the Johannine passages equate *koinonia* with Jesus and *koinonia* with God."), aber auch von 2Kor 6,14 und 1Joh 1,6 (636: "The parenetic use of *koinonia* in the context of an ethical dualism which divides humanity into light and darkness also appears in 2 Cor 6:14."). Vgl.

Verwendung des "Prinzips κοινωνία" durch J.Hainz verlangt Paulus "nicht volle Gütergemeinschaft, wohl aber 'Gemeinschaft durch gegenseitiges *Anteil* geben an den jeweils mitteilbaren Gütern'"[10]. Der Begriff κοινωνία beschreibt also eine Gemeinschaft mit jemandem, die "durch (gemeinsame) Teilhabe (an etwas) begründet ist"[11].

Ähnliche Gedanken dürften auch hinter der johanneischen Verwendung von κοινωνία stehen. Die geschwisterliche (bzw. väterliche und kindliche) ἀγάπη ist das einigende Band zwischen den Kindern untereinander bzw. zwischen Vater und Kindern. An ihr haben alle in gleicher Weise Anteil. Sie konstituiert Gemeinschaft mit Gott und Gemeinschaft der Glaubenden untereinander bzw. die durch Liebe konstituierte Gemeinschaft mit Gott setzt die Glaubenden untereinander in eine bestimmte Beziehung.

Wenden wir uns aber erneut dem Gebrauch von κονωνία im ersten Johannesbrief zu! Jedesmal im 1Joh ist der Begriff innerhalb der Formulierung κονωνία μετά τινος gebraucht. In der Tradition finden sich nur sehr wenige Belege dieser Formulierung[12]. Die interessanteste Parallele zum Sprachgebrauch im 1Joh findet sich bei Josephus, Ap 2,146: "οἶμαι γὰρ ἔσεσθαι φανερόν, ὅτι καὶ πρὸς εὐσέβειαν καὶ πρὸς κοινωνίαν τὴν μετ᾿ ἀλλήλων καὶ πρὸς τὴν καθόλου φιλανθρωπίαν ἔτι δὲ πρὸς δι-καιοσύνην καὶ τὴν ἐν τοῖς πόνοις καρτερίαν καὶ θανάτου περιφρόνησιν ἄριστα κειμένους ἔχομεν τοὺς νόμους. - Denn ich glaube, daß es offenbar ist, daß wir zur Gottesfurcht und zur Gemeinschaft miteinander und zur allgemeinen Menschenliebe darüber hinaus zur Gerechtigkeit auch die Ausdauer in den Mühen und Verachtung des Todes am besten die bestehenden Gesetze haben." Josephus belegt damit die Gebräuchlichkeit des Ausdruckes "Gemeinschaft miteinander" im Griechischen.[13]

---

auch M. MCDERMOTT, Doctrine 64-77.219-233, bes. 233: "Actually of all the New Testament writings the Johannine corpus exhibits the greatest similarity with the Pauline doctrine of κοινω-νία."

10 J. HAINZ, Koinonia 89; auch der 1Joh verlangt nicht "volle Gütergemeinschaft", sondern Anteilgabe an der ἀγάπη und als Ausfluß der ἀγάπη Abgabe von Gütern zugunsten der Bedürftigen (1Joh 3,17: "Wenn aber jemand dieser Welt Güter hat und sieht seinen Bruder darben und schließt sein Herz vor ihm zu, wie bleibt dann die Liebe Gottes in ihm?").

11 J. HAINZ, Art. κοινωνία, EWNT 2 (1981), Sp. 751; vgl. auch M. WOLTER, Apostel 542; vgl. A.R. GEORGE, Communion 214, der allerdings die gemeinsame Teilhabe zwischen Gott und den Menschen in einer anderen Sache begründet sieht: "Even so, it is in fact true that the basis of the best human fellowship is an interest in some third person or thing, in this case the Father and Christ, and even fellowship with God may be said to arise from a common concern for the will of God. Nevertheless, 'fellowship' is the right translation, and there is no need to speak of admitted genitives." Vgl. J.Y. CAMPBELL, Κοινωνία 353: "But the primary idea expressed by κοινωνός and its cognates is not that of association with another person or other persons, but that of participation in something in which others also participate"; vgl. ebd. 355: "The verb κοινωνεῖν is formed directly from κοινωνός, and in accordance with the ordinary significance of the -eo termination its primary meaning is simply 'to be a κοινωνός', i.e., 'to have *something* in common with *someone else*.", vgl. 356: "Κοινωνία ist primarily the abstract noun corresponding to κοινωνός and κοινωνεῖν, and its meaning therefore is '(the) having *something* in common with *someone*.' The ideas of participation and of association are both present, and the main emphasis may fall upon either of them, sometimes to the practical exclusion of the other."

12 J.Y. CAMPBELL, Κοινωνία 372, ist der Überzeugung, daß es nur einen einzigen außerbiblischen Beleg dieser Formulierung gibt: Aischines 2,54, dort heißt es: "τὴν τῶν πραγμάτων μετὰ Φιλοκράτους κοινωνίαν". Doch dieser Beleg hilft wenig bei der Erhellung der Bedeutung von κοινωνία im 1Joh, da hier von einer κοινωνία von πράγματα mit einem Menschen die Rede ist. Seiner Meinung nach meint κοινωνία hier "partnership" (ebd. 372).

13 Vgl. Plutarch, de sollertia animalium 972.B.1: "τό γε μὴν κοινωνικὸν μετὰ τοῦ συνετοῦ τοὺς ἐλέφαντας ἀποδείκνυσθαί φησιν ὁ Ἰόβας." Vgl. auch Platon, def. 413.b.1: "ὁμοδοξία περὶ

Wird Gott im 1Joh transpersonal etwa als Licht (1,5; vgl. 2,9-11)[14] oder als Liebe (4,16; vgl. 2,5.15; 4,12.16) verstanden, drückt der Verfasser die κοινωνία mit den von R.Schnackenburg so genannten "Immanenzformeln"[15] aus. Wird Gott dagegen personal, als Vater, verstanden, wird κοινωνία nicht nur anhand der Immanenzformeln (vgl. 1,8; 2,6.14.27f; 3,6.14f.24; 4,13.15; 5,20), sondern auch und vor allem anhand eines *Familienmodells*[16] plausibel gemacht. Es ist auffällig, daß die Aussagen, die mit den Immanenzformeln verbunden werden, nahezu die gleichen sind wie die Aussagen, die mit der Geburt aus Gott verbunden werden: Bruderliebe (2,10; 4,12.16 vgl. 4,7), Halten der Gebote (3,24; 2,6; 3,6; vgl. 2,29 bzw. 3,9), Bekenntnis zum Sohn (4,15.13 vgl. 5,1)[17]. Darüber hinaus beziehen sich am Schluß des Briefes (5,18-20) zwei der drei Aussagen, die mit "οἴδαμεν" eingeleitet werden, auf das "aus Gott (geboren) sein", die dritte Aussage hat aber eine Immanenzformel zum Inhalt. Hier sind beide Möglichkeiten, die κοινωνία plausibel zu machen, nebeneinandergestellt. Der Verfasser des 1Joh gibt auf die Frage, wie κοινωνία zwischen Gott und Mensch möglich ist, also zwei Antworten: κοινωνία ist möglich, weil Gott der Vater der Gläubigen ist (*Familienmodell*)[18] - und weil Gott Liebe, Licht und Wahrheit ist und so im Glaubenden bleiben kann und der Glaubende in Gott (*"Immanenzformeln"*).

Signifikant hierfür ist auch der Gebrauch des Wortes "μένειν". Die Aufforderung zu "bleiben" findet sich nie im Kontext des Familienmodells, sondern nur und ausschließlich im Kontext der Immanenzformeln (2,24.28; vgl. 2,6.10.14.27; 3,6.15.17.24; 4,12f.15f; 2Joh 2.9). Die Möglichkeit des Weggangs aus der κοινωνία, also nicht zu bleiben[19], wird bezüglich der Immanenzformeln angedeutet durch die Aufforderung zum Bleiben (2,24.28). Bezüglich der Gotteskindschaft gibt es keine vergleichbare Aufforderung, denn wer aus Gott geboren ist, der ist es ein für allemal; er kann sich von dieser Geburt aus Gott ebensowenig distanzieren wie von seiner physischen Geburt. Das Faktum des Weggangs einzelner aus der Gemeinschaft wird in der Weise aufgearbeitet, daß denjenigen, die weggegangen sind, von vornherein das gleiche Wesen mit denjenigen, die "geblieben" sind (1Joh 2,19), und damit die Gotteskindschaft abgesprochen wird. Ihnen wird nicht die Herkunft aus der Gemeinde, wohl aber ihre Zugehörigkeit zur Gemeinde bestritten.[20] Die Gemeinde weiß: Sie ist nicht *"sanctorum communio"*. Wer sich von ihr distanziert, zeigt damit: er war gar nicht aus Gott geboren. Einen Gotteskindschaftsverlust kennt der 1Joh ebensowenig wie es einen Verlust der Kindschaft den leiblichen

---

προαιρέσεως καὶ πράξεως· ὁμόνοια περὶ βίον· κοινωνία μετ᾽ εὐνοίας· κοινωνία τοῦ εὖ ποιῆσαι καὶ παθεῖν."

14 Zum atl. Hintergrund dieses Bildes vgl. B. LANGER, Gott 1-155; vgl. ebd. 154f: "Stichwortartig seien die wichtigsten Aspekte, die Licht als Gottessymbol beinhaltet, zusammengefaßt: die Aussage, Jahwe ist (mein/dein) Licht bedeutet: Jahwe ist nahe; er ist ein Gott, der Leben spendet und bewahrt; er ist Retter und Befreier; gerechter Herrscher und Garant einer gerechten Lebens- und Gesellschaftsordnung; Ursprung von Fülle und Segen."

15 R. SCHNACKENBURG, Johannesbriefe (⁷1984) 105-110.

16 S.u. S. 134.

17 Vgl. R. LAW, Tests 198: es geht ihm um "the three great tests of Righteousness, Love, and Belief which meet us everywhere in the Epistle".

18 Zur Zusammengehörigkeit von Gemeinschaft und Gotteskindschaft vgl. auch G. KLEIN, Gemeinschaft 59-67.

19 Vgl. zum Problem des Bleibens und Weggehens v.a. den 2.Hauptteil, bes. S. 173-185.

20 Vgl. R. BERGMEIER, Glaube 214; sowie 222: "Das differenzierende Verständnis von εἶναι ἐκ als Bezeichnung des Ursprungs einerseits, vor allem aber der Zugehörigkeit andererseits scheint somit die johanneischen Formulierungen am ehesten zu treffen und zu pointieren."

Eltern gegenüber gibt. Deshalb hat der ausdrückliche Zuspruch der Gotteskindschaft eine ähnliche Funktion wie die Aufforderung zum Bleiben: "Ihr seid aus
Gott geboren" ... ihr könnt gar nicht weggehen.
Dieser Unmöglichkeit, aus der Gotteskindschaft herauszufallen, sich von ihr selbst
zu distanzieren, entspricht im Kontext der Immanenzformeln die Ausdrucksweise,
daß die Gemeinschaft mit Gott hier nicht als "Augenblickssache", nicht als zeitlich
begrenztes (mystisch-ekstatisches) Erlebnis, sondern vielmehr als unverlierbare
Qualität gilt.[21]

1.3 Folge der Gemeinschaft: Hören und Sehen

Der Verfasser des 1Joh nimmt für sich (und seine Gruppe) in Anspruch, "mit dem
Vater und mit seinem Sohn Jesus Christus" Gemeinschaft zu haben (1,3b). Anders
als in der Stoa ist im 1Joh die Gemeinschaft über das Hören und Sehen vermittelt.
Der Verfasser des 1Joh verkündigt seinen Adressaten alles, was er gesehen und
gehört hat (1,3a). Dieses Hören ist aber keine "Einbahnstraße"; auch Gott "hört"
die Bitten der Glaubenden (1Joh 5,14f; vgl. Joh 9,31). Die miteinander κοινωνία
Habenden hören aufeinander.
Nach Joh 8,26; 15,15 hatte auch Jesus alles verkündigt, was er "vom Vater" gehört
hatte, und war dabei auf das Unverständnis seiner Zuhörer gestoßen (Joh 8,27.43;
vgl. 1Joh 4,6). Diese Verkündigung möchte der Verfasser des 1Joh weitergeben
(1Joh 1,2). Dadurch wird die Gemeinschaft zwischen seinen Adressaten und dem
Vater und seinem Sohn Jesus Christus manifest (1Joh 1,3). Der Verfasser des
1Joh sieht sich selbst in einer Mittlerposition. Für sich selber nimmt er in Anspruch, aus der Wahrheit zu sein (vgl. Joh 18,37). Hatte nach dem JohEv Jesus
seinen verstehenden Zuhörern seine "Freundschaft" zugesichert (Joh 15,14f), so
versucht jetzt der Verfasser des 1Joh "Gemeinschaft" zwischen seinen Adressaten
und Gott/Christus herzustellen (1Joh 1,6).[22] *Ein inhaltlicher Aspekt des Gemein-*
schaftgedankens ist also: Gott und die Glaubenden sollen aufeinander hören kön-
nen.[23]

2. Die Realität der familia dei

Im ersten Johannesbrief finden sich verschiedene Formulierungen, die die Beziehungen zwischen Gott und den Gläubigen beschreiben. Besonders auffällig ist natürlich die Redeweise vom Geborensein der Glaubenden aus Gott (1Joh 2,27;
3,9a.b; 4,7; 5,1a.b.4.18), der aufgrund ihrer Häufigkeit eine Schlüsselstellung eingeräumt werden muß und die der Redeweise vom Vatersein Gottes entspricht.
Daß in diesen Kontext auch die Rede von den Glaubenden als den τέκνα τοῦ θεοῦ
(1Joh 3,1.2.10; 5,2), ebenso wie die Bezeichnung der Glaubenden als ἀδελφοί
(1Joh 2,7.10f; 3,10.12-17; 4,20f; 5,16; 3Joh 3.5.10) gehört, soll nun ausgeführt wer-

---

21 Vgl. den Gebrauch der Verben ἔχειν (κοινωνίαν - 1,3.6; παράκλητον - 2,1; χρῖσμα - 2,20; τὸν
πατέρα - 2,23; vgl. 2Joh 9; παρρησίαν - 2,28; 3,21; 4,17; 5,14; τὴν ἐλπίδα - 3,3; ζωὴν αἰώνιον -
3,15; vgl. 5,12f; τὴν μαρτυρίαν - 5,10; τὸν υἱόν - 5,12; vgl. 2Joh 9) oder μένειν (λόγος τοῦ θεοῦ
- 2,14; χρῖσμα - 2,27; σπέρμα - 3,9; ἀλήθεια - 2Joh 9).
22 Diese Mittlerstellung des Verfassers des 1Joh wird bereits angedeutet in Joh 17,20f. Im Unterschied zum 1Joh ist dort nicht von κοινωνία die Rede, sondern vom "Einssein". Zum Verfasser
des 1Joh vgl. auch u. S. 218-224.
23 Zur joh Grenzsprache vgl. T. ONUKI, Gemeinde 19-28.

den. Besonders auffällig sind aber die Formulierungen, die im 1Joh zwar teilweise auch nur einmal auftauchen, die aber für die Beschreibung des Verhältnisses Gottes zu den Glaubenden im NT (wie auch älteren griechischen Schriften) singulär sind. Hierbei ist zu denken an die Rede vom σπέρμα θεοῦ im Glaubenden (1Joh 3,9) oder die Rede vom Geben Gottes *aus* seinem Geist (1Joh 4,13; vgl. 3,24).

2.1 Gott als Vater

Im JohEv wird häufig Jesus ausdrücklich in eine Sohnesbeziehung zu Gott gesetzt. Dies geschieht u.a. dadurch, daß Jesus von "meinem Vater" spricht.[24] Häufiger noch findet sich aber im Evangelium ein absoluter Gebrauch der Bezeichnung "πατήρ" für Gott. "Vater" ist schon eine Art Titel für Gott geworden und kann auch anstelle des Wortes "Gott" stehen.[25] Ausdrücklich als Vater von Menschen wird Gott nur in 20,17 bezeichnet. Dies ist deshalb der Fall, weil nach Joh 8,37-45 ein Mensch durch seine Werke verrät, wessen Kind er ist. Die Herkunft bestimmt also das Tun des Menschen.[26] Erst seit dem Wirken und Sterben des Sohnes ist es für die Glaubenden möglich, Gott als Vater anzurufen. Deshalb darf davon ausgegangen werden, daß an allen Stellen, wo Gott im 1Joh als "Vater" bezeichnet wird, er als "Vater" der Glaubenden angesprochen ist (1Joh 1,2f; 2,1.14-16.22-24; 3,1; 4,14 vgl. 2Joh 3.4.9). Es fällt gleichwohl auf, daß sich der Vater-Titel für Gott im 1Joh fast nie in Korrelation mit der Bezeichnung "τέκνα" für die Glaubenden findet, dafür umso häufiger in Korrelation mit "υἱός" oder "Jesus Christus" (1Joh 1,2.3; 2,1.14.22-24; 4,14; 2Joh 3.9). An fast allen übrigen Stellen (1Joh 2,15.16; 2Joh 4) steht "Vater" als Titel absolut. Die einzige Ausnahme ist 1Joh 3,1. Warum der 1Joh in dieser Weise mit dem Vater-Titel für Gott umgeht, ist nur zu vermuten. Will er die Glaubenden von Jesus absetzen in dem Sinne, daß Gott primär der Vater Christi ist? Oder - was wahrscheinlicher ist - möchte er im Zusammenhang mit der Gotteskindschaft deshalb vorsichtig mit der Bezeichnung "πατήρ" umgehen, weil die Christen "aus Gott geboren" sind und er von daher eher die Bezeichnung "Mutter" verwenden müßte? Gleichwohl darf man diese Beobachtung nicht überinterpretieren. Die Anrede Gottes als "Vater" scheint sich in den Johannesbriefen bereits "verselbständigt" zu haben. Gott kann ganz unvermittelt einfach "Vater" genannt werden. Jeder weiß, wer damit gemeint ist, ein weiteres Attribut ist nicht nötig.

G. Schrenk hat wohl recht, wenn er feststellt: "Jedem religiösen Gebrauch des Wortes Vater liegt eine bestimmte Auffassung vom Wesen der Vaterschaft zugrunde."[27] Vieles spricht dafür, daß durch die Betonung der Vaterschaft Gottes im 1Joh in besonderer Weise die Liebe und Zuneigung Gottes zu seinen Kindern betont wird.[28] Gottes Vatersein den Glaubenden gegenüber äußert sich auf zweifa-

---

[24] Joh 2,16; 5,19-23.26.43; 6,32.37.40; 8,19.38.49.54; 10,15.17f.25.29.37; (11,41) 12,26-28; 14,2.7.20f.23.26; 15,1.8-10.15.23f; 16,3.25; (17,1.5.11.21.24f) 18,11; 20,17; vgl. auch die Belege bei den Synoptikern; dazu s.o. S. 72-76.91-96.

[25] Joh 1,14.18; 3,35; 4,21.23; 5,17f.36(2x).37.45; 6,27.44-46.57.65; 8,16.18.27f; 10,15.29f.32.36f; (11,41) 12,49f; 13,1.3; 14,6.8-13.16.24.28(2x).31(2x); 15,16.26; 16,10.15.17.23.26.27.28(2x).32; (17,1.5.11.21.24f) 20,17.21. Schwierig zu verorten in diesen Kategorien ist die Vateranrede Jesu im hohepriesterlichen Gebet (Joh 17). Betet Jesus zu "seinem" Vater oder zu "dem" Vater?

[26] (37) Ich rede, was ich von meinem Vater gesehen habe; und ihr tut, was ihr von eurem Vater gehört habt. Vgl. (39b) Wenn ihr Abrahams Kinder wärt, so tätet ihr Abrahams Werke.

[27] G. SCHRENK, Art. πατήρ κτλ., ThWNT 5 (1954), 983,19f.

[28] Vgl. u. S. 133f.

che Weise. Wie ein Familienvater seinen Familienangehörigen gegenüber ist er in der Lage, von ihnen die Einhaltung bestimmter Regeln zu fordern (1Joh 2,7f; 3,16; 4,21; 5,3)[29] und ihre Nicht-Einhaltung unter Strafe zu stellen[30], und zugleich ist er der seine Kinder liebende Vater (1Joh 4,10.19).[31] Beide Aspekte schließen einander nicht aus. Ermahnungen (und ggf. Strafandrohung) und Erziehung sind eine Funktion von Liebe und Zugehörigkeit. Gottes Vaterschaft besteht in seiner Fürsorge für seine Kinder. So wird im 1Joh das Gebot der Gottes- und Bruderliebe weniger auf Gottes väterliche Macht zurückgeführt, durch die er die Möglichkeit hat zu gebieten, sondern auf seine väterliche Liebe, die den Anfang der Liebe gemacht hat (1Joh 3,1 mit 4,19).[32]

Die Vaterschaft Gottes erfährt im 1Joh eine logische Begründung: Gott ist Vater der Glaubenden, weil sie aus ihm geboren sind. Damit ist sowohl der Gedanke der besonderen Zugehörigkeit der Glaubenden zu Gott impliziert, als auch das Motiv der Schöpfung der Glaubenden durch Gott, der sie ins Leben gerufen hat (1Joh 3,14). Geburt aus Gott ist die "allein wesentliche Schöpfung"[33]. Dem entspricht auch der Gebrauch des Nomens "ἀρχή" im 1Joh. "Ἀπ᾽ ἀρχῆς" heißt sowohl "von Beginn der Schöpfung an" (1Joh 1,1; 2,13f; 3,8) als auch "von Beginn der christlichen Verkündigung an" bzw. "von Beginn der Gotteskindschaft der Angeredeten an" (1Joh 2,7.24; 3,11; 2Joh 5f). Der eine Beginn kommt dem anderen gleich und kann deshalb mit der gleichen Formel ausgedrückt werden. "Die Kirche orientiert sich an ihrem Ursprung und versteht diesen als ein absolutes Datum, neben dem kein anderes (heils- oder weltgeschichtliches) überhaupt von Interesse ist."[34]

2.2 Zu Übersetzung und Traditionsgeschichte der Formulierung "ἐκ τοῦ θεοῦ γεννᾶσθαι"

Die Formulierung "ἐκ τοῦ θεοῦ γεννᾶσθαι" taucht achtmal im ersten Johannesbrief auf: 2,29; 3,9a.b; 4,7; 5,1a.b.4.18. Dazu kommen noch die vergleichbaren Belege im JohEv: 1,13; 3,3.5.6.7.[35] Neben diesen johanneischen Belegen findet sich die Formulierung "γεννᾶν/γεννᾶσθαι ἔκ τινος" im NT nur noch siebenmal; alle diese außerjohanneischen Belegstellen entstammen dem profanen Sprachgebrauch. Die aktivische Verbindung "γεννᾶν ἔκ τινος" meint stets "zeugen aus jemandem (feminin!)"; an die Präposition "ἐκ" schließt sich nahezu immer der Name einer Frau

---

29 Vgl. E. BETTI, Wesen 17f.24, wo das "Autoritätsprinzip" des altrömischen Familienverbandes skizziert wird; vgl. auch M. GIELEN, Tradition 146-148, die zwischen der patria potestas im römisch-lateinischen Bereich und der im hellenistisch-griechischen Rechtskreis unterscheidet. Im letztgenannten waren "die Rechte des Vaters bei aller grundsätzlich patriarchalischen Ausrichtung gleichwohl nicht so weitreichend" (ebd. 147f). "Die ἐξουσία des Vaters verband sich nach griechisch-hellenistischem Verständnis vor allem mit seiner Pflicht, den Kindern Schutz und Hilfe angedeihen zu lassen" (148). Ähnlich auch E. EYBEN, Fathers 114-116 unter Berufung auf Dionysius von Halicarnassos, Geschichte von Rom 2,26f.
30 Wenn 1Joh 1,9; 2,1; 3,19f Möglichkeiten der Sündenvergebung aufzeigen, so ist damit impliziert, daß der Vater im Grunde strafen müßte und könnte.
31 Vgl. den Abschnitt 2.10 Ἀγάπη als Beschreibung des Verhältnisses zwischen Gott, dem Sohn und den Kindern, S. 133f.
32 S.u. S. 133.
33 Vgl. H. THYEN, Brüder 541, der die Offenbarung als "die für Johannes neue und allein wesentliche Schöpfung" bezeichnet.
34 H. CONZELMANN, Anfang 200.
35 Vgl. Joh 8,41.

(bzw. allgemein eine Frau) an.[36] "Γεννᾶν ἐκ τινος" bezeichnet also einen genealogischen Zusammenhang zwischen dem Erzeuger (γεννῶν), der Frau (ἐκ τινος) und dem Kind (γεννηθείς). Dabei kann die Entwicklungslinie sowohl über den Mann laufen, die sich dann beim Kind fortsetzt (Stammbaum Mt 1), als auch über die Frau.[37] Der Vater allerdings erscheint im Neuen Testament nie hinter der Präposition "ἐκ".[38] J.Blank hat zu dieser Formulierung festgestellt: "'Ex hat hier den Sinn einer 'Ursprungsbezeichnung', es bezeichnet ein bestimmtes 'Woher'. Dieses 'Woher' schließt eine Zugehörigkeit ein und bestimmt die ganze Art dessen, wovon dieses 'Woher' ausgesagt wird."[39] Diese Beobachtung weist darauf hin, daß die Formulierung "ἐκ τοῦ θεοῦ γεννᾶσθαι" nicht von einer Zeugung, sondern von einer Geburt aus Gott spricht.

Der 1Joh spielt bewußt auf die genealogischen bzw. familiären Implikationen der Formulierung "γεννᾶσθαι ἐκ τοῦ θεοῦ" an. So will auch der matthäische Stammbaum nicht einfach beschreiben, wer wessen Sohn war, sondern er möchte die Linie von Abraham bis Christus ziehen, um diesen Jesus in der Kontinuität zu Abraham, David und den Südreichkönigen darzustellen. Auf dem Hintergrund von Jesu genealogischer Herkunft soll sein Geschick verstanden werden. Nach damaliger Auffassung bestimmt die Herkunft die Art[40], so daß auf dem Hintergrund des Wissens um diese Herkunft Schlüsse auf gegenwärtiges oder zukünftiges Ergehen oder Verhalten gezogen werden können. Die johanneische Literatur kennt - im Unterschied zu Matthäus und Lukas (vgl. Mt 1,20; Lk 1,35) - keinen göttlich gezeugten Christus; für den Verfasser des 1Joh war der Logos ἀπ' ἀρχῆς (1Joh 1,1; vgl. Joh 1,1-18). Damit kann er den einzelnen Gemeindegliedern eine Geburt aus Gott zusprechen ohne die Besonderheit des Christus, der ja auch als Sohn Gottes gilt, einzuebnen.[41] Was bei Matthäus und Lukas Christus vorbehalten war, kann der Verfasser des 1Joh dank der protologischen Logoslehre den Gemeindegliedern zusprechen.

Auffällig ist im 1Joh vor allem die durchgängige, eigentümliche Formulierung "γεννᾶσθαι (stets passivisch!) ἐκ τοῦ θεοῦ".

Die passivische Formulierung "ἐκ τινος γεννᾶσθαι" wird bereits in griechischen Schriften vorchristlicher Zeit gebraucht, um das Verhältnis von Menschen unter-

---

36 Mt 1,3.5.6.16; 19,12; Gal 4,23; vgl. 2Esr 10,3.44; Tob 1,9 (LXX); vgl. darüber hinaus Plutarch, parallela minora 311.F.1; de Iside et Osiride 372.F.2; Platon Critias 113.c.3; Apollodorus, bibliotheca 1.13.3; 1.50.4; 2.1.9; 3.96.6; 3.133.1; 3.186.3; 3.194.1; Lucius Annaeus Cornutus, ND 14,3; 57.6; Philo, specLeg 1.329.1; Diodorus Siculus, bibliotheca historica 2.7.1.4; 3.61.1.2; 4.2.1.9; 4.29.2.6; 4.54.1.5; 4.69.4.1; 4.72.7.5; 4.75.5.2; 5.76.1.2; 21.20.1.17; Aischylos, fragmenta 31.B.314c.4; Theophrastus, char 28.4.4; Acusilaus, fragmenta 17.1; Flavius Josephus, ant 12.189.6; bell 1.241.2; Dionysius Halicarnassensis, AR 1.61.2.1; Historia Alexandri Magni, Recensio B 6.2.7.
    Eine Ausnahme macht hier nur eine Stelle bei Aischylos (fragmenta 15.D.130.7) und weitere 14 Stellen bei Apollodorus: bibliotheca 1.16.3; 1.19.1; 1.34.2; 1.53.1; 1.64.6; 1.65.1; 2.23.1; 2.42.4; 3.1.3; 3.94.2; 3.109.4; 3.116.1; 3.151.7; 3.171.1. Bei diesen Ausnahmen ist stets eine Frau bzw. mitunter auch eine Göttin Subjekt der jeweiligen (aktivischen) Form von "γεννᾶν" und hinter der Präposition "ἐκ" kommt eine männliche Person zu stehen. Auffällig bleibt, daß einzig in der Apollodorus zugeschriebenen Bibliotheca (abgesehen von der einen Stelle bei Aischylos) die fragliche Wendung in dieser Weise auftaucht.
37 Gal 4,23; d.h. auch über die hinter der Präposition "ἐκ" stehende Person kann eine genealogische Linie gezogen werden.
38 Vgl. Hebr 11,12: "ἀφ' ἑνός".
39 J. BLANK, Krisis 194.
40 Vgl. R. SCHNACKENBURG, Johannesbriefe (⁷1984) 177.
41 Vgl. P. HOFRICHTER, Blut 127.

einander auszudrücken. Hier kommt wieder am häufigsten hinter dem "ἐx" die *Mutter* zu stehen.[42] Aber es kann auch die Geburt aus beiden *Eltern* mit dieser Formulierung ausgedrückt werden.[43] Stilistisch ist diese Form als Zeugma zu charakterisieren. Nur ganz selten jedoch steht der *Vater* hinter dem "ἐx".[44]

Der Gedanke, daß jemand *aus einem göttlichen Wesen geboren* ist, findet sich auch in vor- bzw. außerchristlichen griechischen Schriften. Meist wird auch hier von einer Geburt aus einer *Göttin* berichtet.[45] Einzig in der dem alexandrinischen Gelehrten Apollodorus zugeschriebenen "Bibliotheca"[46] wird von einer Geburt aus einem (männlichen) *Gott* berichtet· "γίνονται δὲ ἐχ Πύρρας Δευχαλιῶνι παῖδες Ἕλλην μὲν πρῶτος, ὄν ἐχ Διὸς γεγεννῆσθαι ἔνιοι λέγουσι, δεύτερος δὲ Ἀμφιχτύων ..." (1.49.2); ähnlich lautet die Formulierung in Bib 3.151.8: "... Ἱππόνοον Πολύδωρον Τρωίλον· τοῦτον ἐξ Ἀπόλλωνος λέγεται γεγεννηχέναι". Beide Belege[47] sind gut miteinander vergleichbar: Es geht um die Söhne (Ἕλλην bzw. Τρωίλος) einer bestimmten Mutter (Πύρρα bzw. Ἑχάβη), deren Vater - wie man sagt (λέγεται) - ein bestimmter Gott (Ζεύς bzw. Ἀπόλλων) gewesen sein soll. Diese mutmaßliche physische Vaterschaft - durch die die menschliche Mutterschaft nicht tangiert wird -, wird mit der Formulierung "ἐx τινος γεννᾶσθαι" ausgedrückt. Häufig werden mit der Formulierung "ἔx τινος γεννᾶσθαι" auch beide *göttlichen Eltern* bezeichnet.[48] Doch auffälligerweise findet sich diese Verwendung in der "Bibliotheca" gerade nicht.

Zusammenfassend läßt sich sagen, daß die Verwendung der Formulierung "ἔx τινος γεννᾶσθαι", wenn man den übertragenen Gebrauch beiseite läßt, eine erstaunliche Geschlossenheit aufweist.[49] Nimmt man die Verwendungsweisen in der "Bi-

---

42 Euripides, her 207; Philo, vitMos 1.147.5; all 3.146.1; Appianus, bas 1.3.4; Apollodorus, bibliotheca 1.20.3; 3.36.4; 3.55.5; 3.190.6; 1.6.1.2; 54b.1.2; Diodorus Siculus, bibliotheca historica 7.5.1.3; Flavius Josephus, ant 1.215.1; Herodot, hist 1.108.7; Aristoteles, metaph 987b.34; Antigonus, historiarum mirabilium collectio 54b.1.1; Soranus, gynaeciorum libri IV 1.6.1.2.

43 Apollodorus, bibliotheca 1.75.3; Aristophanes, fragmenta 4.16; Vita Aesopi, vita G 126.6; Diodorus Siculus, bibliotheca historica 17.77.3.4; Theophrastus, piet 20.t (vgl. Philo, cher 53.2: aus "Menschen").

44 Historia Alexandri Magni, Recensio B 1.30.9 (vgl. Historia Alexandri Magni, Recensio A 1.30.4.1); Apollodorus, bibliotheca 2.66.4; 3.91.3; 3.216.1; Plutarch, de defectu Oraculorum 415.E.4; de communibus notitiis nostra Stoices 1077.A.5.

45 Diodorus Siculus, bibliotheca historica 7.5.1.2 ("... τοὺς δὲ ἐx Ποσειδῶνος χαὶ τῆς Αἰνείου θυγατρὸς γεννηθέντας ..."); Flavius Arrianus, historia successorum Alexandri 1.12 ("... τὸν Ἀρριδαῖον, ὅς ἤν ἐx Φιλίνης τῆς Λαρισαίας τῷ Φιλίππῳ γεγεννημένος, ..."); Aristoteles, fragmenta varia 8.44.565.15 ("... υἱὸν Ἡσιόδου ἐx τῆς Κλυμένης αὐτῷ γεννηθέντα ..."); Apollodorus, Bibliotheca 2.16.5 ("...τῆς Δαναῷ γεννηθείσας ἐξ Ἐρώπης Αὐτομάτην Ἀμυμώνην Ἀγαυὴν Σχαιήν ..."); 2.35.2; 3.168.5 ("... Θέμιδος δὲ θεσπιῳδούσης ἔσεσθαι τὸν ἐx ταύτης γεννηθέντα χρείττονα τοῦ πατρὸς ἀπέσχοντο."); Lucius Annaeus Cornutus, ND 23.6 ("... ἐx δὲ Μαίας ἔφασαν γεγεννῆσθαι Διὶ τὸν Ἑρμῆν ὑποδηλοῦντες ..."); vgl. Aeschylus, fragmenta 32.B.321a.12.

46 Problematisch ist die Datierung dieses Werkes. SCHMIDT, O./STÄHLIN, W., Geschichte II (1.Teil) 418f, datieren es in das 1.Jh. n.Chr., vielleicht stammt es auch erst aus dem 2.Jh. n.Chr.

47 Bei der Zählung der Untergliederungen der Bücher differieren leider der *Thesaurus Linguae Graecae* und die Ausgabe von J.G. FRAZER, Apollodorus. Wenigstens hier seien auch die Belegstellen bei FRAZER angegeben: Apollodorus, bibliotheca 1.7.2 (= FRAZIER, Apollodorus 1, 56) und 3.7.5 (= ebd. 2, 48).

48 So bei Plutarch, de Iside et Osiride 378.E.9 ("ἐx δὲ χρόνου χαὶ Ἀφροδίτης γεννᾶσθαι πάντα"); Diodorus Siculus, Bibliotheca historica 1.23.7.5 ("... ἐx Σεμέλης χαὶ Διὸς γεγεννῆσθαι τὸν Διόνυσον."); 4.6.5.3 ("...Ἑρμαφρόδιτον, ὄν ἐξ Ἑρμοῦ χὶ Ἀφροδίτης γεννηθέντας ..."); 4.70.1.5 ("τινὲς δὲ λέγουσι τοὺς ἐx Νεφέλης χαὶ Ἰξίονος γεννηθέντας ..."); 5.78.1.5 ("τούτους γὰρ μυθολογοῦσιν ἐx Διὸς γεγεννῆσθαι χαὶ τῆς Ἀγήνορος Εὐρώπης, ..."); 6.7.4.1 ("τῶν δὲ ἐx Ποσειδῶνος χαὶ Τυροῦς γεννωμένων παίδων..."); Apollodorus, bibliotheca 2.32.3 ("... ἵππον ἐx Μεδούσης πτηνὸν γεγεννημένον χαὶ Ποσειδῶνος, ..."); vgl. auch Acusilaus, fragmenta 28.3, der von der Geburt der Phäaken *aus* den Giganten erzählt.

49 Ähnliches gilt von der aktivischen Formulierung "ἐx τινος γεννᾶν".

113

bliotheca" sowie einen Beleg bei Philo (virt 208; s.u.) aus, so kommt hinter der Präposition "ἐx" regelmäßig eine weibliche Person zu stehen. Allein in der Bibliotheca findet sich die Redeweise, daß eine Frau aus einem Mann oder (männlichen) Gott gebiert.[50]

Die unterschiedlichen Verwendungsmöglichkeiten der Formulierung lassen den Schluß zu, daß mit der Formulierung "ἔx τινος γεννᾶσϑαι" vor allem der Ursprung einer Sache oder eines Menschen angegeben werden kann. Dies wird bestätigt durch die Verwendungsweisen beim häufigen übertragenen Gebrauch der Wendung. Sie dient hier dazu, Herkunft[51] oder Konsistenz[52] einer Sache auszudrücken. Herkunft und Konsistenz ist aber für den antiken Menschen das Gleiche. Schon im 1Joh taucht diese Überzeugung implizit auf: Wer aus Gott geboren ist, stammt von Gott ab; und zugleich ist er aus Gott (vgl. 1Joh 4,6). Herkunft bestimmt Handeln, und im Handeln manifestiert sich das Sein.

Im JohEv wird das existenzverleihende Gebären auch mit dem Wort "γεννᾶν" bezeichnet (Joh 3,4; 9,19.20.33; 16,21). Die passivische Formulierung von γεννᾶν in Verbindung mit ἐx findet sich im JohEv nur noch im übertragenen Gebrauch in Joh 8,41. Dort sagen "die Juden" von sich: "ἡμεῖς ἐx πορνείας οὐ γεγεννήμεϑα - Wir sind nicht aus Unzucht geboren."[53] Hier tritt die die Gegenwart und Zukunft bestimmende Herkunft ganz in den Vordergrund.

"γεννᾶν/γεννᾶσϑαι ἔx τινος bei Philo"

Philo gebraucht das Wort γεννᾶν/γεννᾶσϑαι in unterschiedlichen Sinnzusammenhängen. Uns interessiert hierbei primär die Verbindung γεννᾶν oder γεννᾶσϑαι ἔx τινος.
Bei Philo ergibt sich ein ähnlicher Befund wie in der LXX oder im NT. Bevorzugt kommt hinter der Präposition "ἐx" eine weibliche Person zu stehen. So ist in all 3,244 von einem "Zeugen" (γεννᾶν) Abrahams aus (ἐx) der vollkommenen Tugend die Rede. "Tugend" ist hier für Philo die allegorische Bezeichnung für Sarah (vgl. all 3,218 u.ö.). Auch in congr 74.76, wo von einer Zeugung aus der Grammatik bzw. Musik die Rede ist, kann Philo diese Formulierung gebrauchen. Für ihn ist der Zusammenhang zwischen Philosophie und Grammatik bzw. Musik der gleiche wie der zwischen Sara und Hagar. Die Philosophie ist wie Sara die Herrin (δεσποίνη); gezeugt wird aus ihren Dienerinnen. In diesem Zusammenhang (§ 75) erscheint auch nicht zufällig die Philosophie als Gattin des Zeugenden. Die passivische Formulierung findet sich ebenfalls in all 3,146; hier ist die Rede von den ersten seelischen Gütern, die aus der Lea gezeugt waren; "erste seelische Güter" (πρότεροι τῶν ψυχιxῶν ἀγαϑοί) sind für Philo allegorischer Ausdruck für die ersten vier Söhne Jakobs (Ruben, Simeon, Levi und Juda). An anderer Stelle (her 54) wird von einem Menschen gesprochen, der aus (ἐx) dem "Leben" gezeugt war. Nach § 53 ist aber mit "Leben" Eva, die Frau Adams, gemeint. In vitMos 1,147 kommen aus (ἐx) ägyptischen Frauen Gezeugte zur Sprache.[54]

---

[50] S.o. S. 113, Anm. 46.
[51] Erotianus, fragmenta 60.8; Aristoteles, HA 491a.4 u.ö.; vgl. auch Harpokration, lexicon in decem oratores Atticos 78,13, wo mit der Formulierung menschliche Herkunft und Verwandtschaft ausgedrückt werden kann: "οὐχ οἱ συγγενεῖς ἀπλῶς xαὶ οἱ ἐξ αἵματος γεννῆταί τε xαὶ ἐx τοῦ αὐτοῦ γένους ἐxαλοῦντο, ἀλλ᾽ οἱ ἐξ ἀρχῆς εἰς τὰ xαλούμενα γένη xατανεμηϑέντες."
[52] Etwa Dioscorides Pedanius, de materia medica 5.87.1.1 ("... ἡ μὲν τις ἐx τῆς μολυβδίτιδος xαλουμένης ἅμμου γεννᾶται, ...") u.ö.
[53] Vgl. SapSal 4,6 ("ἐx γὰρ ἀνόμων ὕπνων τέxνα γεννώμενα ...") sowie die Belege bei Aristoteles, GA 759b.35 ("... τὸν αὐτὸν ἀναγxαῖον εἶναι λόγον xαὶ μὴ γεννᾶσϑαι ἐξ ὀχείας ..."); 760b.35 ("... ὅσα δ᾽ ἐξ ὀχείας τῶν ἐντόμων γεννᾶται...") und HA 556b.23 ("... ἐx μὲν τῆς ὀχείας πάντα γεννᾷ τὰς xαλουμένας xόνιδας ..."). "Kinder entstehen *aus* dem Beischlaf." Diese Feststellung kann also auch mit der fraglichen Wendung ausgedrückt werden.
[54] In cher 53 ist von einem Menschen die Rede, der als erster "aus (ἐx) einem Menschen" geboren ist; gemeint ist Kain. Aber dieser Mensch, aus dem Kain geboren wurde, ist wieder eine Frau, nämlich Eva.

In post 177 wird γεννᾶσθαι mit ὑπό (ὑπὸ πατρὸς καὶ μητρός) konstruiert. Ähnlich pauschal wie in cher 53 wird in specLeg 4,182 formuliert, wo aus dem Gezeugtsein ἐκ τῶν ἀρίστων die Forderung nach edlem Lebenswandel abgeleitet wird.

Aber neben dieser "normalen" Verwendung findet sich auch bei Philo schon eine andersartige: Singulär ist die Verbindung γεννᾶσθαι ἔκ τινος (mask.), wie sie in virt 208 auftaucht. Es heißt dort, daß aus dem ausgewählten Erben (gemeint ist Isaak) zwei Zwillinge gezeugt werden. Nach Philo kann also auch aus einem Mann etwas geboren werden.

Philo kennt auch einen übertragenen Gebrauch der Verbindung γεννᾶν/γεννᾶσθαι ἔκ τινος. In aet 92 schreibt er, daß das Licht keine eigene Existenz habe (ὑπόστασιν ἰδίαν οὐκ ἔχει), sondern aus (ἐκ) der Flamme gezeugt sei. Philo kann diese Formulierung also auch gebrauchen, wenn er der Meinung ist, in sich und aus sich heraus habe das ἔκ τινος γεννηθέν keine eigene ὑπόστασις.

Ähnlich wie in aet 92 ist der Gebrauch in specLeg 1,329. Hier wird davon geredet, daß Gott aus der formlosen und eigenschaftslosen Wesenheit (ἡ ἀνωτέρω τῶν στοιχείων οὐσία ἡ ἄμορφος καὶ ἄποιος ἐκείνη) alles gezeugt habe.

Diese Formulierung wird ermöglicht durch zwei unterschiedliche Traditionen, aus denen Philo schöpft. (1) Er verwendet bevorzugt γεννᾶν für "schaffen, schöpfen" (ποιεῖν; vgl. Gen 1,1 mit all 3,219). In der LXX wird (wie im NT) nie der Stoff angegeben, aus dem etwas geschaffen wird, ja in 2Makk 7,28 ist sogar ausdrücklich von einer *creatio ex nihilo* die Rede[55]. (2) Nach der platonischen Ideenlehre sind die manifesten Dinge aber nur Abbilder der Ideen. Aus diesen Ideen und nach diesen Ideen sind die Abbilder geschaffen. Philo deutet mit dieser Wendung ὁ θεὸς γεννᾷ ἔκ τινος, daß Gott gemäß der platonischen Ideenlehre die Welt aus etwas gemacht habe. Aus sich heraus hat die Welt keine ὑπόστασις.

Bei Philo finden sich zwei Belegstellen des Ausdrucks "γεννᾶσθαι ἐκ τοῦ θεοῦ".[56] Beide treten im Zusammenhang mit dem seltenen Wort "ἀμήτωρ" - mutterlos - auf. Ihnen gilt besonders das Augenmerk.

In vitMos 2,210 wird von der Siebenzahl gesprochen, die nach Philo ἀμήτωρ sei, der weiblichen Abkunft nicht teilhaftig, allein aus dem Vater gezeugt ohne Samen und geboren ohne Schwangerschaft - γενεᾶς τῆς θηλέως ἀμέτοχον, ἐκ μόνου τοῦ πατρὸς σπαρεῖσαν ἄνευ σπορᾶς καὶ γεννεθεῖσαν ἄνευ κυήσεως. Die Primzahl 7 hat - und hier rezipiert Philo die pythagoreische Zahlensymbolik (vgl. op 100; decal 102; all 1,15; specLeg 2,56) - also keine Mutter. Nach Philo beweist ihre Existenz, daß dieses Phänomen möglich ist, "allein aus dem Vater gezeugt sein ohne Samen und geboren sein ohne Schwangerschaft". Auch Philo verwendet hier "γεννᾶν" im Sinne von "gebären". Im philonischen Gesamtwerk finden sich noch acht weitere Belegstellen des Wortes "ἀμήτωρ"; bis auf zwei Belege, wo von Sarah die Rede ist, bezieht sich das Attribut stets auf die Zahl "7", die nach Philo "mutterlos" ist, weil sie sich als einzige Zahl innerhalb der ersten Dekade, wenn man die "1" ausnimmt, nicht als das Produkt zweier ganzer Zahlen erweist und zugleich innerhalb der ersten Dekade keine weitere Zahl hervorbringt (all 1,15). Auch in her 216 behauptet Philo, Gott habe die "mutterlose" Zahl "7" "aus sich selbst allein geboren - γεγέννηκεν ἐξ ἑαυτοῦ μόνου".[57] Auffällig ist hier die aktivische Formulierung.

Doch am nächsten kommt der johanneischen Redeweise der Ausspruch über Sarah in her 62: "ἐκ πατρὸς τοῦ πάντων θεοῦ μόνου γεννηθεῖσα - aus dem Vater aller, Gott allein, geboren." Sarah erhebt nach Philo Anspruch auf männliche Abstammung als "mutterloses Prinzip". Ihr wird bescheinigt, sie sei "unteilhaftig der Abstammung vom Weibe - θήλεως γενεᾶς ἀμέτοχος" (ebr 61). Die oben erwähnte Formulierung wird ermöglicht durch den Dualismus von männlich und weiblich in der Philosophie Philos. Die verschiedenen negativen Attribute, die nach Philos Anschauung dem Weiblichen eignen (vgl. all 3,11; det 28.172 u.a.), sind Ausfluß des Unterschiedes: dem Weiblichen eignet Materie (all 3,243; ebr 61) während das männliche Prinzip das Urgrundes bzw. des Urhebers und Vaters des Alls (ebd.) ist. Deshalb betont Philo an allen drei Belegstellen (vitMos 2,210; her 62.216) das "μόνος". Dieses Attribut findet sich im 1Joh deshalb nicht, weil dem 1Joh dieser Dualismus von männlich und weiblich fremd ist. Während sich Philo also einen dezidiert männlichen Gott vorstellt, läßt der 1Joh diese Unterscheidung in Genera in seinem Gottesbild hinter sich, obwohl er Gott nur als "Vater" und nie als "Mutter" anspricht.[58] Abgesehen davon teilt der 1Joh

---

55   Im Gegensatz zu SapSal 11,17, wo noch vom formlosen Stoff als Substrat der Schöpfung die Rede ist.
56   Vgl. Flavius Josephus, ant 10.21.1: "ἐξ οὗ δ᾽ ἐγεννήθη ὁ Ἄδαμος..."
57   Ähnlich ist die Redeweise in specLeg 2,56; dort wird die "7" als "σπαρεῖσα ἐκ μόνου τοῦ πατρὸς τῶν ὅλων" bezeichnet.
58   Vgl. o. S. 110f.

nicht die philonische Konzeption der Gotteskindschaft, nach der die Eltern aller Menschen Gott und seine σοφία (bzw. seine ἐπιστήμη) sind.[59]

Konkret auf Sarahs Mutterlosigkeit schließt Philo aus seiner allegorischen Auslegung des Verses Gen 20,12[60]. Damit erhebt sich Sarah als ἀμήτωρ geborene charakteristisch von den Durchschnittsmenschen ab. Sie stammt als einziger Mensch nur von Gott ab (vgl. v.a. ebr 62f). Sie wird für Philo zum Symbol für die Tugendliebenden, die sich gerade nicht von den Zufälligkeiten des äußeren Lebens mitreißen lassen.[61]

Inhaltlich bezeichnet Philo mit dem Ausdruck "ἐκ τοῦ θεοῦ γεννᾶσθαι" die besondere Herkunft bzw. den besonderen Ursprung von Sarah und der Zahl "7".[62]

Der Gebrauch der Formulierung "γεννᾶσθαι/γεννᾶν ἔκ τινος" im Zusammenhang des menschlichen Zeugungsvorganges ist insgesamt bei Josephus einheitlicher als bei Philo. Josephus kennt nur die "Zeugung aus (ἐκ) einer Frau"[63]. Auch γίνομαι verwendet Josephus wie γεννάομαι: Wenn sich die Präposition "ἐκ" darauf bezieht, folgt in der Regel eine Frau.[64]

Den philonischen Gedanken von der Geburt *mutterlos* aus Gott muß der Verfasser des 1Joh zwar nicht kennen, aber die Tradition, aus der Philo und der Verfasser des 1Joh diesbezüglich schöpfen, dürfte die gleiche sein. Es wird sich wie bei Philo auch im 1Joh um eine "*Geburt* aus Gott" und nicht um eine "*Zeugung* aus Gott" handeln. P. Hofrichter hat für γεννᾶν "etwa das Begriffsfeld *Existenzverlei-*

---

59 Vgl. die Aspekte der Gotteskindschaftsmotivik bei Philo und Josephus o. S. 19-22.27.
60 Abraham redet zu Abimelech über Sarah: "Auch ist sie wahrhaftig meine Schwester, denn sie ist meines Vaters Tochter, aber nicht meiner Mutter Tochter." Vgl. dazu ebr 61 sowie her 62.
61 In den Apokryphen und Pseudepigraphen des AT wird die Formulierung γεννᾶσθαι ἔκ τινος ähnlich verwendet wie sonst auch in der LXX, dem NT oder bei Philo (TJob 1,6; Jub 11,14; 19,11; Dem 9,29,2; Art 9,23,3; Cleod 1,12,241): Hinter dem "ἐκ" kommt eine weibliche Person zu stehen. Allerdings finden sich hier zwei Ausnahmen von der Regel: AdEv 38,4 und TSim 2,2. In AdEv 38,4 heißt es sogar, daß alle Menschen aus Adam gezeugt seien (πάντας ἀνθρώπους γεγεννημένους ἐκ τοῦ Ἀδάμ). Dem entspricht die Formulierung in TAbr 1,11,9 und 1,13,5, nach der alle Menschen aus Adam als dem Protoplasten geworden sind (γίνεσθαι ἐκ τοῦ Ἀδάμ). Γίνεσθαι kann auch promiscue mit γεννᾶσθαι gebraucht werden (vgl. P. HOFRICHTER, Blut 56, Anm. 1: "γίνομαι stand seit Homer in der Bedeutung *geboren, gezeugt werden* im Gebrauch und wurde in der Bedeutung von γεννάομαι daraus nie ganz verdrängt [zahlreiche Belegstellen in den Konkordanzen von E. HATCH/H.A. REDPATH besonders zur Genesis, und zum K.H. RENGSTORF zu Flavius Josephus]." Vgl. auch Dem 9,21,14; 9,29,1 bzw. Cleod 1,14,240f; auch in Anonymus 9,17,9 wird der fast willkürlich erscheinende Wechsel von γίγνεσθαι und γεννᾶσθαι deutlich). Dabei taucht in den griechischen Pseudepigraphen die Formulierung γίνεσθαι ἔκ τινος erheblich häufiger auf als die Formulierung γεννᾶσθαι ἔκ τινος, so daß über den Umweg von γίνεσθαι ἔκ τινος auch die Möglichkeit eröffnet wurde, von der "Zeugung aus einem Mann" zu reden (TNaph 1,6 kann umgekehrt von einer Geburt ἀπό τινος [fem.] reden, anders noch Hebr 11,12, wo von einer "Zeugung ἀφ᾽ ἑνός - von einem [Mann]" gesprochen wird). Zwar findet sich in den Pseudepigraphen des AT nirgendwo die Rede von einer "Geburt bzw. Zeugung aus Gott", jedoch wird in aethHen 16,3 von einem μυστήριον τὸ ἐκ τοῦ θεοῦ γεγεννώμενον gesprochen. Offenbar ist mit diesem "Geheimnis" all das gemeint, was in aethHen 7,1 bzw. 8,3 aufgelistet ist: φαρμακεία, ἐπαοιδά, ῥιζοτομία, βοτάνα, ἀστρολογία, σημειότιχα, ἀστεροσκοπία, σεληναγωγία (vgl. aethHen 8,1: Azazel lehrt die Menschen, Schwerter, Messer, Schilde und Brustpanzer zu machen, und zeigt ihnen Metalle und die Art ihrer Bearbeitung, sowie Schmuck und Kosmetik mit ihnen; vgl. auch aethHen 8,8, wo die Menschen mit allen Arten von Sünden bekannt gemacht werden). So meint hier also die Rede vom μυστήριον τὸ ἐκ τοῦ θεοῦ γεγεννήμενον lediglich die himmlische Herkunft des Geheimnisses.
62 Vgl. oben Anm. 115, Anm. 57.
63 Bell 1,241.517.624; 2,220; 7,381; ant 1,215.241; 5,318; 7,152; 11,145; 12,189; 17,53.
64 Ant 5,374; 8,201; 4,273; bell 1,435 vgl. ant 17,53 sowie bell 1,562; einzige Ausnahme ist in ant 16,227. "Τεχνοῦν ἔκ τινος" wird dagegen sowohl im Sinn von "zeugen aus einer Frau" (ant 8,285) als auch in Sinn von "gebären von einem Mann" (ant 4,255) gebraucht. Vgl. auch ant 15,27, wo aufgrund ihrer Schönheit die Kinder der Alexandra dem Dellios "οὐκ ἐξ ἀνθρώπων ... ἀλλά τινος θεοῦ γενέσθαι" scheinen. Dieser Ausdruck läßt sich mit solchen, die Philo verwendet, durchaus vergleichen. Physische Verwandtschaft kann also nicht nur mit "γεννᾶσθαι", sondern auch mit "γίνεσθαι" ausgedrückt werden.

hung, Lebensmitteilung" erschlossen[65]; es trägt darüber hinaus die Bedeutung des Ursprungs. So erreicht der Verfasser des 1Joh mit der gewählten Formulierung, daß die Herkunft, der Ursprung der Gemeindeglieder ganz auf Gott zurückgeführt wird. Er ist ihr Ursprung und Vater, der ihre Gegenwart und Zukunft neu bestimmt und gestaltet. Die gleiche Voraussetzung hat auch die Formulierung "ἄνωθεν γεννᾶσθαι" in Joh 3,3. Nikodemus mißversteht nicht die eine von Jesus intendierte Zeugung als Geburt, sondern er mißversteht die Geburt von oben (lokal) als Wiedergeburt (temporal). Es geht dem joh Jesus um einen anderen Ursprung des Menschen: "γεννᾶσθαι ἐξ ὕδατος καὶ πνεύματος" (Joh 3,5; vgl. V. 6).[66] Die hier vorgetragene Interpretation der Formulierung "ἐκ τοῦ θεοῦ γεννᾶσθαι" als "*geboren werden* aus Gott" widerspricht nicht dem Gedanken der *Vater*schaft Gottes. K. Berger vermutet zurecht, daß ein weiblich "gedachter" Gott als Ursprung des Lebens und damit als Gebärer von Menschen "als zu menschlich erscheinen" würde[67]: "Die weibliche Metaphorik taugt nicht zur Benennung für das, was Gott sich selbst vorbehalten hat. Und andererseits ist die Verwendung männlicher Metaphorik vor allem Ausdruck der metaphorischen Verlegenheit, nicht über ein Neutrum reden zu können. Denn darunter würde sogleich der Personbegriff oder die Personmetaphorik leiden. Menschen können sich Personen nur als weiblich oder männlich vorstellen."[68] Eine Betrachtung des Problems "Männerschwangerschaften"[69] in diesem Zusammenhang ist insofern nicht notwendig, als eben dadurch Gott menschlich dargestellt würde. Nach johanneischen Anschauung übernimmt Gott sowohl die Vater- als auch die Mutterrolle (und beide auch gleichzeitig), obwohl er innerhalb der Familienmetaphorik durchgängig als "Vater" und nie als "Mutter" bezeichnet wird.

Dies wird besonders deutlich in Joh 1,12f, wo sowohl die weibliche als auch die männliche Funktion bei Zeugung und Geburt eines Menschen abgelehnt wird und beide Funktionen auf Gott übergehen. Schon 1924 hat H.J. Cadbury[70] nachgewiesen, daß nach antiker Auffassung Blut speziell die weibliche Zeugungsmaterie darstellt.[71] Auch in dieser konkreten Bedeutung von "Frauenblut" läßt sich die Pluralform αἵματα bzw. דָּמִים nachweisen. Daneben wird die Geburt "aus dem Willen eines Mannes" abgewiesen. Diese Funktionen gehen auf Gott über; und all die in Joh 1,12 erwähnten Negationen scheinen durch den Ausdruck ἐκ τοῦ θεοῦ

---

65 P. HOFRICHTER, Blut 126.
66 Vgl. R. BULTMANN, Johannes 97: "Denn Wiedergeburt bedeutet - und gerade das Mißverständnis des Nik.(odemus) soll es deutlich machen - nicht einfach so etwas wie eine Besserung des Menschen, sondern bedeutet dieses, daß der Mensch einen neuen *Ursprung* erhält, - und den kann er sich offenbar nicht geben; denn alles, was er tun kann, ist von vornherein durch den alten Ursprung bestimmt, von dem er einmal seinen Ausgang genommen hat; durch das, was er immer schon war." Vgl. G.M. BURGE, Community 167f.
67 K. BERGER, Männlichkeit 713.
68 Ebd. 713.
69 Es sei in diesem Zusammenhang nur an die Geburt der Athene sowie des Dionysos aus Zeus erinnert (vgl. Hesiod, theog. 924-928 bzw. Flavius Josephus, Ap 2.241.4: ... καὶ ἀδελφοῦ καὶ θυγατρός, ἥν ἐκ τῆς ἑαυτοῦ κεφαλῆς ἐγέννησεν, ...).
70 H.J. CADBURY, Notions 430-439.
71 Vgl. E. LESKY, Vererbungslehre 1350: "Der Stoff (ἡ ὕλη), den das Formprinzip gestaltet und mit dem zusammen es ein bestimmtes Einzelding verwirklicht. Ar.(istoteles) teilt im Zeugungsvorgang dem Weibe die Aufgabe zu, durch sein Menstrualblut (Katamenien) Träger dieses Stoffes zu sein." Vgl. ebd. 1356: "Ar.(istoteles) ... erklärt entsprechend seiner Auffassung von der hämatogenen Natur des Samens die Katamenien, das Menstrualblut, als das weibliche Perittoma, das der männlichen Samenausscheidung entspricht (727a 1f.)."

γεννᾶσθαι impliziert zu sein. Obwohl also Gott nur als "Vater" im 1Joh bezeichnet wird, gehen auch die Mutterfunktionen auf Gott über.

2.3 Zur Formulierung "ἐκ τοῦ θεοῦ εἶναι"

Mit der Formulierung "ἐκ τοῦ θεοῦ εἶναι" wird ein familiärer oder genealogischer Hintergrund direkt nicht angesprochen, da εἶναι im Vergleich zu γεννᾶσθαι wesentlich umfassender ist. Wie γεννᾶσθαι ἔκ τινος kann aber εἶναι ἔκ τινος Herkunft und Wurzel eines Menschen oder einer Sache bezeichnen.[72] Für die These, daß der 1Joh γεννᾶσθαι ἐκ τοῦ θεοῦ und εἶναι ἐκ τοῦ θεοῦ parallel gebraucht, sprechen die Folgerungen, die der 1Joh aus beiden Formulierungen zieht; diese Folgerungen sind nahezu identisch: "die Welt überwinden" (vgl. 1Joh 4,4 mit 1Joh 5,4), und "Gott kennen" (vgl. 1Joh 4,7 mit 4,6).

Allerdings wendet der 1Joh die Formulierung "ἐκ τοῦ θεοῦ γεννᾶσθαι" nur auf die Glaubenden, also auf Menschen, an, mit der vergleichbaren Formulierung "ἐκ τοῦ θεοῦ εἶναι" geht er aber anders um; sie kann auch auf "Dinge" wie Liebe (1Joh 4,7) angewendet werden.[73] Von der Liebe wird eben nicht behauptet, daß sie aus Gott geboren sei. Diese Redeweise wäre durchaus denkbar, wenn γεννᾶν im 1Joh - analog Philo, all 3,219 - soviel wie ποιεῖν bedeutete. Wenn es aber kein Zufall ist, daß von einer *Geburt* aus Gott nur bei Menschen geredet werden kann, so spricht das umso mehr dafür, daß der 1Joh mit der Formulierung "ἐκ τοῦ θεοῦ γεννᾶσθαι" zumindest nicht bloß ausdrücken möchte, daß die Glaubenden von Gott erschaffen sind. Die Formulierung εἶναι ἔκ τινος drückt Identifikation und Zugehörigkeit (vgl. 1Joh 2,19) aus und hat von daher ein breiteres Bedeutungsspektrum als etwa die Formulierung γεννᾶσθαι ἔκ τινος.

2.4 Die Gabe des Lebens

Nur wer aus Gott geboren ist *lebt*, d.h. wer nicht aus Gott geboren ist, kann gar nicht leben; seine Existenz hat die Qualifikation "Leben" gar nicht verdient: "Wir wissen, daß wir aus dem Tod in das Leben gekommen sind ..." (1Joh 3,14). Physisches Leben ist also etwas anderes als das, was der 1Joh mit der Vokabel ζωή beschreibt. "Leben" - wie es die johanneische Literatur versteht - gibt es nur für diejenigen, die innerhalb der Gemeinde sind, d.h. für diejenigen, die aus Gott geboren sind, die eine Geburt aus Gott an sich erfahren haben. Deshalb spricht der 1Joh auch nie von einer *Wieder*geburt.[74] Nach 1Joh 5,1f[75] ist der aus Gott Geborene Kind Gottes. Der Vergleich mit 1Joh 3,14[76] zeigt darüber hinaus, daß die

---

[72] Vgl. Mt 1,20; Lk 12,15; 23,7; Joh 3,31; 4,22; 7,20; 10,16; 18,36; Act 4,6; 19,25; 23,34; 1Kor 11,8; Gal 3,12; 1Joh 2,21. Darüber hinaus kann mit der Formulierung εἶναι ἔκ τινος auch ausgedrückt werden, aus welcher Gruppe ein Mensch kommt (Mk 14,69; Kol 4,9; 2Tim 3,6; Mt 21,25 par.), sowie woraus eine Sache besteht (Mt 5,37; Apk 21,21).

[73] Vgl. Joh 7,17 und - negativ - die Dinge der Welt (1Joh 2,16).

[74] Diese Beobachtung erinnert an rabbinische Aussagen über Proselyten: "Der Proselyt hat wie das neugeborene Kind keine frühere Existenz hinter sich. Sein ganzes bisheriges Leben kommt nicht in Rechnung. Es ist verschwunden und er hat damit nichts, gar nichts zu tun. Er fängt vom Nullpunkt an genau wie das kleine Kind" (E. SJÖBERG, Wiedergeburt 46; vgl. zu diesem Thema auch H.-W. KUHN, Enderwartung 75-78).

[75] "Wer glaubt, daß Jesus der Christus ist, der ist aus Gott geboren; und wer den liebt, der ihn geboren hat, der liebt auch den, der aus ihm geboren ist. Daran erkennen wir, daß wir Gottes Kinder lieben, wenn wir Gott lieben und seine Gebote halten."

[76] "Wir wissen, daß wir aus dem Tod in das Leben gekommen sind; denn wir lieben die Brüder."

Kinder Gottes identisch mit den "Brüdern" sind. Zudem wird deutlich, daß eine Geburt aus Gott einem Kommen in das Leben gleichkommt. Die Geburt aus Gott ist *die* Geburt eines Menschen schlechthin und damit Voraussetzung des "Lebens". Diese Verknüpfung von "Geburt aus Gott" und "Leben" wird von H.Pribnow[77] immerhin angedeutet. 1Joh 3,14 ist ein Reflex auf Joh 5,24[78]. Dafür spricht auch 1Joh 5,12f, wo den Glaubenden das Leben zugesprochen wird. Ist dies aber der Fall, dann versteht sich die Konzeption der Gotteskindschaft, wie sie im 1Joh begegnet, als Entfaltung von Gedanken, die bereits im JohEv angelegt sind.

Die These, daß der 1Joh keinen Verlust der Gotteskindschaft kennt, wird gestützt durch die Beobachtung, daß "Leben" häufig mit dem Attribut αἰώνιος verbunden wird.[79] Das Leben, das auf die Geburt aus Gott folgt, ist ewig. Dem entspricht auch, daß die johanneischen Heilsgüter εἰς τὸν αἰῶνα gespendet werden: Wasser zum Leben (Joh 4,14), Brot zum Leben (6,51.58), Jesu Wort zum Leben (8,51f), die Gabe des Lebens (10,28; 11,26). Darüber hinaus zielen alle Belege, die von der Heilsgabe Jesu εἰς τὸν αἰῶνα reden, auf das ewige Leben ab; in gleicher Weise ist es mit der Rede vom "μένειν εἰς τὸν αἰῶνα" in 1Joh 2,17[80]. Auch das Attribut αἰώνιος findet sich im JohEv und 1Joh nur in der Verbindung mit dem "Leben". "Ist dieses 'Leben' nun von endloser Dauer, so folgt daraus, daß die Menschen, die in den Besitz desselben gekommen sind, auch immerfort in diesem Besitz verbleiben müssen."[81]

Das *Leben*, dessen Voraussetzung die Geburt aus Gott ist, so wie jedes menschliche Leben mit der Geburt seinen Anfang nimmt, ist nach johanneischer Auffassung also das zentrale Heilsgut.[82] Das Ziel des Briefes, wie es der Verfasser in 1Joh 5,16 formuliert, entspricht diesem Befund: "Dies habe ich euch geschrieben, damit ihr wißt, daß ihr das ewige Leben habt, die ihr glaubt an den Namen des Sohnes Gottes." Es geht also nicht um Belehrung über die richtige Christologie[83],

---

[77] H. PRIBNOW, Anschauung 155f: "Es liegt ja auf der Hand, daß die Begriffe 'Zeugung', 'Geburt' und 'Leben' miteinander in innerer Beziehung stehen müssen. ... Streng logisch genommen, muß die 'Zeugung' ja 'Zeugung' ZUM 'Leben' sein und die 'Geburt' EINTRITT in das 'Leben'." vgl. aber auch F.D. SCHLAFER, Doctrine 287f: "As a result of being begotten of God at a definite time in the past, he still remains the child of God and now possesses the divine nature. ... Here he has demonstrated the fact that the one who *has been begotten* possesses a resultant *nature* and life which remains in him as a *present, permanent* and *unchanging reality.*" Vgl. J. LINDBLOM, Leben 229: "Dass auch das ewige Leben eine Folge der Wiedergeburt ist, braucht nicht bewiesen zu werden, sondern es liegt in der Natur der Sache."

[78] "Wahrlich, wahrlich, ich sage euch: Wer mein Wort hört und glaubt dem, der mich gesandt hat, der hat das ewige Leben und kommt nicht in das Gericht, sondern er ist vom Tode zum Leben hindurchgegangen."

[79] Vgl. H. PRIBNOW, Anschauung 37: "Das Adjektiv 'ewig' wird im N.T. vorwiegend gebraucht, um die zeitliche Unaufhörlichkeit zu bezeichnen." Vgl. Mt 3,12; 18,8; 25,46; Mk 9,43.48; Lk 3,17; Jud 7; Hebr 13,20 u.v.a. vgl. H. PRIBNOW, ebd. 37: "'Ewiges Leben' ist also im allgemein-neutestamentlichen Zusammenhang verstanden zunächst einmal ein Leben von ewig dauerndem Bestande."

[80] Einzige Ausnahme ist 2Joh 2: hier bleibt die Wahrheit εἰς τὸν αἰῶνα.

[81] H. PRIBNOW, Anschauung 39.

[82] Vgl. F. MUSSNER, ΖΩΗ 186f: "Es gibt nach johanneischer Auffassung nicht Heilsgüter, die n e b e n dem Heilsgut des 'Lebens' dem Gläubigen geschenkt werden, sondern mit dem 'Leben' sind die übrigen Heilsgüter schon für die Gegenwart oder erst für die eschatologische Zukunft mitgegeben bzw. verbürgt. ... So erweist sich ζωή (αἰώνιος) als der johanneische Heilsbegriff κατ᾽ ἐξοχήν." Vgl. J. LINDBLOM, Leben 229.

[83] Die These von der Frontstellung des 1Joh gegenüber gnostisierenden Kreisen scheint von daher äußerst fragwürdig; vgl. hierzu etwa F.D. SCHLAFER, Doctrine 283: "The Epistle was written to combat and to counteract the evil influence of the Gnostics. ... It is clear that while the Gospel's purpose '... was evangelistic ... to make Christians,' it is 'the purpose of the Epistle ... to instruct and strengthen Christians ...'." Vgl. auch W.T. CONNER, Faith 176.

sondern Ziel des Briefes ist der Zuspruch des Lebens für die Glaubenden - des Lebens, das die Geburt aus Gott zur Voraussetzung hat und ein Leben als Kind Gottes ist.

Neben diese formale Bestimmung des Lebens als Heilsgut tritt die inhaltliche: Leben als Kind Gottes heißt nach johanneischer Auffassung Glauben an den Sohn Gottes (Joh 3,36; vgl. 3,15; 6,40.47; 20,31; 1Joh 5,13). Im Glauben ist also das Leben gegenwärtig (vgl. 1Joh 3,15; 5,11-13).[84] Eine weitere materiale Füllung des Lebensbegriffs im ersten Johannesbrief geschieht durch die (Bruder-) Liebe (1Joh 4,7-10). In Christus ist das Leben (1Joh 1,2) und zugleich Gottes Liebe (1Joh 4,9) erschienen (ἐφανερώϑη).[85] Die Liebe Gottes ist aber der Grund für die Liebe der Glaubenden untereinander (1Joh 4,19).

Auch der Gedanke der κοινωνία fügt sich in dieses Bild. Wir hatten festgestellt, daß die κοινωνία durch ἀγάπη konstituiert wird. Dagegen grenzt Haß gegeneinander aus der Gemeinschaft der Lebenden aus (1Joh 3,14b.15).[86] Deshalb gilt derjenige, der sich innerhalb der Gemeinschaft wähnt und zugleich einen anderen haßt, der ebenfalls zur Gemeinschaft gehören möchte, als Totschläger. Er gesteht ihm das Leben, das es nur innerhalb der Gemeinschaft der aus Gott Geborenen gibt, nicht zu. Damit aber grenzt er sich selber aus: "... und ihr wißt, daß kein Totschläger das ewige Leben bleibend in sich hat" (3,15b). Hier erklärt sich auch das auffällig am Ende des Verses stehende "μένουσαν": Mag es auch den Anschein haben, daß er noch in der Gemeinschaft ist - er wird nicht in ihr bleiben; scheidet er sich aber von der Gemeinschaft, dann offenbart er damit, daß er in Wahrheit nie ein aus Gott geborenes Kind Gottes war (1Joh 2,19).

Schon jetzt dürfte aber klar sein: τέχνον Gottes wird man nur durch die Geburt aus Gott (1Joh 3,9f). Dies wird im 1Joh auch dadurch unterstrichen, daß *allen* Stellen, an denen von den τέχνα τοῦ ϑεοῦ die Rede ist, ein Hinweis auf die Geburt aus Gott unmittelbar vorausgeht: 2,29f (3,1); 3,9f; 5,1f. Aber auch der Gebrauch der Vokabel "τέχνον" mit seiner etymologischen Herkunft von dem Verbum τίχτειν - gebären - weist auf den Vorgang der Geburt.[87]

Interpretiert man aber die Formulierung "ἐχ τοῦ ϑεοῦ γεννᾶσϑαι" als "Geburt aus Gott" und verbindet sie mit der Gabe des Lebens, so stellt sich die Frage, wie eben diese "Geburt aus Gott" und die damit verbundene Gabe des Lebens mit der *Vater*schaft" Gottes zusammenpaßt. M. Stevens[88] hat untersucht, welche Rolle nach damaliger, im Mittelmeerraum vorherrschender Auffassung dem Mann bei Zeugung und Geburt eines Kindes zukommt. Demnach gilt der Mann als Spender des Lebens: "The human male through his seed, his power to make new life and to extend his life into eternity (vgl. 1Joh 3,9) is structurally and symbolically linked with God and thus male dominance seems natural."[89] Dagegen sei die Rolle der

---

[84] Das "Leben" der Kinder Gottes erweist sich im 1Joh in ihrer παρρησία (1Joh 3,21; 4,17; 5,14) und in ihrer vollendeten χαρά (1Joh 1,4).

[85] An beiden Stellen taucht nicht nur das gleiche Wort, sondern auch die gleiche Form auf.

[86] "Wer nicht liebt, der bleibt im Tod. Wer seinen Bruder haßt, der ist ein Totschläger, und ihr wißt, daß kein Totschläger das ewige Leben bleibend in sich hat."

[87] In Corp.Herm. XII ist nur vom "παῖς ϑεοῦ" die Rede, sein leibliches Kind, seinen Sohn Tat, nennt Hermes stets "τέχνον" (vgl. R. REITZENSTEIN, Poimandres 339ff.).

[88] Maternity 47-53.

[89] Ebd. 51; vgl. C. DELANEY, Meaning 504: "These systems, spanned between monogenesis and monotheism, are systems not merely of male dominance, but of the dominance, objectification and institutionalisation of the idea that the male as father is creator of human life, as God is thought to be of life in general" (vgl. M. STEVENS, Maternity 51: "Patriarchy, as the 'glorification

Frauen "to be open and receptive, not creative. Just as women cannot author new human life, they cannot author institutional life"[90]. Insofern schließen sich die Bezeichnung Gottes als Vater und der Gedanke, daß er zugleich der Geber des Lebens ist, nicht aus. Nach M. Stevens galten die Männer als "authors of life as God is author of world"[91].

2.5 Das "σπέρμα" Gottes im Menschen

Singulär ist nicht nur die Rede von einem σπέρμα Gottes, sondern auch die Rede vom σπέρμα jemandes in jemandem.[92] "σπέρμα" meint im NT wie auch in der LXX entweder den Pflanzensamen (Mt 13,24.27.32.37f; Mk 4,31; Gen 1,11f.29.41; Ex 16,31; Lev 11,37 u.ö.) oder die Nachkommenschaft eines Menschen (Lk 1,55; Joh 8,33; Gen 3,15; 4,25; 7,3; 9,9; 12,7;13,15f u.ö.). Mit "σπέρμα" kann auch der männliche Samen bezeichnet werden (Lev 15,16-18.32; 18,20; 19,20; 22,4 u.ö.). Dies ist auch in SapSal 7,1 der Fall. Dort wird zugleich in groben Zügen deutlich, wie man sich die Entstehung eines Menschen vorgestellt hat: er entsteht aus dem Samen des Mannes (ἐκ σπέρματος ἀνδρός), wird im Mutterleib zu Fleisch geformt und im Blut befestigt. Das σπέρμα ἀνδρός ist also die eigentliche Triebkraft der Entwicklung eines Menschen. Dieser Gedanke liegt auch 1Joh 3,9 zugrunde. Gott ist nicht nur als Gebärer[93], sondern auch als Erzeuger der Gemeindeglieder vorgestellt.[94] In den "echten" Gemeindegliedern wirkt göttliche Kraft, die sie nicht aus seiner Kindschaft fallen läßt. Dies wird auch in 1Joh 3,9 behauptet: sie *können* nicht sündigen. Genauso wie die Entwicklung eines Kindes abhängig ist vom Sperma des Erzeugers (SapSal 7,1), vollzieht sich die Entwicklung der Glaubenden gemäß dem Sperma ihres Erzeugers. Es ist kein Zufall, daß - im Gegensatz zu 1Pt 1,23[95] - 1Joh 3,9 gerade nicht sagt, womit er den Samen identifiziert haben möchte[96]; die

90 M. STEVENS, ebd. 51.
91 Ebd. 51.
92 Vergleichbar ist höchstens der Ausdruck "heiliger Same" in Esr 9,2; Jes 6,13 vgl. Mal 2,15 sowie TLevi 18,2B17. In TLevi 18,2B17 (nach der Ausgabe in der Konkordanz von A.-M. DENIS) wird Levi zugesprochen, er sei aus heiligem Sperma (ἐκ σπέρματος γὰρ ἁγίου). Verbunden mit diesem Zuspruch ist die Aufforderung, diesen Samen nicht durch Mischehen zu verunreinigen. Dem ganzen Sperma Abrahams werde Levi als heiliger Priester genannt werden. Dem Zuspruch des Naheseins bei dem Herrn und allen seinen Heiligen folgt die Aufforderung, frei von aller Unreinheit zu sein. Stünden diese Gedanken im Hintergrund von 1Joh 3,9, so deutete alles darauf hin, daß der 1Joh ein "Priestertum aller Gläubigen" verfichte. Allerdings wird die Forderung, sich nicht zu verunreinigen, im 1Joh zum Zuspruch: Wer Gottes Samen in sich trägt, kann nach 1Joh 3,9 gar nicht sündigen. Ein weiterer Unterschied ist folgender: Nach 1Joh 3,9 haben die Gläubigen Gottes Sperma *in* sich, nach TLevi 18,2B17 ist Levi *aus* heiligem Samen.
93 Hinter der Präposition "ἐκ" steht im Regelfall eine Frau; vgl. o. S. 114.
94 Vgl. Joh 1,12f: Bei der Erzeugung der Glaubenden gehen die Funktionen der Mutter und des Vaters auf Gott über (vgl.o. S. 117f).
95 "Denn ihr seid wiedergeboren nicht aus vergänglichem, sondern aus unvergänglichem Samen, nämlich aus dem lebendigen Wort Gottes, das da bleibt."
96 Dagegen ist immer wieder die Vermutung geäußert worden, es handle sich in 1Joh 3,9 um das "Wort Gottes" (so z.B. C.H. DODD, Epistles 75-78; vgl. auch H. ALFORD, Testament IV (2.Teil) 469, der Joh 5,38 als Schlüsselvers anführt und zudem auf 1Joh 1,10; 2,14.24 verweisen kann, wo jedesmal vom Bleiben des Logos im Menschen die Rede ist) bzw. um den "Geist Gottes" (so R. SCHNACKENBURG, Johannesbriefe [¹1953] 190, sowie A.E. BROOKE, Epistles 89). Schon die Kirchenväter waren in diesem Punkt uneins. Im "Samen" Gottes sahen Theophylactus (Patrologiae Cursus completus, series Graeca, ed. Migne (1857-1890), 126, 38) und Ps. Oecumenicus (PG 119, 651-654) den Heiligen Geist oder Christus (dies geschieht meist unter Verweis auf Gal

of the father,' follows from perceiving the creative source for life in the mals who is symbolically allied with God [Delaney, 1986: 504]").

determinative Festlegung der Gläubigen kann nur mit dem Sperma eines Mannes in einem Kind parallelisiert werden.[97]

Die Rede vom "σπέρμα τοῦ διαβόλου" oder vom "γεννᾶσθαι ἐκ τοῦ διαβόλου" wird im 1Joh bewußt vermieden, da dem Teufel keine schöpferische Kraft zugesprochen werden kann.[98] Er hat nur "negative Potenz", kann nur zerstören und zu zerstören suchen.

2.6 Die Gabe des Geistes

Im 1Joh wird den einzelnen Gemeindegliedern darüber hinaus zugesagt, Gott habe den Gemeindegliedern aus seinem Geist gegeben (ἐκ τοῦ πνεύματος αὐτοῦ δέδωκεν ἡμῖν - 4,13). Aufgrund dieser Tatsache würden sie erkennen, daß sie in ihm bleiben und er in ihnen. Die Aussage von 3,24b ist ähnlich formuliert; nur ist hier von einer Gabe des Geistes, nicht von einer Gabe *aus* dem Gottesgeist die Rede. Doch für den Verfasser des 1Joh besteht in dem Gehalt der Aussagen von 3,24 und 4,13 keine Differenz.[99]

3,16 sowie 1Joh 3,24; 5,13). Didymus Alexandrinus sprach sich aus für die Kraft oder den Geist, Söhne zu adoptieren (PG 39,1785). Für das "Wort Gottes" votierten Clemens Alexandrinus (Adumbrationes in I Epist. Johannis 3,214 vgl. PG 9, 738), Photius (PG 101, 112), Augustinus (PL 35, 2060) sowie Beda Venerabilis (PL 93, 102); zu den Belegen der Kirchenväter vgl. M. VELLANICKAL, Sonship 269 sowie, R.E. BROWN, Epistles 409-411.

Es bleibt zu fragen, warum der Verfasser des 1Joh in 3,9 nicht vom Bleiben des λόγος (vgl. Joh 5,38; 1Joh 1,10; 2,14.24) oder des πνεῦμα oder vom Bleiben der ἀλήθεια (vgl. 1Joh 1,8; 2,4; vgl. 2,8; vgl. 5,6) oder des Χρίστος (vgl. Gal 3,16; 1Joh 3,24; 5,13) im Menschen spricht, sondern eben vom Bleiben des σπέρμα. J.D.PREEZ, Sperma 111 hat die Vermutung geäußert, daß der Versteil "denn sein Same bleibt in ihm" folgendermaßen zu paraphrasieren sei: "because he has received a lasting life of purity, righteousness and love in communion with God - in other words, because in Christ (cf. v.8) he has become God's likeness in a new and lasting way; ...". Jedoch auch die Rede von der Gottebenbildlichkeit findet sich sonst nicht im 1Joh; vor allem ist bei dieser Interpretation der Unterschied zur Zusage in 1Joh 3,2 nicht beachtet.

Vgl. aber auch die Deutung von R. LAW, Tests 195: σπέρμα "signifies the new life-principle which is the formative element of the 'new man,' the τέκνον θεοῦ. It is the Divine germ that enfolds in itself all the potencies of 'what we shall be,' the last perfection of the redeemed and glorified children of God".

97 Zu vergleichen wäre etwa die Anschauung, die Aristoteles von der Funktion des männlichen Samens bei der Entstehung eines Menschen hat. "... vom fertigen Individuum aus betrachtet enthält der Samen alle Teile anlagemäßig (δυνάμει) in sich, die im vollendeten Zustand des Lebewesens tatsächlich (ἐνεργείᾳ) vorhanden sind. Ar. kann so sagen (726b 15f.), daß im Samen die Hand oder das Gesicht oder das ganze Lebewesen und zwar in einer nicht ausdifferenzierten Weise (ἀδιορίστως) enthalten sind, denn wie ein jegliches von diesen der Wirklichkeit nach (ἐνεργείᾳ) ist, ein derartiges ist der Samen der Möglichkeit nach (δυνάμει)" (E. LESKY, Vererbungslehre 1364). Mit anderen Worten: Aristoteles ist der Meinung, daß das Menstrualblut der Grundstoff ist, der vom männlichen Samen (γονή) den Anstoß zur Entwicklung erhält; ... der männliche Same bringt die Form (δύναμις), das Weibchen die Materie (ὕλη) und jener formt den weiblichen Stoff zum jungen Keime. ... und zwar wirkt der Same formgebend, bewegend, aktiv, der weibliche Stoff als die Form passiv" (H. BALSS, Zeugungslehre 36.39).

Die Schule der Stoa hat in dem σπέρμα eines Mannes den Werkmeister selbst (ὁ τεχνίτης αὐτός) eines Kindes gesehen. Das Sperma ist "eine Mischung, die von allen Seelenteilen (sc. des Erzeugers) zustandegekommen ist, d.h. das Sperma hat Anteil an allen Pneumaströmungen ... es wird zum Träger aller gestaltenden Keimkräfte und befähigt in einem neuen Individuum alle jene Körperorgane mit den ihnen entsprechenden Leistungen zu erzeugen, an deren Pneumastrom es im Erzeugerkörper Anteil genommen hat" (E. LESKY, Vererbungslehre 1389). Wegen der dem Sperma innewohnenden Kräfte geht die Entwicklung des Erzeugten vor sich. Diese Kräfte bewirken die Entwicklung des Erzeugten nach der gleichen Art wie der des Erzeugers (vgl. LESKY, Vererbungslehre 1393).

98 Vgl. A.M. DONATUS, Outline 16: "Suffice it here to note simply that *teknon or einai ek* with regard to the devil can never bear the idea of an impartation of life, such as it might imply when used with regard to God. God can give life, the devil cannot."

99 Der griechische Text dieses Halbverses ist folgender: "καὶ ἐν τοῦτο γινώσκομεν ὅτι μένει ἐν ἡμῖν, ἐκ τοῦ πνεύματος οὗ ἡμῖν ἔδωκεν." Die Tatsache, daß auch das Relativpronomen den

Wie die Sündlosigkeit ist die Geistgabe ein eschatologisches Geschehen. Geistausgießung wird im AT zunächst aber den Priestern, Propheten oder den Männern zugestanden, die zu JHWH eine besondere Beziehung haben (Ex 28,3; 31,3; 35,31; Num 11,17.25.29; Dtn 34,9; Jes 11,2; Ez 11,5.24; 37,1; Mi 3,8 u.ö.). Die Vorstellung, daß Gott seinen Geist auf eine Gruppe von Menschen oder gar alle Menschen ausgießt, begegnet dann aber in Texten, die eine endzeitliche Vollendung der Menschen in Blick haben (Joel 3,1f[100]; Jes 44,3[101]; Ez 39,29[102]). Auffälligerweise sind alle diese Texte *Gottesreden*. Die Zusage der endzeitlichen Vollendung erhält dadurch besondere Autorität. Sündlosigkeit und Geistgabe tauchen in alttestamentlichen wie pseudepigraphischen Texten mitunter gemeinsam auf: Ps 51,9-15[103]; vgl. aethHen 5,7-9.[104] Wie wenig Gottessohnschaft und Sünde zusammenpassen, und wie eng Gottessohnschaft mit Geistgabe verbunden ist, zeigt Jes 30,1: "Weh den abtrünnigen Söhnen, spricht JHWH, die ohne mich Pläne fassen und ohne meinen Geist Bündnisse eingehen, um eine Sünde auf die andere zu häufen, ..." Gottes Geist macht aus "abtrünnigen Söhnen" wahre Söhne. Diesen Gedanken haben Schriften, die der pseudepigraphischen Literatur zugerechnet werden, rezipiert: TJud 24,2-4[105]; Jub 1,23-25[106]. Geistgabe bewirkt das Halten der Gebote (vgl. Jes 30,1); diese Formulierung (τηρεῖν τὰς ἐντολὰς αὐτοῦ) ist ver-

---

Kasus nimmt, der auf die Präposition "ἐκ" folgt, scheint zu signalisieren, daß sich die Präposition "ἐκ" ebenso auf das Relativpronomen bezieht. Wäre dies der Fall, wären die beiden Geistaussagen von 1Joh 3,24 und 4,13 deckungsgleich. Doch in 1Joh 3,24 liegt wohl eine *"attractio relativi"* vor, so daß man sagen kann: für den Verfasser des 1Joh ist die Rede von der Geistgabe identisch mit der Rede von der Gabe *aus* dem Gottesgeist.
Auch im Evangelium ist nicht von einer Gabe aus dem Gottesgeist die Rede, sondern von der Geistgabe: Gott gibt den Geist nach Maß (οὐ γὰρ ἐκ μέτρου δίδωσιν τὸ πνεῦμα - 3,34; vgl. 20,22: λάβετε πνεῦμα ἅγιον).
Deutlich ist zudem, daß der 1Joh präterital von der Geistgabe, das Evangelium präsentisch davon spricht. Das läßt darauf schließen, daß mit Abschluß des Offenbarungswirkens Jesu die Geistgabe bereits erfolgt ist (vgl. Joh 14,16f.26; 15,26; 16,13; *20,22:* λάβετε πνεῦμα ἅγιον).

100 "Und nach diesem will ich meinen Geist ausgießen über alles Fleisch, und eure Söhne und Töchter sollen weissagen, eure Alten sollen Träume haben, und eure Jünglinge sollen Gesichte sehen. Auch will ich zur selben Zeit über Knechte und Mägde meinen Geist ausgießen." *Der Gottesgeist nivelliert also die bei Menschen geltenden Unterschiede.*
101 "Denn ich will Wasser gießen auf das Durstige und Ströme auf das Dürre: ich will meinen Geist auf deine Kinder gießen und meinen Segen auf deine Nachkommen."
102 "Und ich will mein Angesicht nicht mehr vor ihnen verbergen; denn ich habe meinen Geist über das Haus Israel ausgegossen, spricht Gott JHWH."
103 "Entsündige mich mit Ysop, daß ich rein werde; ... Schaffe in mir, Gott, ein reines Herz, und gib mir einen neuen, beständigen Geist ... und mit deinem willigen Geist rüste mich aus."
104 "Den Auserwählten aber wird dann Frieden, Licht und Freude zuteil; doch euch, ihr Frevler, trifft der Fluch. Und Weisheit wird verliehen den Auserwählten: sie leben alle und sündigen nicht mehr, nicht aus Versehen noch aus Übermut, und Licht wird im erleuchteten Verstand im klugen Menschen sein. Sie werden nicht mehr sündigen und nicht durch Gottes Zornglut sterben; sie werden vielmehr ihrer Lebenstage Zahl vollenden. Im Frieden wird ihr Leben zunehmen, und ihrer Jahre Wonne werden viele sein in ewigem Jubel und in Frieden durch ihr ganzes Leben."
105 "Er selbst (Gott) wird ausgießen den Geist der Gnade über euch, und ihr werdet seine Söhne in Wahrheit sein und werdet wandeln in seinen Geboten, den ersten und den letzten." (TJud 24,2-4 ist allerdings aller Wahrscheinlichkeit nach christlich interpoliert; s.o. S. 46f).
106 "Danach werden sie (Israel) in aller Aufrichtigkeit, mit ganzem Herzen und mit ganzer Seele zu mir umkehren, und ich werde die Vorhaut ihres Herzens und die Vorhaut des Herzens ihrer Nachkommen beschneiden und werde ihnen einen heiligen Geist schaffen und sie reinigen, so daß sie sich nicht mehr von mir wenden von diesem Tag an bis in Ewigkeit. Ihre Seele wird mir folgen und sie werden nach meinem Gebote tun, und ich werde ihr Vater sein und sie werden mir Kinder sein. Und sie alle sollen Kinder des lebendigen Gottes heißen, und alle Engel und alle Geister werden wissen und werden sie kennen, daß sie meine Kinder sind, und ich ihr Vater bin in Festigkeit und Gerechtigkeit."

gleichbar mit denen von TJud 24,3 (πορεύειν ἐν προστάγμασιν αὐτοῦ) und Jub 1,23-25.[107]

Die Geistgabe, von der der 1Joh redet (3,24; 4,13), hängt eng mit der Geburt aus Gott zusammen.[108] In Joh 3,5 wird von der Geburt aus Wasser und Geist gesprochen. Es ist jener Geist, von dem dann gesagt werden kann, Gott habe ihn (bzw. aus ihm) gegeben. Die Rede von der Gabe des Geistes (1Joh 3,24; 4,13) ist also inhaltlich nichts anderes als die Rede von der Geburt aus Gott[109]. Wahre Kinder haben den Geist (bzw. aus dem Geist) ihres Vaters bekommen.[110]

2.7 Die "τέχνα τοῦ θεοῦ"

Im 1Joh wird streng unterschieden zwischen dem υἱὸς τοῦ θεοῦ und den τέχνα τοῦ θεοῦ[111]. "In den übrigen nt.-lichen Schriften dient die letztere Vokabel (= τέχνον) nicht zur Bezeichnung der Gotteskindschaft der Gläubigen."[112] Der Verfasser des 1Joh vermeidet es, die Glaubenden υἱοὶ τοῦ θεοῦ zu nennen. Dieser Ausdruck - angewendet auf "normale" Menschen, nicht auf Jesus - taucht im Neuen Testament stets im Plural und nur an 6 Stellen auf. Alle diese Belege (Mt 5,9; Lk 20,36; Röm 8,14.19; 10,26; Gal 3,26) haben eschatologische Ausrichtung. Auch im 1Joh steht die Rede von den τέχνα τοῦ θεοῦ im Kontext des (eschatologischen) johanneischen Gemeindeentwurfs.[113]

Die Bedeutung von τέχνον wird deutlich im Vergleich mit der Bedeutung von παῖς. Im Profangriechischen trägt nämlich παῖς neben der Bedeutung als Bezeichnung für die ersten vierzehn Lebensjahre "auch die Bedeutung der Nachkommenschaft, im Unterschied zu τέχνον - das Kind, das das Hervorgebrachte, Geborene bezeichnet und auch von jungen Tieren gesagt werden kann"[114]. Die bei Euripides belegte Bezeichnung für ein einzelnes Kind als τέχνον der N.N. (fem.) und παῖς des N.N. (mask.)[115] legt folgenden Schluß nahe: Es wird dadurch "die unterschiedliche Bedeutung aus(gedrückt), die das Kind für die beiden Elternteile hat. Für die Mutter ist das Kind das naturhaft Junge, ..., für den Vater ist das Kind dagegen zunächst einmal der Nachfolger in seinem Hause ..."[116] Bei der Anrede τέχνον

---

107 Der Zusammenhang von Geistgabe und Ethik ist auch bei Paulus (vgl. Röm 1,4; 5,5; 7,6; 8; 1Kor 3,16; 6,11.19; 2Kor 3,3-8; Gal 3; 5,16-26) und in Qumran belegt (vgl. 1QH 7,6; 1QS 4,2-6.9-11).

108 Vgl. auch den Zusammenhang von σπέρμα und πνεῦμα etwa in der Vererbungstheorie des Galen: Das Sperma stellte er sich als Überbringer des Pneuma vor und sah es deshalb an als Mischung aus Pneuma und einer schäumenden Flüssigkeit (Med.coll. 22,2).

109 Deshalb kann in Joh 6,63 auch gesagt werden, der Geist sei es, der lebendig mache.

110 Wirkungsgeschichtlich ist folgende Beobachtung noch interessant: Im 1Joh wird auch von dem χρῖσμα der Glaubenden (1Joh 2,20.27) gesprochen. Origenes berichtet über die postbaptismale Salbung: καὶ ἔχρισά σε ἐλαίῳ· χρῖσμα ἐστιν ἐνοίκησις τοῦ ἁγίου πνεύματος ἐν γνώσει τῆς ἀληθείας (Selecta in Ez. 16 [MPG 13,812]). Nach Origenes wird die Geistgabe also durch die Salbung vermittelt (vgl. zum Zusammenhang zwischen χρῖσμα und πνεῦμα auch 1Sam 16,13; Jes 61,1; Lk 4,18; Act 10,38; 2Kor 1,21f).

111 1Joh 3,1f.10; 5,2; vgl. zu Joh 1,12; 11,52 u. S. 158.

112 A. OEPKE, Art. παῖς κτλ., ThWNT 5 (1954), 653,8-10.

113 Vgl. u. S. 134.

114 M. DEISSMANN-MERTEN, Sozialgeschichte 268.

115 Vgl. Euripides, Iphigenie in Aulis 896: "τέχνον der Nereide, παῖς des Peleus", vgl. Iphigenie im Taurierland 238: "παῖς des Agamemnon, τέχνον der Klytaimnestra".

116 M. DEISSMANN-MERTEN, Sozialgeschichte 269; vgl. ebd.: "Bei Homer und in den Tragödien findet man die Anrede teknon - Kind fast ausschließlich bei der Mutter, die auch den erwachsenen Sohn noch so anredet" (vgl. z.B. Aischylos, Choephoren 910.912.920.922).

schwingt also stets der Gedanke an Abstammung und Nachkommenschaft mit. Besonders der Plural τέχνα behält im Profangriechischen im Gegensatz zu παῖδες "weiterhin die Bedeutung von Nachwuchs in einem naturhaften Sinne"[117]. Dieser Implikation von τέχνον entspricht auch der Gebrauch in Corp.Herm. 13, wo auf dieses Wort zur Beschreibung der Gotteskindschaft verzichtet wird[118] und τέχνον nur der Beschreibung menschlicher Verwandtschaftsverhältnisse, also der Bezeichnung natürlicher Abstammung, dient. Auch die Bezeichnung der Glaubenden als τέχνα τοῦ θεοῦ deutet also darauf hin, daß sich die Glaubenden - natürlich metaphorisch - als von Gott abstammende Kinder Gottes verstehen.

Diese Vermutung wird gestützt durch 1Joh 3,1[119]. Hier wird ausdrücklich betont: Die Gotteskindschaft der Glaubenden ist nicht bloß nominell. Die Gläubigen *nennen* nicht nur Gott "Vater", sondern er *ist* auch tatsächlich ihr Vater.[120]

Der exegetische Befund an dieser Stelle deutet darauf hin, daß Gotteskindschaft im Sinne des 1Joh menschliche Kindschaft ausschließt. Es sieht so aus, daß leibliche Verwandtschaftsverhältnisse innerhalb der Gemeinschaft, die der 1Joh im Blick hat, gegenüber der "Bruder-"schaft der Gotteskinder völlig zurücktreten müssen und keine Beachtung mehr finden[121].

Die Tatsache, daß der Ausdruck "τέχνον θεοῦ" - singularisch - im 1Joh nie auftritt, sondern jedesmal von den τέχνα θεοῦ (Plural!) die Rede ist, weist darauf hin, daß wir mit diesem Ausdruck einen ekklesiologischen Begriff haben. Anders als die Formulierung "ἐχ τοῦ θεοῦ γεννᾶσθαι", die ausschließlich im Singular (1Joh 2,29; 3,9a.b; 4,7; 5,1a.b.4.18) auftaucht und verwendet wird, um Kriterien zu liefern, damit diejenigen, die nicht der wahren Gemeinde angehören, entlarvt werden können, faßt der Verfasser des 1Joh mit dem Ausdruck "τέχνα θεοῦ" sich selbst mit seinen Adressaten zusammen.

---

117 M. DEISSMANN-MERTEN, Sozialgeschichte 269; vgl. Homer Il 2,311; 11,113; sowie Herodot, Historien 1,164; 2,30; Lysias 2,74; 12,96; Aischines 3,156.

118 Es wird nur "παῖς" dafür verwendet (vgl. o. S. 70).

119 "Seht, welche Liebe hat uns der Vater erwiesen, daß wir Gottes Kinder heißen sollen - καὶ ἐσμέν."

120 Vgl. A.M. DONATUS, Outline 58: "We are not only *called* children of God, as if we were adopted in an outward way. That is not a mere empty title; it is a real fact, *we are such in reality!*" Vgl. auch J.W. MILLER, Concept 43: "In the Johannine literature, ..., the fact that 'children of God' is virtually synonymous with 'born of God' suggests that the thought is closer to the idea of physical generation, so that the author of I John can assert that everyone who is born of God has the divine σπέρμα within, and is therefore unable to sin (3:9)."

121 Die vorgeschlagene Deutung wendet sich gegen R.A. CULPEPPER, School 271, der in der Anwendung der Bezeichnung "τέχνα" auf die johanneischen Glaubenden nicht Kindschaft, sondern Schülerschaft sieht: "In 'hearing' the scriptures and the words of Jesus they are διδαχτοὶ θεοῦ and hence τέχνα (pupils) of God." CULPEPPER muß zudem einräumen, daß die Adressaten der Johannesbriefe nie als "μαθηταί" bezeichnet werden (271); auch kommt "διδάσκαλος" bzw. "διδάσκειν" im JohEv seltener als in den synoptischen Evangelien vor (273f). Er kann nur auf Joh 3,2 (Jesus als διδάσκαλος) und Joh 7,16f (Jesu διδαχή ist von Gott) verweisen (274). Dagegen werden Jesu Jünger in Joh 15,15 als "φίλοι Jesu" bezeichnet. Gleichwohl ist nicht auszuschließen, daß das JohEv das Verhältnis Jesu zu seinen Jüngern (auch) als Lehrer-Schüler-Verhältnis interpretiert (vgl. Joh 8,31 sowie die Gegenüberstellung von der Schülerschaft Jesu und der des Mose in Joh 9,27f). Auch lassen die Anreden "τεχνία" (Joh 13,33) bzw. "παιδία" (Joh 21,5) sowie "ραββί" (Joh 1,38.49; 3,2; 4,31; 6,25; 9,2; 11,8) oder eben "διδάσκαλος" (Joh 1,38; 3,2) auf ein solches Verhältnis zwischen Jesus und seinen Jüngern schließen; doch mit diesen Ausdrücken wird gerade nicht das Gottesverhältnis der Glaubenden in den Blick genommen (s. dazu u. S. 128f). Freilich kann auch ein Schüler von seinem Lehrer als "τέχνον" bezeichnet werden - wie CULPEPPER, 273.301f, ausführt -, doch der Befund im 1Joh ist aufgrund der anderen Hinweise auf das Motiv der Gotteskindschaft (gemeint ist z.B. die "Geburt aus Gott") eindeutig: Es geht hier nicht um Gottesschüler- sondern um Gotteskindschaft. Zur Problematisierung des Verhältnisses von Gotteskindschaft und leiblicher Kindschaft vgl. u. S. 159-162.

2.8 Die gegenseitige Anrede

2.8.1 ἀδελφοί

Der 1Joh verwendet die Bezeichnung "ἀδελφός" für die Glieder der Gemeinde. Insgesamt finden sich in den Johannesbriefen 16 Belegstellen, an denen fast jedesmal (Ausnahme: 1Joh 3,12) nicht der leibliche Bruder gemeint ist: 1Joh 2,7.10f; 3,10.12-17; 4,20f; 5,16; 3Joh 3.5.10. Dagegen wird im Johannesevangelium mit ἀδελφός fast jedesmal der leibliche Bruder bezeichnet (Joh 11,21-23.32; vgl. auch die Brüder Jesu in Joh 2,12; 7,3.5). Diese Beziehungen werden mit Jesu Tod neu definiert. "Brüder" sind nun die zu Jesus Gehörigen (Joh 20,17); und in Joh 21,23 wird von den "Brüdern" gesprochen, als wäre dies eine stehende Bezeichnung für die Jünger.

Für die Vermutung, daß ἀγάπη und ἀγαπᾶν im 1Joh familiäre Kategorien sind, spricht ein Vergleich von Joh 15,13-15 mit 1Joh 3,16ff. Joh 15,12f spricht vom Lebenseinsatz für die *Freunde* (φίλοι)[122], während 1Joh 3,16 vom Lebenseinsatz für die *Brüder* (ἀδελφοί)[123] handelt. In beiden Abschnitten gilt das Handeln Jesu als Vorbild für die Angeredeten, die sich einmal als "Freunde" (Joh 15,12f) und einmal als "Brüder" (1Joh 3,16) verstehen. In Joh 15,14f spricht Jesus die Jünger als "Freunde" an[124], während er sie später in 20,17 als "Brüder" bezeichnet. Mit Jesu "Erhöhung" sind seine Freunde zu seinen Brüdern geworden. 1Joh 3,16 ist also die Antwort auf die seit der Erhöhung (Joh 20,17) veränderten Beziehungsverhältnisse.[125]

Inwiefern haben sich nun die Beziehungsverhältnisse mit Jesu Erhöhung verändert? "Das φίλος-sein ... besteht darin, dass man im vertrauten Umgang miteinander in alles eingeweiht ist und damit etwas Gemeinsames hat und gleichsam auf die gleiche Ebene gehoben worden ist.[126] So hat Jesus jetzt den Jüngern als seinen

---

[122] "Das ist mein Gebot, daß ihr euch untereinander liebt, wie ich euch liebe. Niemand hat größere Liebe als die, daß er sein Leben einsetzt für seine Freunde." Aus diesen beiden Sätzen geht hervor, daß hier sowohl die Liebe Jesu zu den Jüngern als auch die Liebe der Jünger untereinander als Freundesliebe qualifiziert wird.

[123] "Daran haben wir die Liebe erkannt, daß jener sein Leben für uns eingesetzt hat; und wir sollen auch das Leben für die Brüder einsetzen." Hier wird stillschweigend aus dem "Freund" ein "Bruder" und aus der Freundschaftsliebe eine Bruderliebe, sowohl in bezug auf die Beziehung zwischen Jesus und denen, für die er sein Leben einsetzt, als auch für diejenigen untereinander, für die dieses Handeln Jesu als Vorbild gilt.

[124] Vgl. hierzu die ähnliche Aussage bei Philo, nach welcher der Freund ἐντολαί bekommt, während der Sklave Befehle entgegenzunehmen habe (P. WENDLAND, Fragmente 55 [Procopius 29c]: ἐντέλλονται γὰρ μὲν φίλοι, κελεύουσι δὲ δεσπόται).

[125] Diese Wandlung der Beziehungsverhältnisse entspricht durchaus der joh Gesamtkonzeption.
Mit Jesu Erhöhung ist eine entscheidende Veränderung in seine Jüngerschar gekommen: Während Jesu Erdenwirken war sein Heilswerk für die Menschen im Grunde noch nicht erkennbar (Joh 2,22; 8,28; 12,16; 13,19.31; 14,19.29f). Dies trat erst mit seiner Erhöhung ein. Erst als das ἔργον Jesu vollendet (Joh 19,30) war, war Glauben an Gott (und damit Gotteskindschaft) möglich.
"In der griechischen φιλία ist der Mensch dem Menschen wichtig" (F. HAUCK, Freundschaft 211-228; hier 221). Mit Jesu Erhöhung war aber Gott als Grund für die Beziehungen der Menschen innerhalb der Gemeinde deutlich geworden. Deshalb reichte der Freundschaftsbegriff nicht mehr zur Beschreibung der zwischenmenschlichen Verhältnisse aus.
Anzumerken bleibt, daß aber schon vor Jesu Erhöhung für die zu ihm Gehörigen ausdrücklich die Bezeichnung "Sklaven" abgelehnt wird (Joh 15,15).
Auffällig ist zudem die Bezeichnung "φίλος" in 3Joh 15. In 3Joh scheint "φίλος" promiscue mit "ἀδελφός" gebraucht zu sein (vgl. 3Joh 3.5.10). F. NORMANN, Wurzel 158, meint, die Stelle in 3Joh sei (wie auch Joh 3,29; 11,11; 19,12) bezogen auf "rein menschliche Freundschaftsverhältnisse".

[126] Vgl. bes. Aristoteles, EN 1161b2ff.

126

Freunden am Ende alles anvertraut."[127] Deutlich ist, daß durch den Gebrauch des Wortes φίλος bereits die Jünger auf die gleiche Stufe mit Jesus gestellt werden. Das Neue, das die Bezeichnung ἀδελφός bringt, ist also gerade nicht eine Aufwertung der Jünger gegenüber ihrem vorherigen φίλος-Sein in dem Sinne, daß sie auf eine höhere Stufe gehoben werden, sondern das Neue ist die familiäre Implikation, die ἀδελφός im Gegensatz zu φίλος besitzt. *Das Johannesevangelium führt zu der Ekklesiologie hin, die dann im ersten Johannesbrief entfaltet wird.*

Der Verfasser der Johannesbriefe verwendet seltsamerweise die Anrede "ἀδελφοί" für die Adressaten des Briefs sehr selten. Mit Ausnahme von 1Joh 3,13 und 5,16 taucht "ἀδελφός" nur im Kontext der Abhandlungen über die Bruderliebe auf (1Joh 2,9-11; 3,10.12.14-17; 4,20f). Dies entspricht dem allgemeinen Befund, nach dem in der Antike die Anrede "ἀδελφός" seit der Ptolemäerzeit verhältnismäßig selten, außer für leibliche Verwandtschaft, "auch (für) eine andere Person gebraucht (wird), zu der eine genügend enge Beziehung besteht"[128].

2.8.2 ἀγαπητοί

Bevorzugt nennt der Verfasser des 1Joh seine Adressaten "ἀγαπητοί" (1Joh 2,7; 3,2.21; 4,1.7.11 vgl. 3Joh 2.5.11), ein Ausdruck, der das Liebesverhältnis der Gemeindeglieder untereinander unterstreicht, aber gerade die Abstammung von einem gemeinsamen Vater unterbelichtet zu lassen scheint. Doch auch das Wort "ἀγαπητός" findet Anwendung in der Beschreibung von familiären Strukturen. Relativ häufig begegnet ἀγαπητός in dem Bedeutungszusammenhang "der geliebte einzige Sohn"[129]. Das Adjektiv ἀγαπητός im Sinne von "geliebter Person" findet sich "ohne verwandtschaftlichen Bezug im allgemeinen Griechisch vor Paulus" auffälligerweise nicht.[130] Paulus nennt die Adressaten seiner Briefe zuweilen sogar "ἀδελφοί μου ἀγαπητοί" (1Kor 15,58; Phil 4,1; 1Thess 2,8; vgl. auch Act 15,25; Eph 6,24; Kol 4,7.9; 1Tim 6,2; Jak 1,16.19; 2,5; 1Pt 2,11; 4,12; 2Pt 1,15).[131] Beim attributiven Gebrauch des Wortes ἀγαπητός bindet Paulus es ausschließlich an eine familiäre Kategorie (ἀδελφός/ἀδελφοί bzw. τέκνον/τέκνα). Von daher ist es wahrscheinlich, daß auch Paulus diese familiären Relationen beim Gebrauch des Wortes ἀγαπητός impliziert sieht. "ἀγαπητός" wird austauschbar mit "ἀδελφός".[132] Im 1Joh trägt das Wort "ἀγαπητός" die gleiche Akzentuierung, wenngleich hier die Wortverbindung "ἀδελφοί (μου) ἀγαπητοί" nicht auftaucht.[133] Doch hat vom traditionsgeschichtlichen Hintergrund her die Anrede "ἀγαπητοί" stets eine familiäre Implikation.[134] Womöglich bevorzugt der Verfasser deshalb die Anrede "ἀγαπη-

---

127 Vgl. F. NORMANN, Wurzel 158f.

128 H. KOSKENNIEMI, Studien 105; er führt als Beleg an: B.G.U. VIII (1974), 1. Jh. v.Chr; vgl. O. WISCHMEYER, Adjektiv 480, Anm. 23.

129 Vgl. O. WISCHMEYER, Adjektiv 477; vgl. Mt 3,17; 17,5; Mk 1,11; 9,7; 12,6; Lk 3,22; 9,35; 20,13; Röm 12,19; 2Pt 1,17.

130 Vgl. O. WISCHMEYER, Adjektiv 477 sowie 479, Anm. 7.

131 Vgl. zudem in 1Kor 4,14.17 den Ausdruck "ἀγαπητὸν τέκνον", der sich auch in Eph 5,1 und 2Tim 1,2 findet.

132 Das Adjektiv ἀγαπητός im Sinne von 'Geliebte' ist austauschbar mit ἀδελφός (vgl. O. WISCHMEYER, Adjektiv 476).

133 Und dies, obwohl er die Adressaten des Briefes sowohl ἀγαπητοί (1Joh 2,7; 3,2.21; 4,1.7.11; vgl. 3Joh 1.2.5.11) als auch ἀδελφοί (1Joh 3,13) nennen kann. Zudem finden sich alle diese Belege (bis auf 3Joh 1) im Vokativ.

134 Die Anrede "ἀγαπητοί" taucht stets an markanten Punkten der Argumentation des 1Joh auf: In 2,7; 3,2.21 wird Vorausgegangenes zusammengefaßt oder Neues mit einer These eingeleitet, und in 4,1.7.11 schließen sich an die Anrede Paränesen an.

τοί", weil sie sowohl mit "ἀδελφοί" als auch mit "τεχνία" inhaltlich gefüllt werden könnte.

2.8.3 τεχνία

Die im 1Joh beliebteste Anrede ist "τεχνία" (2,1.12.28; 3,7.18; 4,4; 5,21). Das befremdet zunächst. Ist nicht *Gott* als Vater der johanneischen Gemeindeglieder vorgestellt? Wie kann dann der Verfasser des 1Joh seine Geschwister als τεχνία ansprechen?

Der Verfasser fühlt sich offenbar in einer hervorgehobenen Position, vielleicht als eine Art "*primus inter pares*". Theologisch sind für ihn die Gemeindeglieder sehr wohl ἀδελφοί, und er nennt sie auch so, wenn es die Argumentation verlangt oder wenn eine ausdrückliche Anrede als ἀδελφοί die Argumentation noch zu stützen vermag (1Joh 3,13).[135] Auch schließt er sich mit seinen Adressaten ausdrücklich zusammen, wenn er etwa von der Liebe spricht, die "uns" der Vater erwiesen hat, daß "wir" Gottes Kinder heißen sollen - und "wir" sind es auch (1Joh 3,1).[136] Generell nennt er seine Adressaten aber lieber τεχνία[137], da er mit diesem Ausdruck seine faktisch hervorgehobene Stellung andeuten kann. Theologisch gibt er für diese Stellung keine Begründung; diese wäre auch von seiner ganzen theologischen Argumentation her unmöglich. Faktisch besteht diese hervorgehobene Stellung aber; das wird zum einen deutlich, durch die Vermittlerrolle, die er für sich in Anspruch nimmt, bei der Weitergabe der Gemeinschaft mit Gott und Christus (1Joh 1,3), das wird zum anderen auch deutlich durch die Tatsache, daß er sich das Recht nimmt, die Gemeinde mit seinem Brief zu belehren, generell aber bestreitet, daß die Gemeindeglieder belehrt werden müßten (1Joh 2,27).

Hinter dem Gebrauch von τεχνία steht also gerade nicht der Gedanke der Vaterschaft des Schreibers des 1Joh den Adressaten gegenüber. In Joh 13,33 nennt sogar Jesus seine Jünger "τεχνία", während er in 20,17 sie als seine "ἀδελφοί" und in 21,5 sie als "παιδία" bezeichnet. Auch der 1Joh benutzt neben der Anrede τεχνία den Ausdruck παιδία: In 1Joh 2,12-14 ist τεχνία parallel zu παιδία gebraucht. "τεχνία" eröffnet die erste Reihe und "παιδία" die zweite. "Schon die Reihenfolge, in der in 1.Joh. 2,12-14 die τεχνία (παιδία), πατέρες, νεανίσχοι begegnen, zeigt deutlich, daß das erste Glied die beiden nächsten zusammenfaßt."[138] Der Verfasser des

---

135 Die Argumentation von 1Joh 3,10-17 fordert geradezu die Anrede der Gemeindeglieder als "ἀδελφοί". Der Verweis auf Kain und seinen Bruder dient als negative Folie zur Begründung des Gebotes der Bruderliebe. Brüder schlagen sich nicht gegenseitig tot! Daran wird - soziologisch gesehen - deutlich: Nicht alle, die "Brüder" genannt werden, sind tatsächlich aus Gott geboren; denn es wird ja ernsthaft ins Auge gefaßt, daß die Möglichkeit besteht, daß innerhalb der Gemeinde ein "Bruder" den anderen haßt (2,9-11; 4,20) oder daß ein "Bruder" vor dem anderen, der Mangel hat, sein Herz verschließt (3,17) oder daß ein "Bruder" den anderen gar "totschlägt" (3,15); vgl. hierzu auch R. KITTLER, Erweis 223-228, der 1Joh 5,2a folgendermaßen paraphrasieren möchte (227): "Dies ist die Weise, in der wir erkennen, daß wir in solchem Fall auch wirkliche Kinder *Gottes* (und also 'echte' Brüder) lieben: immer wenn und sooft wir in wahrer Liebe zu Gott seine Gebote (i.e. sein Liebesgebot) wirklich halten'; d.h., so oft wir es einfach wagen, solche verdächtigen 'Brüder' zu lieben."

136 Auch in 2Joh werden die Adressaten in ihrer Beziehung zur Gemeinde mit dem πρεσβύτερος zusammengeschlossen: "Es grüßen dich die Kinder deiner Schwester, der Auserwählten" (2Joh 13; vgl. auch 3Joh 15).

137 Nicht zu verwechseln mit "τέχνα"; "τεχνία" ist der "Deminutiv" von "τέχνα" (W. BAUER, Wörterbuch Sp. 1611).

138 K. ALAND, Stellung 6; vgl. auch R. LAW, Tests 309f: "A closer consideration of the Apostle's *usus loquendi* reveals that he has in view, not three, but *two* classes of readers; whom he addres-

1Joh sieht sich selbst also in einer ähnlichen lehrenden Funktion[139] seinen Adressaten gegenüber wie es Jesus seinen Jüngern gegenüber war. In gleicher Weise wie Jesus, der in Joh 20,17 die Vaterschaft Gottes ihm und seinen Jüngern gegenüber sowie das bruderschaftliche Verhältnis zwischen ihm selbst und den Jüngern ausdrücklich betont, sieht er sich theologisch aber als Bruder seiner Angeredeten.[140]

Die Anrede τεκνία oder παιδία läßt also nicht auf ein Kindschaftsverhältnis zwischen dem Verfasser des 1Joh und den Adressaten schließen, sondern darauf, daß er die Adressaten wesentlich als seine "Schüler" ansieht, sich theologisch aber mit ihnen in einer Bruderschaft verbunden weiß (1Joh 3,13).[141]

Auch wenn damit dem Verfasser des 1Joh eine gewisse Vorrang- bzw. Mittlerstellung eingeräumt werden muß, verstehen sich die johanneischen Gemeindeglieder insgesamt doch als ἀδελφοί, entsprechend der Vaterschaft Gottes jedem einzelnen Gemeindeglied gegenüber. Deshalb verweist der Verfasser auch immer wieder auf die Bruderliebe.

2.9 Die Bruderliebe

Ähnlich wie φίλος im johanneischen Schrifttum durch ἀδελφός verdrängt wurde, wurde φιλεῖν durch ἀγαπᾶν verdrängt.[142] Noch das Johannesevangelium gebraucht ἀγαπᾶν und φιλεῖν unterschiedslos[143], während im 1Joh nur noch ἀγαπᾶν auftaucht. Gleichwohl entspricht das seltenere Vorkommen von φιλεῖν im Verhältnis zu ἀγαπᾶν/ἀγάπη "durchaus dem gesamtneutestamentlichen Befund"[144]. Im NT sind nicht nur φιλεῖν, sondern auch die abgeleiteten Formen sehr selten. "Zwar bildet φίλος auf den ersten Blick eine Ausnahme, doch 'insgesamt ist die F(reundschaft) im NT eine Randerscheinung'."[145] Während φιλεῖν also stärker den Freundschaftsaspekt betont, entstammt ἀγαπᾶν eher familiärem Kontext.[146]

---

ses in common as 'little children,' and, separately, as the older (πατέρες) and the younger (νεανίσκοι) members of the Christian community."

139 "Μαθηταί" - wie die Jünger im Evangelium genannt werden - (Joh 2,2.11.12.17.22; 3,22; 4,1f.8.27.31.33; 6,3.8.12.16.22.24.60f.66; 7,3; 9,2; 11,7f.12.54; 12,4.16; 13,5.22f.35; 15,8; 16,17.29; 18,1f.15-17.19.25-27.38; 20,2-4.8.10.18-20.25f.30; 21,1f.4.7f.12.14.20.23f) sind im profanen Griechisch die Schüler, also diejenigen, die lernen - vgl. die Bezeichnung Jesu als "ῥαββί" (Joh 1,38.49; 3,2; 4,31; 6,25; 9,2; 11,8) bzw. "διδάσκαλος" (Joh 1,38; 3,2).

140 Eine ähnliche Konstellation hatten wir bereits bei der über Hören und Sehen vermittelten Gemeinschaft mit Gott und Christus beobachtet: im JohEv hatte Jesus alles verkündigt, was er "vom Vater" gehört und gesehen hatte (Joh 8,26.38; 15,15), im 1Joh verkündigt der Verfasser alles, was er vom ewigen Leben gehört und gesehen hat, "das beim Vater war und uns erschienen ist" (1Joh 1,2); vgl. o. S. 109.

141 Vgl. o. S. 125, Anm. 121.

142 Vgl. F. NORMANN, Wurzel 164: "Im Überblick über den Gebrauch der durch die Epochen der griechischen Sprache verfolgten von der Wurzel *phil-* gebildeten Wörter und die ihnen entsprechenden Gemeinschaftsbegriffe im Neuen Testament lässt sich sagen, daß φιλία und φιλεῖν durch ἀγάπη und ἀγαπᾶν, φίλος durch ἀδελφός weitgehend zurückgedrängt sind."

143 Vgl. 3,35 (ὁ πατὴρ ἀγαπᾷ τὸν υἱόν, καὶ πάντα δέδωκεν ἐν τῇ χειρὶ αὐτοῦ) mit 5,20 (ὁ γὰρ πατὴρ φιλεῖ τὸν υἱὸν καὶ πάντα δείκνυσιν αὐτῷ ἃ αὐτὸς ποιεῖ) bzw. 17,23 (ἵνα γινώσκῃ ὁ κόσμος ὅτι σύ με ἀπέστειλας καὶ ἠγάπησας αὐτοὺς καθὼς ἐμὲ ἠγάπησας) mit 16,27 (αὐτὸς γὰρ ὁ πατὴρ φιλεῖ ὑμᾶς, ὅτι ὑμεῖς ἐμὲ πεφιλήκατε καὶ ...).

144 M. LATTKE, Einheit 14f.

145 Ebd. 15, Anm. 1.

146 Vgl. B.J. MALINA, Mother 59: "Words such as Heb. *hesed*, Arab. *'asabiyya*, Greek *agape* all refer to the social value of group attachment. They connote familism, family spirit, kinship spirit, feeling of being tied together to persons by birth."

Nach R. Hoppe bedeutet "Bruderliebe ... in der Profangräzität weitgehend die Liebe zum leiblichen Bruder"[147]. Bei Plutarch findet sich die Rede vom "lieben untereinander - ἀγαπᾶν ἀλλήλους" nicht zufällig im Kontext der Bruderliebe (φιλαδελφία). Nach Plutarch[148] werden tüchtige und gerechte Kinder einander wegen ihrer Eltern noch mehr lieben, aber auch die Eltern wegen einander. Demnach sind also Brüder das wertvollste und süßeste aller Güter, das Kinder von ihren Eltern empfangen können.

Ganz bewußt rekurriert der Verfasser des 1Joh auf diese familiäre Implikation von ἀγαπᾶν, indem er die Redeweise von der Liebe untereinander aufgreift (Joh 13,34f; 1Joh 2,10; 3,11.23; 4,7.11; 2Joh 5). Die dezidierte Interpretation von ἀγάπη als familiärer Kategorie liefert erneut 1Joh 3,16f: Hier schließt sich an die Aufforderung, das Leben für die Brüder einzusetzen, die Konkretion an (1Joh 3,17), nach der der Begüterte seinen Bruder nicht Mangel haben lassen dürfe. Dies ist es, was 1Joh 3,16 als Lebenseinsatz für die Brüder und als brüderlichen Liebesdienst interpretiert.

Unterstützt wird diese Überlegung durch die Betrachtung der Testamente der 12 Patriarchen. Dort dient das Verbum ἀγαπᾶν häufig zur Beschreibung familiärer Beziehungen. Der scheidende Vater legt seinen Kindern die Liebe untereinander noch einmal ans Herz: TSim 4,7[149] (vgl. 4,4); TZab 8,5[150]; TJos 17,2[151]; TGad 6,1[152]. Das Liebesgebot der Test XII gilt nur der israelitischen Volksgemeinschaft. Nach TZab 8,5f gilt das Liebesgebot nur für den "Bruder", also die Nachkommen Zabulons und demnach einen Angehörigen der israelitischen Volksgemeinschaft.[153] Auch TRub 6,9 definiert den Nächsten durch den Parallelismus als den Bruder.[154] In den Test XII kann die Bruderliebe auch verstanden werden als Liebe eines einzelnen (Joseph) zu den Brüdern bzw. ihrer Gesamtheit (vgl. etwa TJos 17,5).[155]

Es ist durchaus wahrscheinlich, daß der 1Joh zumindest aus einer ähnlichen Tradition schöpft wie die Testamente der 12 Patriarchen. Zumindest geht die Parallelität mancher Gedanken[156] wohl auf eine vergleichbare Entstehungssituation zu-

---

147 R. HOPPE, Art. "Bruderliebe", Neues Bibel-Lexikon 1 (1989), Sp. 335; vgl. Plutarch, de philadelphia 478A-492D.

148 De philadelphia 480.E.1: χρηστοὶ δὲ καὶ δίκαιοι παῖδες οὐ μόνον διὰ τοὺς γονεῖς ἀγαπήσουσι μᾶλλον ἀλλήλους, ἀλλὰ καὶ τοὺς γονεῖς δι᾽ ἀλλήλους· οὕτως ἀεὶ καὶ φρονοῦντες καὶ λέγοντες, ὅτι τοῖς γονεῦσιν ἀντὶ πολλῶν χάριν ὀφείλοντες μάλιστα διὰ τοὺς ἀδελφοὺς ὀφείλουσιν, ὡς τοῦτο δὴ κτημάτων ἀπάντων τιμιώτατον καὶ ἥδιστον ἔχοντες παρ᾽ αὐτῶν.

149 "τέχνα μου ἀγαπητά, liebt jeder aus gutem Herzen seinen Bruder!" - vgl. TJud 21,1.

150 "Denkt nicht an das erlittene Unrecht, τέχνα μου, liebt einander! Denkt keiner mehr an seines Bruders Schlechtigkeit!"

151 "Und ihr nun, liebt euch gegenseitig und verbergt in Langmut gegenseitig eure Verfehlungen!"

152 "τέχνα μου, liebet jeder seinen Bruder und rottet Haß aus eurem Herzen aus! Ἀγαπῶντες ἀλλήλους ἐν ἔργῳ καὶ λόγῳ καὶ διανοίᾳ ψυχῆς." Diesem Vers kommt 1Joh 3,18 ("τεχνία, μὴ ἀγαπῶμεν λόγῳ μηδὲ τῇ γλώσσῃ ἀλλὰ ἐν ἔργῳ καὶ ἀληθείᾳ.") sehr nahe (vgl. auch TGad 6,3; 7,7).

153 TZab 8,6: "Denn dieses trennt die Einigkeit, reißt jegliche Verwandtschaft auseinander, verwirrt die Seele. Wer Böses nachträgt, hat kein erbarmungsvolles Herz."

154 Vgl. auch TNaph 5,1-8,2; TJos 17,1f.

155 Vgl. u. S. 179.

156 Vgl. hierzu v.a. O. BÖCHER, Dualismus 135-142; ebd. 137: Was das Gebot der Gottes- und Nächstenliebe betrifft, entspricht "der johanneische Sprachgebrauch ... bis ins Detail genau demjenigen der Testt XII und der Texte von Qumran. Neben ἀδελφός, dem griechischen Äquivalent für 'aḥ, steht - offenbar für das sonst mit ὁ πλήσιον wiedergegebene reaʿ - φίλος, und auch die reziproke Wendung ἀγαπᾶν ἀλλήλους fehlt nicht."

rück[157]: In den Test XII "gilt die Nächstenliebe als Gegenmittel gegen die zentrifugalen Kräfte, die das Strafgericht der Zerstreuung beherrschen"[158]. Ähnlich dürfte *mutatis mutandis* die Situation gewesen sein, in der der erste Johannesbrief verfaßt worden ist. Starke zentrifugale Kräfte untergruben den Zusammenhalt der Glaubenden und deren Gemeinschaft.[159]

In Test XII ist das Liebesgebot "zur obersten Norm und Richtschnur aller anderen Forderungen geworden. Wer den Nächsten liebt, steht mit allen anderen Geboten in Einklang."[160]

2.9.1 Der Inhalt des Liebesgebotes

Das Handeln Josephs wird in den Test XII als die Erfüllung des Liebesgebotes par excellence vorgestellt. So erklärt es ausdrücklich TBen 3,6-8[161]. Joseph hat seinen Brüdern gegenüber die Liebesforderung erfüllt. "Im Kontrast zu den hassenden Brüdern steht sein Lebensweg voll und ganz unter dem Aspekt, gerade angesichts der ihm feindlich gesonnenen Brüder bis zur tiefsten Erniedrigung das Sklavenlos auf sich zu nehmen, um die Brüder zu ehren und nicht zu beschämen (10,5; 17,1)."[162] TJos 17,2 "fordert zur Liebe auf angesichts des geschilderten Verhaltens Josephs", TJos 17,5 "schildert, wie Joseph in vorbildlicher Weise Böses mit Gutem vergilt."[163] Es kann sich bei der Erfüllung des Liebesgebotes nach Meinung des Verfassers der Test XII - und das zeigt der Verweis auf das Leben Josephs - also nicht um einzelne Taten handeln, sondern es geht um ein Leben für die Brüder. Das Liebesgebot fordert den ganzen Menschen und sein ganzes Leben. "Das Liebesgebot will totale Indienstnahme des Menschen, fordert vom Menschen als stets neu zu übende und zu bewährende Aufgabe, zu sein wie einer der Geringsten (TJos 17,8). Liebe wird als Opfer des eigenen Anspruchs und Willens zugunsten der brüderlichen Gemeinschaft verstanden ... Agape ist Aufgabe der Selbstbehauptung und Selbstverwirklichung von menschlich und rechtlich zustehenden Ansprüchen."[164]

Ähnliche Gedanken dürften hinter dem 1Joh stehen, wenn man sich den Stellenwert der "ἀγάπη" dort bewußt macht. Im johanneischen Schrifttum ist es allerdings

---

157 Damit ist nicht gesagt, der 1Joh sei literarisch von den Test XII abhängig. Dies ist auch insofern unwahrscheinlich, als etwa in TJos das vorbildhafte Handeln Josephs auf seine μακροθυμία (TJos 2,7) bzw. seine σωφροσύνη (TJos 6,7; 9,2; 10,2) zurückgeführt wird, während diese Begriffe im johanneischen Schrifttum überhaupt nicht auftauchen; vgl. hierzu besonders H.W. HOLLANDER, Joseph 30: "Thus Joseph is one of the 'ancient pious fathers' who held out in distress and were, therefore, rewarded by God; and, as we often be described by ὑπομονή, a connection between Joseph and ὑπομονή could easily be made." Vgl. auch ebd. 34 die Zusammenstellung der Handlungen Josephs in seiner Bedrängnis, die auch das johanneische Schrifttum nicht verwendet.

158 J. BECKER, Testamente 28.

159 Dazu mehr u. S. 170-209.

160 J. BECKER, Untersuchungen 382; vgl. ebd. 384: Den "cantus firmus des Werkes ... bildet das Gebot der Liebe zum Nächsten"; vgl. 1Joh 2,7-11; 3,11.14-18.23; 4,7-21.

161 "Denn auch Joseph bat unseren Vater, daß er für seine Brüder bete, damit der Herr ihnen ihr Verhalten nicht als Sünde anrechne, denn sie hatten gegen ihn böse gehandelt. Und so rief Jakob aus: 'O, gütiges Kind, du hast das Innere deines Vaters Jakob besiegt.' Und er nahm ihn in die Arme und herzte ihn zwei Stunden lang und sagte: 'Erfüllen soll sich an dir die Prophetie des Himmels, die besagt: Der Unschuldige wird für Gesetzlose befleckt werden, und der Sündlose wird für Gottlose sterben!'"

162 J. BECKER, Testamente 27; vgl. auch TJos 17,2.5.

163 J. BECKER, Untersuchungen 386.

164 Ebd. 387f; vgl. 388: "Auch mit dieser Radikalisierung steht der Grundstock der TP innerhalb des Judentums allein."

Jesus, der den "Brüdern" als Vorbild vor Augen gestellt wird, der gleichwohl aus der Erzählperspektive des 1Joh auch der Bruder der Glaubenden ist (seit Joh 20,17!). Das Evangelium, das von Jesu Aufforderung an die Jünger berichtet, es ihm gleichzutun, schließt auch den Tod (Jesu) mit ein. So wird Jesu Fußwaschung als vorbildliches Beispiel (ὑπόδειγμα - Joh 13,15) gedeutet. Von Joh 10,11.15; 13,37; 15,13f erfährt der Gedanke vom Tod Jesu als Vorbild - dargestellt an der Fußwaschung - seine Präzisierung. "Die Fußwaschung bietet eine anschauliche Erläuterung des Motivs καθὼς ἠγάπησα ὑμᾶς Jo 13,34b; 15,12b ... Jesus verpflichtet seine Anhänger, einander in der Weise zu begegnen, wie sie durch sein Beispiel belehrt worden sind ..."[165] Dieses Leben Jesu für andere unter Einschluß des Todesrisikos[166] wird von den Glaubenden direkt auch gefordert: "Daran haben wir die Liebe erkannt, daß er sein Leben für uns eingesetzt hat; und wir sollen auch das Leben für die Brüder einsetzen" (1Joh 3,16; vgl. 1Joh 2,6; 3,3). Der 1Joh fordert also Orientierung am Vorbild des Bruders Jesus (wie Test XII am Vorbild Josephs).[167] Ein weiterer Vergleichspunkt zwischen Jesus im 1Joh und Joseph in den Test XII ist die Erwähnung der Fürbitte beim Vater in TBen 3,6-8 (Joseph) und 1Joh 2,1 (Jesus), ja, was über Joseph in TBen 3,8 gesagt wird, könnte auch im johanneischen Schrifttum über Jesus gesagt worden sein: "Erfüllen soll sich an dir die Prophetie des Himmels, die besagt: Der Unschuldige wird für Gesetzlose befleckt werden, und der Sündlose wird für Gottlose sterben!"

Zusammenfassend läßt sich sagen:

(1) Ähnlich wie in den Test XII ist die Bruderliebe eine familiäre Kategorie.[168] Die Forderung der Bruderliebe ist in den Test XII gerichtet an die Söhne des sterbenden Vaters und deren Nachkommen, die durch die Anrede "τέκνα" als Brüder zusammengeschlossen werden. In den Test XII ist das verbindende Moment das Kindschaftsverhältnis zum Stammvater, während es im 1Joh die Gotteskindschaft ist. Doch im Johannesevangelium bedeutet wahre Abrahamskindschaft zugleich auch Gotteskindschaft (Joh 8,33.37.39-45). Nur das Gotteskind erweist sich als wahres Kind des Stammvaters und umgekehrt. Insofern ergibt sich hier durchaus ein Berührungspunkt zwischen johanneischem Schrifttum und den Test XII.

(2) Ähnlich wie in den Test XII ist im 1Joh die Bruderliebe orientiert an dem Vorbild eines besonderen Bruders, der für seine Brüder sogar Fürbitte, ja Stellvertretung übt.

---

[165] A. SCHULZ, Nachfolgen 300.

[166] Τὴν ψυχὴν τίθεσθαι - s.u. S. 157.

[167] Zugleich möchte der 1Joh das Vorbild Jesu für die Gläubigen "praktikabel" machen; deshalb wird 1Joh 3,16 folgendermaßen weitergeführt: "Wenn aber jemand dieser Welt Güter hat und sieht seinen Bruder darben und schließt sein Herz vor ihm zu, wie bleibt dann die Liebe Gottes in ihm? Kindlein, laßt uns nicht lieben mit Worten noch mit der Zunge, sondern mit der Tat und mit der Wahrheit." Es bleibt festzustellen, daß ausgerechnet im Anschluß an eine Stelle, die das Vorbild eines Bruders betont, eine Aufforderung zu stehen kommt, die dem Vers in TGad 6,1 selbst im Wortlaut sehr nahe kommt (gemeint ist hier sowohl die Anrede - τέκνα μου in TGad 6,1, τεκνία in 1Joh 3,18 - als auch die Forderung nach der Wahrhaftigkeit der Liebe - identisch ist die Wortverbindung ἐν ἔργῳ). Wie es scheint hat der Verfasser des 1Joh zwischen die beiden mit den Test XII gemeinsamen Gedanken (1Joh 3,16.18) *seine* eigenen Präzisierung der Nachahmung eingeschaltet.

[168] Vgl. oben den Gebrauch der Anrede ἀγαπητοί im 1Joh; vielleicht geht auf diese Konzeption auch die Tatsache zurück, daß der 1Joh im Gegensatz zum Johannesevangelium das Wort "φιλεῖν" vermeidet, obwohl das Evangelium "φιλεῖν" und "ἀγαπᾶν" promiscue gebraucht.

(3) Ähnlich wie in den Test XII richtet sich im 1Joh die Forderung der Bruderliebe nicht auf einzelne Taten, sondern ist ein Totalitätsanspruch auf das ganze Leben, der an einem Vorbild exemplarisch vor Augen geführt wird.

2.9.2 Die Begründung des Gebotes der Bruderliebe

Hier unterscheidet sich der 1Joh von den Test XII. Dort wird das Liebesgebot "nicht heilsgeschichtlich begründet, d.h. nicht weil Israel das Heilsvolk ist, mit dem Gott in großen und mannigfaltigen Taten gehandelt hat, soll Israel nun diesem Stande gemäß leben"[169]. Einzige Begründung, die die Test XII für die Forderung nach der Bruderliebe geben, ist "die, daß Gott es so fordert. Damit ist alles gesagt, um dem Gebot Geltung zu verschaffen."[170] Diese Gedanken scheint auch der 1Joh aufzunehmen, wenn es in 3,23 heißt: "Und das ist sein Gebot, daß wir glauben an den Namen seines Sohnes Jesus Christus und lieben uns untereinander, wie er uns das Gebot gegeben hat" (vgl. 4,21). Hier ist die Bruderliebe in gleicher Weise in Gottes Gebot begründet. Setzt man auch bei diesem Gedanken das Familienmodell voraus, so liegt die Möglichkeit Gottes, etwas zu gebieten, begründet in seiner *patria potestas*. Der Vater ist es, der seinen Kindern Gebote auferlegt (vgl. v.a. 2Joh 4-6 bzw. Joh 10,18; 12,49; 15,10).

Im 1Joh ist jedoch das Liebesgebot des Vaters umschlossen von seiner eigenen Liebe. Nicht einfach die Forderung des Vaters, sondern seine eigene Liebe den Kindern gegenüber soll die Liebe der Brüder untereinander begründen: "Ihr Lieben, hat uns Gott so geliebt, so sollen wir uns auch untereinander lieben" (1Joh 4,11; vgl. 4,7-21). Diese Liebe Gottes wird offenbar in der Sendung des Sohnes (4,9), die Leben und Gotteskindschaft ermöglicht (vgl. 3,1).

2.10 Ἀγάπη als Beschreibung des Verhältnisses zwischen Gott, dem Sohn und den Kindern

Im Alten Testament ist aus der Vater-Metapher für Gott die Rede von der Liebe Gottes zu den Menschen entstanden. Hosea, Jeremia, Maleachi und das Deuteronomium[171] sind diejenigen Schriften, die besonders deutlich Gottes Liebe als väterliche Liebe verstehen.

Der 1Joh kann dann von der Liebe des Vaters im Menschen reden (2,15), und dieser Ausdruck wird in gleicher Weise gebraucht wie die "Liebe Gottes" (vgl. 2,5; 3,17; vgl. 4,12; 5,3). Einen besonderen Bezug zur Gotteskindschaft weist die Liebe Gottes in 1Joh 3,1[172] auf. Die väterliche Liebe Gottes macht Menschen zu seinen Kindern; es ist die gleiche Liebe, von der dann gesagt wird, daß sie in Jesus Christus erschienen sei (4,9f).[173] Insofern wird generell die Liebe Gottes zu den Menschen mit 1Joh 3,1 als väterliche Liebe verstanden. Auch wenn "ἀγάπη" das Verhältnis zwischen Gott und seinen Kindern umschreibt, ist sie also eine familiäre Kategorie.

---

[169] J. BECKER, Untersuchungen 385.
[170] J. BECKER, ebd. 386.
[171] Vgl. J. BEUTLER, Hauptgebot 222-236, nach dessen Meinung der 1. und 2. Johannesbrief "geprägt" sind "von der Sprache der Gesetzesparänese des Deuteronomiums".
[172] "Seht, welche Liebe hat uns *der Vater* erwiesen, daß wir Gottes Kinder heißen sollen; und wir sind es auch."
[173] Das Kommen Christi ermöglicht ja erst die Gotteskindschaft von Menschen (s.u. S. 156-159).

Dieser exegetische Befund läßt sich auch sonst wahrscheinlich machen.[174] In der Zeit des klassischen Griechenland finden sich zahlreiche Belege für die Liebe des Vaters zu seinen Kindern.[175] Aber auch im NT wird die Liebe der Eltern zu ihren Kindern in verschiedenen Zusammenhängen thematisiert. Die Syrophönizierin bittet Jesus um die Heilung ihrer kranken Tochter (Mk 7,24-30 par.), ebenso Jairus (Mk 5,35-43 par.) und der Vater des epileptischen Knaben (Mk 9,14-29 par.). Lukas erzählt von einem Vater, der dem Nachbarn die Türe nicht mehr öffnet, weil seine Kinder schon schlafen (Lk 11,5-8). Matthäus und Lukas nehmen ausdrücklich auf dieses innige Verhältnis zwischen Eltern und Kindern Bezug (Mt 7,9-11; Lk 11,11-13).

Im Unterschied zum JohEv wird im 1Joh die Möglichkeit der Liebe *zu* Gott in Betracht gezogen (4,20; 5,2).[176] Dies könnte auf das Familienmodell zurückzuführen sein, da sich die Liebe von Kindern zu ihrem Vater ebenfalls im klassischen Athen belegen läßt. Die Liebe zwischen Vater und Kindern ist eine wechselseitige.[177]

Anders als im JohEv redet der 1Joh nicht davon, daß es zwischen Jesus und den Glaubenden Liebe gebe (vgl. Joh 13,34; 15,9-12). Jesus ist im 1Joh die Manifestation der Liebe Gottes zu seinen Kindern (1Joh 4,9.11.19) und als Bruder der Glaubenden mit hineingenommen in die brüderliche Liebe. Liebe *zu* Jesus wird im 1Joh verstanden entweder als Liebe zu Gott (vgl. 1Joh 5,20) oder als Liebe zum Bruder.[178] Die Liebe zu Jesus wird dadurch konsequent in das Familienmodell des 1Joh eingezeichnet.

Das Motiv der Gotteskindschaft dient im 1Joh generell zur Beschreibung des Verhältnisses zwischen Gott und den Gläubigen. Mit anderen Worten: *Der Verfasser des 1Joh sieht aus die Beziehung zwischen Gott und den Gläubigen in allen ihren Aspekten als eine familiäre. Der Gedanke einer großen Familie bildet den Hintergrund für sein Konzept von der Zusammengehörigkeit von Gott und Mensch und deren Gemeinschaft.*[179]

---

174 Vgl. die Belege für das innige Verhältnis zwischen Vater (Eltern) und Kindern im griechisch-römischen Kulturkreis bei W. STEGEMANN, Kinder 117f.

175 Vgl. Aristophanes, Die Wolken 1380ff ("Strepsiades sorgte für seinen kleinen Sohn, der später zum Vater frech war: 'Du frecher Bub! Hab' ich dich nicht erzogen und immer gleich erraten, was du lallend sagen wolltest? Und schriest du: 'Bäh!' da lief ich gleich und brachte dir zu trinken. Und sagtest du: 'Pap, pap!' da rannt' ich fort, den Brei zu holen. Kaum hattes du 'äh! äh!' gesagt, da nahm ich dich und setzte dich vor die Tür und hielt dich ...'"); vgl. auch Aristophanes, Der Frieden 122ff (Trygaios verspricht seinen zwei Töchtern Süßigkeiten, wenn ihm seine Arbeit gelänge: "... Aber gelingt mein Werk und kehr' ich zurück, dann bekommt ihr einen großmächtigen Laib und als Zugab' obendrein Püffe"); vgl. Aristophanes, Die Wespen 607ff (Philikeon erlaubte seiner Tochter, das Geld aus seinem Mund zu nehmen: "... und mein Töchterchen wischt gar behend jedes Stäubchen mir ab und salbt die Füß' und umhalst und drückt mich und hätschelt und küßt mich: 'Mein liebes Papachen!' und fischt die drei Obolen raus mit der Zunge!"; vgl. die Belege bei M.G. KOLIADIS, Jugend 64f: "Alle diese erwähnten Verse des Aristophanes - man kann noch eine Fülle aufzählen - beschreiben die Liebe der Eltern, vor allem des Vaters, zu den Kindern." (ebd. 64); vgl. auch die Abbildung "Vater, der sein Kind trägt" in: P. WERNER, Leben 18.

176 Vgl. M. LATTKE, Einheit 20: "Die Frage, ob es Zufall oder theologische Absicht ist, daß wir keinen Beleg haben, der von der 'Liebe' der Seinen zum Vater spricht, kann jetzt noch nicht beantwortet werden."

177 Vgl. M.G. KOLIADIS, Jugend 66: "Man kann schon aus den erwähnten Worten des Philokleon diese wechselseitige Liebe zwischen dem Vater und der Tochter erfahren."

178 Vgl. u. S. 148-153, wo der Gedanke, daß Jesus als Bruder der Glaubenden verstanden werden kann, entfaltet wird.

179 Vgl. hierzu besonders die Beobachtungen zu 1Pt 1,3.22f; Jak 1,18 und Tit 3,5: in keiner Schrift des Neuen Testaments läßt sich der Gedanke der (Wieder-)Geburt des Menschen durch Gottes

3. Theologische Konsequenzen des Familienmodells

Es ist bereits deutlich geworden, in welche umfassende Konzeption nahezu alle Begriffe eingeordnet werden können, mit denen im ersten Johannesbrief das Verhältnis der Glaubenden zu Gott beschrieben wird. Dies soll nun weiter ausgeführt werden. Der Gedanke, daß die Beziehung zwischen Gott und Mensch einer familiären entspricht, hat für den Verfasser des 1Joh theologische Konsequenzen.

3.1 Ethik im ersten Johannesbrief

Die bisherigen Ergebnisse implizieren sowohl Vorherbestimmung zur Gotteskindschaft als auch Determination. Da ein Kind nie selbst entscheiden kann, wer seine Eltern sind, bringt es das Familienmodell des 1Joh mit sich, daß auch die Menschen nicht entscheiden können, wer ihr Vater sein soll. Weder können die Menschen entscheiden, wen sie zum Vater haben wollen, noch können sie dann entscheiden, was sie als Gottes- bzw. Teufelskinder zu tun haben (Determination!). Genausowenig kommt im 1Joh ein Verlust der Gotteskindschaft in den Blick.[180] Nur der Beginn der Gotteskindschaft bzw. der Ort der Geburt aus Gott wird an einer Stelle im 1Joh ins Auge gefaßt: "Wir wissen, daß wir aus dem Tod ins Leben gekommen sind ..." (3,14).

Bei der exegetischen Verifikation der These von der Determination können wir uns in Grundzügen an die Argumentation von H.M. Schenke[181] anschließen. Der Verfasser des 1Joh setzt einen Dualismus "Gott - Teufel" voraus, auf dessen Hintergrund seine Aussagen zu erklären sind. Dieser Dualismus zwischen unterer irdischer und oberer himmlischer Welt findet seinen Niederschlag in verschiedenen Ausdrücken, die sich teilweise schon im JohEv finden:
- "Licht" - "Finsternis" (1Joh 1,5-7; 2,8-11);
- "Vater" - "Welt (Teufel, Böser)" (1Joh 2,15-17; 3,1b.8.10.13; 4,4-6; 5,4f.19);
- "Leben" - "Tod" (1Joh 1,1-3; 2,24f; 3,14; 5,11-13);
- "Geist Gottes" - "Geist des Antichristen" (1Joh 4,2f).[182]

Grundthese ist: Ein Kind tut die Werke seines Vaters (vgl. Joh 8,37-45). Das heißt: Die Herkunft bestimmt zwangsläufig Wesen und Taten. Mit dieser Überzeugung bewegt sich der 1Joh - wie wir oben gesehen haben[183] - innerhalb antiker Vorstellungswelt. Diese Herkunft ist den Menschen nicht verfügbar; deshalb sagt der johanneische Jesus: "Niemand kann zu mir kommen, es sei denn, ihn ziehe der

---

    Initiative derart mit Gottes Vaterschaft oder menschlicher Gotteskindschaft verbinden, wie es der 1Joh nahelegt.

[180] Zum Problem der "Sünde zum Tode" s.u. S. 142-146.

[181] H.M. SCHENKE, Determination 203-215. Vgl. auch R. BULTMANN, Theologie 373-378 (§ 43. Der johanneische Determinismus); vgl. auch F.D. SCHLAFER, Doctrine 288: "By the moral necessity of the new life, eternal life, abiding in him he *must* produce the fruits of that life. If the life within him does not meet the tests, it is not genuine. Moral and spiritual deficiency contradict and deny all claims to sonship and demonstrate the absence of filial life" (vgl. R. LAW, Tests 11: "Righteousness, Love and Confession of Christ are the proof [of being begotten of God], because [they are] the results, of participation in the Divine Nature."); auch O. BÖCHER, Dualismus 147, vertritt die These, daß die Zugehörigkeit der Glaubenden zur Gemeinde nach johanneischer Auffassung theologisch von Gott vorherbestimmt ist. Zur Erhärtung der These zieht er allerdings nur Stellen aus dem JohEv heran.

[182] Es mag noch weitere Charakterisierungen dieses Dualismus geben; hier seien nur die wichtigsten Merkmale angeführt.

[183] S.o. S. 114.

Vater, der mich gesandt hat ..."[184] (Joh 6,44; vgl. 6,65). Die Kinder des Teufels tun die Werke des Teufels, die Kinder Gottes tun die Werke Gottes (vgl. 1Joh 3,8.10).[185]

Der kosmologische Dualismus[186] findet also seinen Niederschlag in der vorfindlichen Wirklichkeit der johanneischen Gemeinde und ihrer Umwelt:
- "Liebe" - "Haß" (1Joh 2,9-11; 3,11-18; 4,7-21; 5,2f);
- "Gerechtigkeit, Vergebung" - "Sünde" (1Joh 1,9; 2,1-6.12; 3,3-9; 5,15);
- "Kind Gottes" - "Kind des Teufels" (1Joh 3,10);[187]
- "Wahrheit" - "Verführung" (1Joh 2,21-26; 5,20f).

Alle Stellen, an denen von der Geburt aus Gott die Rede ist, liefern Kriterien, nach denen beurteilt werden kann, ob ein Mensch aus Gott geboren ist oder nicht.

(1) Dies wird besonders deutlich anhand von 1Joh 2,29: "Wenn ihr wißt, daß er gerecht ist, *erkennt* ihr, daß jeder, der die Gerechtigkeit tut, aus ihm geboren ist." Es geht also darum, daß die Glaubenden den Zusammenhang zwischen Herkunft und Handeln erkennen. Unter dieser Voraussetzung kann auch erkannt werden, wer nun aus Gott geboren ist.

(2) Ebenso ist die Sachlage bei 1Joh 4,7: "Ihr Lieben, laßt uns einander lieb haben; denn die Liebe ist aus Gott, und wer liebt, der ist aus Gott geboren und kennt Gott."

(3) Anzufügen ist noch 1Joh 5,1: "Jeder, der glaubt, daß Jesus der Christus ist, ist aus Gott geboren."[188]

(4) Genauso ist die Sachlage bei 1Joh 3,10: "Daran wird *offenbar*, welche die Kinder Gottes und welche die Kinder des Teufels sind: Wer nicht recht tut, der ist nicht von Gott, und wer seinen Bruder nicht lieb hat."

(5) Auch durch 1Joh 3,14 wird unsere These erhärtet: "Wir *wissen*, daß wir aus dem Tod in das Leben gekommen sind, denn wir lieben die Brüder." Die Bruderliebe ist ein Erweis dafür, daß man in das Leben gekommen ist.[189]

---

184   R. BULTMANN, Art. Johannesevangelium, RGG³ 3 (1959), Sp. 848, hat folgende These aufgestellt: Der Dualismus des JohEv. "ist ... nicht wie in der Gnosis ein kosmologischer, sondern ein Entscheidungs-Dualismus. Das bedeutet: Die Verlorenheit des Menschen an die Welt ist nicht Schicksal, sondern Schuld; die Welt gewinnt ihren gottfeindlichen Charakter durch den Menschen, während sie doch göttliche Schöpfung ist; ...". Was den 1Joh angeht, müssen wir diese These in Frage stellen. Das Familienmodell des 1Joh setzt einen kosmologischen Dualismus voraus. Für oder gegen seine eigene Herkunft bzw. Geburt kann sich kein Mensch entscheiden.

185   Vgl. 1Joh 3,7b: "Wer recht tut, der ist gerecht." Von den Taten soll also auf das Wesen geschlossen werden.

186   Es gibt eine breite Diskussion über die religionsgeschichtlichen Voraussetzungen des joh Dualismus, auf die wir uns hier nicht einlassen können, vgl. hierzu etwa R. BULTMANN, Theologie 367-385, DERS., Art. Johannesevangelium, RGG³ 3 (1959), Sp. 840-850, L. SCHOTTROFF, Der Glaubende, J.W. MILLER, Concept 31-42 sowie die forschungsgeschichtliche Skizze bei K. WENGST, Gemeinde (³1990) 11-41.
H.-M. SCHENKE, Determination und Ethik 212, ist der Ansicht, dem 1Joh liege "kein konsequenter Dualismus (zugrunde), er ist nicht kosmologisch, sondern soteriologisch interessiert". Wir verstehen SCHENKE in der Weise, daß er mit diesem Satz prinzipiell nicht in Abrede stellt, der johanneische Dualismus sei ein kosmologischer. Er ist nach Schenke allerdings nicht kosmologisch *interessiert*, sondern eben eher soteriologisch. Der Dualismus des 1Joh ist also wohl kosmologisch; doch die Fragestellung des 1Joh ist eine soteriologische.

187   Vgl. die Alternative: - "aus Gott sein" - "aus der Welt sein" (1Joh 4,4-6).

188   Etwas anders liegt die Sache an der Stelle 1Joh 5,4: "Denn alles, was aus Gott geboren ist, überwindet die Welt." Allerdings ist hier von vornherein klar, daß Bedingung für die Überwindung der Welt die Geburt aus Gott ist und nicht etwa umgekehrt.

189   Vgl. auch 2,3 ("Und daran *erkennen* wir, daß wir ihn kennen, wenn wir seine Gebote halten."); 2,5 ("Wer aber sein Wort hält, in dem ist wahrlich die Liebe Gottes vollkommen. Darin *erkennen* wir, daß wir in ihm sind."); 3,18.19a ("Kindlein, laßt uns nicht lieben mit Worten noch mit

An keiner Stelle wird eine Bedingung für die Geburt aus Gott bzw. die Gotteskindschaft formuliert.[190] Vielmehr ist die Geburt aus Gott die Bedingung für alles weitere. Zugleich muß das, was von denjenigen gesagt wird, die aus Gott geboren sind, jenen, die nicht aus Gott geboren sind, abgesprochen werden. Es gibt nur die Alternative: "aus Gott geboren sein" oder "Kind des Teufels sein" (1Joh 3,6-8) - *tertium non datur*. Die Verbindung von Herkunft bzw. Sein und Tun hat im 1Joh den "Charakter der Notwendigkeit"[191]. Der 1Joh will generell Kriterien liefern, wie das Handeln von Menschen auf deren Herkunft bzw. deren Sein schließen läßt. Dem Verfasser des 1Joh geht es also wesentlich um "*Frontenklärung*": "Es gibt zwei voneinander geschiedene Gruppen von Menschen; die einen stammen von Gott, die anderen vom Teufel. Und entsprechend ihrer Herkunft ist auch ihr Handeln. ... Und für beide Gruppen gilt das οὐ δύναται, d.h. sie müssen tun, was sie tun."[192] Deshalb formulieren also die ἐάν-Sätze oder andere "Kennzeichensätze"[193] nicht eine Bedingung, sondern es werden darin Kriterien der (Selbst-) Beurteilung an die Hand gegeben werden.[194] 1Joh 4,12 kann also nicht folgendermaßen paraphrasiert werden: "Wenn wir Liebe üben, dann erreichen wir damit, daß sich die Liebe Gottes in uns vollendet", sondern richtig mit H.M.Schenke: "Wenn wir Liebe üben, kann man daran ersehen, daß die Liebe Gottes in uns schon vollendet ist."[195]

Der vielfältige Gebrauch des Verbums φανεροῦν im 1Joh deutet an, daß es dem 1Joh um Sichtbarmachung bereits bestehender Gegebenheiten geht.[196] Die "zur Erkennbarkeit kommenden Gegenstände (sind) schon vorher gegenwärtig, aber noch verborgen; das 'φανεροῦν' gibt ihnen öffentliche Sichtbarkeit. Wichtig ist, daß hier eine Krisis zwischen Gut und Böse, Licht und Finsternis stattfindet"[197] (vgl. Joh 3,21; 1Joh 3,10).

3.2 Sünde im ersten Johannesbrief

Das Problem "Sünde im 1Joh" ist in der Forschung vieldiskutiert. In 1Joh 1,7-2,2 wird die Realität der Sünde für die Glaubenden vorausgesetzt, während sie in 1Joh 3,6.9; 5,18 für jene gerade negiert

---

der Zunge, sondern mit der Tat und mit der Wahrheit. Daran erkennen wir, daß wir aus der Wahrheit sind, ...").
Vgl. 3,24 und 4,1f: In 3,24 wird der Geist Gottes als Kriterium für das "In-Gott-Bleiben" genannt und in 4,2 ein Kriterium erwähnt, woran der Geist Gottes nun zu erkennen sei (vgl. auch 4,6 und 4,20, wo als objektives Kriterium für die Gottesliebe die Bruderliebe angeführt wird - in 5,2 ist es genau umgekehrt).

[190] Gegen R. SCHNACKENBURG, Johannesbriefe (⁷1984) 67: "Wichtig sind *Bedingungen* (ἐάν...) und Kriterien (ἐν τούτῳ γινώσκομεν) der Gottesgemeinschaft" (Hervorhebung vom Verfasser).

[191] SCHENKE, Determination 208.

[192] Ebd. 211.

[193] Vgl. K. BERGER, Gattungen 1053: Kennzeichensätze sind Sätze, die mit einem Relativsatz eingeleitet werden nach dem Schema: "Wer ... tut, der ... (πᾶς ὁ ...)" vgl. 1Joh 1,7; 2,4-6.10f.15b.17b.23; 3,24; 4,12.15.

[194] Vgl. v.a. 1Joh 2,3: "Und daran *erkennen* wir, daß wir ihn erkannt haben, wenn wir seine Gebote halten." Sowie 1Joh 5,2: "Daran *erkennen* wir, daß wir Gottes Kinder lieben, wenn wir Gott lieben und seine Gebote halten."

[195] SCHENKE, Determination 207; anders scheint die Vorstellung im palästinischen Judentum über die Proselyten gewesen zu sein: Das Leben, das der Proselyt nach seiner Bekehrung zu leben anfing, "lebte er unter genau denselben Bedingungen wie das frühere, dessen Schuldkonto eben ausgelöscht worden war" (E. SJÖBERG, Wiedergeburt 69).

[196] φανεροῦν in bezug auf Jesus Christus: 1,2; 3,5.8; 4,9.
φανεροῦν in bezug auf Kinder Gottes bzw. Kinder des Teufels: 2,19; 3,10.
φανεροῦν in bezug auf die Parusie: 2,28 (Christus); 3,2 (die Gläubigen).

[197] M.N.A. BOCKMUEHL, Verb 91.

wird. Bevor der eigene Lösungsversuch, der natürlich der bisherigen Forschung verpflichtet ist, skizziert wird, soll ein kurzer - nicht Vollständigkeit beabsichtigender - forschungsgeschichtlicher Abriß[198] über die Meinungsvielfalt Auskunft geben. Auf eine Kritik der einzelnen Ansichten muß im Rahmen dieser Untersuchung verzichtet werden.

Der gängigste Lösungsversuch geht vom Unterschied zwischen Ideal und Wirklichkeit aus.[199] Vergleichbar ist diesem Ansatz die in der neueren Forschung eher bevorzugte Unterscheidung zwischen dem den Glaubenden verheißenen "Noch nicht" und dem vorfindlichen "Schon jetzt".[200] Vor allem in der englisch-sprachigen Forschung findet sich häufiger die Unterscheidung zwischen Aktual- und Habitualsünden.[201] Mitunter wird auch im Anschluß an diese Unterscheidung vermutet, 1Joh 3,9 schließe nur (eine) bestimmte Sünde(n) für die Glaubenden aus.[202] Es ist auch die Ansicht geäußert worden, die differenzierte Behandlung des Themas "Sünde" im 1Joh habe in erster Linie paränetische Funktion: Einerseits wolle der Verfasser "die Leser in der steten demütigen, moralischen Selbstbeurteilung und Selbstzucht ... erhalten (3,3; 5,18), andererseits dieselben von dem drückenden Gefühl der Schuld Gott gegenüber ... befreien (3,20).[203]

Daneben sind hie und da noch weitere Lösungsversuche unternommen worden: F. Büchsel vermutet, die Sündlosigkeit der Gotteskinder folge aus der Heiligkeit Gottes und sei in keiner Weise irgenwie naturartig, sondern eine "geistige, religiöse".[204] J. Heise votiert für eine "biographische Lösung": Die Sünde, von der in 1Joh 1,7-10 die Rede ist, sei stets die Sünde *vor* der Konversion zur Gemeinde.

---

[198] Vgl. R.E. BROWN, Epistles 413-416, sowie H.-J. KLAUCK, Johannesbrief 195-197, beide mit weiterer Diskussion.

[199] So F. DÜSTERDIECK, Briefe II (1854) 141-151 mit einer Diskussion der bis dahin veröffentlichten Lösungsversuche; H.-J. HOLTZMANN, Briefe (1891) 343; H. WINDISCH, Taufe (1908) 258f; R. SEEBERG, Sünden (1928) bes. 21; F. HAUCK, Brief (1935) 132; J. HERKENRATH, Sünde (1950) bes. 120-124; S. KUBO, Absolute (1969) bes. 50-53; K. WENGST, Brief (1978) 137-140; E. RUCKSTUHL, Johannesbrief (1985) 56. Vgl. hierzu auch P.P.A. KOTZE, Meaning (1979) 68-83, der den Ausdruck "οὐ δύναται ἁμαρτάνειν" als Spitze der gedanklichen Entwicklung innerhalb des 1Joh ansieht, die auf Absolutheit des antithetischen Dualismus von Teufel - Gott hinausläuft (80).

[200] Diese Argumentation wird besonders deutlich bei R. SCHNACKENBURG, Johannesbriefe ([1]1953) 257f; K. WENNEMER, Christ (1960) bes. 376; J. SCHNEIDER, Kirchenbriefe (1961) 165; G. SCHUNACK, Briefe (1982) 59; vgl. bes. G. STRECKER, Johannesbriefe (1989), der zwischen "eschatologische(r) Wirklichkeit" (173) und "irdische(r) Realität" (174) unterscheidet und damit den Zusammenhang der Kategorien "Ideal und Wirklichkeit" und "'Schon jetzt' und 'Noch nicht'" aufzeigt.
Ähnlich ist der Ansatz M. VELLANICKALs, Sonship (1977), der eine - allerdings diesseitige - moralische Entwicklung der Glaubenden im 1Joh vorausgesetzt sieht: "The very way of puttin parallel 'he has been born of God' (perfect) and 'the seed of God dwells in him' in I Jn 3:9 points to the same. If μένει expresses the objective aspect, γεγέννηται (perfect) expresses the subjective aspect of this working of the Holy Spirit through the Word of God in men, in producing impeccability" (273f).

[201] Vgl. bereits R. ROTHE, Brief (1878) 107f, nach dessen Auffassung der Glaubende "nie mit seinem eigentlichen Selbst, mit seiner eigentlichen, vollständig bei sich selbst seienden Persönlichkeit sündigen kann"; W. VREDE, Brief (1908) 164 vermutet, in 1Joh 3,9 habe nur Sünden "im eigentlichen und vollen Sinne dieses Wortes" im Blick; ähnlich A.E. BROOKE, Epistles (1912) 89f; O. BAUMGARTEN, Johannesbriefe (1918) 882; H. ASMUSSEN, Wahrheit (1939) 81; F.D. SCHLAFER, Doctrine (1949) 329f; J.W. MCCLENDON, Doctrine (1953)169f; C.H. DODD, Epistles (1966) 79; W.R. COOK, Problems (1966) bes. 255; V.K. INMAN, Vocabulary (1977) bes. 141; vgl. E. GAUGLER, Johannesbriefe (1967) 178, nach dessen Meinung der aus Gott "Gezeugte" "nicht so freventlich sündigen könne, daß er die gottwidrige Sünde als gar keine hinstelle".

[202] So J.E. BELSER, Briefe (1906) 77f - seiner Meinung nach richtet sich 1Joh 3,9; 5,18 gegen die Verletzung des 6.Gebotes; TH. HAERING, Johannesbriefe (1927) 46f vermutet für die "Wiedergeborenen" die Unnmöglichkeit, "aus der Gnade (zu) fallen" (46); ähnlich H.K. LA RONDELLE, Perfection (1971) 233-236; M. MIGUENS, Sin (1976) bes. 65-72; S.P. VITRANO, Doctrine (1987) bes. 126-128, der die "ἀνομία" (1Joh 3,4) auf die Unglaubigen bezieht und die "ἀδικία" (1Joh 5,17) auf die Gemeindeglieder; die Sünde der Gemeindeglieder hat nach VITRANO also eine andere Qualität als die der Ungläubigen.

[203] D. KLÖPPER, Lehre (1900) 599. Ähnlich votiert W. GRUNDMANN, Art. ἁμαρτάνειν κτλ., ThWNT 1 (1949), 311,2f, der von einer "der Sünde widerstreitenden Energie" innerhalb der Gemeinde spricht; ähnlich J.R.W. STOTT, Epistles (1964) 136 und R. BULTMANN, Johannesbriefe (1967), der in Bezug auf 1Joh 3,9 von der "Möglichkeit des Nichtsündigens" spricht, "die der Glaubende als das unverlierbare Geschenk der ἀγάπη Gottes empfangen hat, eine Möglichkeit, die freilich stets zu realisieren ist, ..." (58).

[204] Johannesbriefe (1933) 53.

Demnach sei 1Joh 2a folgendermaßen zu paraphrasieren: "Meine Kinder, dies schreibe ich euch, damit ihr nicht (etwa behauptet, die Sünde sei nicht eure Vergangenheit gewesen, und so) sündigt."[205] H.C. Swadling äußert die Vermutung, in 1Joh 3,6.9 würden häretische Sätze in polemischer Absicht übernommen. Der Verfasser wolle mit diesen Versen auf die Häretiker hinweisen und an sie, die sich selbst als aus Gott gezeugt bezeichnet hätten, das Kriterium der Sündlosigkeit anlegen.[206]

R. Schnackenburg hat erkannt, daß das Heil der aus Gott Geborenen "grundsätzlich ein eschatologisches" ist.[207] Alles, was der Verfasser des 1Joh den Glaubenden zuspricht, hat also eine eschatologische Dimension. Bei der motivgeschichtlichen Betrachtung haben wir gesehen, daß schon an manchen Stellen im AT "Gottessohnschaft" als Verheißung für die Zukunft gedeutet wird (vgl. Hos 2,1 u.ö.). Bei der Untersuchung des Motivs etwa im Jubiläenbuch[208] hat sich gezeigt, daß im Frühjudentum die messianische Heilsgemeinde als sündlos vorgestellt wurde.[209] Man war sich im klaren darüber, daß nur Gott diesen sündenfreien Zustand herbeiführen könne.[210] Diese Sündlosigkeit sollte nach Jub 5,12 durch eine neue und gerechte Natur erreicht werden. Aber auch schon in Jes 11,9 ist die Hoffnung auf Freiheit von der Sünde angesprochen. Dort wird diese Hoffnung an das Kommen eines endzeitlichen Herrschers gebunden. Diese Hoffnung hat im Kommen Jesu nach Auffassung des Verfassers des 1Joh ihre Erfüllung gefunden. In die Schilderung von der positiven Erreichung des sündenfreien Zustandes wird etwa in Jub 1,24f die Gotteskindschaftsmetaphorik eingezeichnet.[211]
Der Verfasser des 1Joh rezipiert diese Tradition und bildet sie in seinem Sinne um. Aufgrund seiner "präsentischen Eschatologie" entwirft er sein eigenes Bild der eschatologischen Gemeinde, einer Gemeinschaft von (Schwestern und) Brüdern, einer Gemeinschaft der Kinder Gottes.
Die Erwähnung der Sündlosigkeit als Zeichen der eschatologischen Heilsgemeinde ist Indiz dafür, daß der 1Joh seinen Grundgedanken von der Gotteskindschaft der Glaubenden in verschiedene Richtungen ausdeuten möchte. Interessanterweise wird sowohl in 1Joh 3,9 als auch in 1Joh 5,18 die Sündlosigkeit nicht an Jesu Wirken gebunden, sondern an die Geburt aus Gott bzw. an Gottes Samen im Glaubenden. Die Sündlosigkeit ist also vom johanneischen Gemeindeentwurf her, der johanneischen Konzeption von der Gotteskindschaft der Gemeindeglieder, zu interpretieren. In gleicher Weise wie die Glaubenden das Leben haben (1Joh 5,11f), können sie nicht sündigen (1Joh 3,6.9); beide Momente gehören als Kennzeichen der eschatologischen Heilsgemeinde auf die gleiche Ebene. Haben wir uns diese Stoßrichtung des johanneischen Gemeindeentwurfs bewußt gemacht, so wird deutlich, daß *nicht* 1Joh 3,6.9 und 5,18 problematisch sind, sondern eher die

---

205 Bleiben (1967) 150.
206 Sin (1982) bes. 207f. Ähnlich H.-J. KLAUCK, Johannesbrief 198: "Aber die Gegner fassen die Sündlosigkeit zu statisch und nicht als dynamischen, prozeßhaften Vorgang. Die christliche Vollkommenheit ist für sie mit der Taufe ein für allemal gegeben. Daraus kann niemand mehr herausfallen und eine Entwicklung zur größeren Vollkommenheit hin macht ebensowenig Sinn." Das Problem dieses Lösungsversuchs ist jedoch, daß gerade 1Joh 3,9 durchaus "statisch" klingt. Zur Auffassung von W. NAUCK, Tradition (1957) bes. 100-108 und H.-M. SCHENKE, Determination (1963) bes. 211-215 s.u.
207 R. SCHNACKENBURG, Johannesbriefe (⁷1984) 286.
208 Jub 1,21-25; 5,12; vgl. aethHen 5,8f; 10,20; 91,7f.14; 92,5; 100,4f; 108,2f; 62,11ff; TLevi 4,2.
209 Vgl. H. STRACK/P. BILLERBECK, Kommentar I 70; vgl.o. S. 46.
210 Vgl. Jub 1,21-25; aethHen 5,8.
211 Vgl. TJud 24,3f sowie PsSal 17,27; vgl. H. STRACK/P. BILLERBECK, Kommentar I 219f.

Verse, die von der gegenwärtigen Realität der Sünde ausgehen (1Joh 2,1f). Das Problem des 1Joh ist nicht die Sündlosigkeit, sondern die Sünde der Gemeindeglieder.[212]

W. Nauck[213] hat zwei Aspekte beim johanneischen Sündenverständnis unterschieden, einen statischen und einen dynamischen: "Während nach dem statischen Aspekt die Scheidelinie durch die ganze Menschheit hindurchläuft, wobei die einen unter der Herrschaft Gottes stehen und gerecht handeln, die anderen hingegen unter der Herrschaft des Teufels stehen und sündigen, geht die Schnittlinie nach dem dynamischen Aspekt durch den einzelnen Menschen - und zwar nur durch den Gläubigen - hindurch: Wandelt der Ungläubige in permanenter Sündhaftigkeit, weil er ganz in der Gewalt des Satans ist, so steht der Gläubige in der *Kampfsituation der Anfechtung* durch die Sünde."[214] Diese Unterscheidung ist noch weiter zu treiben. Es handelt sich nicht um verschiedene Aspekte, sondern um unterschiedliche Sündenbegriffe. Dabei ist ein komplementäres Verständnis von 1Joh 2,1f und 1,7-10; 3,5f.9 zu gewinnen. Der Glaubende ist mit 1Joh 2,1f als ein Mensch vorzustellen, "der im allgemeinen nicht sündigt und der, wenn es ihm schon passiert, seine Sünden bekennt"[215]. Dieses rechte Verhalten vollzieht sich mit Notwendigkeit.[216]

Von daher ist eben die Vermutung zu äußern, daß 1Joh 2,1f und 1Joh 1,7-10; 3,5f.9 einen unterschiedlichen Sündenbegriff zugrundelegen. Die "Sünde", von der in 1Joh 2,1 die Rede ist, scheint eine andere zu sein als die, von der in 1Joh 3,9 die Rede ist. Anders formuliert: die Sünde von 1Joh 2,1f ist im Sinne des Sündenbegriffs von 1Joh 1,7-10; 3,5f.9 überhaupt keine Sünde. Begeht ein Gläubiger eine Sünde, bekennt diese und läßt sie sich vergeben, dann handelt er im Sinne von 1Joh 3,5f.9 sündlos. Die Sündlosigkeit, von der 1Joh 3,5f.9 redet, entspricht der Unmöglichkeit, aus der Gotteskindschaft herauszufallen, denn Gottes Same *bleibt* im Menschen[217], sie entspricht der Unmöglichkeit für einen Gläubigen, seine Sünden eben nicht zu bekennen und sie sich nicht vergeben zu lassen.[218] Als Sünder erweist sich ein Mensch erst dann, wenn er aus der Gotteskindschaft und damit

---

212 Deshalb bietet der 1Joh auch mehrere "Modelle" an, wie "Tatsünden" innerhalb der Gemeinde wieder aufgehoben werden können; vgl. W. PRATSCHER, Gott 272-281 (vgl. u. Anm. 218).
213 W. NAUCK, Tradition.
214 Ebd. 104f.
215 SCHENKE, Determination 211.
216 Ebd. 211.
217 Vgl. 2,27: Hier wird auch positiv zugesagt, daß das "χρῖσμα" in den Glaubenden bleibt.
218 In diesem Zusammenhang ist zu verweisen auf den Aufsatz von W. PRATSCHER, Gott 272-281. PRATSCHER unterscheidet drei "Modelle" im 1Joh, wie die Gefahr des Verlustes der Gotteskindschaft nach vollbrachter Sünde für den Glaubenden gebannt werden kann:
(a) Das Bekenntnis der Sünden (1Joh 1,9) (273);
(b) Der Rekurs auf den Parakleten (1Joh 2,1) (274);
(c) Die Aussage, daß Gott größer ist als das Herz der Glaubenden (1Joh 3,19f) (274-280).
Man mag sich zu dieser Unterscheidung stellen, wie man will. Sie hat allerdings nur dann Wahrscheinlichkeit für sich, wenn sich die unterschiedenen Aspekte grundsätzlich nicht widersprechen. Die Initiative zur Sündenvergebung scheint bei Modell (a) vom Gläubigen auszugehen, bei Modell (b) von Christus und erst bei Modell (c) von Gott selbst. Mittelbar ist allerdings bei allen drei Modellen Gott der Urheber der Vergebung. Bei Modell (b) dank der Einheit mit dem Sohn (vgl. 1Joh 5,20) und bei Modell (a) dank der Vorstellung der Determination, wie sie in dieser Arbeit skizziert werden soll. Gott ist es, der bestimmt, wer Gotteskind und damit "sündlos" (im Sinne von 1Joh 3,9) ist.
Legt man also PRATSCHERs Unterscheidung zugrunde, hat auch der vorgeschlagene Lösungsversuch zum Problemkreis "Sünde im 1Joh" die meiste Wahrscheinlichkeit für sich.

aus der Bruderschaft der Gemeindeglieder herausfallen sollte; dies ist wahre "Sünde" im Sinn des Sündenbegriffs von 1Joh 3,9.

"Taufe, Eintritt in die Gemeinde und Reinigung von den Sünden"[219]
Das Motiv der Reinigung von den Sünden (bzw. das Motiv der "Erlösung" - vgl. Röm 3,24f; 1Kor 1,30; Mk 10,45; Eph 1,7; Kol 1,13f; Tit 2,14; Hebr 9,12.15; 1Pt 1,18f) verbunden mit dem Blut Christi findet sich wiederholt im Neuen Testament (vgl. Apk 1,5; 5,9; 7,14; 12,11; 1Pt 1,18f; Tit 2,14; Hebr 9,14; 10,22; vgl. auch 1Kor 6,11). Aus Hebr 10,22 geht hervor, daß die "Besprengung mit dem Blut Christi" in der Taufe vorgestellt wird.[220] Auch in Hebr 9,14 begegnet urchristliche Taufterminologie.[221] P. v. d. Osten-Sacken[222] hat den Nachweis erbracht, daß "auch der Gedanke der 'Reinigung durch das Blut Christi' (...) ein Motiv der urchristlichen Taufsprache darstellt"[223]. Auch das αἷμα-Motiv darf als integraler Bestandteil urchristlicher Taufverkündigung gelten.[224] Damit dürfte die Aussage von 1Joh 1,7-10 auf die Taufe und damit den Eintritt in die Gemeinde weisen. Die Reinigung von aller Sünde geschieht durch Christus und wird manifest, wenn der Glaubende zur Gemeinde stößt, getauft wird.[225] Er gilt nun als gereinigt von aller seiner (bisherigen) Sünde.[226] Die Tatsache, daß der 1Joh nie ausdrücklich von der Taufe[227] redet, mag daran liegen, daß er voraussetzt, daß seine Leser sie bei der Rede von der "Reinigung von aller Sünde" von selbst assoziieren[228]; zudem geht es ihm selber weniger um den Brauch der Taufe als vielmehr um das christologische und soteriologische Geschehen: die Reinigung durch das Blut Christi. Das präsentische (durative) καθαρίζει in 1Joh 1,7 weist ähnlich wie der Finalsatz in 1Joh 1,9b darauf hin, daß durch Jesu Blut auch "postbaptismale" Sünden gereinigt werden können. Auch hier wird damit angedeutet, daß die Realität der Sünde innerhalb der Gemeinde ein besonderes Problem für den Verfasser des 1Joh ist. Doch 1Joh 1,7 signalisiert, daß auch die "postbaptismalen" Sünden aufgrund der Taufe und damit aufgrund der Zugehörigkeit zur Gemeinschaft der Kinder Gottes vergeben werden können. Daß die wahren Glaubenden aber mit ihrer Zugehörigkeit zur Gemeinde und damit seit ihrer Taufe im

---

219 Vgl. zu diesem Abschnitt u. S. 175-178 und 213.
220 G. FRIEDRICH, Lied 102: "In Hebr 10,22 weisen die Worte 'besprengen' und 'waschen' auf den Taufakt hin." Vgl. K.H. HUNZINGER, Art. ῥαντίζω κτλ., ThWNT 6 (1959), 983,23ff, der daneben auch auf Hebr 12,24 und 9,13f verweist.
221 Vgl. P. V. D. OSTEN-SACKEN, Christologie 360.
222 Ebd. 259-261.
223 F. RUSAM, Formeln 67; 67ff bringen noch weitere ntl. Belege zur Erhärtung der Vermutung; vgl. auch J. ROLOFF, Offenbarung 92 (zur Stelle Apk 7,14): "... Denn das Taufgeschehen wird häufig im Neuen Testament als Reinigung durch das Blut Jesu beschrieben (1. Petr.1,2; Hebr. 9,14; 1. Joh 1,7; vgl. Eph. 5,26; Joh 15,3)." Vgl. auch 1QS 3,6-9; 1QH 3,21f, wo die Vorstellung begegnet, daß Reinigung die Voraussetzung der Gemeinschaft sei. Vgl. hierzu zu Röm 3,24-26, wo auch die Vergebung der Sünden mit Jesu Blut in Verbindung gebracht wird. D. LÜHR-MANN, Rechtfertigung 438, ist der Meinung, daß der "Sitz im Leben" der Formel von Röm 3,24-26 die Taufe ist; gegen E. KÄSEMANN, Verständnis 100, der für das Abendmahl als "Sitz im Leben" votiert.
Vgl. zum Gedanken, daß schon in der vorpaulinischen Verkündigung die Taufe als Sitz im Leben der Rede von der Sündenvergebung zu sehen ist, G. BRAUMANN, Taufverkündigung 41 (vgl. auch 39f).
224 Vgl. F. RUSAM, Formeln 69.
225 Vgl. Barn 6,11.14, wo die Vergebung der Sünden als das Geschehen bei der Taufe vorgestellt wird.
226 Diese Vermutung stützt die These, die weiter unten entfaltet wird, daß der 1Joh sich gegen Leute richtet, die den vollen Beitritt zur johanneischen Gemeinde und damit die Taufe scheuen. Solche Menschen negieren die Notwendigkeit der Taufe mit dem Hinweis, sie hätten keine Sünde (1Joh 1,10) bzw. das, was sie tun, sei keine Sünde; von daher hätten sie auch keine Taufe zur Sündenvergebung nötig; vgl. u. S. 175-185.
227 Vgl. auch die Rede vom "Geist, Wasser und Blut" in 1Joh 5,7f; vgl. hierzu W. NAUCK, Tradition 147-182, der hier nachweist, daß der Gedanke der Taufe im Hintergrund steht.
228 Die johanneischen Gemeinden pflegten die Taufe (Joh 3,22.26; 4,1f; vgl. 19,34). Joh 4,1 legt die Vermutung nahe, daß die Taufe Initiationsritus der Gemeinde war. Anders als in Joh 4,1, wo die Taufe mit dem "μαθητής-werden" gleichgesetzt wird, identifiziert 1Joh 3,14a den Eintritt in die Gemeinde mit dem Übergang vom Tod in das Leben, d.h. mit der Geburt aus Gott und dem Eintritt in die Gotteskindschaft. Gotteskindschaft ist nach Joh 20,17 aber erst mit Jesu Erhöhung denkbar. Insofern ist der 1Joh auch hier die logische Weiterentwicklung der johanneischen Theologie. In diesem Zusammenhang hat U. SCHNELLE, Ekklesiologie 47, richtig gesehen, daß nach johanneischer Vorstellung die Taufe "Anteil am Heilswirken des erhöhten Jesus Christus" gewährt.

141

Grunde als "rein" gelten, wird bereits aus Joh 13,10 deutlich. Hier sagt Jesus seinen Jüngern diese Reinheit bereits zu.

Damit ist gleichwohl noch nicht geklärt, wie die Sünde, von der in 2,1f die Rede ist, in die Gemeinschaft derer eindringen kann, die seit ihrer Taufe von Sünden gereinigt (1,7-10) und von daher eigentlich sündlos (3,9; vgl. 3,5f) sind. Wenn Christus sie von ihrer Sünde gereinigt hat und wenn Gott ihr Vater ist, sie geboren hat, dann müßten sie von der Sphäre der Sünde geschieden sein, gewissermaßen in einem "sterilen", sündenfreien Raum leben. Die Frage nach der Herkunft der Sünde stellt sich dem Verfasser aber gar nicht. Er nimmt die Sünde als gegeben hin. Sünde ist ein Faktum innerhalb der Gemeinschaft; doch dieses Faktum ist "reparabel" und insofern - obwohl es vorhanden ist (1Joh 2,1) - wirkungslos (1Joh 1,7-10; 3,5f.9) bzw. für diejenigen, die innerhalb der Gemeinschaft leben und bleiben, schlicht nicht existent. Der Verfasser des 1Joh bietet dabei Möglichkeiten an, wie nach vollbrachter Sünde der eigentlich zwangsläufig folgende Verlust der Gotteskindschaft vermieden werden kann: durch Rekurs auf den Parakleten (2,1) oder durch das Bewußtsein, daß Gott größer ist als das anklagende Gewissen der Glaubenden (3,19f).[229] Diese Möglichkeiten zur Sündenvergebung wirken wie ein *Angebot zur Rückkehr* in die johanneische Gemeinschaft der Kinder Gottes.

Was aber ist mit denen, die sich endgültig von der Gemeinschaft abwenden? Haben sie sich von ihrer eigenen Gotteskindschaft distanzieren können, für die sie sich gar nicht entschieden hatten? Kann sich nach Auffassung des 1Joh ein Mensch überhaupt von Gott distanzieren?

3.2.1 Die "Sünde zum Tode"

Die Rede von der "Sünde zum Tode - ἁμαρτία πρὸς θάνατον" (1Joh 5,16) scheint die Möglichkeit der Selbstdistanzierung vom eigenen Vater und den eigenen Geschwistern zu implizieren.[230] Sie ist in Beziehung zu setzen mit dem bereits zitierten Vers 1Joh 3,14 ("Wir wissen, daß wir aus dem Tod ins Leben gekommen sind ..."). "Sünde zum Tode" faßt scheinbar die Möglichkeit ins Auge, dahin zurückzufallen, von wo aus man ursprünglich gekommen war: den Tod! "Sündigen zum Tode" können offenbar nur die Gläubigen; sie sind ja die einzigen, die "leben" bzw. "das Leben haben".

Es gilt, die genaue Bedeutung des theologischen Gebrauchs von "πρός" im 1Joh zu erfassen. "Ἁμαρτία πρὸς θάνατον" meint erst dann die Möglichkeit, aus der Gotteskindschaft herauszufallen, wenn "πρός" einen Ortswechsel impliziert bzw. eine

---

229 Vgl. o. S. 140, Anm. 218.

230 Vgl. die herkömmlichen Auslegungen der Verse, die von der "Sünde (nicht) zum Tode" handeln, etwa z.B. R. SCHNACKENBURG, Johannesbriefe (⁷1984) 277: "'Sünde zum Tode' dagegen ist eine Tat, die Gott mit dem Ausschluß von seinem Lebensbereich strafen muß, so wie er in alter Zeit den leiblichen Tod als Strafe verhängte."; vgl. auch H. BALZ, Johannesbriefe 202: "In 1.Joh. 5,16 greift der Verfasser auf entsprechende Ausdrucksweisen zurück, um damit eine Art des Sündigens zu bestimmen, die unvergebbar ist und keine Fürbitte verdient. 'Tod' meint hier den Verlust des wahren Lebens, d.h. den Ausschluß aus dem Sein in der Gottesgemeinschaft." Vgl. aber auch J. TOWNSEND, Sin 147-150, der sich in seiner Deutung an den Kommentar von G.N. WOODS, Epistles, anschließt. Seiner Meinung nach ist die Sünde zum Tode alle jene Sünde, die eben nicht (gemäß 1Joh 1,9) bekannt wird (150). Allerdings werden hier die anderen "Vergebungsmöglichkeiten Gottes", die der 1Joh kennt (etwa der Rekurs auf den Parakleten - 1Joh 2,1 oder die Aussage, daß Gott größer ist als das menschliche Herz - 1Joh 3,19f), außer acht gelassen. Auch TOWNSEND versteht die "Sünde zum Tode" als ein Herausfallen aus der Gotteskindschaft.

Richtung andeutet. Im 1Joh finden sich acht Belege dieser Präposition, wovon allein vier auf die Rede vom "sündigen (οὐ) πρὸς θάνατον" bzw. die Rede von der "Sünde (οὐ) πρὸς θάνατον" (5,16f) entfallen. Auffälligerweise implizieren die vier anderen Belege keinen Ortswechsel, sondern sie beziehen sich auf einen besonderen "Ort". Gleich zu Beginn des Briefes wird - ähnlich wie im Prolog des Evangeliums - vom Sein des ewigen Lebens bei dem Vater (πρὸς τὸν πατέρα) gesprochen (1,2). Ähnlich ist der Befund bei 1Joh 2,1b: Wenn einer sündigt, so haben wir einen Parakleten beim Vater (ἐάν τις ἁμάρτη, παράκλητον ἔχομεν πρὸς τὸν πατέρα).[231] Auch 1Joh 3,21; 5,14, wo es heißt, daß "wir" "παρρησία" haben "πρὸς τὸν θεόν", gehören in diese Kategorie des Gebrauchs von πρός. Hier ist ebenfalls nicht die Richtung durch "πρός" ausgedrückt, sondern wie in den anderen beiden Stellen (1Joh 1,2; 2,1) eine "Örtlichkeit"[232]. "πρός" im 1Joh weist durchgängig auf einen Ort, der räumlich vom Standort des Subjekts getrennt ist; mit dieser Präposition wird aber nicht die Richtung bzw. den Weg vom Standort des Subjekts zu eben diesem Ort beschrieben.[233] Nach B.Reicke nimmt πρός "bei passiven, dem Sinne nach perfektischen Formen der Bewegungsverba, die intransitiv zu übersetzen sind, ... die Bedeutung *an, bei, vor jemandem* oder *etwas* an, ..."[234]. Reicke bezeichnet dann die Konstruktion mit πρός, in der keine Beziehung zu Bewegungsverba vorliegt, als "uneigentlich" und verweist in diesem Kontext auch auf Joh 1,1f.[235] Im 1Joh steht die Rede von der "ἁμαρτία πρὸς θάνατον" (5,16f) der Rede vom "ewigen Leben bei dem Vater" (ζωὴ αἰώνιος πρὸς τὸν πατέρα - 1,2)[236] diametral gegenüber. Ewiges Leben, der Paraklet, Christus (5,11) sind "*Signa*" des "Vaters"; sie gehören *zu* ihm. Dagegen ist "Sünde" in erster Linie ein "Signum" des Todes; deshalb ist der Verfasser des 1Joh auch gezwungen, darauf hinzuweisen, daß es eine "ἁμαρτία οὐ πρὸς θάνατον" gebe (5,17). Der 1Joh formuliert nicht umsonst, daß das ewige *Leben* bei dem Vater war, Affinität zum Vater hat (1,2), daß aber die Sünde (nor-

---

231 Vgl. Joh 5,45a: Ihr sollt nicht meinen, daß ich euch bei dem Vater verklagen werde - μὴ δοκεῖτε ὅτι ἐγὼ κατηγορήσω ὑμῖν πρὸς τὸν πατέρα.

232 Im Gegensatz zum 1Joh findet sich im Evangelium und auch in den anderen beiden Johannesbriefen durchaus der Gebrauch von "πρός", der einen Ortswechsel oder zumindest eine Richtung weg vom Subjekt des Satzes impliziert: vgl. etwa den Ausdruck "ἔρχεσθαι πρός" (1,29.47; 3,20f.26 [2x]; 4,30.40.47; 5,40; 6,5.17.35.44.45.65.68; 7,37.45.50; 8,2; 10,41; 11,19.29.45f; 13,6; 14,6.18.23.28; 16,7; 17,11.13; 18,29.38; 19,3.39; 20,2[2x].10; 2Joh 10).

233 Dem Gebrauch von "πρός" im 1Joh entsprechen folgende Belege im Evangelium: Joh 1,1 (der Logos war πρὸς τὸν θεόν, und Gott war das Wort - vgl. hierzu R.E. BROWN, Gospel 4, der übersetzt: "The Word was in God's presence."); Joh 1,2 (dieser war im Anfang πρὸς τὸν θεόν); Joh 5,45 (κατηγορεῖν πρὸς τὸν πατέρα); sowie die Frage "Was geht es dich an?" (τί πρός σε) von Joh 21,22f. Jedesmal meint "πρός" gerade nicht eine Richtung auf etwas hin, sondern eine Örtlichkeit. "Πρός" trägt dann nicht die Bedeutung "zu ... hin", sondern eher "bei". Der Redeweise des 1Joh kommt am nächsten der Ausdruck "ἀσθένεια μὴ πρὸς θάνατον" (Joh 11,4). Und gerade hier wird die Unmöglichkeit der Krankheit *zum* Tode, verstanden als Übergang vom Leben zum Tode, für Lazarus angedeutet. Nach Joh 11,25, wird jeder, der an Jesus glaubt, leben, auch wenn er stirbt. Vorausgesetzt, daß Lazarus an Jesus geglaubt hat, was wahrscheinlich ist in Anbetracht der Tatsache, daß Lazarus der Freund Jesu war (11,3.11.36), kann er in der Tat gar nicht sterben.
Die Rede von der ἀσθένεια (μὴ) πρὸς θάνατον ist neben die Rede vom λόγος πρὸς τὸν θεόν (Joh 1,1f) zu stellen. Ἀσθένεια ist Signum des Todes ebenso wie der Logos Signum Gottes ist.

234 B. REICKE, Art. πρός, ThWNT 6 (1959), 722,22-24; vgl. W. RADL, Art. πρός, EWNT 3 (1983), Sp. 386: "In den meisten Fällen bezieht es sich auf einen *Ort*, *zu* dem sich etwas bewegt oder *an* dem etwas ist." Letzteres ist auch hier der Fall.

235 Ebd. 722,32-36; als weitere Belege für diesen Gebrauch von πρός in Verbindung mit εἶναι führt er Mt 13,56 (πρὸς ἡμᾶς εἰσιν) und Mk 9,19 (ἕως πότε πρὸς ὑμᾶς ἔσομαι) an (ebd. 722,34f). Vgl. auch Gal 2,5 (ἵνα ἡ ἀλήθεια ... διαμείνῃ πρὸς ὑμᾶς).

236 Vielleicht auch der Rede vom "παράκλητος πρὸς τὸν πατέρα" (2,1).

malerweise - vgl. 5,17) in die Kategorie des *Todes* gehört. Gott gibt zudem nach 5,16 auf die Fürbitte hin einem "Sünder nicht zum Tode" das *Leben;* d.h. Sünde ist auch unter den Lebenden möglich, solange es keine Sünde ist, die in die Kategorie des Todes gehört. Eben diese Sünde, die die Signatur des Todes trägt, läßt sich anhand des 1Joh auch genau bestimmen. Es ist die verweigerte Bruderliebe (3,14) sowie der Abfall (5,16f). "Tod" gibt es nur außerhalb der Gemeinschaft der Glaubenden. E.Haenchen hat recht, wenn er hinter der Warnung von 1Joh 5,21 das Problem der Apostasie sieht.[237] Sie ist im Zusammenhang mit der ἁμαρτία πρὸς θάνατον zu sehen. Abfallen können nach 1Joh 2,19 nur diejenigen, die im Grunde gar nicht zur Gemeinde gehört haben. Diejenigen, die also eine "ἁμαρτία πρὸς θάνατον" verüben, also diejenigen, die abfallen, haben in Wahrheit nie zur Gemeinde gehört (vgl. 1Joh 2,19). Es ist kein Zufall, daß in 1Joh 5,16 nicht davon gesprochen wird, daß ein "ἀδελφός" eine "ἁμαρτία πρὸς θάνατον" verüben kann. Durch die Ausführung der "ἁμαρτία πρὸς θάνατον", also durch den Abfall, manifestiert sich gerade die Nicht-Zugehörigkeit zur Bruderschaft.

Das Problem der Verse 1Joh 5,16f ist genau dasselbe wie das, welches mit den Aussagen von 1Joh 1,7-2,2 und 1Joh 3,6.9; 5,18 gegeben ist. Sünde ist normalerweise Signum des Todes, hat also mit der Gemeinde eigentlich nichts zu tun (3,9). Doch legt man den Sündenbegriff von 1Joh 1,7-2,2 zugrunde, so scheint es auch "Sünde" innerhalb der Gemeinde gegeben zu haben. Dies ist Sünde, die nicht in die Kategorie des Todes gehört, "ἁμαρτία οὐ πρὸς θάνατον", Sünde, die nach dem Schema von 1Joh 1,9 vergeben wird (Bekenntnis - Vergebung - Reinigung) und die nach dem Sündenbegriff von 1Joh 3,9 gar keine Sünde ist. In diese Richtung hat bereits I.Goldhahn-Müller Vermutungen angestellt: Sündlosigkeit gilt "paradoxerweise gerade dort, wo der Christ in realistischer Einschätzung seiner Schwachheit und seines noch bestehenden Kampfes gegen die Sünde in dieser Welt seine Verfehlungen reumütig bekennt"[238]. Die Sünde von 1Joh 3,9 ist aber eben die "ἁμαρτία πρὸς θάνατον", sie trägt die Signatur des Todes, und diese Sünde kann eben nicht von den Gemeindegliedern, den "ἀδελφοί" verübt werden, da sie das Leben haben (5,13) und von daher streng vom Tod geschieden sind.

Die Rede von der "ἁμαρτία πρὸς θάνατον" meint also nicht die Möglichkeit, aus dem Leben wieder in den Tod zu kommen, ist also nicht die Wiederholung von 1Joh 3,14a ("Wir wissen, daß wir aus dem Tod in das Leben hinübergeschritten sind") mit umgekehrtem Vorzeichen. Nach 1Joh 3,14b gibt es nur die Möglichkeit, im Tod zu *bleiben*.

Man würde analog 1Joh 3,14a auch eher den Ausdruck "ἁμαρτία εἰς θάνατον" erwarten. Εἰς bedeutet im Unterschied zu πρός "daß bei πρός die Bewegung an der Grenze des zu erreichenden Gegenstandes abbricht, bei εἰς aber bis in das Innere desselben fortgesetzt wird"[239]. Von daher ist im johanneischen Schrifttum εἰς die Präposition, mit der normalerweise ein Ortswechsel ausgedrückt wird.[240] Beson-

---

237 Literatur 276; vgl. auch E. STEGEMANN, Kindlein 284-294. Dazu ausführlich u. S. 174f.
238 I. GOLDHAHN-MÜLLER, Grenze 72.
239 B. REICKE, Art. πρός, ThWNT 6 (1959), 721,15-17.
240 In der Tat wird die Präposition "εἰς" im johanneischen Schrifttum häufig angewendet, um eben jenen Sphärenwechsel anzudeuten: vgl. etwa den Ausdruck "ἔρχεσθαι εἰς" (Joh 1,9; 3,17.19; 6,14; 10,36).
    "εἰς" und "πρός" überschneiden sich manchmal in ihrer Bedeutung; so wird in Joh 13,1 "ἐκ" und "πρός" (und eben nicht "εἰς") korreliert. Ebenso scheinen die Verbindungen "εἰς τοῦτο" und "πρὸς τοῦτο" gleichbedeutend zu sein (vgl. Joh 13,28; 18,37[2x] mit 1Joh 3,8).

ders deutlich wird diese Beobachtung anhand von Joh 20,11. Dort heißt es von Maria, sie stünde weinend πρὸς τῷ μνημείῳ ἔξω und habe εἰς τὸ μνημεῖον geblickt. "Πρός" bezeichnet also den Ort, während mit "εἰς" eine Richtung ausgedrückt wird. Dieser Befund wird bestätigt durch TIss 7,1. Dort spricht Issachar in einem Unschuldsbekenntnis davon, daß er an sich keine "ἁμαρτία εἰς θάνατον" kenne. Hier ist die Möglichkeit Realität, durch Ehebruch (V. 2), Trunksucht, Habgier (V. 3), Betrug oder Lügen (V. 4) vom Bereich des Lebens in den Tod zu gelangen.

Im Jubiläenbuch (Jub 21,22) wird sogar die Formulierung "ἁμαρτία πρὸς θάνατον" von der Handschrift M mit "Sünde *im* Tode" wiedergegeben.[241] Der Ausdruck "ἁμαρτία πρὸς θάνατον" meint also hier gerade nicht eine Sünde, die für den Täter zum Tod führt, sondern eine Sünde, die die Signatur des Todes trägt. Es geht hier also nicht um Sünden, die aus dem Leben in den Tod führen, sondern um Sünden, die - sobald sie getan sind - deutlich machen: der Täter hat schon immer auf die Seite des Todes gehört.

Wichtig ist hier ebenso die Beachtung des Kontextes im 1Joh. Den Gedanken zur Problematik der "ἁμαρτία (οὐ) πρὸς θάνατον" gehen unmittelbar Sätze über die Gebetserhörung voraus. In 1Joh 5,14b.15 heißt es: "Wenn wir um etwas bitten nach seinem Willen, so hört er uns. Und wenn wir wissen, daß er uns hört, worum wir auch bitten, so wissen wir, daß wir erhalten, was wir von ihm erbeten haben." In 1Joh 5,16 wird dann ausdrücklich erwähnt, daß zur Fürbitte für einen Menschen, der eine "ἁμαρτία πρὸς θάνατον" begangen hat, nicht aufgefordert werde. Das heißt, der Verfasser des 1Joh fordert nicht dazu auf, für Menschen außerhalb der Gemeinde zu beten. Er möchte die Entscheidung über Leben und Tod Gott in die Hände legen. Geburt aus Gott ist allein Sache Gottes. Er entscheidet souverän über Tod und Leben. Wer also eine "ἁμαρτία πρὸς θάνατον" verübt hat, war gar nicht aus Gott geboren und hat die Fürbitte der Gemeindeglieder nicht verdient. Da aber vom subjektiven Standpunkt eines Gemeindegliedes nie eindeutig gewußt werden kann, wer nun wirklich aus Gott geboren ist und wer nicht, wer in Wahrheit zur Gemeinde gehört und wer nicht, bemüht sich der 1Joh laufend, Kriterien zur Beurteilung der Geburt aus Gott an die Hand zu geben.[242] Die Entscheidung über Tod oder Leben des betreffenden Sünders wird in Gottes Hand zurückgelegt. Aufgrund dieser Unsicherheit wagt es der Verfasser auch nicht, eine klare Empfehlung zu geben. Er *untersagt* ja nicht die Fürbitte in diesem Fall, sondern er sagt lediglich, daß er *nicht dazu aufrufe*.[243] Diese vorsichtige Anweisung entspricht sachlich dem Verbot der Weltliebe in 1Joh 2,15 und ist damit vor dem Hintergrund des Dualismus des 1Joh zu sehen. Die Formulierung in 1Joh 5,16b bleibt offen für Gottes Wirken: Möglicherweise gefällt es Gott ja, diesen "Sünder zum Tode" doch in die Gemeinde zu rufen, ihm das Leben zu geben, ihn aus sich zu gebären, dann hätte das Gebet für ihn Sinn. Eine Fürbitte, mit der man auf Gottes Entscheidung Einfluß nehmen möchte (1Joh 5,14b.15) oder Gott gar bedrängen wollte, ist aber dann unangebracht, wenn eben durch diese "Sünde zum Tode" sich

---

241 Vgl. Jub 26,34: Jakob sagt hier Esau voraus, er werde einst das Joch seines Bruders Jakob von seinem Nacken reißen (Gen 27,40) und dann ein Vergehen begehen, "das ganz zum Tode ist"; vgl. Jub 33,13.18.

242 Vgl. u. "Das Problem um die 'Gegner' im ersten Johannesbrief", S. 170-209.

243 Vgl. hierzu O. BAUERNFEIND, Fürbitte 46: "Da die 'Sünde nicht zum Tode' als solche für menschliches Urteil - wenn auch nur mit subjektiver Sicherheit (μή οὐ) - erkennbar ist (ἴδῃ), so wird das Gleiche auch von ihrem Gegenstück, der 'Sünde zum Tode', gelten."

die Teufelskindschaft des Sünders manifestieren soll. In 1Joh 5,17 ("Jede Ungerechtigkeit ist Sünde, aber es gibt die Sünde nicht zum Tode") möchte der Verfasser noch einmal klarmachen: Die Sünde ist immer - trotz der in 5,16 angedeuteten Unterscheidung - eine ernstzunehmende Realität, jedoch nicht jede von einem Glaubenden verübte Sünde muß bzw. darf einen Gemeindeausschluß nach sich ziehen.[244] Es war in der Gemeinde eben nicht eindeutig, welche Sünde die Qualifikation "Sünde zum Tode" verdient hat und welche nicht.[245]

So kommt der Geburt aus Gott insofern eine quasi-"sakramentale" Bedeutung zu, als dieser ein *character indelebilis* zugesprochen wird. Doch diese Geburt aus Gott kann für Menschen nie zweifelsfrei festgestellt werden. Dies ist das Dilemma des ersten Johannesbriefs.

3.2.2 Sündlosigkeit und Mahnungen

J. Herkenrath hat aufgrund der vielen Imperative, die sich im 1Joh finden, geschlossen, daß hier der Gedanke der Prädestination keinen Platz habe.[246] Doch die Thesen über die Sündlosigkeit der Glaubenden im 1Joh und die Mahnungen müssen einander nicht zwangsläufig ausschließen. Wir schließen uns hier wieder an die Überlegung von H.M. Schenke an: "Die Menschen müssen doch, ehe sie sich scheiden in die von Gott Gezeugten und in die, deren Vater der Teufel ist, die Forderungen, die Gebote Gottes zur Kenntnis nehmen, an denen sich jene Scheidung vollzieht. Die Menschen müssen erst hören: dann erst folgen die einen dem Gehörten, weil sie ihm folgen müssen, die anderen folgen nicht, weil sie es nicht können."[247] Der Ruf zur "Entscheidung" ergeht an alle Menschen; in dieser Entscheidung zeigt sich dann ihre Herkunft. Insofern ist das formale Argument der Häufigkeit der Imperative im 1Joh nicht stichhaltig.

Die hier vorgetragene These über die Anschauung des 1Joh über die Sünde stellt sich als eine Synthese aus den meisten ernstzunehmenden Forschermeinungen dar, die bisher vorgebracht worden sind.[248] Die Spannung zwischen 1Joh 1,7-2,2 und 1Joh 3,6.9 bzw. 5,18 kommt zustande durch die Diskrepanz sowohl zwischen Anspruch und Wirklichkeit[249], als auch zwischen "Noch nicht" und "Schon jetzt"[250] (vgl. 1Joh 3,2). Für die Glaubenden ist in der Tat auch eine bestimmte Sünde aus-

---

[244] Vgl. I. GOLDHAHN-MÜLLER, Grenze 35: "Stellt jede Sünde die ζωὴ αἰώνιος in Frage, so zielt die Fürbitte für den Sünder 'nicht zum Tode' darauf, dem Glaubensbruder den Lebensbereich neu zu eröffnen."

[245] Mit einer "ἁμαρτία πρὸς θάνατον" manifestiert ein Mensch seine im Grunde längst bestehende Zugehörigkeit zum Kosmos, zum Tod - so die Überzeugung des Verfassers des 1Joh. Damit wird der Begriff "ἁμαρτία πρὸς θάνατον" inhaltlich anders verwendet als es etwa noch in Jub 21,22 (bezeichnenderweise liest die [späte] Handschrift, die K. BERGER, Jubiläen 433 Anm. 22, mit dem Siglum "M" bezeichnet, nicht den Ausdruck "Sünde zum Tode", sondern "Sünde im Tode") der Fall war. In Jub 21,22 ist ausdrücklich die Rede davon, daß Isaak bei einer "Sünde zum Tode" in die Hand seiner Sünde *zurück*gegeben wird. Die Folge einer "Sünde zum Tode" ist zudem die Ausrottung von der Erde und Vernichtung des Namens und Gedenkens.

[246] J. HERKENRATH, Sünde 122f: "Im Gegenteil, der Brief ist voll von Imperativen, die unter der Wucht jenes Gedankens (sc. der Prädestination) keinen Sinn hätten (I 4,2-16; 4,15; 2,17-28; 3,24; 3,6; 3,16; 4,11)."

[247] H.M. SCHENKE, Determination 213.

[248] S. o. S. 137-139.

[249] Vgl. F. DÜSTERDIECK, Briefe II 141-151 u.a.

[250] Vgl. R. SCHNACKENBURG, Johannesbriefe 257f u.a.

geschlossen: der Abfall.[251] Darüber hinaus hat die differenzierte Behandlung der Sündenproblematik auch noch paränetische Funktion.[252] Die einzelnen Aspekte der Sündenproblematik im 1Joh sollten nicht überbetont werden.

3.3 Der Zusammenhang von Ekklesiologie, Christologie und Soteriologie

Es ist nun nach der Funktion Jesu innerhalb dieser Konzeption zu fragen. Was unterscheidet den "υἱός" von den "τέκνα"?

3.3.1 Jesu Verhältnis zum Vater

Deutlich ist die hervorgehobene Stellung Jesu gegenüber den Glaubenden durch die terminologische Unterscheidung zwischen dem υἱός[253] und den τέκνα. Jesus als υἱός Gottes[254] steht zu Gott in einem besonderen Sohnschafts- und Gemeinschaftsverhältnis. In Joh 17,22 scheint die Gemeinschaft Gottes mit Jesus geradezu Vorbild zu sein für die Gemeinschaft der Glaubenden untereinander.[255] Auch wird in 1Joh 5,20b Jesus als Gott bezeichnet, also ganz in die Nähe Gottes gerückt (vgl. Joh 1,1 sowie 1Joh 1,2b).

Für Jesus werden göttliche und menschliche Geburt einander gegenübergestellt; sie schließen nach johanneischem Verständnis einander aus. In diese Richtung weist das Attribut "μονογενής"[256]. Legen wir die Interpretation dieses Wortes von E. Böklen zugrunde[257], so erhalten wir zudem noch eine motivgeschichtliche Parallele zwischen dem johanneischen Schrifttum und Philo, der ja den Ausdruck "aus dem Vater aller allein geboren - ἐκ πατρὸς τοῦ πάντων μόνου γεννηθεῖσα" als erster verwendet, und zudem diese "Geburt *allein* aus Gott" betont.[258]

Diese Entgegensetzung von menschlicher und göttlicher Geburt wird auch noch deutlich in Joh 6,40-42. Die Juden verstehen Jesu himmlische Herkunft nicht; sie halten seine menschlichen Eltern, die ihn aufgezogen haben, für seine wahren Eltern. Dementsprechend redet Jesus seine Mutter nie mit "Mutter" an, sondern stets unverwandt mit "Frau - γύναι" (Joh 2,4; 19,26); in Wahrheit ist er aus Gott geboren.[259]

---

251 Vgl. TH. HAERING, Johannesbrief 46f u.a.
252 Vgl. R. BULTMANN, Johannesbriefe 58 u.a.
253 Vgl. den Gebrauch des Wortes μονογενής (1Joh 4,9; vgl. Joh 1,14.18; 3,16.18).
254 1Joh 1,3.7; 3,23; 5,9-13.
255 "Und ich habe ihnen die Herrlichkeit gegeben, die du mir gegeben hast, damit sie eins seien wie wir eins sind" (vgl. Joh 10,30).
256 Joh 1,14; 3,16; vgl. 1Joh 4,9; vgl. P. HOFRICHTER, Blut 154: "Damit erweist sich der Name μονογενής als Kurzformel des johanneischen Glaubens an den einzigen *monogenen* Sohn des einen Gottes, Jesus, den Christus, der nicht aus biologischer Verursachung sondern allein aus Gott seinen Ursprung hat."
257 E. BÖKLEN, MONOΓΕΝΗΣ 58: "Nach meinem Dafürhalten ist mit ἐκ μόνου θεοῦ γεννηθείς oder γενόμενος - und zwar nicht in irgendwelchem mehr oder weniger vagen, bildlichen, sondern in dem konkret buchstäblichen Sinn einer Zeugung oder sonstigen physischen Hervorbringung genommen - die eigentliche und ursprüngliche Bedeutung von μονογενής bei Johannes, nicht bloß 1,18, sondern durchweg, angegeben." Vgl. ebd.: "Sehr wichtig für diese Auffassung ist es auch, daß der Sinn: von Gott allein, ohne Dazukommen eines weiblichen Wesens erzeugt, sehr gut auf den Logos paßt, mit dem der Ausdruck ja so eng verbunden scheint: um den Logos hervorzubringen bedurfte die Gottheit nur ihres Mundes!" Anzumerken bleibt, daß das johanneische Schrifttum nicht von einem μονογενής λόγος, sondern von einem μονογενής υἱός spricht.
258 Vgl.o. S. 115.
259 Gegen K. BERGER, Männlichkeit 713: "Indem Jesus von Gott als seinem Vater redet, wird seine menschliche Mutter nicht abgewertet und nicht religiös verdrängt."

Jesu besonderes Verhältnis zu Gott macht sich "empirisch gesehen" vor allem daran bemerkbar, daß von ihm die Sündlosigkeit *problemlos* berichtet wird (2,1[260]; vgl. 2,6[261]; vgl. 3,5.7b[262]). Gottes*sohn*schaft (nicht Gottes*kind*schaft) äußert sich also in Sündlosigkeit im wörtlichen Sinne. Hier tritt kein "Problem Sünde" auf. Das Verhältnis Jesu zu Gott dient als Vorbild für die Glaubenden, die durch Gottes Entscheidung, sie zu seinen Kindern zu machen, die Kraft (das σπέρμα) dazu bekommen haben, diesem Verhältnis gemäß auch zu leben, also sündlos zu bleiben. Deshalb bedeutet der Glaube, daß Jesus der Sohn Gottes ist, also der Glaube an dieses besondere Verhältnis Gottes zu Jesus, auch die Überwindung der Welt (1Joh 5,5). Glauben, daß Jesus der Sohn Gottes ist, heißt, daß man sich an diesem besonderen Verhältnis Gottes zu Jesus orientiert und gerade nicht an der Welt.

Die Glaubenden können von sich aus dieses Ideal nicht erreichen. Sie sind und bleiben τέκνα, während Jesus der υἱός ist, der von vornherein mit dem Vater "eins" (Joh 10,30) und selbst der wahrhaftige Gott (ὁ ἀληθινὸς θεός) ist (1Joh 5,20). Hier fällt auch Licht auf 1Joh 3,2[263], wo die Vollendung angedeutet wird, die für Jesus von vornherein Realität ist. Dazu meint R. Schnackenburg: "Die Steigerung und Krönung des Heilsbesitzes, den die Zukunft bringt, liegt also schwerlich darin, daß die augenblickliche Gotteskindschaft abgelöst und übertroffen wird durch die 'Gottgleichheit'. Vielmehr wird die Gotteskindschaft dann ihr eigentliches Wesen und ihre verborgene Herrlichkeit enthüllen, nämlich die Gottähnlichkeit."[264] Die eschatologische Vollendung ist für den 1Joh in gleicher Weise Krönung einer Entwicklung wie auch Verwandlung; denn es bedarf zur Vollendung des Kindschaftsverhältnisses einer weiteren Gottestat. In 1Joh 3,2 wird also den Glaubenden die Vollendung des Kindschaftsverhältnisses zugesagt.[265]

3.3.2 Jesu Verhältnis zu den Glaubenden

Jesus unterscheidet sich von den Glaubenden nach Auffassung des 1Joh (vgl. JohEv) durch seine Präexistenz. Anders als die Glaubenden war Jesus von Anfang

---

[260] "Jesus Christus, der gerecht ist."

[261] "Wer sagt, daß er in ihm bleibt, der soll auch leben, wie er gelebt hat."

[262] "Und ihr wißt, daß er erschienen ist, damit er die Sünden wegnehme, und in ihm ist keine Sünde. (7b) Wer recht tut, der ist gerecht, wie auch jener gerecht ist."

[263] "Meine Lieben, wir sind schon Gottes Kinder; es ist aber noch nicht offenbar geworden, was wir sein werden. Wir wissen aber: wenn es offenbar wird, werden wir ihm gleich sein; denn wir werden ihn sehen, wie er ist." Vgl. zum Zusammenhang zwischen Gottesschau und Gotteskindschaft Philo, conf 145f. Dazu meint J. PASCHER, ΟΔΟΣ 28: "Wer Gott schaut, ist dadurch Gottes Sohn geworden, ..."

[264] R. SCHNACKENBURG, Johannesbriefe ([7]1984) 173; Zur platonischen Lehre von der Angleichung an Gott bestehen hier Parallelen wie Unterschiede. "Der Begriff ὁμοίωσις θεῷ und ebenso der verbale Ausdruck ὁμοιοῦσθαι θεῷ lassen sich der eine erstmals im platonischen Theaitetos (176b), der andere erstmals in der Politeia (613b) nachweisen" (D. ROLOFF, Gottähnlichkeit 205). Mit Gottähnlichkeit meint Platon die Aufnahme in die Lebensgemeinschaft der Götter wie den Zugang zur unmittelbaren und uneingeschränkten Schau der Ideen (vgl. Phaidr. 248a1-5; 250b6-c1). Gemeinschaft mit Gott wie auch Gottesschau kennt auch der 1Joh, wobei die Gemeinschaft mit Gott mit dem Leben der Kinder Gottes verbunden ist, die Gottesschau jedoch erst mit der Gottähnlichkeit. Bis zur Parusie gilt jedoch uneingeschränkt: Niemand hat Gott je gesehen (Joh 1,18; 6,46; 1Joh 4,12). Der wichtigste Unterschied zwischen der platonischen und der johanneischen Theorie von der Gottähnlichkeit sei kurz angesprochen: Nach Platon hat der Mensch nach Gottähnlichkeit zu streben (ὁμοίωσις θεῷ κατὰ τὸ δύνατον - Theait. 176b1f.), nach der Anschauung des 1Joh ist Gottähnlichkeit weniger ethisches Ziel als vielmehr Ausdruck der Zukunftshoffnung und Gabe Gottes.

[265] Paulus meint im Prinzip das Gleiche, wenn er den Glaubenden für die Zukunft eine υἱοθεσία in Aussicht stellt (vgl. Röm 8,19). Vgl.u. S. 80f.

an (Joh 1,1-4; 8,58; 1Joh 1,1f). Donatus stellt dazu fest: "Jesus did not need to 'become' the Son of God. He was such from the very beginning."[266]

Doch trotz dieser Differenz bezüglich des Ursprungs gilt Jesus Christus seit seiner Erhöhung als Bruder der Glaubenden (Joh 20,17). Deshalb kann der 1Joh, der ja das Wirken Jesu voraussetzt und Jesus als den Sohn Gottes verkündigt[267], auch Attribute, die ursprünglich nur dem Christus vorbehalten waren, (modifiziert) auf die Glaubenden anwenden. Es läßt sich im 1Joh also neben der Tendenz, Jesu Einzigartigkeit herauszustellen[268], auch eine Tendenz finden, die die Bruderschaft zwischen Jesus und den Gemeindegliedern betont.

So sind die Brüder Jesu in gleicher Weise wie er "aus Gott geboren" (vgl. 1Joh 5,1b[269] mit 1Joh 2,29; 3,9; 5,1a.4.18). Sie nennen Gott ihren "Vater" (1Joh 2,15; 3,1 u.ö. vgl. Joh 20,17). In diesen Zusammenhang gehört auch die Rede vom Sein aus Gott (bzw. vom Sein von oben/unten - Joh 8,23). Daß Jesus aus Gott ist, wird deutlich in der Diskussion der Pharisäer mit dem geheilten Blindgeborenen in Joh 9. Dort spricht der Blindgeborene über Jesus: "Wäre dieser nicht aus Gott, so könnte er nichts tun"[270] (V. 33). Die Möglichkeit für Menschen, aus Gott zu sein, wird in Joh 8,47 von Jesus grundsätzlich nicht bestritten, sie wird aber für die mit ihm redenden Juden negiert. Dieses Sein aus Gott wird jedoch im 1Joh dezidiert den Glaubenden zugesprochen: 3,10b; 4,4[271] (vgl. 4,6).

Aber auch die sog. "Immanenzformeln" gehören in diese Kategorie. Von Jesus sagt das JohEv, daß er im Vater sei und der Vater in ihm (10,38; 14,10f; 17,21[272]); deshalb kann auch der 1Joh von den Brüdern (bzw. Geschwistern) Jesu in dieser Weise sprechen; und deshalb kann auch der 1Joh vom Bleiben im *Vater* (und nicht nur von einem Bleiben in der Liebe, der Wahrheit, dem Licht) reden (1Joh 2,24; vgl. 3,24; 4,12.15).

Nach johanneischer Auffassung ist Jesus der Christus, der Sohn (υἱός) Gottes.[273] Dies kann von den Glaubenden zwar nicht ausgesagt werden, doch als Geschwister Jesu sind sie Kinder (τέκνα) Gottes (Joh 1,12; 11,52; 1Joh 3,1f.10; 5,2) und haben das χρῖσμα (1Joh 2,20.27) erhalten; d.h. sie sind nicht "Gesalbte" (χριστοί), aber doch "Salbung Habende" (χρῖσμα ἔχοντες).

"χρῖσμα" im ersten Johannesbrief

Im Unterschied zum "Parakleten" im Johannesevangelium spricht der 1Joh vom "χρῖσμα". Und an die Stelle der Lehre durch den Parakleten ist der Satz getreten: "Ihr habt es nicht nötig, daß irgendeiner euch lehrt - οὐ χρείαν ἔχετε ἵνα τις διδάσκη ὑμᾶς" (2,27). Damit erweist sich die Gabe des

---

266 A.M. DONATUS, Outline 12.
267 1Joh 4,15: "Wer nun bekennt, daß Jesus der Sohn Gottes ist, in dem bleibt Gott und Gott in ihm." Vgl. 1Joh 1,3.7; 2,22f; 3,8.23; 4,9f.14; 5,5.9-13.
268 Vgl. o. S. 147f.
269 Nach G. STRECKER, Johannesbriefe 148, ist diese Stelle christologisch konstruiert. Mit hoher Wahrscheinlichkeit schließt also der Ausdruck "τὸν γεγεννημένον ἐξ αὐτοῦ" (1Joh 5,1b) nicht nur die anderen Gläubigen, sondern auch Jesus selbst mit ein, von dem in 1Joh 5,1a die Rede war. Diese Vermutung wird gestützt durch Joh 8,42, wo Jesus zu den Juden sagt: "Wäre Gott euer Vater, so liebtet ihr mich." Darauf scheint 1Joh 5,1b Bezug zu nehmen: "Wer den liebt, der geboren hat, der liebt auch den, der aus ihm geboren ist." Also ist nach dem Verständnis des 1Joh Jesus auch aus Gott geboren.
270 Vgl. das gegenteilige Urteil über Jesus durch die Pharisäer in Joh 9,16; vgl. auch Joh 13,3.
271 "Kinder, ihr seid aus Gott und habt jene überwunden; denn der in euch ist, ist größer als der, der in der Welt ist."
272 Jesus betet: "Wie du in mir bist und ich in dir, so sollen auch sie in uns sein, damit die Welt glaube, daß du mich gesandt hast."
273 Joh 20,31; vgl. 1Joh 2,22; 3,23; 5,20.

χρῖσμα als Erfüllung der Weissagung von Joh 6,45.[274] Zur Zeit des irdischen Wirkens Jesu aber geht es darum, zu erkennen, daß er so redet, wie ihn der Vater gelehrt hat (Joh 8,28; vgl. 8,29); *er*, der Christus, ist vom Vater gelehrt; *sie*, die Chrisma Habenden, haben es nicht nötig, daß sie jemand lehrt (1Joh 2,27). Die Ähnlichkeit ist auffällig. Das χρῖσμα, das im Glaubenden bleibt, übernimmt nach Auffassung des 1Joh die Funktion der Lehre.

Schon F. Düsterdieck hat festgestellt, daß χρῖσμα nicht eine "Salbung", sondern "Salbe"[275], "Salböl" bezeichnet.

Traditionsgeschichtlich weiß kaum ein Kommentator des 1Joh recht mit dem χρῖσμα umzugehen. K. Wengst[276] verweist auf gnostische Texte, in denen das Salböl mehr "im Sinne der geistgebenden Lehre" verstanden wird.[277] Diese Texte haben aber die Schwierigkeit, daß sie eindeutig später als der 1Joh sind.[278]

Nach JosAs haben die Juden sich als mit dem χρῖσμα ἀφθαρσίας gesalbt verstanden. Unter Verweis auf sein χρῖσμα verweigert Joseph der Aseneth einen Kuß, solange sie noch nicht Proselytin geworden ist und noch mit dem χρῖσμα ἀπωλείας gesalbt ist (JosAs 8,5). Eben diese Salbung mit dem χρῖσμα ἀφθαρσίας wird Aseneth nach ihrer Konversion ausdrücklich zugesprochen (JosAs 15,5; 16,16)[279]. Es ist aber auch fraglich, ob diese Stellen als traditionsgeschichtlicher Hintergrund für 1Joh 2,20.27 angesehen werden dürfen, da in 1Joh 2,20.27 das χρῖσμα ausdrücklich mit der *Lehre* in Verbindung gebracht wird.

Die LXX kennt ebenfalls den Ausdruck χρῖσμα: Er wird in erster Linie im Zusammenhang mit der Priesterweihe Aarons und seiner Söhne gebraucht (vgl. den Gebrauch von χρῖσις).[280] Salbung mit dem χρῖσμα bleibt von den Israeliten allein den Priestern vorbehalten (vgl. Ex 30,32f).[281] Salbung sondert hier aus dem profanen Bereich aus, Salbung heiligt (Ex 40,9-15)[282]. Heiligung wird aber

---

[274] Dort spricht Jesus: "Es steht geschrieben in den Propheten (Jes 54,13): 'Sie werden alle von Gott gelehrt sein.' Wer es vom Vater hört und lernt, der kommt zu mir."

[275] F. DÜSTERDIECK, Briefe 353; vgl. R. SCHNACKENBURG, Johannesbriefe (⁷1984) 152, Anm. 1: "χρῖσμα heißt nicht 'Salbung', sondern 'Salböl' ..."; vgl. auch J. SCHNEIDER, Briefe 156f; vgl. auch K. WENGST, Brief 109; vgl. R. BULTMANN, Johannesbriefe 42, Anm. 6: "χρῖσμα heißt Salböl; aber der Empfang des Salböls bedeutet natürlich Salbung." Vgl. J.C. COETZEE, Spirit 53: "Contrary to Vorster (1975:94) we agree with among others Westcott (1902:73), Brooke (1948:55) and De Jonge (1968:109-110), that *chrisma* here is a word describing the substance by which one is anointed rather than an action-word describing the act of anointing." Gegen H. WINDISCH, Briefe 113: "χρῖσμα in LXX für מִשְׁחָה heisst Salbung, nicht Salböl ..."

[276] K. WENGST, Häresie 49; vgl. K. WENGST, Brief 110.

[277] Vgl. etwa HA 144,35-145,3: "Der Geist der Wahrheit, den der Vater ihnen gesandt hat, der wird sie über alle Dinge unterweisen und sie salben mit dem Salböl des ewigen Lebens." Allerdings steht hier die Unterweisung parallel zur Salbung und das χρῖσμα ist genauer bestimmt durch den Genitiv "ewiges Leben". Vgl. auch Pist.Soph. 86; 112; 128; 130, sowie Evangelium veritatis 36.

[278] Vgl. H. BALZ, Briefe 176.

[279] Vgl. die Konzeption von SapSal, nach der die Menschen zur Unvergänglichkeit (ἐπ᾽ ἀφθαρσίᾳ) geschaffen worden sind (2,23). In einem Kettenschluß wird dann gezeigt, daß der Weg zur ἀφθαρσία über die Suche nach der Weisheit zur Tora führt; denn Befolgung der Gesetze (προσοχὴ νόμων) bewirkt Sicherstellung der Unsterblichkeit (βεβαίωσις ἀφθαρσίας): SapSal 6,17-19.

[280] Ein ähnlicher Gebrauch des Wortes χρῖσμα findet sich bei Philo, vitMos 2,146.151 (vgl. Ex 29,21) und im TLev 17,2f.

[281] Auch der Gedanke der Fürsprache durch den Gottessohn als Parakleten (1Joh 2,1) legt den Gedanken nahe, daß im 1Joh eine "Demokratisierung priesterlicher Funktionen stattgefunden hat. Im Werk des Philo findet sich eine mit 1Joh 2,1 vergleichbare Stelle. In vitMos 2,134 heißt es: "ἀναγκαῖον γὰρ ἦν τὸν ἱερωμένον τῷ τοῦ κόσμου πατρὶ παρακλήτῳ χρῆσθαι τελειοτάτῳ τὴν ἀρετὴν υἱῷ πρός τε ἀμνηστίαν ἁμαρτημάτων καὶ χορηγίαν ἀφθονωτάτων ἀγαθῶν." ("Denn wer dem Vater des Weltalls zum Priester geweiht war, mußte unbedingt dessen an Vortrefflichkeit äußerst vollkommenen Sohn zu seinem Fürsprecher nehmen, sowohl zur Vergebung der Sünden als auch zur Bitte um Gewährung unerschöpflichen Glücks.")
Bei Philo steht der Paraklet nur für die Sünden des Priesters ein. Im 1Joh wird dagegen sogar gesagt, daß es nicht nur um die Sünden der Gemeindeglieder geht, sondern sogar um die Versöhnung für die Sünden der ganzen Welt (1Joh 2,1f). Gleichwohl sind es die Gemeindeglieder, die von sich behaupten können: *"Wir* haben einen Fürsprecher ..."

[282] Vgl. E. KUTSCH, Salbung 25: "... nach dem Verständnis der Priesterschrift bzw. ihrer Ergänzungen bedeutet Salbung des Hohepriesters ... Reinigung und Aussonderung aus dem Volk zu dem Dienst für JHWH." Vgl. aber besonders Ex 30,29 (nach dem Auftrag, bestimmte Geräte mit einem heiligen χρῖσμα zu salben, heißt es in einer JHWHrede an Mose: "So sollst du sie weihen, daß sie hochheilig seien. Wer sie anrührt, der ist dem Heiligtum verfallen.") sowie Ex 40,9

auch von den johanneischen Gemeindegliedern gesagt (Joh 17,17.19); dies geschieht zwar nicht im Zusammenhang der Gabe des Chrismas[283], doch der Bezug zur Wahrheit (ἀλήθεια) ist bei beiden Gedankenkreisen vorhanden. Nach 1Joh 2,20f wissen die Gemeindeglieder die Wahrheit und sie wissen, daß keine Lüge aus der Wahrheit kommt.[284] In Joh 17,19 spricht Jesus: "Ich heilige mich selbst für sie, damit auch sie geheiligt seien in der Wahrheit." Auch hier wird der Bezug zwischen Jesu Tat und dem Sein der Glaubenden angesprochen. Jesus als der Christus heiligt sich in der Wahrheit, damit auch "sie" als die Chrisma Habenden in der Wahrheit geheiligt seien. Hier könnte der Schlüssel zum richtigen Verständnis des Chrisma liegen.

Da es im 1Joh nicht heißt, daß die Glaubenden mit dem χρῖσμα *gesalbt* sind, ist es auch nicht wahrscheinlich, daß neu in die Gemeinde des 1Joh Eintretende gesalbt wurden; es heißt nur, daß diejenigen, die bereits in der Gemeinde sind, das χρῖσμα haben. Das χρῖσμα wird also eingeführt im Zuge der "*Frontenklärung*". Diejenigen, die die Gemeinde verlassen haben, hatten ihr zwar nominell angehört, sie hatten aber nach Meinung des 1Joh nicht das χρῖσμα. Salbung wird "offenbar nur von der wahren Gemeinde behauptet"[285]. Verbinden wir diese Erkenntnis mit unserer Vermutung, daß das "χρῖσμα" motiviert ist durch die Bezeichnung χριστός für den Gottessohn, wird damit zugleich angedeutet, daß nur die "wahren" Gemeindeglieder Jesu Geschwister, und damit Gottes Kinder, sind. Dies ist der Grund dafür, daß in 1Joh 2,20.27 das Wort χρῖσμα gewählt wurde und nicht etwa τὸ πνεῦμα ἅγιον oder ὁ παράκλητος.[286]

Gleichwohl ist das χρῖσμα mit dem zu vergleichen, was das JohEv unter dem Parakleten bzw. dem Geist versteht.[287] Dies hat am deutlichsten R.Schnackenburg herausgearbeitet.[288] Insofern läßt es sich durchaus mit der Geburt aus (Wasser und) Geist von Joh 3,5 in Verbindung bringen. Wahrscheinlich ist, daß dort mit dem Wasser auf den Taufritus angespielt wird, mit dem Geist auf eine (zeitgleich erfolgende, aber "lediglich" geglaubte) Salbung mit göttlichem Geist.[289] Dies würde implizieren, daß Joh 3 und der 1Joh einen vergleichbaren Hintergrund besitzen. Wassertaufe allein genügt nicht. Die Geisttaufe, die gleichzeitig zu geschehen hat und menschlichem Zugriff sich versagt, ist das eigentliche Kriterium der Zugehörigkeit zur Gemeinde. Es ist vorstellbar, daß Joh 20,22[290]

("Und du sollst das χρῖσμα nehmen und die Wohnung und alles, was darin ist, salben und sollst sie weihen mit ihrem ganzen Gerät, daß sie heilig sei.").

283 Ähnliches gilt für den Terminus "Reinigung" (1Joh 3,3); vgl. E. KUTSCH, Salbung 71: "Im kultischen Bereich bedeutet und bewirkt der Salbung 'Reinigung' als Aussonderung, Weihung für den Kult; so, wie bei Gegenständen, die Salbung des jüdischen Hohenpriesters (...)."

284 1Joh 2,21; vgl. 2,20; vgl. auch 1Joh 5,6c: "... denn der Geist ist die Wahrheit." Vgl. auch die Rede vom Parakleten im JohEv - Joh 15,26; 16,13.

285 G. STRECKER, Johannesbriefe 126.

286 Viele Exegeten sehen zwar das Wort χρῖσμα auch motiviert von dem Wort χριστός bzw. ἀντίχριστος her (so etwa H. BALZ, Briefe 157; J.C. COETZEE, Spirit 54; J.E. BELSER, Briefe 56, der zugleich aufgrund des Habens des χρῖσμα eine "Wesensverwandtschaft" zwischen Jesus und den Glaubenden vermutet; dagegen R. SCHNACKENBURG, Johannesbriefe [7 1984] 152, der "ὁ ἀντίχριστος" in Kontrast zu "ὁ χριστός" gewählt sieht), können aber diese Motivation nicht genauer beschreiben. Bei dem vorgetragenen Lösungsvorschlag wäre auch der "Antichrist" integrierbar. Er ist der Gegenspieler Christi und seiner Geschwister, die zwar nicht χριστοί sind, aber doch χρῖσμα ἔχοντες.

287 Auch in anderen Schriften ist Salbung (mit Öl) Zeichen der Geistmitteilung, so in den Thomasakten Kap 27 und 50; in Kap 157 geht der Ölsalbung die Bitte voraus: "es wohne in ihnen dein heiliger Geist" (266,5f). Auch in JosAs wird Salbung und Erneuerung durch den Geist parallelisiert (vgl. JosAs 8,5; 15,5; 16,16 mit 8,10). In ähnlicher Weise verfährt Paulus in 2Kor 1,21f: Auch hier ist mit der Salbung die Gabe des Geistes verbunden.

288 Für diese Verknüpfung sprechen seiner Meinung nach: "a) die Ausdrücke ἔχετε (2,20), ἐλάβετε (2,27) entsprechen der Vorstellung vom Geisttempfang, wie ihn Joh 14,16f beschreibt. Gott gibt ihn (δώσει), die Christen empfangen ihn (λαβεῖν); b) das πνεῦμα τῆς ἀληθείας b l e i b t in ihnen, vgl. Joh 14,17 mit 1 Joh 2,27a; c) es übt die Funktion des διδάσκειν aus, vgl. Joh 14,26 mit 1 Joh 2,27a-b; d) das Anliegen des χρῖσμα ist, daß die Christen in C h r i s t u s bleiben (2,27c), so wie auch der Paraklet der Abschiedsreden nur enger mit C h r i s t u s verbinden will, vgl. Joh 14,26; 16,14" (Johannesbriefe [7 1984] 210); vgl. auch J. MICHL, Geist 145, sowie ebd. Anm. 22; vgl. auch B.F. WESTCOTT, Epistles 73; vgl. A.E. BROOKE, Epistles 56; vgl. J. HEISE, Menein 139f; vgl. W. NAUCK, Tradition 94f.147-182; vgl. J.C. COETZEE, Spirit 54.

289 Vgl. E. DINKLER, Taufterminologie 107: "In der Sache ist also das Handeln Gottes im Taufakt bezeichnet, dessen Wirkung 1Joh 2,10.17 mit χρῖσμα angegeben ist, wobei freilich dieser Begriff stärker auf die in der Taufe erhaltene Gabe des Geistes abhebt."

290 "Und als er (= Jesus) das gesagt hatte, blies er sie (= die Jünger) an und spricht zu ihnen: 'Nehmt hin den heiligen Geist!'"

zumindest ein Reflex auf diese Geisttaufe ist. Dies würde für die These sprechen, daß Jesus der Heilige ist (Joh 6,69), der das Chrisma gibt (1Joh 2,20). Nachdem Jesus und Gott "eins" sind (Joh 10,30; vgl. 1Joh 5,20), widerspricht unserer Vermutung auch die Beobachtung nicht, daß in 1Joh 3,24 und 4,13 Gott es ist, der den Geist gibt.

Auch das lehrende und von Gott gegebene χρῖσμα weist uns auf das Familienmodell; denn nach römischer Anschauung ist es der *pater familias,* der seine Kinder unterrichtet: "Only when the *pater familias* himself was unable to teach the *ars* which he wanted his child, or his slave, to learn, would he hand the child over to someone who was an expert in that skill ... But the father remained the ideal teacher, and the relationship between a father and his sons was accepted as a paradigm for Roman public life in general."[291] Wenn im 1Joh also ausdrücklich festgestellt wird, die Glaubenden hätten es nicht nötig, von irgendjemand belehrt zu werden, weil sie das χρῖσμα von Gott empfangen hätten, das sie alles lehrt (1Joh 2,27), so liegt das ganz auf der Linie, daß Gott als Vater der Glaubenden angesehen wird.[292]

Die Übertragung von ursprünglich nur auf Jesus angewendeten Bezeichnungen auf die Glaubenden und die damit angedeutete Gleichstellung mit Jesus als Brüder läßt sich bereits im JohEv beobachten. In Joh 14,19 sagt Jesus zu den Jüngern: "Ich lebe und ihr werdet auch leben." Ähnliche Gedanken scheinen Joh 17,19 ("Ich heilige mich selbst für sie, damit auch sie geheiligt seien in der Wahrheit.") zugrunde zu liegen. Hier ist nicht die Parusie Christi im Blick, sondern das, worauf im JohEv immer wieder die Augen gerichtet werden: die Erhöhung und Verherrlichung Jesu. Christus geht voraus, um den Glaubenden Nachfolge und damit Gotteskindschaft zu ermöglichen; die Glaubenden werden durch Jesu Handeln ihm vergleichbar.

Schließlich spricht die Rede vom Sieg über die Welt im johanneischen Schrifttum ebenfalls für unsere These. In Joh 16,33 spricht der johanneische Jesus seinen Jüngern Mut zu, da er die Welt besiegt habe: "ἀλλὰ θαρσεῖτε, ἐγὼ νενίκηκα τὸν κόσμον." Im 1Joh wird dann gesagt: "Jeder, der aus Gott geboren ist besiegt die Welt; und dies ist der Sieg, der die Welt besiegt hat, unser Glaube. Wer aber ist derjenige, der die Welt besiegt, wenn nicht der, der glaubt, daß Jesus der Sohn Gottes ist - πᾶν τὸ γεγεννημένον ἐκ τοῦ θεοῦ νικᾷ τὸν κόσμον· καὶ αὕτη ἐστὶν ἡ νίκη ἡ νικήσασα τὸν κόσμον, ἡ πίστις ἡμῶν. Τίς δέ ἐστιν ὁ νικῶν τὸν κόσμον εἰ μὴ ὁ πιστεύων ὅτι Ἰησοῦς ἐστιν ὁ υἱὸς τοῦ θεοῦ" (1Joh 5,4f; vgl. 1Joh 2,13f). Die Situation der Gemeinde des 1Joh hat sich nicht geändert. Doch nun werden die Gemeindeglieder nicht an dieses Wort Jesu erinnert, sondern es wird ihnen zugesprochen, daß auch sie die Welt besiegt hätten im Glauben an Jesus Christus (1Joh 5,4). Sie sind in der Überwindung der Welt ihrem Bruder nachgefolgt. Also wird auch hier ein Gedanke, der ursprünglich auf Jesus angewendet wurde, auf die Glaubenden übertragen.[293] Die Glaubenden wissen sich dank ihres Glaubens als Siegende über die Welt. Der Glaube stellt sie auf die gleiche Stufe mit dem Gottessohn.[294]

Aber auch die Rede von Jesu Sein ἐκ τῶν ἄνω (Joh 8,23) im Vergleich mit Joh 3,3-7, wo davon gesprochen wird, daß die Glaubenden eine Geburt ἄνωθεν an sich erfahren müssen, darf als Beleg für unsere These gelten, ähnlich wie Joh 20,21, wo

---

291 T. WIEDEMANN, Adults 156; vgl. ebd., 158f; vgl. hierzu auch W.K. LACEY, Patria 121.

292 P. COUTURE, Function, hat deutlich gemacht, daß die Vorstellung, daß die Menschen einander nicht belehren müßten, auf Jer 31,31-34 zurückgeht (vgl. ebd. 43-51). Demnach hat der Verfasser von 1Joh die Gemeinde als Erfüllung der Verheißung vom neuen Bund betrachtet.

293 Vgl. hierzu 1Joh 2,13f.

294 Vgl. auch die Voraussage der Verfolgung in Joh 15,20; so wie Jesus verfolgt wurde, werden einst auch die Jünger von der Welt verfolgt werden.

Jesus seinen "Brüdern" zuspricht: "Wie mich der Vater gesandt hat, so sende ich euch."

Zusammenfassend läßt sich sagen, daß der 1Joh offenbar voraussetzt, daß die Glaubenden Jesu Brüder (und Schwestern) sind, dies aber nie ausdrücklich feststellt. Die Beziehung zwischen Jesus und den Gläubigen ist primär über die Beziehung Jesu und der Gläubigen zu Gott zu erschließen; mit anderen Worten: die Beziehung zwischen Jesus und den Glaubenden wird im 1Joh kaum ins Auge gefaßt[295], dafür umso mehr die Beziehung zwischen Gott und den Glaubenden; diese Beziehung wird mit ähnlichen Begriffen beschrieben wie die Beziehung zwischen Gott und Jesus im JohEv.

Die Vermutung von K. Wengst, es könne sich bei dem Johannesevangelium so verhalten, "daß die Darstellung des Judentums im Johannesevangelium zwar nicht die historische Wirklichkeit der Zeit Jesu wiedergibt, wohl aber diejenige der Zeit des Evangelisten, die er in die Geschichte Jesu zurückprojiziert"[296], bekommt durch unsere bisherigen Beobachtungen größere Wahrscheinlichkeit; sie dürfte auch auf den 1Joh zutreffen. Die Parallelisierung der Gemeindesituation und der Situation Jesu wird dadurch theologisch erklärt, daß die Gemeindeglieder des 1Joh (und des JohEv) und der Jesus des JohEv Geschwister sind, also beide himmlischen Ursprungs sind und von daher gar nicht von der Welt verstanden werden können. Exegetisch läßt sich diese These erhärten durch einen Vergleich von Joh 8,47 und 1Joh 4,6. In Joh 8,47 sagt Jesus: "Wer aus Gott ist, der hört Gottes Worte; ihr hört darum nicht, weil ihr nicht aus Gott seid." Und 1Joh 4,6 scheint geradezu darauf zu antworten: "Wir sind aus Gott, und wer aus Gott ist, der hört uns; wer nicht aus Gott ist, der hört uns nicht." Die Gemeinde ist des 1Joh in der gleichen Situation wie vordem der Jesus des JohEv.[297]

3.3.3 Die Krise der Welt im Angesicht der Erkenntnismöglichkeit Gottes durch Jesu Wort und Tat

Nach Joh 5,37 wüßten die Glaubenden ohne Jesus überhaupt nichts von Gott ("Ihr habt niemals seine Stimme gehört noch seine Gestalt gesehen"). Das Wort aber, das die Menschen Jesus sprechen hören, ist nach Joh 14,24 nicht *Jesu* Wort, sondern das *des Vaters*, der ihn gesandt hat. Seit Jesus ist also der Gemeinde ein Hören auf die Stimme Gottes möglich[298]; damit ist auch Erkenntnis Gottes ermög-

---

295 Vgl. auch die Tatsache, daß diejenigen "Immanenzformeln" im 1Joh fehlen, die besagen, daß Jesus im Glaubenden bzw. der Glaubende in Jesus sein oder bleiben könne (vgl. etwa Joh 15,4-7 u.a.).

296 K. WENGST, Gemeinde (³1990) 58; vgl. W. WREDE, Charakter 43: "Das ist der Reflex der Situation in seiner (des Evangelisten) Zeit."; vgl. T. ONUKI, Gemeinde 34: "Im joh Bild vom Judentum als dem Widersacher Jesu kristallisiert sich der Vorgang einer Horizontverschmelzung: Die Gegenwartssituation des Evangelisten und seiner Lesergemeinde haben sich mit dem historischen Horizont der vorgegebenen Tradition verschmolzen."

297 Die Gemeinde setzt mit ihrer Existenz die Verkündigung Jesu auf Erden fort. Wenn also im Prolog des JohEv und des 1Joh der Verfasser im "Wir"-Stil spricht, so ist damit nicht apostolische Augenzeugenschaft des Verfassers impliziert, "but a community which nevertheless understood itself as heir of a tradition based upon some historical witness to Jesus" (D.M. SMITH, Christianity 236).

298 Hier begegnet eine *petitio principii* im johanneischen Denken, denn das wahre Hören ist erst mit dem "Sein aus Gott" möglich (1Joh 4,5: Sie sind von der Welt; darum reden sie, wie die Welt redet, und die Welt hört sie. Wir sind aus Gott, und wer Gott erkennt, der hört uns; wer nicht aus

licht (1Joh 5,6). Dank Jesus wissen die Menschen nach Joh 3,16, daß sie nicht verloren werden, sondern daß ein Leben als Kinder Gottes möglich ist. Jesus hat den Menschen den Sinn gegeben, Gott zu erkennen (1Joh 5,20)[299]. "Hat γινώσκειν τὸν θεόν sicher auch einen eigenen Verwendungsbereich (vgl. 3,1.6.; 4,6.7.8 -...), so steht die VOLLE Gotteserkenntnis doch in engster Beziehung zu der erstrebten Gottesgemeinschaft (vgl. auch Joh 17,3)."[300]

Deshalb wird nach Vorstellung des 1Joh an Jesus die Krise, die Scheidung in der Welt offenbar, er ist *der* Imperativ schlechthin an alle Menschen und von daher *das* Kriterium schlechthin für die Beurteilung, ob ein Mensch Kind Gottes ist oder nicht bzw. ob ein Mensch lebt (das Leben hat - vgl. 5,12) oder ob er im Tod ist. Nach 1Joh 2,2 ist Jesus Christus der ἱλασμός[301] auch für die Sünden der ganzen Welt. Das heißt: sein Ruf zur Entscheidung ergeht an alle, und potentiell sind alle eingeladen und aufgerufen, sich für ihn zu entscheiden. *Erst Jesus hat durch die Tatsache, daß sich an ihm "die Geister scheiden", ein Leben in der Gemeinde der Kinder Gottes ermöglicht.*[302]

Dies wird *(1)* besonders deutlich durch einen Vergleich von 1Joh 3,1 ("Seht, welche Liebe hat uns der Vater erwiesen, daß wir Gottes Kinder heißen sollen - und wir sind es auch") und 4,9f ("Darin ist erschienen die Liebe Gottes unter uns, daß Gott seinen eingeborenen Sohn gesandt hat in die Welt, damit wir durch ihn leben sollen. Darin besteht die Liebe: nicht daß wir Gott geliebt haben, sondern daß er uns geliebt hat und gesandt seinen Sohn zur Versöhnung [ἱλασμός] für unsere Sünden"). Auf der einen Seite wird die Gotteskindschaft als Heil der Menschen und Offenbarung der Liebe Gottes (3,1) gesehen, auf der anderen Seite ist es die Sendung des Sohnes, die "Leben" in Sündlosigkeit ermöglicht (4,9f). Dem Kommen in das Leben entspricht aber die Geburt aus Gott. So ist auch die Gabe des Lebens im 1Joh an Jesus gebunden. 1Joh 1,1 spricht vom λόγος τῆς ζωῆς: Jesus als das Wort des Lebens vermittelt nicht "bloß" Leben[303], sondern damit auch die Ge-

---

Gott ist, der hört uns nicht. - Vgl. Joh 8,47; 18,37). "Sein aus Gott" ist aber erst ermöglicht durch Jesus.

[299] Wer Gott aber erkannt hat, von dem kann gesagt werden, daß er Gott hat (θεὸν ἔχει - 1Joh 2,23; 2Joh 9). Die Rede vom "Gott Haben" (die sich beidemale nur im Zusammenhang der Christologie findet) fügt sich wiederum in die Rede von der Gemeinschaft mit dem Vater und dem Sohn (vgl. H. HANSE, Gott 106: "Die Formel 'Gott haben' deutet eine Gottesgemeinschaft an, die den irdischen Rahmen schon fast sprengt.").

[300] R. SCHNACKENBURG, Johannesbriefe ([7]1984) 66.

[301] Nach F. BÜCHSEL, Art. ἵλεως κτλ., ThWNT 3 (1938), 318,17 ist ἱλασμός "die Beseitigung der Sünde als Schuld Gott gegenüber". Damit erinnert dieser Ausdruck an Joh 1,29. Dort bezeichnet Johannes der Täufer Jesus als Lamm Gottes, das die Sünde der Welt wegschafft.

[302] Vgl. G. DAUTZENBERG, Art. Leben IV. Neues Testament, TRE 20 (1990), 528; DAUTZENBERG stellt hier fest, das JohEv betone, "daß die Qualität des Lebens, eigentlich die Lebensmacht, ursprünglich dem 'Vater' zu eigen ist (5,26a; vgl. 6,57a) und ebenso dem 'Sohn' übergeben worden ist (5,26b; vgl. 6,57b; 14,6; I Joh 5,11.20), so daß er als der Gesandte Gottes Leben vermitteln (6,57; vgl. 6,33.35.51ab; 7,37f; 8,12; 10,10.28; 17,2; I Joh 5,12; Umsetzung in Weisheits- und Schöpfungskategorien: Joh 1,4; vgl. I Joh 1,1f) und an Gottes Stelle das Gericht (Joh 5,25-27) wahrnehmen kann".

[303] Ζωή für die Glaubenden in der Bindung an Christus: 3,15f.36; 4,10f.14; 5,25.39f; 6,27.33.35.40.47f.51.53f.57f.63 (Vermittlung über den Geist!).68; 7,38; 8,12; 10,10.27f; 11,25f; 12,50; 14,6.19; 17,2f; 20,31; 1Joh 4,9; 5,11-13.20;
Identität Jesu mit der ζωή: 1Joh 1,1f; 5,20;
Zukunftsperspektive ζωή: 4,36; 5,29; 12,25; 1Joh 2,24f;
ζωή in Jesus selbst: 1,4; 5,26; 1Joh 5,11;
ζωή in der Bindung an Gott: 5,24; 1Joh (3,14;) 5,16.

burt aus Gott, die Gotteskindschaft. Deshalb ist das Bekenntnis zu ihm als Christus ein Kriterium für die Beurteilung, ob ein Mensch aus Gott geboren ist oder nicht (5,1a; vgl. 2,23), ob er das Leben hat oder nicht; deshalb kann man auch sagen, daß "Leben" den Glaubenden nur geschenkt wird dank der Vermittlung durch Jesus.[304]

Dafür spricht (2) aber auch die zweimalige Erwähnung der Motivation für die Abfassung des 1Joh in 1,3 ("Was wir gesehen und gehört haben, das verkündigen wir auch euch, damit auch ihr mit uns Gemeinschaft habt; und unsere Gemeinschaft ist mit dem Vater und mit seinem Sohn Jesus Christus") und 5,13 ("Dies habe ich euch geschrieben, damit ihr wißt, daß ihr das ewige Leben habt, die ihr glaubt an den Namen des Sohnes Gottes"). Ziel des 1Joh ist nicht die Entfaltung einer wahren Christologie, sondern die Ermöglichung des Lebens in der Gemeinschaft mit Gott und Jesus Christus.[305]

Für unsere obengenannte These spricht (3) auch die Aussage von 1Joh 3,8 ("Dazu ist erschienen der Sohn Gottes, daß er die Werke des Teufels zerstöre"). Wenn nur innerhalb der Gemeinschaft sündloses Leben möglich ist (1Joh 3,9; 5,18), erst aber der Christus erscheinen mußte, um die Werke des Todes zu zerstören, dann liegt es nahe, die Eröffnung der Gotteskindschaft bzw. der Gemeinschaft mit Gott in ganz engem Zusammenhang mit der Erscheinung Jesu zu sehen; erst durch ihn wird für die Menschen ein sündloses Leben möglich (1Joh 3,5f; vgl. 2,1f).

Dafür spricht (4) der Vers 12 im Prolog des Johannesevangeliums, der auf die Gemeindesituation (voraus)weist: "Wieviele ihn aber aufnahmen, denen gab er Macht, Gottes Kinder zu heißen, denen, die an seinen Namen glauben." Das Verhalten zu Jesus ist nicht irgendein Kriterium unter vielen zur Beurteilung, ob ein Mensch aus Gott geboren ist oder nicht; am Verhalten gegenüber dem Logos entscheidet sich Gotteskindschaft und Teufelskindschaft. Joh 1,12 impliziert zugleich, daß erst seit der Vollendung des irdischen Wirkens des Logos in der Welt Gotteskindschaft ermöglicht ist. Hier ist die Brücke zwischen Christologie, Ekklesiologie und Soteriologie im johanneischen Schrifttum.

Dafür spricht (5) auch Joh 3,16 ("Also hat Gott die Welt geliebt, daß er seinen eingeborenen Sohn gab, auf daß alle, die an ihn glauben, nicht verloren werden, sondern das ewige Leben haben"). Ziel des Heilshandelns Gottes in Christus ist die Vermittlung des Lebens für die Glaubenden, des Lebens, das die Geburt aus Gott zur Voraussetzung hat und ein Leben als Kind Gottes ist.

(6) Auch in Joh 10,10b (Dort spricht Jesus: "Ich bin gekommen, damit sie das Leben und volle Genüge haben sollen") ist das Heilsgut "Leben" - eine Folge aus der Geburt aus Gott - an das Gekommensein Christi exklusiv gebunden.

---

[304] Generell läßt sich sagen, daß es das Heil für die Glaubenden nach Meinung der johanneischen Schriften nur durch die Vermittlung Jesu gibt: das Leben (Joh 3,16.36; 5,24.39f; 6,40.47.53; 10,10; 20,31; 1Joh 5,12), der Logos Gottes (Joh 5,38), die Liebe Gottes (Joh 12,35f), Gott selbst (1Joh 2,23); vgl. H. HANSE, Gott 106; vgl. DERS., Art. ἔχω κτλ., ThWNT 2 (1935), 825,7-21.
In diese Argumentationlinie gehört auch die Anwendung des Wortes μονογενής auf Jesus (Joh 1,14.18; 3,16.18; 1Joh 4,9). Formal dient es der Herausstellung der Einzigartigkeit Jesu; und es taucht nur auf, wenn die besondere Nähe Jesu zu Gott betont werden soll.

[305] Durch die vorgetragene Konzeption wird auch deutlich, wie die auf den ersten Blick recht unterschiedlichen "Ziele" des 1Joh ("Gemeinschaft mit Gott" und "ewiges Leben" für die Glaubenden), die in diesen beiden Versen formuliert werden, zusammenhängen.

Dafür spricht aber *(7)* ebenfalls der Gebrauch des Wortes "ἀδελφός" im Johannesevangelium: Fast immer meint "ἀδελφός" dort den leiblichen Bruder[306]; erst als Jesus auferstanden ist, wird die Bezeichnung "Bruder" ausgeweitet (Joh 20,17, vgl. 21,23).

Erst durch Jesu Wirken und Sterben ist Geschwisterschaft für die Menschen ermöglicht; und in gleicher Weise wird *(8)* an dieser Stelle (Joh 20,17) erstmals Gott ausdrücklich als Vater von Menschen, als Vater der Glaubenden apostrophiert. Gottes Vaterschaft ist ebenso wie die menschliche Geschwisterschaft der Glaubenden erst seit dem Abschluß des irdischen Wirkens Jesu eine Realität.

In diese Aufstellung gehört außerdem *(9)* der sog. "erste Schluß" des Johannesevangeliums, Joh 20,31. Der Glaube, daß Jesus der Christus ist, ermöglicht Leben; und "Leben zu empfangen" ist gleichbedeutend mit dem "Geboren werden aus Gott" bzw. dem "Kind-Gottes-Sein" (vgl. Joh 1,12!).

Die Formulierungen "aus Gott geboren sein" und "in Gott (Christus) sein (bleiben)" können natürlich unterschiedliche Akzentuierung tragen[307], sie haben aber die gleichen Implikationen: Sündlosigkeit (vgl. 1Joh 3,6 mit 3,9), Bruderliebe (vgl. 1Joh 2,10; 4,12 mit 4,7), Bekenntnis zum Sohn (vgl. 4,15 mit 5,1).

Durch das Kommen Jesu wird nicht einfach die Möglichkeit eröffnet, daß aus Teufelskindern Gotteskinder werden[308], sondern vielmehr wird die ganze Alternative Teufelskindschaft - Gotteskindschaft durch Jesu Kommen aufgedeckt, denn die Teufelskindschaft konstituiert sich erst durch die Ablehnung des Christus. Das Kommen Jesu, sein irdisches Wirken und seine Erhöhung, macht also offenbar, wer zur Gottesgemeinschaft gehört und wer nicht.[309]

An diesem Punkt erklärt sich auch der oben erwähnte Unterschied zwischen Johannesevangelium und erstem Johannesbrief bezüglich der Häufigkeit der Formulierung ἐκ τοῦ θεοῦ γεννᾶσθαι. Dies sei kurz deutlich gemacht:

"Gemeinde im Johannesevangelium"
Die Gemeinde versteht sich nach dem Johannesevangelium als Ausweitung der Jüngerschar Jesu. Die Jünger Jesu im Johannesevangelium repräsentieren nicht nur "die Glaubenden, die Jesus durch sein Wort und Zeichen gewinnt", sondern auch "die spätere Gemeinde im Gegenüber zur ungläubigen Judenschaft"[310]. Deshalb vermag sich die Gemeinde des Johannesevangeliums in den Jüngern Jesu "in ihrer Angefochtenheit und unzulänglichen Glaubenshaltung"[311] auch wiederzuerkennen. Die johanneische Gemeinde versteht sich also in Fortsetzung des Jüngerkreises als die zu Jesus Gehörigen, οἱ ἴδιοι - die Seinen (Joh 10,14; 13,1) bzw. οἱ φίλοι - Jesu Freunde (Joh 15,13-15). Die johanneische Gemeinde ist nur dann eine wirkliche Gemeinde, wenn sie Jesu Dienst an sich geschehen läßt (Joh 13,8) und zum Dienst aneinander bereit ist (Joh 13,15; 15,12.14.17). Sie ist "... nach ihrem Selbstverständnis begründet durch das Offenbarungsgeschehen, das im Kreuzestod Jesu (Joh 19,30) zur Vollendung gekommen ist und dessen wahren Sinn sie nach ihrer geistgewirkten Ostererfahrung zu verstehen lernte. Das ist der Grund, weshalb die johanneische Gemeinde sich zwar durch das Offenbarungsgeschehen im Ganzen begründet weiß, aber dessen Schwerpunkt im Tod Jesu ansetzt, und das ganze Offenbarungsgeschehen von diesem Aspekt her sieht ..."[312] Durch Jesu Tod wird die Ge-

---

306 Joh 1,40f; 2,12; 6,8; 7,3.5.10; 11,2.19.21.23.32.
307 Vgl. oben die Unterscheidung zwischen Familienmodell und "Immanenzformeln", S. 108.
308 So G. REIM, Lokalisierung 72-86; vgl. ebd. 80: "Die joh. Gemeinde lehrt Jesus als den ins Fleisch gekommenen ewigen Logos. Durch ihn können Teufelskinder zu Gotteskindern werden."
309 1Joh 3,10; da ja 3,5.6.9 auf die Sündlosigkeit der Glaubenden hinweist.
310 R. SCHNACKENBURG, Johannesevangelium III 234f.
311 Ebd. 235.
312 T. ONUKI, Gemeinde 59; vgl. ebd. 66f.174f.

meinde mit ihm vereint werden (Joh 12,32; 14,2; 17,24). "Der Tod Jesu und die ihn verkündigende christliche Predigt führen zur Bildung der Heilsgemeinde ..."[313] Nahezu alle Stellen im Johannesevangelium, die scheinbar eine soteriologische Bedeutung des Sterbens Jesu implizieren, sehen den Tod Jesu als Abschluß seines Wirkens und werfen zugleich den Blick voraus auf die Sammlung der Gemeinde, die somit als eigentliches Ziel des Wirkens Jesu erscheint.[314] Schlüsselstelle ist Joh 12,24. Die "Stunde" ist die Stunde der Passion, vor deren Anbruch Jesus nicht ergriffen werden kann (vgl. Joh 7,30; 8,20) und vor deren Anblick Jesus im tiefsten erschüttert ist (Joh 12,27). Die Verherrlichung Jesu vollzieht sich dabei in der Stunde der Passion, indem Jesus zum Vater geht und sein Sterben ein "fruchtbringendes Sterben" ist. Was ist aber mit "πολὺν καρπόν" gemeint? Im Kontext von Joh 12 sind V. 24 und V. 32 "indirekte Antwort Jesu auf die Bitte der Heiden"[315]. Erst durch Jesu "Stunde", erst durch seine "Verherrlichung" (Joh 12,23) findet eine Entschränkung des Heiles statt. Jesu Tod ist als Ende und zugleich als Anfang verstanden! Die joh Gemeinde versteht sich selbst als die "reiche Frucht", die durch das Sterben Jesu hervorgebracht wurde.[316] Damit ist Jesu Tod nicht einfach bloß historische Voraussetzung für das Fruchtbringen "in dem Sinne, daß er als einzelner Akt und für sich genommen die Möglichkeit für ein 'Fruchtbringen', als einem davon abgehobenen Werk schafft, sondern er ist der bleibende Grund für jedes Fruchtbringen überhaupt"[317]. Joh 12,24 charakterisiert also durchaus den Tod Jesu als Heilstod für die Welt, da alle Menschen, Juden wie Heiden, durch diesen und seit diesem Tod Gemeinschaft mit Jesus haben könnten (Joh 12,32). "Diese besondere Bedeutung eignet aber dem Tod Jesu darum, weil es der Tod des eschatologischen Lebensspenders ist."[318] Die Bedeutung des Todes Jesu im JohEv kann also nur im Lichte seiner irdischen Existenz ermessen werden. Die Betrachtung der folgenden Stellen verdeutlicht das Gesagte.

Der Entschluß zur Tötung Jesu im Hohen Rat (Joh 11,46-52) wird veranlaßt durch die Auferweckung des Lazarus (Joh 11,1-45). Paradoxerweise ist es gerade Jesu lebenserhaltendes Handeln (11,25f), das ihm den Tod einbringen soll. Kaiphas macht einen Vorschlag, "der brutaler Realpolitik entspricht"[319]. Die Analogien in 2Sam 20,14.22; Jona 1,8-16 passen insofern nicht auf Jesu Rolle, als Jesus unschuldig sterben soll. Bloße Nützlichkeitserwägungen sind die Grundlage der Gedanken von Kaiphas[320]. Doch sein Rat wird umgedeutet als unbewußte Prophetie und mit seinem Hohepriesteramt in Verbindung gebracht. In V. 52 wird durch die Erweiterung des jüdischen Horizonts das "für das Volk - ὑπὲρ τοῦ ἔθνους" (bzw. "ὑπὲρ τοῦ λαοῦ" - "vielfach promiscue gebraucht"[321]) präzisiert: Es geht um die Sammlung Israels und - mehr noch - um die Sammlung der "verstreuten Kinder Gottes", es geht um die Einheit der aus Juden und Heiden bestehenden Gemeinde. Jesu Tod begründet die *eine* (συναγαγῇ εἰς ἕν) Gemeinde aus Juden und Heiden. Jesu Tod ist nur verstehbar im Lichte seiner irdischen Worte und Werke. Sie sind es, die seinen Tod herbeiführen; und sein Kreuzestod gehört mit zu seinem Werk, weil dieser sein Werk weiterführt und vollendet (Joh 19,30). Die Aussage von Joh 10,11.15 deckt sich im wesentlichen mit diesem Befund. "τὴν ψυχὴν τίθεσθαι" meint hier nicht die Hingabe des Lebens, sondern den Einsatz des Lebens, der ganzen Existenz und der ganzen Kraft für andere unter Einschluß des Todesrisikos.[322] Existenz und Tod sind auch hier nicht voneinander getrennt. Das Ziel dieses Einsatzes wird angegeben in V. 16: "Und ich habe noch andere Schafe, die sind nicht aus diesem Stall; auch sie muß ich herführen, und sie werden meine Stimme hören, und es wird *eine* Herde und *ein* Hirte werden." Es liegt also der gleiche Gedanke vor wie in Joh 11,50-52. Auch die Betonung der Einheit (der Gemeinde) findet sich hier.[323]

---

313   R. SCHNACKENBURG, Johannesevangelium III 244f.
314   Vgl. im 1Joh die Zentralsätze, die das Ziel der Abfassung angeben: 1,3; 5,13.
315   T. ONUKI, Gemeinde 60.
316   Vgl. ebd. 60f.
317   J. BLANK, Krisis 274.
318   Ebd. 274.
319   J. GNILKA, Johannesevangelium 95.
320   Vgl. R. SCHNACKENBURG, Johannesevangelium II 450.
321   K.L. SCHMIDT, Art. ἔθνος im NT, ThWNT 2 (1935), 366,52; vgl. H. STRATHMANN, Art. λαός im NT, ThWNT 4 (1942), 51,36-52,13.
322   In der LXX findet sich die Formel τὴν ψυχὴν τίθεσθαι an zwei Stellen: 1Sam 19,5; 28,21. An beiden Stellen geht es um Menschen, die zwar ihr Leben riskieren, es aber nicht verlieren. "Das Leben hingeben" wäre auch mit τὴν ψυχὴν διδόναι zu bezeichnen gewesen.
323   Vgl. in diesem Zusammenhang auch die Passage aus dem hohepriesterlichen Gebet Joh 17,19-21; auch hier dient Jesu Tod als Vollendung seines Heilswirkens der Verkündigung und damit der Sammlung und Einheit der Gemeinde; aber auch Joh 3,14-16 macht jenes Gemeindeverständnis deutlich: Erst Jesu vollendetes Heilswerk kann seine Heilswirkung für "jeden, der an ihn glaubt" entfalten.

Fassen wir zusammen: Nach Anschauung des Johannesevangeliums ist es erst nach Jesu Tod, also nach dem Abschluß des Offenbarungswirkens Jesu möglich, die Gemeinde zu sammeln, Kind Gottes zu werden (Joh 3,14-16; 11,52).[324] Deshalb finden die Formulierungen "Kind Gottes sein" oder "aus Gott geboren sein" im JohEv auch weniger Anwendung als im wesentlich kürzeren ersten Johannesbrief:

(1) Da Joh 1,12f zwar am Beginn des Evangeliums steht, aber das irdische Wirken Jesu als bereits vollendet voraussetzt, läßt sich sagen, daß dieser Vers auf etwas *zurück*blickt, was erst mit Joh 20,17 ermöglicht ist: die Möglichkeit der allein durch Jesu Erhöhung eröffneten Gotteskindschaft.

(2) Das Gespräch Jesu mit Nikodemus, in dem die Formulierung "ἄνωθεν" bzw. "ἐξ ὕδατος καὶ πνεύματος γεννᾶσθαι" auftaucht (Joh 3,3), hat als einen Höhepunkt V. 14-16, wo ebenfalls erst auf dem Hintergrund des Todes Jesu, also des Abschlusses seines Offenbarungswirkens, vom Leben für die Menschen geredet wird. Auch Joh 7,39 weist in diese Richtung: Geistempfängnis wird erst nach Jesu Verherrlichung möglich sein. Und nach Joh 20,22 wird den Jüngern durch den bereits gekreuzigten Jesus der Geist verliehen (vgl. auch Joh 16,13, wo vom Kommen des Geistes der Wahrheit gesprochen wird).

(3) In Joh 8,41f negiert es Jesus ausdrücklich, daß die mit ihm redenden Juden Gott zum Vater hätten.

(4) Nach Joh 11,52 werden die Kinder Gottes erst mit dem Abschluß des Offenbarungswirkens Jesu gesammelt.[325] Hier scheint Gotteskindschaft als Möglichkeit vor dem Tod Jesu vorausgesetzt zu sein. Doch muß hier die Ebene des Johannesevangelisten, der das abgeschlossene Wirken Jesu stets vor Augen hat, und die Ebene des johanneischen Jesus unterschieden werden. Auf der Ebene des Johannesevangelisten interpretiert, fügt sich auch Joh 11,52 in unsere Konzeption.

(5) Ausdrücklich zugestanden wird den μαθηταί die Gotteskindschaft erst in Joh 20,17; vorher gelten sie einfach als die zu Jesus Gehörigen, οἱ ἴδιοι (Joh 10,14; 13,1) bzw. οἱ φίλοι, seine Freunde, die allerdings gegen die Kategorie der "δοῦλοι" abgegrenzt werden (Joh 15,13-15).

(6) Dazu paßt die Aussage von Joh 14,18f, wo Jesus den Jüngern zusagt, er wolle sie nicht "ὀρφανοί - verwaist" zurücklassen, er käme zu ihnen. Dies tut er nach seiner "Erhöhung"; dann nennt er sie auch "Brüder", die mit ihm einen gemeinsamen "Vater" haben, Gott (Joh 20,17); sie sind also nicht mehr verwaist. Zudem schließt sich daran die Verheißung an, daß auch die Glaubenden - wie Jesus es jetzt schon tut - "leben" *werden* (Futur!). Dieses "Leben" ist also "jetzt" - auf der Ebene des irdischen joh Jesus - noch gar nicht möglich, erst nach Jesu Erhöhung ist das der Fall, und zwar nur für die Kinder Gottes.

(7) Nur bedingt reiht sich in diese Aufstellung der Begriff "Söhne des Lichts - υἱοὶ φωτός" (Joh 12,36) ein. Hier scheint das JohEv den atl. Gebrauch zu rezipieren, wo mit "לְ" auch die Zugehörigkeit zu etwas ausgedrückt werden kann. Es darf hier kein Zusammenhang mit 1Joh 1,5b[326] konstruiert werden, der dann voraussetzen würde, es gehe auch in Joh 12,26 um Gottessohnschaft. Anders als im Kontext der Gotteskindschaft wird hier das Wort "υἱός" und nicht "τέκνον" verwendet. H. Malmede[327] vermutet, daß "'glauben' als spezifizierte Wiederholung von 'wandeln' zu fassen (ist) und 'Söhne des Lichts werden' als Parallelbildung zu dem vorausgesetzten 'im Licht wandeln'". Aber selbst was dieses Motiv der Lichtsohnschaft angeht, so geht es darum, Lichtsohn erst zu *werden*. Joh 12,36 scheint sogar vorauszusetzen, daß Lichtsohnschaft erst dann möglich ist, wenn das Licht gegangen und wiedergekommen ist.

---

[324] Im JohEv ist der Gedanke des 1Joh, daß der an Jesus Glaubende zum (ewigen) Leben aus Gott geboren wird, bereits angedeutet: Joh 1,13; 3,3-5. Darüber hinaus ist nach Joh 17,3 das das ewige Leben, daß die Glaubenden Gott und denjenigen, den Gott gesandt hat, Jesus Christus, erkennen. Volle Erkenntnis Jesu ist aber erst möglich nach der Auferstehung (Joh 2,22), nach der Verherrlichung (8,28), bei dem Verrat des Judas zu Beginn der Passion (13,19; vgl. 13,31, also bei der Verherrlichung), bei der Parusie (14,19), zu Beginn der Passion (14,29-30). Dies entspricht im wesentlichen dem Befund im 1Joh.
Es findet sich aber auch der Gedanke, daß man schon vor Jesu Erhöhung an Jesus glauben kann: Joh 3,15.16.36; 5,24.40; 6,40.47; 8,12; 11,26. Hier hat man jedoch verschiedene Erzählebenen zu unterscheiden. Auch das JohEv ist historisch nach dem Tod Jesu verfaßt. An den erwähnten Stellen ist also diese Situation der Gemeinde vorauszusetzen, die auf das abgeschlossene Wirken Jesu zurückblickt.

[325] G. KLEIN, Gemeinschaft 63, behauptet zu dieser Stelle: "11,52 wird der Grund der Gotteskindschaft angegeben: der Tod Christi." Dies ist aber nicht der Fall, da hier der Tod Christi als Grund der *Sammlung* der Gotteskinder angegeben wird.

[326] "Gott ist Licht und in ihm ist keine Finsternis."

[327] H.H. MALMEDE, Lichtsymbolik 109.

Während also der 1Joh durchgängig auf Jesu Wirken zurückblickt, möchte das Evangelium eben dieses Wirken und Sterben Jesu darstellen; nur hin und wieder wird die "historische" Ebene verlassen und Jesu Erhöhung und Verherrlichung bereits stillschweigend vorausgesetzt. Daraus erklärt es sich, weshalb das Evangelium die Formulierung ἐκ τοῦ θεοῦ γεννᾶσθαι im Gegensatz zum 1Joh kaum gebraucht.

4. Gotteskindschaft der Glaubenden und Gotteskindschaft Israels

1Joh 3,1f läßt vermuten, daß sich das betonte und wiederholte "Wir sind Gottes Kinder" gegen den Anspruch anderer richtet, Gottes Kinder zu sein. Es liegt also nahe, daß implizit hier das Selbstverständnis Israels zur Sprache kommt, nach dem Israel selbst Gottes Sohn ist.[328]

Dieses Problem ist das Thema von Joh 8. Hier behaupten "die Juden", sie hätten Gott zum Vater (8,41). Damit ist für die johanneischen Glaubenden das Problem formuliert. Ausgangspunkt ist die Frage nach der Abrahamskindschaft, die unvermittelt "den Juden" von Jesus zugesprochen wird (8,37). Doch damit spricht Jesus lediglich die physische Abrahamskindschaft an, die nach Joh 8,37 von den Glaubenden "den Juden" nicht abgesprochen werden kann. Im folgenden Vers gibt Jesus eine Definition von Vaterschaft: Es geht nicht um die physische Abstammung, sondern um eine "praktische" Abstammung. Ein Kind tut die Werke seines Vaters.

In diesem Sinn berufen sich in Joh 8,39 "die Juden" auf ihre Abrahamskindschaft; deshalb muß ihnen nun die in 8,37 zugestandene Abrahamskindschaft wieder abgesprochen werden (V. 39b). Gerade die nun folgende Berufung auf die Gotteskindschaft "der Juden" (V. 41) kann der Jesus des JohEv nach seiner Definition nicht gelten lassen.

In Joh 8 wird also nicht nur die Abrahamskindschaft, sondern auch die Gotteskindschaft "den Juden" abgesprochen, da sie sich nicht entsprechend verhielten. Impliziert ist hier der Gedanke: Wäre Gott der Vater "der Juden", müßten sie Jesus nicht nur glauben, sondern ihn als Bruder behandeln. Die Voraussetzung wird in V. 38a dargelegt: Jesus redet, was er vom Vater gesehen hat. Kriterium der Gotteskindschaft ist also nicht die Zugehörigkeit zum Volk Israel, sondern das Verhalten Jesus gegenüber.

5. Die christliche Gemeinde als Ersatz-Familie

5.1 Zur innergemeindlichen Funktion des Familienmodells

Nur in seltenen Fällen dürfen wir davon ausgehen, daß in der Zeit des frühen Christentums ganze Familien (οἶκοι) zum christlichen Glauben bekehrt wurden. Das war nur dann der Fall, wenn der Familienvater bekehrt werden konnte.[329] Konvertierte also ein ganzer οἶκος zum Christentum, blieb dessen soziale Binnenstruktur intakt; es ergaben sich lediglich Spannungen in den Außenbeziehungen - hier waren Neuorientierungen nötig.

---

[328] Vgl. das Insistieren des Verfasser des 1Joh auf der Messianität bzw. auf der Gottessohnschaft Jesu: 1Joh 2,22; 3,23; 5,1.5; vgl. 2Joh 7 u.ö.
[329] Vgl. Mk 10,29 par; Act 16,15; 18,8; 1Kor 1,16; 16,15; Kol 4,15 u.a.

Häufig war es jedoch nicht zuerst der Familienvater, der zum christlichen Glauben fand, sondern ein einzelnes Glied des οἶκος.[330] Es trat das ein, was in den matthäischen und lukanischen Gemeinden bekannt war: die Entzweiung vieler Menschen mit den engsten Familienangehörigen um des Glaubens willen (Mt 10,34-39; Lk 12,49-53). Der Lukasevangelist spricht davon, daß "fünf in einem οἶκος uneins sein werden" (Lk 12,52a). Diese Verse reflektieren die Erfahrung der Zerstörung von Familienstrukturen. Die Grenzlinie zwischen Heide bzw. Jude und Christusbekenner lief nicht selten mitten durch die Familien. Diese Spannungen mögen nicht selten zum offenen Bruch geführt haben. So braucht es nicht zu verwundern, wenn die neue κοινωνία der Christen sich darum bemühte, die verlorengegangenen Bindungen zu ersetzen. Die göttliche Vaterschaft tritt an die Stelle der menschlichen Elternschaft.[331]

Diese Konkurrenz zwischen menschlicher Elternschaft und göttlicher Vaterschaft zeigt sich auch in der Erzählung vom zwölfjährigen Jesus im Tempel (Lk 2,41-52). P. Schmidt führt zu diesem Problem aus: "Mit Berufung auf die himmlische Vaterschaft wird also die irdische ausdrücklich eingeschränkt und ihr der Gehorsam verweigert. Diese Begrenzung der väterlichen Autorität besagt nichts anderes, als daß die Vaterschaft Gottes alle, die von Jesus zu Kindern seines Vaters berufen sind, aus der Bindung an die natürlichen Ordnungen, an Familie, Stand oder Beruf befreit, und ihnen vor Gott gleiche Chancen und Rechte einräumt."[332]

Im johanneischen Schrifttum ist diese Konkurrenz zwischen biologischer und "praktischer" Elternschaft verlagert; Gott gilt hier auch "genealogisch" als Vater seiner Kinder (1Joh 3,9). Konkurrenz besteht hier zwischen menschlicher Geburt und Geburt aus Gott (bzw. dem Geist). Ein besonderes Problem ist ja die Interpretation von Joh 1,13.[333] Wir können auf die Diskussion, die um die Frage "Singularlesart oder Plurallesart" entstanden ist, hier nicht eingehen, entscheiden uns aber gegen die in der Dissertation P. Hofrichters 1977 (veröffentlicht 1978) geäußerte Überzeugung, da die Plurallesart die Mehrheit der gewichtigen Textzeugen für sich hat.[334] Darüber hinaus ist die Singularlesart auch eher aus der Plurallesart zu erklären. Die Kirchenväter, die die Singularlesart überliefert haben, sahen mit dieser Lesart die Jungfrauengeburt Jesu begründet. Die Plurallesart schien dagegen zu implizieren, daß alle Gläubigen aus einer Jungfrau geboren waren. Deshalb wurde in der Überlieferung die Singularlesart vorgezogen. Hofrich-

---

330 Vgl. G. DELLING, Taufe 308: "Nach dem verhältnismäßig umfänglich belegten Gebrauch von τέκνον im Neuen Testament und nach dem Kontext bezeichnet τέκνα auch in I.Kor. 7,14 nicht etwa insbesondere kleine Kinder. Die Stelle zeigt, daß nicht immer ganze 'Häuser' sich dem Christentum zuwenden; mitunter bleibt ein Ehegatte zurück, nur die Frau oder nur der Mann wird Christ (ἀδελφός)."

331 Vgl. H. FÜRST, Verlust 17-47.

332 P. SCHMIDT, Vater - Kind - Bruder 115; vgl. etwa Mk 3,35: "Denn wer den Willen Gottes tut, ist mir Bruder, Schwester und Mutter." Vgl. auch Lk 17,3; 23,8 u.a.

333 P. HOFRICHTER, Blut, spricht sich für die Singularlesart von Joh 1,13 aus, korrigiert jedoch diese These später: P. HOFRICHTER, significato 574, Anm. 16 und 675, Anm. 17; vgl. auch DERS., Anfang 45f; vgl. auch L. SABOURIN, Begotten 86-90, der auch für die Singularlesart plädiert und damit die Jungfrauengeburt auch für das johanneische Schrifttum exegetisch begründet sieht (90).

334 Auch G. KLEIN, Gemeinschaft 59-61, setzt die Plurallesart voraus; vgl. B.J. LE FROIS, Motherhood 422-431, der vermutet, daß die ursprüngliche Lesart "οἳ ... ἐγεννήθη" gelautet haben muß. Der Verfasser habe das Relativpronomen auf die τέκνα bezogen verstanden und dementsprechend das Verbum singularisch gebildet, also eigentlich "ἃ ... ἐγεννήθη". Intendiert sei also auf jeden Fall die Plurallesart (429).

ter stellt Joh 1,13 SapSal 7,2 gegenüber und kommt zu dem Schluß, Joh 1,13 wolle betonen, Christus - er setzt hier ja die Singularlesart voraus - sei *"aus keinerlei biologischer oder sexueller Verursachung"*[335] entstanden. Dies trifft unter der Voraussetzung der Plurallesart also auf die Glaubenden zu.

Nach Joh 3,4-6 fragt Nikodemus, wie ein Mensch geboren werden könne, wenn er schon alt sei; ob er wieder in den Leib seiner Mutter gehen könne (V. 4). Jesus antwortet in Vers 6 mit dem Satz: "Was aus Fleisch geboren ist, das ist Fleisch; und was aus Geist geboren ist, das ist Geist." Die Geburt aus Gott - und damit Gotteskindschaft - tritt also in Konkurrenz zur Geburt aus der eigenen Mutter - und damit zur Kindschaft den leiblichen Eltern gegenüber.

In diesen Kontext paßt auch das Wort Jesu am Kreuz: "Siehe, das ist dein Sohn!" (Joh 19,26) und "Siehe, das ist deine Mutter!" (Joh 19,27). Die beiden Jesusworte scheinen fast ein Reflex auf Mk 3,31-35 par. zu sein. Es ist einzuräumen, daß das Mutter-Sohn-Verhältnis nicht voll in das Familienmodell des 1Joh paßt. Doch es werden hier durch Jesu Tod neue Verwandtschaftsverhältnisse gesetzt.

Mit Jesu Erhöhung gelten die zu Jesus Gehörigen als seine Brüder (Joh 20,17), als Brüder des μονογενής[336], sie sind auch "aus Gott geboren". Sind sie Brüder Christi, dann haben sie auch dieselbe genealogische Herkunft.[337] Die Relativierung aller alten Verwandtschaftsbeziehungen entspricht auch der Anschauung des 1Joh, daß die neu zur Gemeinde Gekommenen keine vorhergehende Existenz besitzen bzw. tot waren (1Joh 3,14). Deshalb kann der 1Joh sie dann auch - wie der Brief es für Jesus selber in 1Joh 5,1b tut - als "ἐκ τοῦ θεοῦ γεννηθέντες" bezeichnen.[338] Damit erhärtet sich die Vermutung von der Konkurrenz zwischen menschlicher und göttlicher Geburt auch in bezug auf die Gemeindeglieder.

Darüber hinaus fällt auf, daß das JohEv noch konsequenter als die drei älteren Evangelien darauf verzichtet, Sympathisanten Jesu durch Angabe des Vaters zu identifizieren.[339] Die Identifikation über den Vater war dabei generell in der Antike üblich.[340] G. Theißen hat hier zurecht bemerkt, daß natürlicherweise der Name des Vaters dort von besonderer Bedeutung sei, "wo Vater und Familie bekannt sind"[341]. Doch zugleich mögen in den christlichen Gemeiden die Väter als Identifikationsfiguren zurückgetreten sein, weil nach ihnen innerhalb der Ge-

---

[335] Ebd. 118.

[336] Freilich bleibt durch das Attribut "μονογενής" Jesu Einzigartigkeit bezeichnet, da dieses Attribut gerade nicht auf die Glaubenden angewandt wird (vgl. auch 1Joh 4,19).

[337] Dies entspräche auch den Proselyten im palästinischen Judentum, deren ganze Verwandtschaftsbeziehungen aus der heidnischen Zeit zu gelten aufgehört haben - "sie existieren einfach nicht mehr" (E. SJÖBERG, Wiedergeburt 47; vgl. H. STRACK/P. BILLERBECK Kommentar III 353f sowie W. BRAUDE, Proselyting 122ff).

[338] Auch Joh 19,26f geht in die gleiche Richtung. Durch Jesus werden zwischen den Menschen neue Verwandtschaftsverhältnisse gesetzt.

[339] Joseph von Arimathia (Joh 19,38), "der ein Jünger Jesu war", wird über seinen Herkunftsort identifiziert (vgl. Mk 15,34; Mt 27,57; Lk 23,51). Ähnlich der Befund bei Maria von Magdala in Joh 19,25; 20,1.18 (vgl. Mk 15,40.47; 16,1.9; Mt 27,56.61; 28,1; Lk 8,2; 24,10) und bei Nathanael aus Kana (vgl. auch Simon von Kyrene in Mk 15,21; Mt 27,32; Lk 23,36). Daß Joh 21,2 Jakobus und Johannes so problemlos als "Söhne des Zebedäus" bezeichnet, liegt daran, daß sich diese Bezeichnung schon allgemein durchgesetzt hat (vgl. Mk 1,19f; 3,17; 10,35; Mt 4,21; 10,2; 20,20; 26,37; Lk 5,10). Ähnlich liegt der Befund bei Simon Petrus, dem "Sohn des Johannes"; als solcher ist er in Joh 1,42 eingeführt worden, und Joh 21,15-17 nimmt diese Bezeichnung wieder auf.
Auch Thomas wird in Joh 20,24; 21,2 nicht über den Vater identifiziert, sondern über den Beinamen "Δίδυμος".

[340] Vgl. G. THEISSEN, Lokalkolorit 191f.

[341] Ebd. 192.

meinde nicht identifiziert wird: "Denn die Gemeinde ist die familia dei, welche die irdische Familie ablöst."[342]

Das Familienmodell dient also der Integration der sozial entwurzelten Christen. Sie werden in eine neue Gemeinschaft inkorporiert, in eine neue Familie. Problematisch ist einzig die Tatsache, daß sich für diese Familie in den drei Johannesbriefen kein *terminus technicus* findet. Allein 2Joh 10 verwendet den Ausdruck οἰκία: "Wenn jemand zu euch kommt und diese Lehre nicht bringt, nehmt ihn nicht εἰς οἰκίαν und grüßt ihn nicht." Da "οἰκία" hier nicht determiniert ist, liegt die Vermutung nahe, daß nicht die Gemeinde angesprochen ist, sondern lediglich ein Gebäude.

Die Frage, warum die Johannesbriefe das Familienmodell nicht auf den Begriff bringen, muß zunächst offenbleiben[343]. Unbestreitbar aber bleibt, daß sich die johanneischen Christen nach dem Vorbild der kleinsten sozialen Einheit, der Familie, formierten und dadurch eine eigene Binnenstabilität erlangten.

Eine ähnliche Strategie hatten wir bei der Untersuchung der Schrift "Joseph und Aseneth" beobachtet.[344] Aseneth hatte mit ihrem Übertritt zu der jüdischen Gemeinde alle familiären Bindungen hinter sich lassen müssen (JosAs 11,13) und sich ihrem neuen Vater, Gott, zugewandt. JosAs betont ähnlich wie der 1Joh das Selbstbewußtsein der Mitglieder der Trägergruppe, Kinder Gottes zu sein (vgl. 1Joh 3,1 mit JosAs 16,14; 19,8[345]).

5.2 Zur Bedeutung der Familienmetaphorik im ausgehenden 1.Jahrhundert

Die Tatsache, daß der erste Johannesbrief die Glaubenden sich als von Gott abstammend vorstellt, läßt nach der Bedeutung der empirischen Familie im ausgehenden 1. Jahrhundert fragen und damit nach der Bedeutung des Familienmodells für die Gemeinden.[346] B.J. Malina hat das Problem der Verwandtschaftsgrade (kinship) in neutestamentlicher Zeit untersucht. Dabei kommt für den Lebensweg eines Menschen der damaligen Zeit der Geburt die Schlüsselfunktion zu: "This process (i.e. der Lebensweg eines Menschen), from the perspective of kinship, covers the developing web-work of human relations - by blood and in law - rooted in the culturally interpreted fact of birth."[347] Vor diesem Hintergrund ist die Bedeutung des Gedankens, die Glaubenden seien aus Gott geboren, offensichtlich. Das Wissen um die eigene Geburt aus Gott sollte Selbstbewußtsein bewirken und

---

[342] Ebd. 192.

[343] Vgl. den Abschnitt über die "Gemeinden der Johannesbriefe", bes. S. 211f.

[344] S. o. S. 39-41.

[345] Bei C. BURCHARD, Joseph und Aseneth, findet sich darüber hinaus sechsmal die Bezeichnung Gottes als Vater (11,13; 12,13.14.15.; 15,7.8) und einmal der Vergleich Gottes mit einem Vater (12,8). Dazu kommt die siebenmalige Bezeichnung Josephs als Sohn Gottes (6,3.5; 13,10 [2x]; 18,11; 21,4; 23,10; vgl. auch 21,21) sowie die Bezeichnung Aseneths als θυγάτηρ τοῦ ὑψίστου in 21,4.

[346] Daß nicht nur im Alten Israel die familiäre Herkunft eines Menschen besonders wichtig war (vgl. die vielen Geschlechtsregister im AT), sondern auch bereits im Griechentum des 6. und 5. Jh. v.Chr., sollte außer Frage stehen. Letzteres hat in einem Zeitraum von den Anfängen bis Platon W. HAEDICKE, Gedanken, untersucht. HAEDICKE kommt auch auf den Gedanken der Gotteskindschaft einzelner Menschen in der Ilias zu sprechen. Dort konstatiert er, daß "der Wert göttlicher Abstammung ... in der Hilfe (liege), die der Gott seinen Nachkommen zuteil werden läßt im Kampfe" (ebd. 21).

[347] B. MALINA, World 117.

zugleich mit den Geschwistern zusammenschließen. Wenn Angehörige der oberen Schichten stolz auf ihre Herkunft waren, um wieviel mehr konnten es dann die aus Gott Geborenen sein!

Bei der Untersuchung der Bedeutung der Familie im Palästina des ausgehenden 1. Jahrhunderts ist Malinas Ausgangspunkt folgender: "It is highly unlikely that a 'father' in first-century Palestine ... would be the same as the 'father' of Freud's central Europe or of contemporary American society."[348] Durch die Gegenüberstellung von Hauptstrukturen des damaligen Verwandtschaftssystems in Palästina mit der heutigen amerikanischen Gesellschaft werden bei Malina die Unterschiede deutlich gemacht.[349] So stellt er fest, daß die Großfamilie der damaligen mediterranen Welt in "close proximity" lebte: "Each conjugal family should be autonomous."[350] Damit war die Familie "the focus of the activities of each family member, and potentially disruptive extrafamilial associations were taken care of by the head of the family"[351]. Malina stellt auch fest, daß gewöhnlich etwa eheliche Probleme nicht mit den Eltern oder Freunden besprochen wurden, sondern mit den Geschwistern[352]: "Brother and sister share the most intense cross-sexual relationship in this sort of cultural arrangement, so much so that the brother readily gets highly incensed when an unauthorized male approaches either his wife or his sister."[353] Selbst die eheliche Beziehung übertrifft die geschwisterliche an Intensität nicht.[354]

Vor diesem Hintergrund wird die Bedeutung der ekklesiologischen Konzeption des ersten Johannesbriefes überdeutlich. Schon die Konzeption des Familienmodells als ekklesiologische Leitmetapher impliziert genügend ethische Motivation was den Umgang der Kinder Gottes miteinander betrifft. Daß trotzdem der erste Johannesbrief immer wieder zur Bruderliebe mahnt (1Joh 2,7-11; 3,11-18; 4,7-21), signalisiert, daß es in den Gemeinden Probleme damit gegeben hat.

Wenn wirklich das Verhältnis unter Geschwistern in der damaligen Zeit ein so intensives war wie Malina es darstellt, dann können wir erahnen, wie schmerzlich für das einzelne Gemeindeglied der Bruch mit der eigenen Familie war; wir können aber auch erahnen, wie sich der Verfasser des ersten Johannesbriefs das Gemeindeleben vorstellt.

6. Zusammenfassung

Auffällig ist - was den Vergleich zwischen dem Johannesevangelium und dem ersten Johannesbrief anlangt -, daß der erste Johannesbrief kein einziges der "*johanneische(n) Bildworte mit ekklesiologischem Bezug*"[355] verwendet. Im 1Joh wird we-

---

348 Ebd. 96.
349 Ebd. 96-102.
350 Ebd. 99; vgl. DERS., Mother 60: "Such family commitment implies boundless and unconditional loyalty to fellow family members; parental claims on children are strong enough to make a husband give up his wife. This is ineradicable familial particularism. It assumes the family is a unit by and of itself, a self-sufficient and absolute unity, with every other family as its legitimate victim and object of raiding and plunder."
351 B.J. MALINA, World 99f.
352 Ebd. 102.
353 Ebd. 104.
354 Vgl. ebd. 104: "Hence we will only note that the husband-wife relationship does not supercede the intense relationship between brother and sister."
355 K. HAACKER, Jesus 183-186.

der das Bildwort vom Weinstock (Joh 15), noch das vom Weizenkorn (Joh 12,24), noch das der Schafherde (Joh 10) ekklesiologisch wie praktisch fruchtbar gemacht, sie tauchen überhaupt nicht auf. Die Glaubenden werden hier (im 1Joh) weder als "οἱ ἴδιοι" (Joh 13,1; 10,3f.12; vgl. "τὰ ἐμά" in Joh 10,14.26f)[356] noch als "οἱ φίλοι" (Joh 15,13-15) noch als "οἱ μαθηταί" (Joh 8,31; 15,8; 13,35) bezeichnet; auch sind sie weder "οἱ δοῦλοι" (Röm 6,16-18.22; 8,14-16; Gal 4,4-7; vgl. Röm 1,1; Gal 1,10; Phil 1,1) noch οἱ κληρονόμοι (Röm 8,17; Gal 4,7). Die Verwendung irgendeines dieser Begriffe könnte auf eine konkurrierende ekklesiologische Metapher schließen lassen. Doch die einzige ekklesiologische Metapher im 1Joh ist aber die, daß die Glaubenden "τέκνα (τοῦ) θεοῦ" sind. Die Tatsache, daß der 1Joh die aufgezählten Begriffe zur Bezeichnung der Gemeindeglieder nicht verwendet, liegt jedoch auch daran, daß die aufgezählten Begriffe[357] "Relationsbegriffe (sind), deren Korrelat bei Johannes Jesus ist"[358]. Da aber der 1Joh Jesu irdisches Wirken als vollendet voraussetzt (1Joh 2,1b.6), bringt er ekklesiologisch die Gemeindeglieder nicht mehr mit Jesus, sondern mit Gott selbst in Relation.

Das Vater-Kind-Motiv wird im 1Joh verwendet, nicht nur um die liebende Zuwendung Gottes zu seinem Volk bzw. seinen "Anhängern" als "tertium comparationis" zu veranschaulichen; es wird vielmehr versucht, das Vater-Sohn- (bzw. das Eltern-Kind-) Verhältnis für das Verhältnis zwischen Gott und den Gläubigen ekklesiologisch wie auch praktisch[359] fruchtbar zu machen. Damit sind die einzelnen Metaphern, mit denen der 1Joh das Verhältnis zwischen Glaubenden und Gott umschreibt, "Exemplifikationen der Leitmetapher"[360]: familia dei.[361]

Die christliche Gemeinde hat dabei die leibliche Familie als Bezugssystem für den Einzelnen abzulösen versucht. Die Geburt aus Gott tritt in Konkurrenz zur leiblichen Geburt. Hier wird dieselbe Diskontinuität greifbar wie in Mk 6,3 (vgl. Mt 13,55; Lk 4,22; Joh 6,42), nur dort christologisch gewendet. Die Gegner Jesu spielen seine irdische Herkunft gegen seine Gotteskindschaft aus.

"Gotteskindschaft in der Johannesapokalypse"

Vor dem eben skizzierten Hintergrund ist es verwunderlich, daß sich das Motiv der Gotteskindschaft in der Apokalypse nicht findet. So wird weder Gemeindegliedern die Gotteskindschaft zugesprochen, noch wird Gott als Vater von Menschen bezeichnet. Allein der Sohn Gottes (2,18) selbst spricht von Gott als *seinem* Vater (1,6; 2,18; 3;5.21; 14,1). Gotteskindschaft wird Menschen für die Zukunft in Aussicht gestellt: "Wer überwindet, der wird es alles ererben, und ich werde sein Gott sein, und er wird mein Sohn sein" (21,7). Umso erstaunlicher ist es, daß für den Verfasser der Apokalypse die Bezeichnung "Bruder" für Gemeindeglieder gebräuchlich zu sein scheint. So bezeichnet er sich selbst

---

[356] Vgl. auch die Rede von den Menschen, die Gott Jesus gegeben hat in Joh 6,37.39; 17,2.6.9.12.24; 18,9.

[357] Die Begriffe "δοῦλος" und "κληρονόμος" ausgenommen - doch gerade sie tauchen als ekklesiologische Metapher im johanneischen Schrifttum überhaupt nicht auf.

[358] K. HAACKER, Jesus 188.

[359] Vgl. s.u. S. 170-232.

[360] Vgl. G. SCHÖLLGEN, Hausgemeinde 81.

[361] In der späteren christlichen Tradition taucht ein ähnliches Familienmodell wieder auf: Nach Cyprian von Karthago ist Gott der Vater der Christen, die Kirche ist die Mutter, während der Geburt die Taufe entspricht. Schismatiker trennen nach Cyprian die Herde von ihrem Hirten und die Söhne von ihren Eltern (vgl. epist. 74; 15,2.2; 16,3.1; 47: "Ad matrem suam, id est ecclesiam catholicam." 41: "Id est a pastore oves separare, et filios a parente."). Auch nach Cyprian gibt es eine Bruderschaft aller Christen (epist. 75,10.3). Ähnliches findet sich bei Augustin von Hippo, bei dem auch die Kirche als Mutter der Christen gilt (epist. 130,33; 153). Augustin schreibt, daß die Kirche den Christen von Christus empfing, ihn im Blut der Märtyrer gebar, in ewiges Licht brachte und ihm die Milch des Glaubens gab (epist. 243,7f).

als "ἀδελφὸς ὑμῶν καὶ συγκοινωνός" (1,9)[362]. Die Bezeichnung "Bruder" hat sich hier offenbar verselbständigt. Man bindet sie nicht mehr zurück an den Gedanken, daß Gott der Vater der Glaubenden ist; gegenwärtige Gotteskindschaft ist nur dem Gottessohn vorbehalten (vgl. Apk 21,7).[363]

7. Die Eigenart der johanneischen Konzeption

Der erste Johannesbrief entfaltet eine im Johannesevangelium angelegte Ekklesiologie, die im Neuen Testament ihresgleichen sucht. Der Verfasser des 1Joh skizziert die Verbindung zwischen Gott und den Glaubenden durchgängig auf dem Hintergrund der Vaterschaft Gottes und der Gotteskindschaft der Glaubenden. Nahezu alle Verbindungslinien zwischen Gott und den Glaubenden lassen sich in diese Konzeption integrieren. *Das Motiv der Gotteskindschaft ist für den 1. Johannesbrief die ekklesiologische Leitmetapher.* Dies ist die auffälligste Besonderheit - sie unterscheidet den 1Joh von allen anderen Konzeptionen der Gotteskindschaft außerhalb wie innerhalb des Neuen Testaments.

7.1 Das Familienmodell im Vergleich mit außerneutestamentlichen Konzeptionen

Die johanneische Konzeption von der Gotteskindschaft vereinigt auf charakteristische Weise unterschiedliche Ausprägungen von Gotteskindschaft in sich. Ganz deutlich werden Gedanken rezipiert, die einen Niederschlag in Jub 1,24f und PsSal 17,27 gefunden haben. Die johanneische Konzeption versteht die Gotteskindschaft von Menschen in ähnlicher Weise als eschatologische Gabe Gottes. Die eschatologische Heilszeit ist nach johanneischer Konzeption aber mit der Sendung und Erhöhung des Gottessohnes Jesus bereits angebrochen.[364] Insofern wird aus der Zukunftshoffnung eine Gegenwartsdeutung, aus der Hoffnung auf vollendete Gotteskindschaft wird eine Zusage für die Gegenwart. Gemeinsam mit der bestimmten pseudepigraphischen Schriften hat der 1Joh das Wissen darum, daß der Mensch nicht von sich aus Gott als dessen Kind entsprechen kann; dazu ist er angewiesen auf Gottes heilvolle Intervention. Und zugleich interpretiert der 1Joh diese "Intervention" anders als etwa das Jubiläenbuch (vgl. auch TJud 24,2f): Der 1Joh versteht die Geburt aus Gott gerade nicht als Neuschöpfung bzw. Erneuerung des Menschen, d.h. als Ausrüstung mit besseren Qualitäten, damit der Mensch Gott als sein Kind entsprechen kann. Das ist es, was im besonderen der Gedanke der Wiedergeburt etwa in der Isisweihe oder im Mithraskult[365] bzw. in der Mithrasliturgie und der Hermetischen Literatur beschreibt. Doch der 1Joh versteht die Geburt aus Gott als die eigentliche Existenzverleihung, als die eigentliche Menschenschöpfung, als Ruf in das Leben, in die Existenz.
Insofern fließen auch Gedanken aus der hellenistischen Philosophie (Plato; Stoa) in die johanneische Konzeption mit ein. Gott ist nach johanneischer Auffassung der Vater der Glaubenden, bzw. die Glaubenden sind seine Kinder, weil sie ihm

---

362 Vgl. "σύνδουλοι καὶ ἀδελφοί" (6,11; vgl. 19,10; 22,9); vgl. 12,10.
363 Zur soziologischen Verfaßtheit der hinter der Apk stehenden Gemeinde(n) vgl. J.E. STANLEY, Apocalypse 412-421.
364 Hier ergibt sich auch ein deutlicher Berührungspunkt mit der paulinischen Konzeption von der Gotteskindschaft. Paulus steht auf dem Standpunkt, daß volle Gotteskindschaft erst eschatologisch verwirklicht wird. Die johanneische Konzeption geht in die gleiche Richtung, sieht aber bereits in der Gegenwart die eschatologische Vollendung gegeben.
365 Vgl. o. S. 67-70.

ihre Existenz verdanken, weil sie aus ihm geboren sind. Durch diese Geburt hat er sie gewissermaßen geschaffen. Auch die Terminologie ist durchaus vergleichbar: Der 1Joh redet davon, daß die Glaubenden ἐκ τοῦ θεοῦ γεγεννημένοι sind, Epiktet redet von einem "γεννᾶν" Gottes bei der (Menschen-)Schöpfung (vgl. auch Philo). Auf dem Hintergrund der griechischen Philosophie zeigt sich, daß der 1Joh die Geburt aus Gott als die eigentliche Menschenschöpfung interpretiert haben will; dazu müßte aber vorausgesetzt werden, daß nicht nur für Philo, sondern auch für den 1Joh gilt: ποιεῖν ist deckungsgleich mit γεννᾶν (all 3,218).

Ähnlich wie der Mensch in der Philosophie Epiktets verdankt der Glaubende im 1Joh seine Existenz ganz Gott. Ähnlich wie der Mensch bei Epiktet trägt der Glaubende im 1Joh Göttliches in sich; dieses Göttliche (hier die Vernunft bzw. der λόγος σπερματικός - dort das σπέρμα) resultiert jeweils aus der Tatsache, daß Gott dem Menschen bzw. dem Glaubenden Existenz schenkt. Die besondere Beziehung Gottes zu einem Menschen resultiert nach der johanneischen Konzeption nicht aus der Geschichte Gottes mit diesem Menschen, sondern allein aus Gottes Vaterschaft und des Menschen Gotteskindschaft.[366] Insofern wird man durchaus hier Berührungspunkte sehen dürfen. Auch der Gedanke der κοινωνία zwischen Gott und Mensch (1Joh 1,3.6) verbindet den 1Joh mit der Philosophie Epiktets.

7.2   Das Familienmodell im Vergleich mit anderen neutestamentlichen Konzeptionen

7.2.1 Johannes und Paulus

Während Paulus mit Hilfe der Metapher der Adoption die Verbindung Gottes mit denen, die zu ihm gehören, zu skizzieren versucht, wählt der 1Joh die Metapher der leiblichen Vater- bzw. Kindschaft. Wo Paulus υἱοθεσία sagt, spricht der 1Joh von der Geburt aus Gott. Der Begriff "υἱοθεσία" impliziert für Paulus, daß "Sohnschaft" für die Glaubenden nicht von vornherein vorhanden war - im Gegensatz etwa zum präexistenten Gottessohn. Volle Gotteskindschaft gibt es für Paulus nur in einer anderen Existenzweise als der irdischen, Christus hatte sie vor seinem Wirken auf der Erde und hat sie danach wieder erhalten; der Glaubende erlangt sie erst mit der ἀπολύτρωσις τοῦ σώματος. Paulus zeichnet den Zuspruch der Sohnschaft ein in sein Konzept von dem, was schon geschehen ist, und dem, was noch geschehen wird.

Der 1Joh sagt dagegen ausdrücklich: "Seht, welche Liebe hat uns der Vater erwiesen, daß wir Gottes Kinder heißen sollen, καὶ ἐσμέν" (1Joh 3,1). Gotteskindschaft ist real gegenwärtig für die johanneischen Glaubenden. Während die Taufe für Paulus der theologische (noetische) Grund dafür ist, von der Einsetzung des Glaubenden in die Sohnschaft zu reden, interpretiert der 1Joh die Taufe und damit den Eintritt in die Gemeinde (ontisch) als Kommen vom Tod in das Leben, also im Grunde als Geburt aus Gott oder zumindest als Manifestation derselben.

Johannes und Paulus berühren sich weiter insofern, als für beide "Leben" eine eschatologische Heilsgabe Gottes für die Glaubenden ist. "Leben" gibt es nur für

---

[366] Nach Auffassung der Stoa ist die "Verwandtschaft mit Gott" dem Menschen von Natur aus eigen. Er kann dieser Verwandtschaft nicht verlustig gehen; sie ist ihm mit seiner Geburt als Anlage mitgegeben.

die Kinder/Söhne Gottes, bei Paulus nach der ἀπολύτρωσις τοῦ σώματος, bei Johannes nach dem Eintritt in die Gemeinde (1Joh 3,14).

Ähnlich wie der 1Joh postuliert Paulus aufgrund seiner Vorstellung von der Gotteskindschaft der Glaubenden deren Bruderschaft untereinander. Umso auffälliger ist es, daß Paulus diesen Gedanken nicht für seinen Entwurf der Ekklesiologie fruchtbar macht. Vielleicht hat er ihn deshalb nicht weiterverfolgt, weil die zentrale Position Christi dann nicht mehr so deutlich sein konnte wie bei dem Gedanken vom Leib Christi.[367]

Nach Meinung des Paulus hat sich die anthropologische Beschaffenheit des Menschen auch nach seiner Bekehrung zum Christentum nicht geändert: er behält seinen sarkischen Leib. Deshalb gibt es "volle Gotteskindschaft" auch erst nach der Erlösung von diesem Leib, und deshalb unterscheidet die Christen in ihrem Alltag anthropologisch nichts von den Nichtchristen. Anders der 1Joh, der aufgrund seiner Konzeption theologisch die Sündlosigkeit der Gotteskinder voraussetzt (1Joh 3,9): "Wer aus Gott geboren ist, der tut keine Sünde, denn sein Same bleibt in ihm; und er kann nicht sündigen, denn er ist aus Gott geboren."

Paulus und Johannes berühren sich ferner in der Auffassung, daß der Sohnesbegriff nicht wie etwa bei den Synoptikern "Krönung eines neuen Gottesverhältnisses" ist, sondern dessen "Grundlegung".[368]

7.2.2 Johannes und die Synoptiker

Gotteskindschaft ist für Paulus ebenso wie für Matthäus und Lukas (Lk 20,36) ein zukünftiges Gut. Allerdings bindet Matthäus den Zuspruch der Gotteskindschaft nicht an Taufe oder Gemeinde, sondern an gegenwärtiges rechtes Verhalten. Für Matthäus sind die Gedanken der Vaterschaft Gottes und die der menschlichen Sohnschaft voneinander unterschieden: Das eine, die Vaterschaft, bedingt nicht zwangsläufig das andere, die Sohnschaft. Der Zuspruch der Vaterschaft Gottes nimmt nach Matthäus die Menschen in die Pflicht. Voraussetzung hierbei ist - ähnlich wie in Johannes 8 - der Gedanke, daß ein Kind die Werke seines Vaters tut (Mt 5,48). Ähnlich wie bei Paulus ist jedoch die anthropologische Beschaffenheit der Menschen damit in keiner Weise verändert. Dagegen gilt nach Auffassung des 1Joh der Glaubende als sündlos. Die Gedanken des 1Joh sind wesentlich stärker auf die Gemeinde bezogen als die des MtEv[369]. Doch ähnlich wie im 1Joh schließt auch im MtEv das gemeinsame Mühen um die zukünftige Gotteskindschaft die Glaubenden bzw. Jesusnachfolger zu einer Bruderschaft zusammen (Mt 23,8f). Von daher verwundert es nicht, daß sowohl in Joh 20,17 als auch in Mt 28,10 der auferstandene Christus von den Jüngern als von "seinen Brüdern" spricht. Sowohl bei Matthäus als auch bei Johannes nimmt sich der Auferstandene also aus dieser Bruderschaft nicht aus. Der *Unterschied* zwischen der matthäischen und der johanneischen Bruderschaft besteht in ihren Außenbeziehungen: Für die johanneische Gemeinde ist die Bruderliebe das Zeichen, für die matthäische Gemeinde ist es in Abgrenzung zur Bruderliebe die Feindesliebe (Mt 5,47).

---

[367] Vgl. neuerdings die Arbeit von K. SCHÄFER, Gemeinde, der eben nicht das Motiv der Gotteskindschaft untersucht, sondern nur das Motiv der Bruderschaft.
[368] W. SCHWEITZER, Gotteskindschaft 233.
[369] Vgl. die Ausführungen über die "Sünde zum Tode" o. S. 142-146.

Jesus hat nach dem Zeugnis der drei Synoptiker in auffällig vielen Gleichnissen das Verhältnis der Jünger zu Gott oder zu sich selbst als das der Knechtschaft bezeichnet (Mt 10,24; 18,21ff; Lk 17,7ff u.ö.).[370] Metaphern, die in Konkurrenz zum Familienmodell treten könnten, finden sich dagegen im 1Joh nicht.

Jesus kann bei den Synoptikern nur insofern als Mittler der Gotteskindschaft bezeichnet werden, als er Gottes Willen mit den Menschen verkündigt. Wer (nach Lukas und Matthäus) nach diesem von Jesus verkündigten Willen Gottes lebt, kann als Sohn Gottes bezeichnet werden. Grundsätzlich bleibt diese Kindschaft für Matthäus aber noch auf Israel beschränkt (Mt 15,24-26), da Jesus nur den "Kindern" (= Juden) predigt (vgl. aber Mt 28,16-20).

Was das Motiv der Vaterschaft Gottes angeht, so fehlt bei den Synoptikern der Erziehungsgedanke völlig, wie wir ihn in späten atl. Texten gefunden haben (vgl. auch Hebr 2; 12). Der Jesus der Synoptiker verbindet mit dem Gedanken der Vaterschaft Gottes gegenüber den Menschen ausschließlich positive Aussagen: Gott ist Vater, weil er Fürsorge für seine Kinder trägt[371] bzw. weil er Menschen erwählt hat und sie dadurch in ein neues Verhältnis zu sich gesetzt hat.

Für Lukas ist die Gotteskindschaft eine Metapher für die eschatologische Existenz der Glaubenden. Ähnlich wie das johanneische Schrifttum scheint Lukas in der Apostelgeschichte seine Ekklesiologie vom Bruderschaftsgedanken her zu entfalten. Anzumerken bleibt, daß Lukas hier zwar prinzipiell egalitäre Struktur vor Augen hat, daß aber manche Leute herausgehoben werden: So werden etwa Judas Barsabbas und Silas in Act 15,22 als "ἡγούμενοι ἐν τοῖς ἀδελφοῖς" bezeichnet.

7.2.3 Johannes und der Hebräerbrief

Der Hebräerbrief versteht in Hebr 2,10 die Glaubenden als "Söhne" und verweist an gleicher Stelle auf die Schöpfung. Ähnlich wie etwa bei Platon oder Epiktet (vgl. Philo) scheint hier der Gedanke der Sohnschaft auf die Schöpfung zurückgeführt zu sein.

Nach Hebr 12 behandelt Gott die Glaubenden, als *wären* sie Söhne Gottes. Der Verweis auf das menschliche Vater-Sohn-Verhältnis ist hier der Versuch, eine Analogie aufzuzeigen, da das Gott-Mensch-Verhältnis ungleich gewichtiger ist als die Vater-Sohn-Verbindung (Hebr 12,9). Auch vom Hebräerbrief unterscheidet sich die Konzeption des 1Joh dadurch, daß im 1Joh das Motiv der Gotteskindschaft der Glaubenden ekklesiologische Leitmetapher ist, sich also wie ein roter Faden durch den ganzen Brief zieht, während im Hebräerbrief nur schlaglichtartig die (Gottes-)kindschaft von Glaubenden in den Blick genommen wird.

7.2.4 Geburt aus Gott (1Joh 2,29; 3,9; 4,7; 5,1.4.18) und Wieder- (1Pt 1,3.23; Tit 3,5) bzw. Gottesgeburt (Jak 1,18)

Der erste Johannesbrief unterscheidet sich von 1Pt, Jak und Tit zunächst dadurch, daß er die Rede von der Geburt aus Gott, die sich mit den Begriffen ἀναγεννᾶν,

---

370 Vgl. die Ausdrücke "Söhne des Reichs" (Mt 8,12; 13,38) - "Söhne der Auferstehung" (Lk 11,11); insofern ist die Frage, wie man nach dem Zeugnis der Synoptiker Gotteskind wird (so W. Twisselmann, Gotteskindschaft 40f), illegitim. Es geht hier ja nicht um die Tatsache einer Adoption, sondern um die Anwendung einer Metapher.

371 Vgl. etwa Mt 6,25ff - überhaupt begegnet der Ausdruck "πατήρ" für Gott in der Bergpredigt besonders häufig.

ἀποκύειν und παλιγγενεσία durchaus vergleichen läßt, mit dem Gedanken der Gotteskindschaft verbindet. Ferner versteht der 1Joh die Geburt aus Gott nicht als Neuschöpfung, Erneuerung oder gar Wiedergeburt, sondern er versteht sie als *die* Geburt eines Menschen schlechthin, durch die er zum Leben kommt. Nach Auffassung des 1Joh hat die Existenz vor der Geburt aus Gott die Qualifikation "Leben" nicht verdient. Findet ein Mensch den Weg in die Gemeinde des 1Joh, dann gilt er darum nicht als *wieder*geboren, weil nichts von seiner früheren Existenz dem, was hier mit ihm geschieht, analog oder vergleichbar war. Es geht um den Unterschied von Tod und Leben, und nicht - wie etwa die Termini ἀναγεννᾶν (1Pt 1,3.23) oder παλιγγενεσία (Tit 3,5) nahelegen könnten - um den Unterschied von früherem und jetzigem Leben. Allein Jak 1,18 scheint ähnlich wie der 1Joh zu denken: Die Geburt der Christen geschieht, damit sie die ἀπαρχή der Geschöpfe sein sollten. Auch hier geht es nicht um eine Wiedergeburt, sondern um den Ruf ins Leben überhaupt. Doch es geht Jakobus nicht um ein Leben der Kinder Gottes, sondern um das Leben der Geschöpfe (τῶν κτισμάτων).[372]

---

[372] Ähnlich wie Paulus, der letzten Endes die Gotteskindschaft der ganzen Schöpfung erwartet, erwartet der Jakobus, daß Gott alle κτίσματα "gebiert".

2. Hauptteil: Die Gemeinden der Johannesbriefe

I. Das Problem um die "Gegner" im ersten Johannesbrief

Bisher haben wir untersucht, was der 1Joh positiv unter der Gotteskindschaft versteht. Außer Betracht blieben die Menschen, die vom 1Joh *nicht* als Gottes Kinder angesehen werden. Wir haben bereits festgestellt, daß es dem 1Joh wesentlich um "Frontenklärung" geht, d.h. der Verfasser des 1Joh geht davon aus, daß es auf den ersten Blick eben nicht eindeutig ist, wer Kind Gottes und wer Kind des Teufels ist (1Joh 3,10). Mit seinem Brief führt er Kriterien zur Beurteilung ein. Der Terminus "Gegner des ersten Johannesbriefs" für diejenigen, deren Herkunft der 1Joh auf den Teufel zurückführt, ist insofern irreführend, als er voraussetzt, daß die "Gegner" eine fest umrissene Gruppe sind. Dies ist jedoch zu hinterfragen. Der 1Joh möchte sie als Gruppe fest umreißen, also als "Gegner" brandmarken; er führt daher das unterschiedliche Verhalten der Gemeindeglieder auf die unterschiedliche Herkunft zurück. Im Sinne des 1Joh gilt: Herkunft bestimmt zwangsläufig das Handeln. Deshalb "denunziert" der Verfasser des 1Joh diejenigen, deren Verhalten er kritisiert, als τέκνα τοῦ διαβόλου. Das Handeln derjenigen, gegen die sich der 1Joh richtet, wird - eben weil die Fronten zunächst noch gar nicht geklärt sind - gebrandmarkt als Abweichung von der gemeindlichen Praxis (1Joh 2,22; 4,2f; u.ö.); sodann fragt der 1Joh nach der Macht, die dahinter steht.

Das Rückschlußverfahren vom Text auf Aussagen und Handlungen derer, gegen die sich der Text richtet, hat in neuerer Zeit K. Berger untersucht.[1] Nimmt man die sprachliche Gestalt des Textes als Ausgangspunkt, so werden meist hinter den antithetischen Sätzen 1Joh 2,4.6.9, die alle nach dem Schema aufgebaut sind "wer x sagt, der tut damit/ist damit y", Zitate von denjenigen vermutet, gegen die sich der 1Joh richtet (vgl. dazu 1,6.8.10; 4,2). Auf von der Gemeindepraxis abweichende Positionen könnten auch Satzkonstruktionen hinweisen, die nach dem Schema aufgebaut sind "wer (bzw. jeder der) x tut, der tut damit/ist damit y" beginnen und negative Stoßrichtung haben (vgl. 2,11.23; 3,4.6.10.15). Solche Sätze finden sich bevorzugt im ersten Teil des 1Joh (1Joh 1,6.7.8.9.10; 2,4.6.9). Der Verfasser des 1Joh geht zunächst von Worten und Taten derer aus, die er als "Gegner" brandmarken möchte, ehe er auf diesem Hintergrund seine eigene Konzeption entfaltet.[2]

Die Einstellungen der Abweichler sollen mit einer Rezeption ihrer eigenen Kernaussagen[3] *ad absurdum* geführt werden. Doch hat Berger gezeigt, daß sich "Zitate aus gegnerischem Munde und Anspielungen methodisch kaum sicher ermitteln lassen"[4]. Bei der Rekonstruktion der Meinung von "Abweichlern" begibt man sich also im allgemeinen auf dünnes Eis, zumal dann, wenn keine Texte besagter "Abweichler" vorhanden sind.

---

[1]   K. BERGER, Gegner 373-400.
[2]   Vgl. zu dem Verfahren, das sich im 1Joh hier findet, etwa Jak 1,26. Dort wird auch aus einer abweichenden Handlung auf fehlende oder "fehlerhafte" Gottesbeziehung geschlossen.
[3]   Wir werden aus dem Wortlaut des 1Joh nicht einfach die Positionen oder Kernaussagen der "Abweichler" erheben können. Es ist - wie wir noch sehen werden - auch damit zu rechnen, daß der Verfasser des 1Joh aus ihren Handlungen auf inhaltliche Positionen schließt.
[4]   K. BERGER, Gegner 394.

Seit W.Bauers Monographie über "Rechtgläubigkeit und Ketzerei im ältesten Christentum"[5] ist man in der Forschung bereit, der gegnerischen Position ein eigenes Recht einzuräumen. Dies erschwert die Rekonstruktion dieser Position erheblich, vor allem dann, wenn diese gegnerische Position nur aus "orthodoxen" Texten rekonstruiert werden muß und von daher stets durch eine besondere Brille gesehen wird. Unser Versuch, die Position der "Abweichler" zu rekonstruieren, möchte dieser Tatsache Rechnung tragen. Rekonstruierbar ist also zunächst die Position der "Abweichler" und zwar in der Weise, wie sie der 1Joh skizziert.

Wer sind also diejenigen, die an verschiedenen Stellen οἱ πλανῶντες - Verführer (2,26; vgl. 3,7), ἀντίχριστοι (2,18; 4,3), τέκνα τοῦ διαβόλου (3,10; vgl. 3,8) oder ψευδοπροφῆται (4,1) genannt werden?

1. Das Handeln der Teufelskinder

Diejenigen, die der 1Joh bekämpft, sind offenbar der Ansicht, sie hätten keine Sünde, bzw. sie hätten nicht gesündigt (1.8.10; vgl. 3.4.6). Ihr Handeln wird als Ungesetzlichkeit (ἀνομία - 3,4) und Lüge (ψεῦδος - 2,21.27) gebrandmarkt; dementsprechend werden sie auch ψεῦσται genannt (2,4.22; 4,20). Sie halten Gottes Gebote nicht (2,4) und leben nicht, wie Jesus gelebt hat (2,6), sie tun nicht Gerechtigkeit (3,10; vgl. 2,29). Gottes Gebot ist aber nach Auffassung des 1Joh die Bruderliebe und der Glaube an Jesus als den Messias. Genau diese Vergehen werden den Gegnern vorgeworfen: fehlende Bruderliebe (2,9.11; 3,10.15) und Leugnung Jesu als Christus (2,22f; 4,2f; 5,1) bzw. als Gottessohn (4,15; 5,5; vgl. 4,14). In 1Joh 3,10 wird dieses Handeln darauf zurückgeführt, daß sie Kinder des Teufels sind. Die "Gegner" und die Gotteskinder werden eingezeichnet in den Dualismus Gott - Kosmos (4,5f). Ihr Handeln liegt in einem Bereich, der streng geschieden ist von dem der Glaubenden: die "Abweichler" sind in der Finsternis (1,6; 2,9).[6]

Für den Verfasser des 1Joh ist der Kosmos der Wirkungsbereich des von ihm bekämpften Satan (vgl. 5,19: ὁ κόσμος ἐν τῷ πονηρῷ κεῖται)[7]. Doch Gottes bzw. Jesu sündentilgendes Handeln zerstört die Werke des Teufels (3.5.8). Aufgrund des Dualismus kann der πονηρός denjenigen, der aus Gott geboren ist, nicht antasten (5,18). Von daher kann der 1Joh auch sagen, daß der Glaube der Sieg ist, der die Welt überwunden hat (5,4f; vgl. 4,4). Κόσμος und πονηρός sind dabei nicht identische Größen, obwohl davon gesprochen wird, daß Menschen den πονηρός besiegt haben (2,13f), und auch davon, daß der κόσμος besiegt werden kann (5,4f). Mit dem Kommen und Wirken Jesu wird der Machtbereich des Bösen, der κόσμος, verkleinert; er wird aber ganz aufgelöst werden, denn die Sendung Jesu hat kosmische Wirkung (2,2; 4,9.14). Wer die Welt überwunden hat, d.h. wer aus Gott geboren ist, dem kann der Böse nichts mehr anhaben, den kann er nicht mehr antasten. Auf diesen Dualismus Gott - Welt geht auch das Unverständnis zurück, das der κόσμος den Glaubenden entgegenbringt (3,1b.13). Wer ἐκ τοῦ κόσμου ist, kann die Glaubenden gar nicht verstehen, weil er nur reden und hören kann, wie der Kosmos redet und hört (4,5f).

---

5   W. BAUER, Rechtgläubigkeit.
6   Zum Dualismus vgl. o. S. 135f.
7   Vgl. dazu u. S. 206-209.

2. Häresie oder Apostasie

Der erste Johannesbrief polemisiert gegen eine Gruppe von Menschen, von denen er sagt: ἐξ ἡμῶν ἐξῆλθαν ἀλλ᾽ οὐκ ἦσαν ἐξ ἡμῶν - sie gingen aus uns heraus, aber sie waren nicht aus uns (2,19). Zu denken ist also an Menschen, die sich ursprünglich zu denjenigen gehalten haben, die der 1Joh mit dem Personalpronomen "wir" bzw. "uns" bezeichnet, also wohl zur christlichen Gemeinschaft, sich dann aber aus irgendwelchen Gründen wieder von ihr distanziert haben oder vom 1Joh ausgegrenzt werden. *Dies ist bereits eine grundsätzliche Alternative:* Haben sich die "Abweichler" selbst von der Gemeinde abgesetzt - oder sehen sie sich weiter als zur Gemeinde zugehörig an, und der 1Joh versucht bloß, ihre Andersartigkeit aufzuweisen und sie so aus der Gemeinde zu drängen. Der bereits zitierte Vers 2,19 deutet darauf hin, daß sich die "Abweichler" selbst von der Gemeinde distanziert haben: Wenn sie aus uns gewesen wären, wären sie bei uns geblieben (μεμενήκεισαν ἄν μεθ᾽ ἡμῶν). Auch 1Joh 4,1 spricht für diese Deutung: Die "Abweichler" sind in die Welt hinausgegangen (πολλοὶ ψευδοπροφῆται ἐξεληλύθασιν εἰς τὸν κόσμον).

Doch wird man sich mit diesem Befund so nicht zufrieden geben können. Die Aussagen der Gegner, die sich aus 1Joh 1,6.8.10 und 2,4.6.9 ableiten lassen[8], führen zu der Vermutung, daß auch "Abweichler" mit der Gemeinde noch in Kontakt sind, und auch ihr Handeln vor der Gemeinde zu verantworten suchen, um Gemeindegliedern dieses Handeln und Denken begreiflich und nachvollziehbar zu machen. Wollten sie sich einfach von der Gemeinde distanzieren und nichts mehr mit ihr zu tun haben, dann wären Sätze wie "Wir haben Gemeinschaft mit ihm" (vgl. 1Joh 1,6) oder "Ich kenne ihn" (vgl. 1Joh 2,4) oder "Ich bleibe in ihm" (vgl. 1Joh 2,6) unverständlich. Die "Abweichler" - obwohl sie anders reden und handeln als der Verfasser des 1Joh - beanspruchen für sich das gleiche Heil wie der Verfasser des 1Joh für seine Adressaten.

Es deutet also bereits hier einiges darauf hin, daß wir mit unterschiedlichen "Abweichlern" zu rechnen haben. Die einen distanzieren sich freiwillig von der Gemeinden (1Joh 2,19), die anderen wollen dazugehören, sind aber nicht bereit, dies in der letzten Konsequenz zu tun, so daß sie der 1Joh auszugrenzen versucht.

2.1 Häresie

Die überwältigende Mehrzahl der Forscher ist der Auffassung, der 1Joh wende sich gegen Häretiker.[9] Nahezu alle Kommentare zum 1Joh[10] ebenso wie viele andere Veröffentlichungen[11] versuchen diese These zu untermauern, wobei die Art

---

8   Diese abgeleiteten Aussagen lauten: "Wir haben Gemeinschaft mit ihm" (vgl. 1Joh 1,6), "Wir haben keine Sünde" (vgl. 1Joh 1,8), "Wir haben nicht gesündigt" (vgl. 1Joh 1,10), "Ich kenne ihn" (vgl. 1Joh 2,4), "Ich bleibe in ihm" (vgl. 1Joh 2,6), "Ich bin im Licht" (vgl. 1Joh 2,9).

9   Die Häretiker-Hypothese wäre darüber hinaus noch zu differenzieren bezüglich der Art der vermuteten Häresie. Waren es Gnostiker oder "Ultra-Johanneer" (vgl. zu dieser Diskussion H.-J. KLAUCK, Johannesbriefe 144-149, mit weiterer Literatur)? Für die Frontstellung des 1Joh gegen die Letztgenannten spricht sich auch neuerdings (1992) wieder K.-M. BULL, Gemeinde 206.216, aus.

10   Vgl. v.a. R. SCHNACKENBURG, Johannesbriefe (¹1953 bzw. ⁷1984); J. SCHNEIDER, Briefe (1961); R. BULTMANN, Johannesbriefe (1967); H. BALZ, Briefe (1973); K. WENGST, Brief (1978); R.E. BROWN, Epistles (1982) (vgl. dort v.a. 627ff); G. STRECKER, Johannesbriefe (1989) 131-139.

11   Vgl. v.a. E. V. DOBSCHÜTZ, Gemeinden. 157-159; E. HAENCHEN, Literatur 1-43, v.a. 35-38; E. SCHWEIZER, Gemeinde 112ff; N.A. DAHL, Der Erstgeborene 70-84; K. WEISS, Orthodoxie 247-255; J. ERNST, Gegenspieler 168-177; F.V. FILSON, First John 259-276; K. WEISS, Gnosis 341-

der Häresie durchaus umstritten ist.[12] Häufig ist man sich jedoch darüber einig, daß es sich um eine Art von gnostischer Häresie handeln müsse.[13] Manche Exegeten nuancieren die These von der Häresie der "Gegner" in der Weise: die "Gegner" hätten zwischen irdischem Jesus einerseits und himmlischem Christus andererseits getrennt. "Ein Zusammenhang zwischen beiden besteht nur darin, daß der himmlische Gottessohn bei der Taufe Jesu auf diesen herabgekommen sei und ihn vor oder bei seinem Tod wieder verlassen habe."[14]

Eines der größten Probleme der Häretiker-Hypothese ist bisher noch kaum thematisiert worden: Eine Gruppe von Menschen, die die Liebe untereinander nicht pflegen, löst sich von alleine auf. Wenn die sog. Häretiker nicht einmal untereinander solidarisch sind, sondern die Bruderliebe als unnötig abqualifizieren (1Joh 2,9-11; 3,15-17), dann dürften sie selbst keine besondere Wirkung gehabt haben. Denn daß in einer jüdischen und heidnischen Umwelt gerade die Binnenstabilisierung einer Gruppe, die sich als christlich versteht, wichtig ist, dürfte außer Frage stehen. Sollte der 1Joh den "Häretikern" tatsächlich zurecht vorwerfen, daß sie ihre Brüder nicht lieben[15], dann wäre eine solche Gruppe ohne echte Binnenstabilität kaum vorstellbar.

Selbst R. Schnackenburg muß in seinem Kommentar einräumen, daß sich die im 1Joh und 2Joh abgewehrte Irrlehre "mit keiner der uns sonst aus jener Zeit bekannten häretischen Erscheinungsformen gleichsetzen läßt, wohl aber mit mehr als einer verwandte Züge aufweist"[16]. Aus all dem ergibt sich: Die "Häretiker-Hypothese" ist durchaus fragwürdig.

2.2 Apostasie

Die Vermutung, es handle sich bei den "Gegnern" um Apostaten, ist nicht neu. Einer der ersten, die sich in dieser Richtung äußerten, war W.A. Karl[17]. Seiner Meinung nach handelt es sich bei den Gegnern um ehemalige Judenchristen. A.

356; H. SCHLIER, Kirche 146-152; K. WENGST, Häresie; R.E. BROWN, Community; S. MCKENZIE, Church 211-216; J. BLANK, Irrlehrer 166-193; J. PAINTER, Opponents 48-71; W.S. VORSTER, Heterodoxy 87-97; M.R. RUIZ, Missionsgedanke 316-319; J.O. TUÑI, Comunidades 34f; H.-J. KLAUCK, Gemeinde 59-68; U.B. MÜLLER, Menschwerdung 102-122 und neuerdings wieder M. THEOBALD, Inkarnationschristologie 129-149; H.-J. KLAUCK, Johannesbriefe 149-151; DERS., Bekenntnis 239-306; J. LIEU, Theology 103-106; L. SCHENKE, Schisma 105-121; K.-M. BULL, Gemeinde.

12 Vgl. H.-J. KLAUCK, Johannesbriefe 127-151 mit ausführlicher Diskussion.

13 So etwa R. SCHNACKENBURG, Johannesbriefe ([7]1984), 20-22; vgl. U.B. MÜLLER, Geschichte 59-64; U. SCHNELLE, Christologie 74.

14 U.B. MÜLLER, Menschwerdung 84f; so R. BULTMANN, Johannesbriefe 43f; K. WENGST, Häresie 18; J. BLANK, Irrlehrer 166-193.

15 Vgl. K. WEISS, Gnosis 351: "Die unaufhörliche Wiederaufnahme des Gebotes der Bruderliebe und des Vorwurfs seiner Verletzung in allen drei Briefen legt nahe, nicht nur an eine sich sozusagen aus der Sache und von selbst ergebende Distanzierung zwischen Gemeinde und Häretikern, eine natürlich eintretende Entfremdung, also eine passive Verletzung der Bruderliebe, sondern an eine betonte und bewußt vollzogene Aufhebung der Gemeinschaft zu denken (vgl. auch 2,19)."

16 R. SCHNACKENBURG, Johannesbriefe ([7]1984) 22; vgl. K. WEISS, Gnosis 353f: "Alle diese Erscheinungen können aus einer gnostischen Theologie als Grundlage erwachsen sein. Dem steht jedoch die Tatsache gegenüber, daß fast alle für ein gnostisches System charakteristischen Merkmale in dem, was wir über die Häretiker erfahren, fehlen und daß manches davon sogar in direktem Widerspruch zu einem solchen zu stehen scheint."

17 W.A. KARL, Studien I (vgl. 19.39f.57-61.97f); vgl. auch J.S. SEMLER, Paraphrasis 1792 (nach F. VOUGA, Johannesbriefe 47).

Wurm hat diese These weiter ausgebaut und modifiziert.[18] Zentrum der Irrlehre -
so Wurm - sei die Leugnung der Messianität Jésu. Nachdem er die beiden Möglichkeiten eruiert hat, daß es sich entweder um die Leugnung Jesu als des verheißenen Messias handle oder um die Leugnung der Identität Jesu mit einem himmlischen Geistwesen namens Christus (S. 24f), entscheidet er sich aus folgendem
Grund für die erste: Es könne im Brief nur die gleiche Gegnerschaft möglich sein
wie im Evangelium: die Juden. Zu Recht entdeckt hier K. Wengst eine Schwäche
in der Argumentation Wurms, der immerhin zugeben muß, daß der Brief "ein bedeutend verschiedenes Stadium in der Entwicklung" zeige. "Hier treten Christen
als Häupter des Antichristentums auf (ἐξ ἡμῶν ἐξῆλθον 2,19), nach allem, was wir
gesagt, müssen wir annehmen, Judenchristen."[19]
In neuerer Zeit hat erst E. Stegemann die These wieder aufleben lassen, daß die
"Abweichler" des 1Joh nicht Häretiker, sondern Apostaten gewesen sein könnten.[20] Er wählt als Ausgangspunkt seiner Untersuchung den letzten Vers des 1Joh:
"Kindlein, hütet euch vor den Götterbildern!" (5,21) und stellt fest: "Für ein
Schreiben, das von der Auseinandersetzung mit innerchristlicher Häresie bestimmt sein soll, ist die Warnung vor den (Art.!) heidnischen 'Götterbildern',
der der 1Joh aufhört, ein sinnloser, jedenfalls höchst merkwürdiger Schluss."[21] Mit
kurzen Hinweisen auf die Beschreibung von Martyrien versucht Stegemann die
Vermutung zu erhärten, daß vielleicht auch der Schluß des 1Joh auf die Situation
des status confessionis abzielt. Nach begründeter Ablehnung der These, 1Joh 5,14-
21 sei nicht der ursprüngliche Schluß des 1Joh[22], werden weitere Beobachtungen
am 1Joh gemacht, die die Vermutung Stegemanns stützen. So fällt ihm auf, daß
"die der forensischen Terminologie der römischen Christenprozesse entsprechenden Begriffe ὁμολογεῖν (confiteri) und ἀρνεῖσθαι (negare) in den johanneischen
Schriften überhaupt und unter ihnen wiederum im 1Joh gehäuft vorkommen"[23].
Wenn es wahrscheinlich gemacht werden könnte, daß Christusbekenner auf eine

---

18 A. WURM, Irrlehrer.
19 Ebd. 52, Anm. 3; vgl. zu diesem Verständnis auch C. CLEMEN, Beiträge 271-281.
20 E. STEGEMANN, Kindlein 284-294; vgl. aber auch G. BARDY, Cérinthe 344-373 sowie J.C.
     O'NEILL, Puzzle; vgl. auch J.A.T. ROBINSON, Destination 56-65 sowie M. WOLTER, Schriften 1-
     16, bes. 8f; vgl. auch H. THYEN, Art. Johannesbriefe, TRE 17 (1988), 190f sowie neuerdings R.
     HEILIGENTHAL, Antijudaismus 190 und J. AUGENSTEIN, Liebesgebot 169f.
21 E. STEGEMANN, Kindlein 287. Für die Auffassung, 1Joh 5,21 wende sich gegen Irrlehrer, spre-
     chen sich u.a. R. BULTMANN, Johannesbriefe 93f, aus sowie H. BALZ, Briefe 204 und v.a. neuer-
     dings J.-L. SKA, enfants 867 und J.N. SUGGIT, TEKNIA 389 (nach SUGGIT möchte mit 1Joh 5,21
     der Autor warnen vor "the imaginations of Docetics and those who deny the reality of the hu-
     man life and the risen body of Jesus Christ"). Weitere Interpretationen finden sich bei R.E.
     BROWN, Epistles 627-629. Zur Kritik der Deutung von 1Joh 5,21 auf Irrlehrer vgl. J.-W.
     TAEGER, Johannesapokalypse 196; TAEGER beschließt seine Kritik mit folgendem Satz: "Die
     Deutung der Götzen auf die Irrlehre, das Gottesbild der Gegner, kann lediglich eine Verlegen-
     heitslösung sein und kommt überhaupt nur in Betracht, wenn man sich darauf festgelegt hat,
     5,21 müsse vor etwas warnen, was in den vorangehenden Kapiteln bereits ausdrücklich erwähnt
     wurde." Auf den ganzen ersten Johannesbrief gesehen ist TAEGER jedoch der Häretiker- bzw.
     Irrlehrerhypothese verpflichtet (vgl. ebd. 191).
22 Das einzige Argument, das etwa U.B. MÜLLER, Menschwerdung, gegen E. STEGEMANN, Kind-
     lein, geltend machen kann ist das literarkritische: 1Joh 5,21 "könnte an sich eine Warnung vor
     Apostasie meinen; doch stehen 1 Joh 5,14-21 in ernsthaft begründetem Verdacht, sekundäre
     Ergänzung zu sein" (84 Anm. 202). Doch die genaue Analyse von I. GOLDHAHN-MÜLLER,
     Grenze 29-34, hat gezeigt, daß "die singuläre Differenzierung zweier Sündenklassen in 5,16f
     nicht vorschnell von den übrigen Aussagen zur Christensünde der Homilie zu trennen ist, son-
     dern vielmehr der Versuch unternommen werden muß, die ἀμαρτία πρὸς θάνατον aus dem
     Gesamtzusammenhang des Schreibens heraus zu erklären" (ebd. 33f).
23 E. STEGEMANN, Kindlein 291.

Anzeige hin zum Tode verurteilt worden sind, dann würde der auf der Gemeinde lastende Druck verständlich. Die wenigen mutigen Christusbekenner schließen sich enger zusammen und entwickeln gegen diejenigen Haßgefühle, die nicht stark genug sind, diesem Druck standzuhalten. Zu Recht meint Stegemann, daß "das Bekenntnis zu Jesus als Messias oder dessen Leugnung ... mit der Zugehörigkeit zur Gemeinde bzw. der Nichtzugehörigkeit zu ihr nahezu identisch"[24] wird.

Die These, daß Apostaten diejenigen seien, gegen deren Haltung und Einstellung sich der 1Joh richtet, ist unbeschadet der schlüssigen Gedanken E. Stegemanns zu präzisieren. Es ist zu fragen, ob der 1Joh nicht auf mehr als einer einzigen "Front" kämpft, d.h. ob es nicht mindestens zwei unterschiedliche Haltungen sind, gegen die der 1Joh sich abgrenzen möchte.

Die zu Beginn dieses Abschnittes erwähnten Verse (1Joh 1,6.7.8.9.10; 2,4.6.9), aus denen die Positionen der "Gegner" des 1Joh ermittelt werden, sind formgeschichtlich als "Kennzeichensätze" im Hellenismus verbreitete gnomische Sentenzen.[25] Dadurch verliert die "Häretiker-Hypothese" bereits an Glaubwürdigkeit; vielmehr ist es wahrscheinlich, daß es sich um die Skepsis und Handlungsweisen gewöhnlicher, halbwegs gebildeter Griechen handelt, gegen die der Verfasser des 1Joh polemisiert.[26] Diese Vermutung soll nun am Text des 1Joh verifiziert werden.

2.2.1 Taufe und Sündenvergebung

(1) Wir haben bereits festgestellt, daß 1Joh 1,7-10 die Taufe als Hintergrund hat.[27] Nach Überzeugung des 1Joh werden in der Taufe die Sünden des Täuflings vergeben, oder zumindest gilt für ihn der Initiationsritus "Taufe" als Symbol für die Sündenvergebung. Aufgrund der Erinnerung an die Taufe und damit an die Zugehörigkeit zu der Gemeinschaft der Kinder Gottes kann nach 1Joh 1,7.9 Jesus, der Sohn, auch postbaptismale Sünden vergeben und die Gotteskinder von ihren Sünden reinigen. Das Angebot der Sündenvergebung setzt zugleich die Vergebungsbedürftigkeit der Menschen voraus. Wo diese Heilsbedürftigkeit des Menschen negiert wird, greift das Angebot der Sündenvergebung nicht, geht die Heilszueignung durch Gottes Handeln (in der Taufe) ins Leere. Wer aus der Gemeinde ausscheidet, distanziert sich von seiner Taufe und dem geglaubten Geschehen bei der Taufe, der Sündenvergebung. Er tut so, als benötige er die Reinigung von Sünden durch Jesu Blut nicht. Deshalb heißt es in 1Joh 1,8: "Wenn wir sagen, daß wir keine Sünde haben, verführen wir uns selbst und die Wahrheit ist nicht in uns." Auf dem Hintergrund von 1Joh 1,7b heißt dies also paraphrasiert: "Wenn wir sagen, wir haben keine Sündenvergebung in der Taufe nötig, so verführen wir uns selbst." Es ist unwahrscheinlich, daß die "Abweichler" den Satz "Wir haben keine Sünde" (V. 8) oder "Wir haben nicht gesündigt" (V. 10) tatsächlich so gesagt haben. Beide den Gegnern unterstellten Sätze sind ein Rückschluß des Verfassers des 1Joh aus dem *Handeln*, nicht dem *Reden* der Gegner. Wer die Taufe und da-

---

24 Ebd. 292.
25 Vgl. H. CHADWICK, Sentences 4 ("θεοῦ ἄξιος ὁ μηδὲν ἀνάξιον θεοῦ πράττων.").8 ("πιστὸς ἀληθείᾳ ὁ ἀναμάρτητος").226 ("σοφὸν ὁ μὴ φιλῶν, οὐδὲ ἑαυτόν").
26 Vgl. hierzu K. BERGER, Gattungen 1053.1062.
27 S.o. S. 141f; vgl. auch den Gedanken der Reinigung durch Jesus (1Joh 1,9) in Tit 2,14 s.o. S. 101f; vgl. zum Thema "Taufe als Initiationsritus" auch u. S. 213.

mit die Sündenvergebung in der Taufe ablehnt oder sich davon distanziert, reklamiert für sich Sündlosigkeit. 1Joh 1,8.10 läßt nicht darauf schließen, irgendwelche "Häretiker" hätten sich für sündlos gehalten.[28] Vielmehr hat bereits 1Joh 1,8.10 eine Sezessionsbewegung aus der Gemeinde zum Hintergrund.[29] Für diese These spricht auch 1Joh 2,19. Dort heißt es, daß die "Abweichler" von der Gemeinde ausgegangen seien; also müssen sie bereits offenbar "Vollmitglieder" gewesen sein.

(2) Denkbar wäre freilich auch, daß sich 1Joh 1,8-10 gegen die Menschen wendet, die sich - aus welchen Gründen auch immer - nicht offen zur Gemeinde bekennen möchten, wobei sie es ablehnen, sich taufen zu lassen, gleichwohl aber Sympathie gegenüber der Gemeinde empfinden (vgl. 1Joh 1,6; 2,4.6).

Im Umfeld christlicher Gemeinden haben sich solche Menschen, die mit den Gemeinden sympathisieren, sich aber nicht mit ihnen solidarisieren wollten oder konnten, aufgehalten.[30] Diese Menschen sehen sich gegenüber der Gemeinde gezwungen zu begründen, warum sie nicht eintreten bzw. warum sie sich nicht taufen lassen. Die Taufe stellt einen Bekenntnisakt nach innen dar. Das Bekenntnis nach außen besteht in Handlungen, die auf die heidnische Umwelt oder Regierung gerichtet sind. Diese Menschen negieren die Notwendigkeit der Taufe mit dem Hinweis darauf, daß sie an der Gemeinschaft der Kinder Gottes teilnehmen könnten, ohne voll beizutreten. Hintergrund der These ist also der Gedanke des 1Joh: Wer die Notwendigkeit der Taufe negiert, reklamiert für sich Sündlosigkeit. Damit wendet sich 1Joh 1,8 gegen eine Art von "christlichen Gottesfürchtigen"[31], nicht wagen, sich taufen zu lassen, d.h. sich zur Gemeinde zu bekennen.

Das JohEv kennt solche Menschen: Da ist Nikodemus (3,1ff; 7,50-52; 19,39), der ein offenes Bekenntnis zu Jesus nicht wagt; und in ähnlicher Weise charakterisiert das JohEv Joseph von Arimathia: "ein verborgener Jünger Jesu aus Furcht vor den Juden - μαθητὴς τοῦ Ἰησοῦ κεκρυμμένος δὲ διὰ τὸν φόβον τῶν Ἰουδαίων" (Joh 19,38)[32].

Die Entscheidung zwischen den beiden genannten Möglichkeiten kann hier offenbleiben. Es ist ja bereits angesprochen worden[33], daß wir (a) mit Leuten zu rechnen haben, die sich im Grunde zur Gemeinde zählen, die der 1Joh jedoch auszugrenzen versucht, daß wir (b) aber auch mit Leuten zu rechnen haben, die sich von sich aus von der Gemeinde distanziert haben (1Joh 2,19). Die These E. Stegemanns erweist sich an dieser Stelle also als tragfest, wenngleich auch modifizierbar.

---

[28] Gegen R.E. BROWN, Ringen, der davon ausgeht, Gläubige wie auch Gegner hätten sich auf das Johannes-Evangelium berufen (vgl. etwa 82: "Beide Parteien kannten die Botschaft des Christentums, wie sie uns im vierten Evangelium begegnet, aber sie legten sie verschieden aus."). Wenn BROWN aber von Parteien spricht, setzt er voraus, daß die "Gegner" eine fest umrissene Gruppe waren. Dies ist wohl kaum der Fall.

[29] Die hier vorgeschlagene Deutung widerspricht der von U.B. MÜLLER, Menschwerdung, der der Meinung ist, die "Abweichler" seien der Überzeugung, sie hätten keine Sünde, da die Taufe sie davon freigemacht habe (91f). Doch nach 1Joh 1,7 werden auch die "Orthodoxen" durch das Blut Jesu von *aller* Sünde gereinigt. Und dieses Geschehen wird - wie wir gesehen haben - in der Taufe vorgestellt.

[30] Dabei ist auch vorstellbar, daß diejenigen, die mit der christlichen Gemeinde sympathisieren, vordem "Gottesfürchtige" waren, also mit der jüdischen Synagogengemeinde sympathisiert hatten.

[31] Zu den "φοβούμενοι" s. u. S. 196-198.

[32] Vgl. auch die sog. ἀποσυνάγωγος-Stellen Joh 9,22; 12,42; 16,2.

[33] S.o. S. 172.

In den Zusammenhang von "Taufe und Sündenvergebung" gehört auch 1Joh 5,6-8. Jesus ist nach dem Zeugnis von 1Joh 5,6-8 *auch im Blut* gekommen. Dies betont der Verfasser des 1Joh ausdrücklich gegenüber der (möglichen) Auffassung, Jesus sei nur im Wasser gekommen (1Joh 5,6). Die meisten Ausleger sehen hinter 1Joh 5,6 die Negierung des leiblichen Todes Jesu durch die "Gegner"[34]. Doch es geht gerade nicht um die Ablehnung, Leugnung des Todes des irdischen Jesus. Es ist nämlich ganz unwahrscheinlich, daß sich der 1Joh hier gegen eine ausdrückliche Meinung der "Abweichler" wendet. Vielmehr ist auch hier zu vermuten, daß die "Abweichler" *expressis verbis* zwar nie gesagt haben, Jesus sei nur im Wasser gekommen[35], daß aber der Verfasser des 1Joh diese Aussage aus Argumentation und Handlungsweise der "Abweichler" *erschließt*. Die Leugnung des Gekommen-seins Jesu "im Blut" ist eine vom Verfasser des 1Joh selbst gezogene Konsequenz aus dem Denken seiner Gegner, ist also im Grunde eine Unterstellung des Verfassers des 1Joh.

Nach 1Joh 1,7 reinigt das Blut Jesu, des Sohnes Gottes, die Glaubenden ("uns") von aller Sünde. Diese Reinigung wird als in der Taufe vollzogen vorgestellt.[36] Indem sich die "Abweichler" nicht taufen lassen, sich also nicht zur Gemeinde bekennen, sprechen sie der Taufe ab, daß man in ihr von den Sünden durch das Blut Jesu gereinigt werden kann. Damit leugnen sie also die Sündenvergebungs-Fähigkeit Jesu und damit sein Gekommen-Sein im Blut, da Blut ja als das Reinigungsmittel gilt. Deshalb betont der 1Joh wieder und wieder diese Fähigkeit Jesu, die Sünden wegzunehmen bzw. zu vergeben: "Und ihr wißt, daß er erschienen ist, damit er die Sünden wegnehme, und in ihm ist keine Sünde" (1Joh 3,5; vgl. 2,1.2; 3,8; 4,9). Von sich aus ist allein Jesus ohne Sünde. Ohne diese Offenbarung Gottes in seinem Sohn wären alle Menschen Sünder, doch dank der Offenbarung sind die Glaubenden von aller Sünde gereinigt.

Nun ist aber noch die Frage zu stellen, ob zwischen 1Joh 5,6 und V. 7 ein Bedeutungswechsel der Begriffe anzunehmen ist. V. 6 ordnet die Begriffe "Wasser" und "Blut" einander zu, während V. 7 die Begriffe "Geist", "Wasser" und "Blut" syntaktisch (und damit auch sachlich) auf einer Ebene, nämlich als Zeugen sieht. Ein Bedeutungswechsel, der vorausgesetzt werden muß, wenn "Wasser" auf die Taufe und "Blut" auf den Tod Jesu hin gedeutet werden, ist nicht zu vermuten. Alle drei Phänomene "Geist", "Wasser" und "Blut" sind in oder bei der Taufe des Glaubenden als wirksam gedacht[37] und erweisen in der Taufe des Glaubenden ihre Einheit. Sie sind die Elemente, die Reinigungscharakter besitzen[38] und für Jesus in der Taufe der Menschen Zeugnis ablegen. Gerade die Erwähnung des "Geistes" weist also darauf, daß hinter den Versen 1Joh 5,6-8 das Taufgeschehen zu vermuten ist.

---

34 Vgl. A. WURM, Irrlehrer 68.
35 Der 1Joh leitet den Vers 5,6 auch nicht so ein, wie er sonst mutmaßliche gegnerische Zitate einleitet, etwa "ἐὰν εἴπωμεν …" (1Joh 1,6.8.10) oder "ὁ λέγων …" (1Joh 2,4.6.9).
36 S.o. S. 141f.
37 Vgl. W. NAUCK, Tradition 177: "Die Zuordnung von Taufe und Geistverleihung geschieht in der alten Kirche in verschiedener Weise. Nach der einen Tradition erfolgt die Geistmitteilung vor (syrischer Ritus), nach der anderen nach dem Taufbad (großkirchlicher Ritus). Beide Traditionen lassen sich bis ins erste Jahrhundert zurückverfolgen." Auf jeden Fall sind Taufe und Geistmitteilung eng aneinander gekoppelt. Vgl. W. NAUCK, ebd. 179: "Die Taufe ist das Pfingsten des Gläubigen, und Pfingsten ist die Taufe der Kirche."
38 Vgl. W. NAUCK, Tradition 180: "Geist, Wasser und Blut reinigen. Von hier aus wird das Nebeneinander von Geist, Wasser und Blut in 1Joh 5,8 einsichtig, …"

Die Fähigkeit Jesu zur Sündenvergebung wird demnach - nach Ansicht des Verfassers des 1Joh - von den "Abweichlern" in Frage gestellt, die damit die Tatsache, daß sie sich nicht taufen lassen und der Gemeinde als Vollmitglieder beitreten, zu legitimieren suchen. In 1Joh 2,2 gilt Jesus Christus gar als ἱλασμός für die Sünden der ganzen Welt (vgl. 1Joh 4,10). "Als Offenbarung, d.h. Erweisung der Liebe Gottes 4,9.10 erzeugt der ἱλασμός Liebe uz (sic!) zugleich Liebe zu den Brüdern 4,7.11.20f. Von der Überwindung der Sünde als Schuld ist sachlich die Überwindung der Sünde als Unsittlichkeit, d.h. für Joh als Lieblosigkeit nicht zu trennen."[39] Die "Abweichler" verstehen - nach Auffassung des 1Joh - nicht das Ineinander von ἱλασμός als Ausdruck der Liebe Gottes zu den Menschen und der Bruderliebe.

Dieses Zutrauen zu der Macht Gottes, Sünden zu vergeben, ist in 1Joh 3,19f Erkenntnisgrund dafür, daß die Glaubenden "aus der Wahrheit" sind.

Fassen wir zusammen: Der 1Joh richtet sich (a) gegen Menschen, die die Gemeinde - aus welchem Grund auch immer - verlassen haben (Apostaten) und (b) gegen Menschen, die es nicht wagen, sich offen zur Gemeinde zu bekennen, und die dadurch auch andere, die bereits in der Gemeinde voll integriert - also getauft - waren, dazu "verführt" haben, sich in Grenzsituationen nicht zur Gemeinde zu bekennen.

2.2.2 Die Bruderliebe als Merkmal der Gemeinde

Als Charakteristikum der "Abweichler" wird im 1Joh ihre fehlende Bruderliebe immer wieder thematisiert. Dieser Zug fügt sich problemlos in die Hypothese von den Apostaten: Wer die Gemeinde verläßt, handelt, zumal in einer für die Gemeinde und ihre Glaubenden äußerst kritischen Lage, nicht solidarisch.

Bruderliebe wird im 1Joh nicht nur verstanden als Liebe zwischen Bruder und Bruder, sondern als Liebe des Bruders zu den Brüdern, also zur Gemeinschaft der Kinder Gottes. Bruderliebe in diesem speziellen Sinn ist also Solidarität mit der Gemeinschaft. Daß diese inhaltliche Füllung der Vorstellung der Bruderliebe möglich ist, weist etwa Clemens Romanus, Jak 8,5 aus. Dort ruft Clemens seine Adressaten zur Bruderliebe auf: Deswegen liebt alle eure ehrwürdigen Brüder mit erbarmenden Augen - διὸ ἀγαπᾶτε πάντας ὑμῶν τοὺς ἀδελφοὺς σεμνοῖς καὶ ἐλεήμοσιν ὀφθαλμοῖς. Diese Aufforderung wird folgendermaßen inhaltlich präzisiert: "τοῖς μὲν ὀρφανοῖς ποιοῦντες τὰ γονέων, ταῖς δὲ χήραις τὰ ἀνδρῶν, παρέχοντες μετὰ πάσης εὐφροσύνης τὰς τροφάς, τοῖς ἀκμαίοις τοὺς γάμους καὶ τοῖς αὐτῶν ἀτέχνοις διὰ τῶν ἐπιτηδευμάτων ἐννοούμενοι τὰς προφάσεις τῆς ἀναγκαίας τροφῆς, τεχνίτῃ ἔργον, ἀδρανεῖ ἔλεος."[40] Clemens erläutert, was er unter Bruderliebe versteht: für die Waisen die Aufgaben der Eltern zu erledigen, für die Witwen die Aufgaben der Männer, darzureichen mit aller Freude die Speisen, den Erwachsenen bezüglich der Hochzeitsfeiern und den Ungeschickten von ihnen durch die Handlungsweisen bei sich die Veranlassungen für die notwendige Nahrung zu überlegen, für den Handwerker das Werk, für den ohne Tatkraft Mitleid. Dieser Gedankengang wird dann beschlossen mit dem Satz: "Ich weiß, daß ihr diese Dinge tun werdet, wenn

---

[39] F. BÜCHSEL, Art. ἵλεως κτλ., ThWNT 3 (1938), 318,21-25.
[40] Vgl. hierzu auch Clemens Romanus, epitome altera 152.7; dort finden sich die gleichen Formulierungen.

ihr Liebe in eurem Sinn Platz nehmen laßt."[41] Auch die Redeweise von der "Liebe untereinander" (Joh 13,34f; 1Joh 3,11.23; 4,7.11; 2Joh 5; vgl. 1Joh 2,10; vgl. hierzu TZab 8,5) weist darauf hin, daß im johanneischen Schrifttum Bruderliebe als Solidarität unter Brüdern, also auch als Liebe eines einzelnen zu den Brüdern (vgl. TJos 17,5) verstanden werden kann. Solidarität hält die Gemeinschaft untereinander zusammen.[42] In TJos 17,2 wird zur Bruderliebe (ἀγαπᾶτε ἀλλήλους) aufgerufen und als Begründung die Freude Gottes über die Einheit der Brüder genannt (τέρπεται ... ὁ θεὸς ἐπὶ ὁμονοίᾳ ἀδελφῶν). Wahre Bruderliebe führt zur Einheit und Gemeinschaft unter den Brüdern. Ähnlich führt die Liebe Gottes zu Jesus nach Joh 17,23 zur Einheit Gottes mit Jesus.[43]

Diese Liebe zu den Brüdern ist zunächst eine innergemeindliche Angelegenheit. Wird diese Liebe zum Bruder aber als demonstrativer Akt der Solidarität verstanden, richtet sie sich auf die Außenstehenden. Diese demonstrative Funktion der Bruderliebe taucht bereits in Joh 13,34f auf: An der Bruderliebe sollen alle erkennen, daß die Angeredeten Jesu Jünger sind.[44] Nach Joh 13,34f richtet sich also die Liebe untereinander auf Gemeindeglieder und ist zugleich Erkennungsmerkmal der Gemeindezugehörigkeit für die Außenstehenden.[45]

Dementsprechend wird mangelnde Solidarität als Haß gegenüber den Brüdern ausgelegt, denn "wer seinen Bruder liebt, der bleibt im Licht und kein Ärgernis ist in ihm" (1Joh 2,10).

(1) In 1Joh 2,7-11 geht es allerdings nicht um diejenigen, die die Gemeinde verlassen haben. 1Joh 2,9[46] wendet sich dagegen, daß es Glaubende geben könnte, die sich nicht offen mit der Gemeinde solidarisieren, obwohl sie sich ihr zugehörig empfinden. Man könnte diesen Vers wie folgt paraphrasieren: "Wer sagt, er gehöre zur Gemeinde, und solidarisiert sich nicht mit ihr, der gehört *bis heute* nicht zu ihr." Das "ἕως ἄρτι - bis heute" signalisiert: Die Menschen, um die es hier geht,

---

41 Wohl der älteste Beleg des Gedankens einer "Liebe untereinander" findet sich bei Plutarch, Nic 29.3.4 und philadelphia 480.E.1f (vgl. o. S. 130). In de philadelphia führt Plutarch genauer aus, was er unter Bruderliebe positiv versteht: zusammen wohnen, gemeinschaftlich den Staat verwalten und den Acker bauen, wenn die Brüder den von der Natur verliehenen Grund der Eintracht (εὐνοία) und Zuneigung (συμφωνία) erhalten (478.F vgl. 479.A). Clemens Romanus und Ignatius sind dann die ersten, die die johanneische Redeweise von der Liebe untereinander (1Joh 2,10; 3,11.23; 4,7.11; 2Joh 5) aufnehmen: Clemens, epistulae de virginitate 1.12.8 (Περὶ δὲ τῆς φιλαδελφίας αὐτοὶ ὑμεῖς θεοδίδακτοί ἐστε εἰς τὸ ἀγαπᾶν ἀλλήλους.); Ignatius, epistulae interpolatae 5.13.1 (ἀγαπᾶτε ἀλλήλους ἐν κυρίῳ ὡς θεοῦ ἀγάλματα.); 6.9.5; 7.6.2 (Zitat von Joh 13,34a). Vgl. auch 2Clem 9,6: ἀγαπῶμεν οὖν ἀλλήλους, ὅπως ἔλθωμεν πάντες εἰς τὴν βασιλείαν τοῦ θεοῦ.

42 Vgl. zur Deutung der Bruderliebe als Solidarität R. HEILIGENTHAL, Antijudaismus 190: "Wer den Messias bekennt, erfährt in der Gemeinde auch die solidarische Bruderliebe."

43 Vgl. auch den in Joh 17,22 angesprochenen Gedanken der Einheit der Gemeinde (ἵνα ὦσιν ἕν). Vgl. auch Theophrastos, char IV 1f sowie Plutarch, mor 53 D/E: Innerhalb des Hausverbandes bzw. Verwandten (συγγενεῖς) gegenüber wurde Loyalität als das normale Verhalten angesehen.

44 Die Rede von der Liebe untereinander findet sich dann noch häufiger im Corpus Johanneum: 1Joh 3,11.23; 4,7.11; 2Joh 5; vgl. 1Joh 2,10.

45 Im Neuen Testament findet sich keine weitere Stelle, an der in der Weise wie Joh 13,34f die Bruderliebe als Kennzeichen der Gemeindezugehörigkeit genannt wird. Doch es finden sich Belege dafür, daß (Bruder-)Liebe auch auf Leute wirken soll, auf die diese Liebe nicht gerichtet ist: 2Kor 8,24; Kol 1,8; 1Thess 3,6; 4,9-12 (hier geht es um die vollkommene Liebe der Gemeindeglieder, damit sie anständig vor denen, die draußen sind, [πρὸς τοὺς ἔξω] wandeln); 1Tim 4,12.

46 "Wer sagt, er sei im Licht, und haßt seinen Bruder, der ist in der Finsternis ἕως ἄρτι."

haben noch nie zur Gemeinde gehört[47], doch im Grunde wollen sie schon dazu gehören, wollen sie "im Licht wandeln"; andererseits solidarisieren sie sich nicht mit den "Brüdern" - etwa in der Weise, wie es 1Joh 3,17 vorschlägt. Mit dieser Solidarität von 1Joh 3,17 würden sie auch von außen als Glieder der Gemeinde identifiziert werden können. Dieses Bekenntnis zur Gemeinde wird von ihnen nach wie vor vermieden.

Auf diesem Hintergrund ist auch der folgende V. 10 verständlich. Dort heißt es nicht, daß derjenige, der seinen Bruder liebt, ins Licht *kommt* oder im Licht *ist*, sondern: "Wer seinen Bruder liebt, der *bleibt* im Licht, und kein Ärgernis ist in ihm." Dieser Vers kann auch als versteckter Imperativ gelesen werden: "Wer seinen Bruder liebt, hat im Licht zu bleiben." bzw. "Wer im Licht bleiben will, muß seinen Bruder lieben." In jedem Fall geht es um die implizite Aufforderung, in der Gemeinde zu bleiben und sich dementsprechend zu verhalten. Der Vers richtet sich also nicht gegen Außenstehende, sondern spricht direkt Gemeindeglieder an.[48]

Es geht dem 1Joh demnach um das *Bleiben* in der Gemeinde. Diejenigen, die sich bisher nicht offen zu ihr bekannt haben, werden nicht förmlich aufgefordert, endlich offen zur Gemeinde zu stehen, sondern es wird ihnen lediglich gesagt, daß sie bis heute nicht dazugehören (V. 9.11). Umgekehrt wird denjenigen, die die Gemeinde verlassen, gesagt, sie würden die Brüder nicht lieben. Bruderliebe gibt es nur innerhalb der Gemeinde; denn nur die Gemeindeglieder sind ja die "Brüder". Im Anschluß an diese Ausführungen findet sich der Aufruf zur Absage an die Welt (1Joh 2,15-17).[49]

(2) 1Joh 3,11-18 nimmt erneut Bezug auf die Bruderliebe. Der Verweis auf Kain in 1Joh 3,12 bringt einen neuen Aspekt in die Betrachtung ein. Hier redet der Verfasser zu denjenigen, die innerhalb der Gemeinde sind. Sie sollen Bruderliebe üben. 3,14b ("Wer nicht liebt, der *bleibt* im Tod.") spricht dann diejenigen an, die außerhalb der Gemeinde stehen. Sie sind es ja, die nicht das Leben haben. Dagegen wendet sich 3,15 gegen Gemeindeglieder, die meinen, Bruderliebe sei nicht nötig. "Brüder" sind ja nur die Glieder der Gemeinde, die Kinder Gottes. Insofern können zur *Bruder*liebe nur die Gemeindeglieder aufgerufen werden. Wer seine Brüder nicht liebt, grenzt sie aus der Gemeinde aus und rechnet sie dem κόσμος zu. Dabei warnt 1Joh 2,15 davor, den κόσμος zu lieben. Deshalb kann von jedem, der Brüder in dieser Weise ausgrenzt, gesagt werden, er sei ein Totschläger, denn nur innerhalb der Gemeinde gibt es Leben. Deshalb kann von ihm auch gesagt werden, daß er selbst das ewige Leben nicht *bleibend* in sich hat (3,15); denn im Grunde grenzt er sich selbst damit aus der Gemeinde aus.[50]

Konkret wird die Bruderliebe am Beispiel Jesu: Auch die Glaubenden sollen das Leben für die Brüder einsetzen (V. 16). Der Einsatz des Lebens unter Einschluß

---

[47] Daß hier das Gebot der Bruderliebe - wie M. RESE, Gebot 49 vermutet - "mehr Programm als Wirklichkeit" sei, darf von dieser Perspektive aus bezweifelt werden. 1Joh 2,7-11 wendet sich nicht gegen Streitigkeiten innerhalb der Gemeinden.

[48] Vgl. J. AUGENSTEIN, Liebesgebot 126: "Der stark paränetische Charakter der Passage deutet auf eine Mahnung nach Innen, ein Dialog mit evtl. Gegnern erscheint deshalb unwahrscheinlich."

[49] Vgl. unten "4.3 Die Opposition zum κόσμος", 200f.

[50] Dagegen M. RESE, Gebot 50, der eine ganz andere Frontstellung sieht: diejenigen, die "beim alt-neuen Gebot der Bruderliebe bleiben", und diejenigen, "die sich für fortschrittlich halten" - was immer das heißen mag.

des Todesrisikos ("τὴν ψυχὴν τίϑεσϑαι") kann zur Zeit der Abfassung des Briefes durchaus der Gemeindewirklichkeit entsprochen haben. Sicherlich ist hier nicht an eine allgemeine Christenverfolgung zu denken. Doch mit Sicherheit leiden auch die Christen des 1Joh unter äußerem Druck, der evtl. sogar Todesrisiko für Einzelpersonen impliziert.[51] V. 17 führt dann diesen Gedanken weiter: "Τὴν ψυχὴν τιϑέναι - das Leben unter Einschluß des Todesrisikos einzusetzen" heißt zugleich, nicht den Bruder Mangel haben zu lassen, wenn man selber gut versorgt ist (V. 17), heißt also Solidarisierung mit der Gemeinde, und zwar nicht nur in Grenzsituationen (V. 16), sondern auch und gerade im täglichen Leben (V. 17). Der Gedankengang wird abgeschlossen mit der Aufforderung, mit der Tat und mit der Wahrheit zu lieben (V. 18). Auch hier wird wieder auf diejenigen angespielt, die sich selbst zwar gerne zur Gemeinde zählen, sich aber weder in Grenzsituationen noch im täglichen Leben mit der Gemeinde solidarisieren. Diese Menschen dürften im allgemeinen wohlhabende Persönlichkeiten gewesen sein.[52]

(3) Der Gedanke der Bruderliebe wird in 1Joh 4,7-21 wieder aufgenommen. Gottes Liebe, die in der Sendung des Sohnes manifest wurde, fragt nach der Liebe der Glaubenden untereinander (V. 11). Der Abschnitt hat - ähnlich wie 1Joh 3,11-18 - zum Ziel, diese Liebe der Glaubenden untereinander einzuschärfen, er möchte die Binnenstabilität der Gemeinde stärken.

Auch hier bestätigt sich unsere zu Beginn geäußerte Vermutung: Der Verfasser des 1Joh wirft sowohl denjenigen, die die Gemeinde verlassen haben, als auch denjenigen, die sich nicht voll mit ihr solidarisieren, Bruderhaß vor. Er unterscheidet nicht zwischen mangelhafter und vollendeter Bruderliebe. Entweder das Gemeindeglied liebt die Brüder oder es ist gar kein Gemeindeglied (mehr). Lediglich Joh 3,18 scheint zwischen wahrer Liebe und falscher Liebe zu differenzieren: "Kindlein, laßt uns nicht lieben mit Worten noch mit der Zunge, sondern mit der Tat und mit der Wahrheit." Damit soll die Liebe derer, die sich nicht voll mit der Gemeinde solidarisieren als "Liebe mit Worten und mit der Zunge" gebrandmarkt werden, der der Verfasser des 1Joh die "Liebe mit der Tat und mit der Wahrheit" gegenüberstellt. Die Bruderliebe der "wahren" Gemeindeglieder soll sich als die "bessere Moral" auch und gerade im Angesicht einer äußeren Drucksituation erweisen. Die wahre Bruderliebe ist der Bruderliebe mit Worten, die dadurch zeigt, daß sie gerade nicht Bruderliebe ist, schlechterdings überlegen - durch die wahre Liebe wird die bloß mündliche Bruderliebe als Farce enttarnt. Insofern wird die "bessere" Liebe der Gemeindeglieder im 1Joh auch als "ein Element im Kontext des *Konfliktes*"[53], als Waffe eingeführt. Die Jesus entsprechende Liebe ist die des Einsatzes des eigenen Lebens für den Bruder.

2.2.3 Die κοινωνία untereinander und mit Gott

Die "Abweichler" des 1Joh gehen offenbar davon aus, sie hätten Gemeinschaft mit Gott (1,6). Demgegenüber insistiert der Verfasser des 1Joh umso nachdrücklicher

---

51 Vgl. den Abschnitt 3. "Sozialgeschichtliche Verortung" u. S. 185-192.
52 Auch unter den sog. "Gottesfürchtigen" fanden sich vornehmlich wohlhabende (vgl. W. STEGE-
     MANN, Zwischen Synagoge und Obrigkeit. Zur historischen Situation der lukanischen Christen,
     Göttingen 1991, 141.159; vgl. Joh 12,42).
53 Vgl. W. STEGEMANN, Nächstenliebe 78: W. STEGEMANN vollzieht hier die im 1Joh angedeutete
     Denkbewegung für das Gebot der Feindesliebe im Unterschied zur Nächstenliebe im Matthäus-
     evangelium (vgl. auch ebd. 68-70).

auf der Gemeinschaft untereinander (1,3.7). Auch in V. 3 wird zuerst die Gemeinschaft der Brüder untereinander betont, ehe der Verfasser in einem Nachsatz auf die Gemeinschaft mit Gott und seinem Sohn zu sprechen kommt. Er ist also davon überzeugt: Gemeinschaft mit Gott ist nur möglich, wenn Gemeinschaft untereinander gepflegt wird. Gottesgemeinschaft ohne Gemeinschaft untereinander, d.h. Gottesgemeinschaft ohne vollen Beitritt zur Gemeinde kann es nicht geben.[54] In 1Joh 2,9-11 ist mit dem Ausdruck "im Licht sein" nichts anderes gemeint als "in der Gemeinde sein". "In der Finsternis sein" heißt demnach "in der Welt sein". Zurückbezogen auf 1Joh 1,6 heißt dieser Vers paraphrasiert: "Wenn wir sagen, daß wir Gemeinschaft mit ihm haben, und sind nicht ganz in der Gemeinde, so lügen wir und tun nicht die Wahrheit."

1Joh 1,3.6f richtet sich demnach gegen diejenigen, die sich als "Vollmitglieder" der Gemeinde betrachten, aber aus welchen Gründen auch immer es an der letzten Solidarität mit denjenigen fehlen lassen, die der 1Joh "Kinder Gottes" nennt.

Gottesgemeinschaft gibt es für Menschen nicht losgelöst von der Gemeinschaft mit den "Brüdern"; ebensowenig gibt es Liebe zu Gott ohne Liebe zu den "Brüdern". An der Bruderliebe wird die Gottesliebe erkannt, denn es ist ja Gottes Gebot, die Brüder zu lieben (1Joh 2,7-11; 4,11). In 1Joh 5,2 ist die Liebe zu Gott der Grund für die Liebe zu den Brüdern. Die Liebe zu Gott konkretisiert der 1Joh durch die Verpflichtung, seine Gebote zu halten (1Joh 5,3), d.h. Bruderliebe zu üben. Die Forderung der Bruderliebe ist gekoppelt an die Forderung der Gottesliebe.

Wir haben oben zwei "Fronten" ausgemacht, an denen der Verfasser des 1Joh "kämpft": Da gibt es Leute, die sich von sich aus von der Gemeinde abgesetzt haben (1Joh 2,19), und da gibt es Leute, Sympathisanten, die eigentlich zur Gemeinde dazugehören wollen, jedoch die volle Solidarität nicht wagen. Beiden wird im 1Joh vorgeworfen, sie hätten die Gemeinschaft mit Gott aufgekündigt, auch wenn sie Gegenteiliges behaupten.

2.2.4 Das Bekenntnis zu Jesus als dem Christus

Wir wenden uns nun dem Abschnitt 1Joh 4,1-5 zu, "der für die antihäretische Erklärung die Kardinalstelle ist"[55]. E. Stegemann schlägt vor, 2Joh 7 als Vergleich heranzuziehen.

1Joh 4,1f	*2Joh 7*
(1) ... ὅτι πολλοὶ ψευδοπροφῆται ἐξεληλύθασιν εἰς τὸν κόσμον (2) ἐν τούτῳ γινώσκετε τὸ πνεῦμα τοῦ θεοῦ· πᾶν πνεῦμα ὃ ὁμολογεῖ Ἰησοῦν Χριστὸν ἐν σαρκὶ ἐληλυθότα ἐκ τοῦ θεοῦ ἐστιν.	Ὅτι πολλοὶ πλάνοι ἐξῆλθον εἰς τὸν κόσμον, οἱ μὴ ὁμολογοῦντες Ἰησοῦν Χριστὸν ἐρχόμενον ἐν σαρκί·

---

[54] Vgl. J. PAINTER, Opponents 54: "Our author makes the primary reference of κοινωνία to be μετ᾽ ἀλλήλων (1.7) and this is dependent on κοινωνία μεθ᾽ ἡμῶν which opens up κοινωνία with the Father and his Son Jesus Christ, 1.3."
[55] E. STEGEMANN, Kindlein 293.

(3) καὶ πᾶν πνεῦμα ὃ μὴ ὁμολογεῖ
τὸν Ἰησοῦν ἐκ τοῦ θεοῦ οὐκ ἔστιν·
καί τοῦτό ἐστιν τὸ τοῦ ἀντίχριστου,   οὗτός ἐστιν ὁ πλάνος καὶ ὁ ἀντίχριστος.
ὃ ἀκηκόατε ὅτι ἔρχεται, καὶ νῦν
ἐν τῷ κόσμῳ ἐστὶν ἤδη.

Nach E. Stegemann hebt in 2Joh 7 das präsentische Partizip von ἔρχομαι "hier in Übereinstimmung mit dem üblichen Sprachgebrauch hervor ..., *dass Jesus der verheissene Messias*, der, der eschatologisch kommen soll, ist. Und die Wendung ἐν σαρκί stellt dann sicher, dass in Jesus der verheissene Messias (oder: in Jesus Christus der Verheissene) auch definitiv irdisch bzw. geschichtlich Gestalt genommen hat, analog etwa der Aussage, dass der Logos Fleisch geworden ist (Joh 1,14), oder der, dass Jesus der Messias und Gottessohn ist, der eschatologisch *in die Welt* kommen soll (Joh 11,27; vgl. noch I Joh 4,9f)."[56] Die Leugnung Jesu als Christus[57] bedeutet den Verlust der Gemeinschaft mit der Gemeinde und mit Gott (vgl. 2Joh 8 mit 1Joh 1,3.6f). Nach Auffassung des 1Joh ist durch Jesus Gotteskindschaft erst ermöglicht worden.[58] Das, was die Glaubenden "erarbeitet haben" (2Joh 8), ist die brüderliche Gemeinschaft untereinander, die das Bekenntnis zu Jesus als dem Christus und die Bruderliebe als Grund hat. Und der μισθός, von dem die Rede ist, ist die Gottähnlichkeit (1Joh 3,2).

Deshalb kann 1Joh 4,3 das Bekenntnis zu Jesus auch derart abkürzen, daß es heißt: "Und jeder Geist, der Jesus nicht bekennt ..."[59] Inhalt des Bekenntnisses zu Jesus ist also nicht das "ἐν σαρκὶ ἐληλυθότα" (1Joh 4,2) oder das "ἐρχόμενον ἐν σαρκί" (2Joh 7), sondern das "χριστός".[60] Richtete sich 2Joh 7 und 1Joh 4,1 gegen eine doketische Christologie, so würde man als Unterscheidungsmerkmal eine Bekenntnisformel etwa nach dem Schema erwarten: "Jesus (Christus) ist der im Fleisch gekommene Sohn Gottes"; denn gerade die Menschlichkeit des Gottessohnes ist es, die von den Doketen negiert wurde. Nun ist aber sowohl in 1Joh 4,2 und 2Joh 7 vom Gottessohn Jesus überhaupt nicht die Rede. Zwar scheint für den

---

56 Ebd. 294; vgl. hierzu H. THYEN, Art. Johannesbriefe, TRE 17 (1988), 193: "Schon die ungewöhnliche Konstruktion mit dem Perfektpartizip ἐν σαρκὶ ἐληλυθότα (kein Akk. mit Inf. wie in der antignostischen Passage durch Polyk 7,1; vgl. Lieu 217) verbietet es, hier das fleischliche Natur Jesu akzentuiert zu sehen. Nicht sie oder die Identität Jesu mit dem Christus wird betont, sondern das tatsächliche und andauernde Gekommensein des Erlösers im Fleisch (vgl. 4,4.17). Wenn II Joh 7 Jesus als der "im Fleisch *kommende* Christus" Bekenntnisinhalt ist, liegt wie Joh 11,27; 4,25 u.ö. futurischer Präsensgebrauch vor: Jesus ist der *verheißene* Christus; er ist der, der im Fleisch kommen soll und nun erschienen ist (vgl. F. BLASS/A. DEBRUNNER/F. REHKOPF, Grammatik des ntl. Griechisch, [16]1984, §323,3)." Vgl. hierzu auch T. OKURE, Approach 251: "To say that he (= Jesus) is the Son of God "come in flesh" means that he has been sent by the Father to give eternal life to those who believe in him (4:9-10,14,16; 5:13; cf. Jn 17:3)."

57 Vgl. C. CLEMEN, Beiträge 274, der auch der Meinung ist, daß in 1Joh 4,2 der Nachdruck "durchaus auf dem Worte Χριστόν" ruht; "ἐν σαρκὶ ἐληλυθότα wird hinzugesetzt, weil der zunächst präexistente doch nur so in Jesus erscheinen konnte, vielleicht auch, weil eben der menschgewordene uns den Vater offenbart hat. ... Auch I,4,2f. - und damit können wir gleich die vorhin angeführte Stelle II,7 zusammennehmen - wird also, wie 2,22f. nicht der Doketismus oder Cerinthianismus, sondern die Leugnung der präexistenten Gottessohnschaft Jesu bekämpft."

58 Vgl. o. S. 153-159.

59 Vgl. dazu 1Joh 2,23, wo das Bekenntnis von 1Joh 2,22 ähnlich abgekürzt wird.
    Vgl. J. AUGENSTEIN, Liebesgebot 169, der erweist, daß 1Joh 4,2f "eine Explikation des einfachen Bekenntnisses von I Joh 2,22f (ist), daß Jesus der Christus ist".

60 Gegen W.S. VORSTER, Heterodoxy 90: "The author lived in a situation in which it was, at that stage, inadequate only to say that Jesus was the Christ. One had to say that Jesus Christ, the Son of God became man and died."

1Joh das Bekenntnis zu Jesus als dem Messias auch das Bekenntnis zu Jesus als dem Gottessohn (vgl. 1Joh 2,22; sowie 5,1 mit 5,5) zu implizieren, doch bleibt auffällig, daß an keiner der beiden Stellen die Gottessohnschaft Jesu angesprochen wird. Beidemale geht es um Jesu Messianität bzw. Jesu "Christus-sein".

Im Anschluß an W.A. Karl[61] sei die Vermutung geäußert, daß es sich hier um eine Auseinandersetzung mit jüdischen Gedanken handelt. Dafür spricht die häufige Betonung, Jesus sei der Christus (1Joh 2,22; 4,2; 5,1; 2Joh 7). In den Bekenntnisformeln ist aber auch die Gottessohnschaft Jesu Bekenntnisinhalt (1Joh 4,15; 5,5; vgl. 4,14: Jesus als σωτήρ der Welt). Offenbar hat sich aber zunächst an der Frage der Messianität Jesu der Widerspruch entzündet. Bei der Frage, wogegen sich die "Abweichler" des 1Joh gewendet hatten, hat allerdings "2,22f einen methodischen Vorzug vor ähnlichen Aussagen wie 4,15; 5,1.5, da die oppositionelle These eine Erwähnung findet"[62]. Dagegen scheint die Verbindung von Messianität und Gottessohnschaft kein Problem gewesen zu sein. Der Christus gilt automatisch als Gottessohn. Das Bekenntnis zu Jesus als dem Christus impliziert das Bekenntnis zu ihm als Gottessohn. Von daher wird der Gedankengang in 1Joh 2,22f einsichtig. Ausgangspunkt ist das Bekenntnis, daß Jesus der Christus ist. Folgerungen werden dann aber aus Jesu Gottessohnschaft gezogen, obwohl die Gottessohnschaft Jesu vorher gar nicht ausdrücklich erwähnt wurde. Der Zusammenhang zwischen Messias und Gottessohn wird in Ps 2 hergestellt (V. 2.7)[63]. Die Gottessohnschaft des Messias ist zwischen 1Joh und seinen "Gegnern" kein Streitpunkt; umstritten war aber die Reklamation der Messianität für Jesus, die Juden nicht teilen konnten, und damit auch die Reklamation der Gottessohnschaft Jesu. 1Joh 2,22f richtet sich also gegen die jüdische Auffassung, Jesus sei gar nicht der Messias, man könne auch ohne Jesus "Gott haben".

Für den 1Joh steht jedoch fest, daß derjenige, der den Sohn nicht hat, d.h. derjenige, der Jesus nicht als Christus bekennt, auch den Vater nicht hat (2,23).

Ähnlich verhält es sich mit den Bekenntnissen in Joh 20,31 und 1Joh 2,22: Hier geht es auch darum, ὅτι Ἰησοῦς ἐστιν ὁ χριστός (ὁ υἱὸς τοῦ θεοῦ - Joh 20,31) bzw. ὅτι Ἰησοῦς (οὐκ) ἔστιν ὁ χριστός. Jesus ist der Messias - dies ist das Bekenntnis, auf das es dem 1Joh ankommt.[64]

Die Apostasie-Vermutung E. Stegemanns hat also alle Wahrscheinlichkeit für sich, zumal wenn man sich die Funktion des κόσμος in 1Joh 4,1-5 vor Augen hält. Der κόσμος wird mit den widergöttlichen Geistern nicht einfach identifiziert; vielmehr sind diese "in die Welt hinausgegangen". Doch vom Standpunkt der Glaubenden aus stellt sich die Frage, ob sie aus Gott sind oder ob sie aus der Welt sind. Nach dem Verständnis des 1Joh kann man von all dem, was in die Welt hin-

---

61 S.o. S. 173.
62 U.B. MÜLLER, Menschwerdung 85.
63 Allerdings findet sich im Frühjudentum nur ein einziger Beleg für die Gottessohnschaft des Messias: 4QFlor 1,11-13. E. LOHSE hat in seinem Artikel υἱός κτλ. C II, ThWNT 8 (1969), 358-363 herausgefunden, daß das rabbinische Judentum in Abgrenzung gegen die christlichen Gemeinden "den Titel des Gottessohnes aus der messianischen Erwartung ganz herauszuhalten u(nd) die at.lichen St(ellen), an denen der Gesalbte Sohn Gottes genannt wird, im Sinne bildhafter Rede auszulegen u(nd) damit die Bdtg dieser Bezeichnung erheblich abzuschwächen" versuchte (ebd. 363,23-26).
64 Vgl. auch 1Joh 5,5, wo es um den Glauben geht, ὅτι Ἰησοῦς ἐστιν ὁ υἱὸς τοῦ θεοῦ. Hier ist die einzige Stelle, an der die Gottessohnschaft Jesu Inhalt des Bekenntnisses ist (vgl. allenfalls noch Joh 20,31). Im Grunde ist für den Verfasser des 1Joh das Bekenntnis zu Jesus als Messias identisch mit dem Bekenntnis zu Jesus als dem Sohn Gottes.

ausgeht, sagen: es ist aus der Welt (1Joh 4,5). Es geht hier nicht um die wahre Lehre, sondern um das Bekennen.

Das Bekenntnis zu Jesus als dem Christus scheint der 1Joh nur gegenüber einer Gruppe von "Abweichlern" betonen zu müssen: den Apostaten gegenüber.

2.3 Zwischenbilanz

Die Untersuchung aller Passagen im 1Joh, die auf die Auseinandersetzung mit Gegnern schließen lassen, zeigt ein erstaunlich geschlossenes Bild: Der Verfasser des 1Joh wendet sich auf der einen Seite gegen Menschen, die sich selbst gerne zur christlichen Gemeinde zählen würden, aber ein offenes Bekenntnis zu ihr (aus welchem Grund auch immer) nicht wagen, und auf der anderen Seite gegen Menschen, die sich offen von der Gemeinde distanzieren. Von letzteren behauptet er, sie hätten nie richtig zur Gemeinde gehört (1Joh 2,19a). Im folgenden sollen diese Gegnergruppen genauer bestimmt werden. Darüber hinaus soll deutlich werden, welche Beweggründe hinter ihrem Handeln gesteckt haben. Schließlich soll eine Antwort auf die Frage versucht werden, in welcher Zeit solche Handlungsweisen am ehesten vorstellbar sind.

3. Sozialgeschichtliche Verortung

3.1 Familienmodell und Druckerfahrung

Immer wieder ist der "Druck" angesprochen und vorausgesetzt worden, der auf der Gemeinde des 1Joh lastet.[65] Dieser "Druck", aufgrund dessen die grellen Farben erst verständlich werden, mit denen der 1Joh seine "Gegner" markiert, soll nun konkretisiert werden. In den Johannesbriefen selbst finden sich nur Hinweise, die auf eine Situation äußeren Drucks hindeuten. Dazu gehört das Familienmodell des 1Joh. Mit ihm versucht der Verfasser die Gemeinde enger zusammenzuschließen.[66] Das Erwählungsbewußtsein verbindet die Glaubenden untereinander (Joh 15,16.19). *Der 1Joh entwirft eine Ekklesiologie der bedrängten Gemeinde, in der sich starke zentrifugale Kräfte bemerkbar machen (1Joh 2,19).* Zentrifugale Kräfte sind allerdings nur dann zu erwarten, wenn die Gemeindeglieder unter Druck stehen, wenn einzelne Gemeindeglieder durch ihre Distanzierung von der Gemeinde ein von äußerem Druck befreites Leben erwarten können. Von hier aus wird verständlich, weshalb durch den 1Joh der κόσμος auch derart abgewertet wird. Er versteht das Leben außerhalb der Gemeinde als Tod (1Joh 3,14) und den κόσμος als vergänglich (1Joh 2,17). Heil gibt es nur in der vollen Solidarität mit der bedrängten Gemeinde. Dabei bemüht sich der Verfasser des 1Joh offensichtlich gar nicht mehr um diejenigen, die sich nicht offen zur Gemeinde bekennen, sondern er zerschneidet das Tischtuch zwischen ihnen und der Gemeinde. Sie gehören nicht zur Gemeinde und diejenigen, die sich von der Gemeinde distanzieren, haben in

---

[65] S. S. 173-175.

[66] Dazu gehört auch die häufige Betonung der Liebe Gottes den Glaubenden gegenüber (1Joh 3,1f.16; 4,7-21). Dadurch werden die Glaubenden in die Nähe Gottes gerückt. Auch wenn die Welt gegen sie steht: "Seht, welche Liebe hat uns der Vater erwiesen, daß wir Gottes Kinder heißen sollen - und wir sind es auch! Darum kennt uns die Welt nicht; denn sie kennt ihn nicht" (1Joh 3,1; vgl. Joh 16,3). In gleicher Weise soll die Einschärfung der Bruderliebe die Binnenstabilität sichern. Generell deuten aber auch die anderen Beobachtungen bezüglich des Familienmodells auf einen äußeren Druck, dem die Gemeinde ausgesetzt ist.

Wahrheit nie zu ihr gehört. Das Familienmodell dient der Binnenstabilisierung der Gemeinde. J.K. Coyle[67] stellt in bezug auf den Zusammenhalt der Familie in der Antike fest: "Traditionally the *familia* had been a very solid unit in Greek and Roman life, especially among the upper classes. Traditionally, too, the power of the head of the *familia* was considered to be its cohesive force and this power had grown considerably. One measure of it was that the *pater familias* had to recognize his children as members of the household only if he formally accepted them *(tollere liberos)* at the time of birth: otherwise they were put out to die."[68]

Das Familienmodell ist der hermeneutische Schlüssel zum Welt- und Gemeindeverständnis des 1Joh. Mit der Welt außerhalb der Gemeinde sollen und dürfen die Gemeindeglieder nichts zu tun haben, denn dort herrscht der Tod.[69] Deshalb kann der 1Joh von einer Überwindung der Welt durch die Gemeindeglieder sprechen (1Joh 5,4; vgl. 2,13f sowie Joh 16,33b). Die Durchschlagskraft des Familienmodells als ekklesiologisches Modell für die Gemeinden um die Johannesbriefe erwuchs daraus, daß es sich an einem bekannten sozialen Modell, dem der Familie, orientierte; von ihm her konnte Weltverhältnis und Binnenstruktur entworfen und verstanden werden.

3.2 Christliche Gemeinde und regionale Oberschicht

Wichtigste sozialgeschichtlich auswertbare Notiz über die Gemeinde des 1Joh und die Menschen, mit denen sich der 1Joh auseinandersetzt, ist 1Joh 3,17: "Wer aber Lebensmittel der Welt hat und sieht seinen Bruder Mangel haben und verschließt sein Inneres vor ihm, wie bleibt die Liebe Gottes in ihm?"

Dieser Satz läßt es als möglich erscheinen, daß sich die Gemeinde des 1Joh nicht nur aus sozial niedriggestellten, sondern auch aus wohlhabenderen Menschen zusammensetzte.[70] Einige dieser einflußreichen und wohlhabenden Menschen fühlten sich offenbar zur Gemeinde hingezogen, vermieden aber *de facto*, mit den materiell Schwächeren zu teilen. Nach Überzeugung des 1Joh gehören solche Menschen nicht zur Gemeinde.

Zur Zeit des Kaisers Domitian (81-96) war es für private Kultvereine typisch gewesen, sich nach reichen Gönnern, also politisch einflußreichen Adligen oder Rittern umzusehen. "Jenen reichen Magnaten konnten durch Bestechung der Funktionäre, die als *Divisores* die Sporteln weiterverteilen sollten, die Mitglieder einer Gemeinde zu politischen Zwecken mißbrauchen ..."[71] Darum konnte der volle Beitritt gerade von Wohlhabenden und Einflußreichen zur Gemeinde des 1Joh (die sich von dem Blickwinkel der heidnischen Obrigkeit kaum von privaten Kultvereinen unterschieden haben dürfte) in Verbindung mit der Teilung von Besitz und Reichtum gerade die Aufmerksamkeit der kaiserlichen Verwaltung auf sich lenken, da Domitian selbst äußerst anti-aristokratisch gesinnt war.[72] Es ist zu vermu-

---

67 J.K. COYLE, Empire 68.
68 Dagegen nimmt der Vater der Glaubenden, Gott, alle, die aus ihm geboren sind, als Kinder an: "Seht, welche Liebe hat uns der Vater erwiesen, daß wir Gottes Kinder heißen sollen, und wir sind es auch" (1 Joh 3,1).
69 1Joh 3,14; vgl. 3,10.13; 2,15a; 2Joh 10f; 3Joh 7b.
70 Zur sozialen Zusammensetzung frühchristlicher Gemeinden vgl. v.a. W. STEGEMANN, Arm und reich 345-375, sowie J. HASENCLEVER, Proselyten 230-271, sowie H. KREISSIG, Zusammensetzung 91-100, sowie J. VOGT, Vorwurf 401-411.
71 B. REICKE, Zeitgeschichte 308.
72 So B. REICKE, ebd. 309.

ten, daß deshalb gerade wohlhabende Bürger[73] zwar weiter mit der christlichen Gemeinde sympathisierten, doch den vollen Beitritt scheuten aus Angst, in den Verdacht der Konspiration zu geraten.[74]

3.3 Die Bekenntnissituation der Christen unter Domitian

Die Hinweise, die wir im 1Joh finden, könnten auf eine Verfolgungssituation hindeuten: Christen fallen ab bzw. wagen kein offenes Bekenntnis, weil sie Verfolgungen ausgesetzt sind, das Bekenntnis zu Christus lebensgefährlich ist. Dies würde erklären, warum der Verfasser des 1Joh so darauf insistiert, daß Jesus der Sohn Gottes, der Christus ist (1Joh 2,22; 3,23; 5,1.5; 2Joh 7 u.ö.). Doch aus den profangeschichtlichen Quellen lassen sich allgemeine Christenverfolgungen erst sehr spät belegen. In dem Mitte der 90er Jahre in Rom geschriebenen 1.Clemensbrief finden sich "keine Anhaltspunkte für systematische Verfolgungsmaßnahmen. Verfolgung kenne Clemens nur als immer und überall drohende Möglichkeit (7,1) und als Willkürakte einzelner ungerechter Menschen (45,3ff). Das Gemeindegebet, das natürlich nicht nur die römische Gemeinde im Auge hat, sondern die Brüderschaft auf der ganzen Erde, setzt als Allgemeinzustand voraus, daß die Christen ungerecht gehaßt werden."[75] Ähnlich scheinen auch die Voraussetzungen des 1Joh zu sein, der seine Adressaten ermahnt, sie sollten sich nicht wundern, wenn sie die Welt hasse; "Haß" kann eben nicht gleichgesetzt werden mit "Verfolgung".[76] Für eine regelrechte Christenverfolgung findet sich auch in den drei Johannesbriefen kein Beleg.[77] Eine Verurteilung zum Tode für die Christen *nominis causa* ist erst bei Plinius (ca. 112) in seinem Reskript an Trajan belegt.

---

[73] Es ist bereits angeklungen, daß der Anteil der sozial höher Gestellten unter den φοβούμενοι nicht gerade gering war (vgl. v.a. das Inschriftenmaterial bei K.G. KUHN/H. STEGEMANN, PRE Suppl. 9 (1962), Sp. 1266f: "Bemerkenswert ist ferner, daß sich unter den 7 erwähnten 'Gottesfürchtigen' offenbar kein einziger Sklave befunden hat, dafür aber ein römischer Ritter [...]. Unter den 'Gottesfürchtigen' in der jüdisch-hellenistischen Diaspora war der Anteil der sozial Bessergestellten wesentlich größer als unter den Proselyten, die zum Teil aus niedrigeren Volksschichten [z.B. Sklaven] kamen."). Josephus, ant 14,7,2 beruft sich angesichts der Anhäufung großer Schätze im Tempel von Jerusalem sowohl auf die Abgaben der Juden in aller Welt, als auch auf die Gottesfürchtigen. Auch ist nicht ausgeschlossen, daß T. Flavius Clemens und seine Gattin, Flavia Domitilla, sowie der Konsul des Jahres 91 n.Chr. M. Acilius Glabrio Christen waren (vgl. die Argumentation von P. LAMPE, Christen 166-172 sowie die Diskussion bei B. GRIMM, Untersuchungen 131f, Anm. 332 und 133f, Anm. 337; vgl. aber auch J. SPEIGL, Staat 35, der die Verurteilung des T. Flavius Clemens als politischen Mord ansieht).

[74] Gut 20 Jahre nach Domitian scheinen die Christen das Verbot von politischen Clubs (*hetaerien*) auf ihre eigene Gemeinschaft zu beziehen (Plinius, epist. X 96,8: "*quibus peractis morem sibi disdedendi fuisse rursusque coeundi ad capiendum cibum, promiscuum tamen et innoxium; quod ipsum facere desisse post edictum meum, quo secundum mandata tua hetaerias esse vetueram*."). Plinius selber stellt in seinem berühmten Brief an den Kaiser Trajan fest, daß sich die Christen bei ihren Zusammenkünften vor Tagesanbruch "nicht zu irgendeinem Verbrechen verschwören" (ebd. 96,7: "*seque sacramento non in scelus aliquod obstringere*") und bilanziert lediglich: "*nihil aliud inveni quam supertitionem pravam et immodicam*" (ebd.). Vgl. auch R.L. WILKEN, Christians 34: "*Hetaeriae* had the potential of becoming political and thereby of disturbing the life of a city."

[75] J. SPEIGL, Staat 19; vgl. J. MOREAU, Christenverfolgung 40, der zu den Andeutungen im 1Clem meint: "Möglicherweise war die Gemeinde auch nur Polizeischikanen ausgesetzt gewesen, die nicht zu Blutvergießen führten." Dagegen H.D. STÖVER, Christenverfolgung 46, der davon überzeugt ist, daß die "Drangsale", von denen Clemens schreibt, "nur Verfolgungen umschreiben" können.

[76] Gegen H. SCHLIER, Bruderliebe 235-245, bes. 245, der die These vertritt, der "Haß" der Welt bedeute Verfolgung der Gemeinde.

[77] Weder tauchen das Verbum διώχειν in den Briefen auf, noch das Nomen θλῖψις.

"Zum Verhältnis zwischen Johannesevangelium und erstem Johannesbrief"

Aus den bisherigen Ausführungen ist deutlich geworden, daß das Johannesevangelium und der erste Johannesbrief sich eng aufeinander beziehen.[78] Vieles spricht dafür, daß Unterschiede zwischen beiden literarischen Werken auf die unterschiedliche Gattung zurückzuführen sind. Das Evangelium erzählt die Geschichte Jesu Christi als des eingeborenen Sohnes Gottes, der in die Welt gekommen ist, "auf daß alle, die an ihn glauben, nicht verloren werden, sondern das ewige Leben haben" (Joh 3,16; vgl. 1,12f). An manchen Stellen wird dieses Ziel der Sendung Jesu schon im Evangelium zur Sprache gebracht (vgl. Joh 11,52; 14,18f; 20,31c). Das Evangelium soll primär dem Glauben an Jesus Christus einen "historischen" Grund geben; es beantwortet die Frage, an wen die Gemeinde überhaupt glaubt, damit das Bekenntnis zu ihm einen festen Grund bekommt.

Dagegen geht es dem ersten Johannesbrief eher darum, die Gemeinde ihrer Gotteskindschaft gewiß zu machen (1Joh 3,1; 5,13; vgl. 1,3) und die Folgen daraus zu entfalten (vgl. 1Joh 3,9). Der im 1Joh entfaltete ekklesiologische Entwurf setzt Jesu Wirken, wie es im JohEv dargestellt wird, dabei voraus.[79]

Aufgrund unserer bisherigen Erkenntnisse muß korrigiert werden, was zumeist über das Verhältnis zwischen Johannesevangelium und erstem Johannesbrief gesagt wird. Unbestritten war zwar die "enge Verwandtschaft im theologischen Denken", die so deutlich ist, "daß die Gemeinsamkeit gar nicht übersehen werden kann"[80]. Problematisch ist jedoch, daß häufig aufgrund der postulierten antihäretischen Stoßrichtung des 1Joh "eine wesentlich andere historische Situation" des 1Joh gegenüber dem JohEv in Anschlag gebracht wird.[81] Aufgrund unserer bisherigen Erkenntnisse, nach denen sich der 1Joh gerade nicht gegen Häretiker richtet, wird diese Argumentation äußerst fragwürdig. Wenn wirklich für den 1Joh keine andere historische Situation wahrscheinlich gemacht werden kann wie für das JohEv, dann gehören beide Schriften nicht nur inhaltlich sondern auch zeitlich eng zusammen. So erhält die Vermutung F. Overbecks neue Nahrung, nach der der 1Joh ein "begleitendes Erläuterungsschreiben"[82] zum JohEv gewesen sein könnte.[83] Das JohEv kann dabei sehr wohl eine gewisse Zeit ohne den 1Joh existiert haben, 1Joh jedoch wohl kaum ohne das JohEv.[84] Wenn dies der Fall ist, sind auch die "Differences in Thought", die R.E. Brown zwischen 1Joh und JohEv herausgefunden haben will,[85] eher verständlich. Der 1Joh setzt das JohEv voraus und muß von daher die inhaltlichen Aussagen aus dem Evangelium nicht wiederholen. Brown versucht, unterschiedliche Aspekte des einen theologischen Entwurfs für eine unterschiedliche Autorenschaft auszuwerten. Der 1Joh bezieht sich jedoch auf das JohEv zurück.

Was die Abfassungszeit des JohEv angeht, haben wir relativ sicheren Boden unter den Füßen: Der Papyrus 52, einem Fragment des Johannesevangeliums (Joh 18,31-34.37-38) aus dem Anfang des 2. Jh. n.Chr. belegt, daß das JohEv um 125 n.Chr. in Ägypten bereits bekannt war. Da es eine gewisse Zeit gedauert haben muß, bis es sich durchgesetzt hat und nach Ägypten gelangt ist, kann das JohEv also "kaum später als etwa um 100 n.Chr."[86] entstanden sein. Da aber damit zu rechnen ist, daß der erste Johannesbrief - vorsichtig ausgedrückt - zeitlich (und räumlich) sehr nahe an das Johannesevangelium herankommt, werden wir auch bezüglich des 1Joh mit einer Entstehung vor 100 zu rechnen haben.[87]

Wie haben wir uns aber die rechtliche Situation der Christen vorzustellen zwischen 70 n.Chr., dem Jahr der Einnahme und Zerstörung Jerusalems durch Titus, und dem ersten rechtlich faßbaren Vorgehen gegen die Christen durch Trajan?

---

[78] Vgl. H.-J. KLAUCK, Johannesbriefe 94f.

[79] Vgl. 1Joh 2,6 mit Joh 13,15; 1Joh 3,3 mit Joh 13,10; 1Joh 3,16 mit Joh 15,3 u.a.

[80] H.-M. SCHENKE/K.M. FISCHER, Einleitung II 209.

[81] Vgl. H.-M. SCHENKE/K.M. FISCHER, Einleitung II 211-214; R.E. BROWN, Epistles 28-30; K. WENGST, Brief 24-27; G. SCHUNACK, Briefe 13f u.ö.

[82] F. OVERBECK, Johannesevangelium 474f.

[83] Dieser Gedanke könnte zugleich das formgeschichtliche Problem des 1Joh aufnehmen: ein Begleitschreiben braucht keine Briefstilmerkmale zu tragen (vgl. H. THYEN, Art. Johannesbriefe, TRE 17 [1989], 191).

[84] Vgl. hierzu H.-J. KLAUCK, Johannesbriefe 105-109 mit weiterer Diskussion; bes. 107: "Immer wieder macht man beim Einzelvergleich der zahlreichen Parallelen (...) die Erfahrung, daß man das Evangelium braucht, um Verse aus dem Brief wirklich zu verstehen (...)." Zum Zusammenhang zwischen JohEv, 1Joh und Apk vgl. v.a. J.-W. TAEGER, Johannesapokalypse 120-212.

[85] R.E. BROWN, Epistles 25-28; vgl. auch H.-J. KLAUCK, Johannesbriefe 96-99. Ohne inhaltlich auf diese "Verschiebungen" (KLAUCK) eingehen zu können, halten wir keinen der Unterschiede für geeignet, eine unterschiedliche Autorschaft zu begründen.

[86] H.-M. SCHENKE/K.M. FISCHER, Einleitung II 197; SCHENKE/FISCHER datieren das JohEv sogar auf das Jahrzehnt zwischen 75 und 85 n.Chr. (ebd.).

[87] Vgl. K. WENGST, Brief 29f, der aufgrund der von ihm vermuteten anderen historischen Situation des 1Joh gegenüber dem JohEv eine Zeit zwischen 100 und 110 n.Chr. für wahrscheinlich hält; ähnlich G. SCHUNACK, Briefe 14; vgl. F. VOUGA, Johannesbriefe 19f.

Ursprünglich war für die römische Obrigkeit kein Unterschied zwischen Jude und Christ zu erkennen.[88] Wir haben uns also zunächst zu fragen, wie die rechtliche Situation *der Juden* in dieser Zeit war.

Die Juden, die gemäß der Tora lebten, unterschieden sich charakteristisch von den Heiden ihrer Umwelt durch die Verweigerung des Kaiserkults und des Dienstes in der Armee, der stets in Konflikt mit ihrer Sabbatobservanz geriet. In der Regel wurde diesen Juden auf Antrag bei den römischen Behörden das Recht auf Sabbatobservanz, die Befreiung von der Teilnahme an den städtischen Kulten sowie die Erlaubnis erteilt, jedes Jahr die Steuer für den Unterhalt des Tempels nach Jerusalem zu schicken.[89]

Mit der Zerstörung des Jerusalemer Tempels im Jahr 70 war diese Steuer in Höhe von zwei Drachmen pro Kopf überflüssig geworden. Es gab ja keinen Tempel mehr, an den das Geld zu entrichten war. "Die Römer aber sahen in dieser Steuer eine erwünschte Einnahmequelle, sie bestimmten, daß die Judensteuer nunmehr an den Tempel des Juppiter Capitolinus in Rom zu zahlen sei. So wurde aus der Judensteuer eine verhüllte Kriegsentschädigung ..."[90] Der Nachteil, der den Juden daraus erwuchs, war das religiöse Ärgernis, für einen heidnischen Gott Steuern zahlen zu müssen - der Vorteil war *de facto* die Religionsfreiheit.[91] Folgt man den Berichten des Dio Cassius[92] und des Suetonius[93], so waren alle diejenigen zur Entrichtung der Steuer angehalten, die nach jüdischem Brauch *(vita Iudaica)* lebten - nicht einfach nur die beschnittenen Juden.[94]

Den sog. *fiscus Iudaicus*[95] ließ Kaiser Domitian (81-96)[96] mit großer Härte (Sueton: "acerbissime!") eintreiben.[97] Diese Handlungsweise ist jedoch erst in die spä-

---

88   Es scheint nur in Rom selbst sehr bald der Unterschied zwischen Juden und Christen bekannt gewesen zu sein, da Nero im Jahr 64 n.Chr. bereits Christen verfolgen ließ (vgl. Tacitus, Ann. 15,44).

89   Vgl. J.E. STAMBAUGH/D.L. BALCH, Umfeld 47f.

90   H. BENGTSON, Flavier 78. Vgl. Josephus, bell 7,218: "Außerdem legte er (= der Kaiser) den Juden, wo immer sie sich aufhalten mochten, eine Kopfsteuer auf. Jährlich hatten sie zwei Drachmen an das Kapitol zu entrichten, entsprechend der Steuer, die sie vorher an den Jerusalem Tempel zahlten - φόρον δὲ τοῖς ὁπουδηποτοῦν οὖσιν Ἰουδαίοις ἐπέβαλεν δύο δραχμὰς ἕκαστον κελεύσας ἀνὰ πᾶν ἔτος εἰς τὸ Καπετώλιον φέρειν, ὥσπερ πρότερον εἰς τὸν ἐν Ἰεροσολύμοις νεὼν συνετέλουν."

91   Vgl. M.S. GINSBURG, Fiscus 285: "This tax maintained ist general character: it was paid annually by the Jews in all parts of the Roman Empire for the right to practice their religion." Daß man deshalb trotzdem nicht vom Judentum als einer "religio licita" sprechen kann, hat W. STEGEMANN, Synagoge 27, festgestellt.

92   Dio Cassius 65,7: "Οὕτω μὲν τὰ Ἰεροσόλυμα ἐν αὐτῇ τῇ τοῦ Κρόνου ἡμέρᾳ, ἥν μάλιστα ἔτι καὶ νῦν Ἰουδαῖοι σέβουσιν, ἐξώλετο. καὶ ἀπ᾽ ἐκείνου δίδραχμον ἐτάχθη τοὺς τὰ πάτρια αὐτῶν ἔθη περιστέλλοντας τῷ Καπιτωλίῳ Διὶ κατ᾽ ἔτος ἀποφέρειν."

93   Domit. 12,2: *"Praeter ceteros Iudaicus fiscus acerbissime actus est; ad quem deferebantur, qui vel inprofessi Iudaicam viverent vitam vel dissimulata origine imposita genti tributa non pependissent."*

94   In diese Richtung geht der Bericht des Flavius Josephus, bell 7,6,6: "φόρον δὲ τοῖς ὁπουδηποτοῦν οὖσιν Ἰουδαίοις ἐπέβαλεν δύο δραχμὰς ἕκαστον κελεύσας ἀνὰ πᾶν ἔτος εἰς τὸ Καπετώλιον φέρειν, ὥσπερ πρότερον εἰς τὸν ἐν Ἰεροσολύμοις νεὼν συνετέλουν. καὶ τὰ μὲν Ἰουδαίων τότε τοιαύτην εἶχε κατάστασιν." Vgl. P. KERESZTES, Jews 3: "Modern authors agree that Domitian extended the category of taxpayers as suggested by Dio Cassius (65,7,2)."

95   Vgl. M. ROSTOWZEW, Art. Fiscus, PRE 6,2 (1909), Sp. 2404: "Aus der Zeit Vespasians (5. Jahr seiner Regierung) besitzen wir sogar eine offizielle Urkunde über die Einziehung der jüdischen Steuer, des τέλεσμα Ἰουδαικόν, das ἀπαίτησιμον, des Amphodarchen, ... Ein Beamter aus Flavischer Zeit führt den Titel *procurator ad capitularia Iudaeorum* (CIL VI 8604). ... Alle Juden der ganzen Welt waren verpflichtet, die Zahlung zu leisten. Natürlich befand sich die Hauptkasse und Verwaltung in Rom, wo, wie bekannt, viele Juden residierten. Deshalb fungierte hier für die Einziehung der Steuer selbst ein besonderer Beamter, welcher wohl kaum Vorsteher der ganzen Verwaltung war ..." Vgl. auch Josephus, bell 7,218, sowie Dio 66,7,2 und Sueton, Dom. 12.

tere Regierungszeit Domitians zu datieren.[98] K. Weynandt vermutet zurecht: "Auch wenn die Juden sich den ihnen auferlegten harten, besonders scharf eingetriebenen Abgaben durch Unterlassung der Steuererklärung oder Verschleierung ihrer Abstammung zu entziehen suchten und nun durch Angeber aufgestöbert wurden (Suet. 12,2), wird dies Schicksal auch Christen getroffen haben."[99]

Es mag dahingestellt bleiben, ob die heidnische Umwelt zur Zeit Domitians die Christengemeinde bereits eindeutig von der jüdischen Synagoge unterschieden hat.[100] Wenn aber Christen unter Domitian nicht als "Christen" (*nominis causa*) - so erst seit Plinius (ca. 112 n. Chr.) - denunziert werden konnten und das *nomen ipsum* allein kein Verurteilungsgrund war, worin bestand dann die Gefahr, die von der Verwaltung Domitians für die Christen ausging? Sie bestand in der Verweigerung des *fiscus Iudaicus* durch die Christen. Christen konnten, da sie den *fiscus Iudaicus* nicht entrichteten, wegen ihrer nach außen so scheinenden jüdischen Lebensweise (*vita Iudaica*) angezeigt werden[101]. Aufgrund dieser Lebensweise waren sie in den Augen der Behörden zur Entrichtung des *fiscus Iudaicus* verpflichtet. "Any Christians incidentally denounced to the *fiscus* for 'living Jewish life' or for concealing their Jewish origin could confess their Christian religion or choose to pay for 'tax-evasion'"[102] (vgl. Sueton, Domit. 12,2; Dio Cassius 65,7).

Auf diese Praxis konnten die Gemeindeglieder unterschiedlich reagieren:

(a) Judenchristen konnten sich zu ihrer eigenen Sicherheit wieder dem synagogalen Verband anschließen und die Judensteuer entrichten (vgl. 1Joh 2,19).

(b) Für Heidenchristen war es aber durchaus möglich, "unter die Räder" dieser Praxis zu kommen. Nach außen hin wirkten sie wie Juden, aber die Judensteuer

---

[96] Vgl. T.D. BARNES, Legislation 32-50. Nachdem BARNES die Verbannung der Flavia Domitilla und die Hinrichtung des Consuls Flavius Clemens durch Domitian aufgrund des Vorwurfs der ἀθεότης und τῶν Ἰουδαίων ἔθη (Dio Cassius 67,14,1) bzw. *contemptissima inertia* (Sueton, Dom. 15,1) angesprochen hat, fährt er fort: "Yet, even if there is some truth behind these stories (which is unlikely), nowhere in them is there mention of any legal ordinance against the Christians" (36); ähnlich H.-M. SCHENKE/K.M. FISCHER, Einleitung II 295.

[97] Vgl. H. CONZELMANN, Heiden 31.

[98] Vgl. E.M. SMALLWOOD, Attitude 1-13, der diese Verschärfung um 92 ansetzt (7.12).

[99] K. WEYNANDT, Art. T.Flavius Domitianus, PRE 6,2 (1909), Sp. 2578f.

[100] W. STEGEMANN, Synagoge, hat gerade für die Lukaszeit - und damit auch für die Zeit Domitians - wahrscheinlich gemacht, "*daß die Christen noch mit dem Judentum identifiziert werden*" (265); vgl. ebd. 267: "Gerade in der Identifizierung der Christen mit dem Judentum drückt sich die historische Situation der Gefährdungen von Christen unter der Herrschaft Domitians aus." Vgl. A. WLOSOK, Rechtsgrundlagen 23: "Somit ist zu vermuten, daß noch andere der 'zu den Sitten der Juden Abtreibenden' Christen waren, zumal Juden und Christen anfänglich nicht im Bewußtsein der Heiden getrennt waren. ... Für eine Spezialgesetzgebung gegen die Christen unter Domitian liegt keinerlei Zeugnis vor." Dagegen P. KERESZTES, Jews 9: "Apart from the probability that the majority of Christians at this time were still of Jewish birth, this also follows from striking similarities in Jewish and Christian beliefs and religious observances such as their peculiar monotheism and sabbath. The Great Fire of Rome in 64 A.D. and its aftermath no doubt helped to clarify the essential differences beween these two religions. The Jewish tragedy of 70 A.D. should have polarized the differences. Further there is reason to believe that the active Jewish and Christian proselytism is reason to believe that the actove Jewish and Christian proselytism among the pagans should again have helped to distinguish, if not individual Jews and Christians, at least Judaism and Christianity. If there still was any doubt left for the Imperial government concerning the basic differences, the affair of the *fiscus Iudaicus* should have incidentally put the differences into focus." Vgl. aber W.H.C. FREND, Persecutions 143: "Though the authorities had made a clear distinction between Christians and Jews since A.D. 64, that did not prevent them from associating them both as adherents of a single monotheistic creed springing from the same root and potentially hostile to Greco-Roman society."

[101] So nahmen sie etwa nicht an den heidnischen Opferfesten teil. Erst der Nachfoger Domitians, Nerva, verbot die Anklage aufgrund des Vorwurfs des "Ἰουδαικὸς βίος" (Dio Cassius 68,2).

[102] P. KERESZTES, Jews 9.

durften sie nach ihrem eigenen Selbstverständnis nicht entrichten.[103] Bekannten sie sich aber zu ihrem Christsein, dann *konnte* aus der Anklage wegen "jüdischer Lebensweise" "das Staatsverbrechen 'maiestas' (ἀσέβεια) konstruiert werden"[104]. Diese Anklage hatte folgende Voraussetzung: Domitian ließ sich "*dominus et deus*" nennen[105], eine Bezeichnung, die die Christen der johanneischen Gemeinde strikt ablehnen mußten. Als ihr "ἀληθινὸς θεός" galt Jesus Christus (1Joh 5,20; vgl. Joh 20,28)[106]. Die Tatsache, daß sich ein römischer Kaiser zu seinen Lebzeiten "*dominus et deus*" nennen ließ, war - wie H. Bengtson bemerkt - "im römischen Principat etwas Neues, kein einziger seiner Vorgänger hatte es gewagt, ein entsprechendes Edikt zu erlassen. ... Die Anrede mit *dominus et deus* ... entspringt dem Verlangen des Domitian, seine Göttlichkeit schon zu seinen Lebzeiten zu verkünden. Bemerkenswert ist die Tatsache, daß Domitian *von sich aus* seine Göttlichkeit proklamiert hat. Der Titel *dominus et deus* ist an ihn nicht von außen herangetragen worden, wie dies so oft bei der göttlichen Verehrung der Kaiser, auch der Vorgänger Domitians, festzustellen ist."[107]

Dank der Entrichtung des *fiscus Iudaicus* war es für die römischen Behörden eindeutig, wer zum Judentum gehörte, - d.h. wer vom Kaiserkult befreit war.[108] Alle,

---

103 Vgl. zudem noch J. SPEIGL, Staat 22: "Es wäre absurd anzunehmen, die Nichtjuden, die als Juden lebten, wären lediglich zur Zahlung der jüdischen Abgabe gezwungen worden. Eine so billige Anerkennung des jüdischen Proselytismus hätte der ständigen römischen Politik der Eindämmung der Verbreitung des Judentums Hohn gesprochen. Die größten Einnahmen bei der Verschärfung der Judensteuer kamen überdies nicht durch eine Vermehrung der Beitragszahlenden ein, sondern durch Geldstrafen für die Säumigen und durch Verurteilung und Konfiskation der Güter der unberechtigt als Juden Lebenden. Die Judensteuermaßnahme hatte also notwendig eine religionspolitische Seite."

104 W. STEGEMANN, Synagoge 279; vgl. A. WLOSOK, Rechtsgrundlagen 23: "Die Bedrängnis der Christen unter Domitian hängt also zusammen mit dem allgemeinen Wüten Domitians gegen die Aristokratie in Rom und dem staatlichen Vorgehen gegen Verweigerer des Kaiserkultes in Kleinasien, wo der Herrscherkult, als die einigende Reichsreligion, besonders ausgeprägt und die Beteiligung an ihm geradezu ein Loyalitätskriterium geworden war."

105 So Sueton, vita Caesarum 8,2a: "*Pari arrogantia, cum procuratorum suorum nomine formalem dictaret epistulam, sic coepit: 'Dominus et deus noster hic fieri iubet.'*"; vgl. auch Sueton, Dom. 13,1f; in Teilen des Ostens des Reiches ließ Domitian auch auf Münzen sich so bezeichnen; vgl. K. GROSS, Art. Domitian, LThK² 3 (1959), Sp. 494; vgl. hierzu auch K. SCOTT, Cult 97f.102-112; vgl. K. CHRIST, Herrscherauffassung 190-193, der verständlich macht, warum Domitian "auf der vollen Anerkennung seiner absoluten kaiserlichen Macht bestand" (193); vgl. zum Titel "*dominus et deus*" ebd. 197; vgl. dazu auch D. MCFAYDEN, Occasion 47-49.

106 Vgl. K. SCOTT, Cult 137: "As the well-known hymn sung by the Athenians to Demetrius Poliorcetes shows, the ruler close at hand on earth seems to some - or so they pretend - more ready to hear and more able to help than the distant Olympians. Thus Domitian is presented as a *praesens deus*, a θεὸς ἐπιφανής."

107 H. BENGTSON, Flavier 185; vgl. ebd. 219: "Die Frage, ob Domitian selbst zu seinen Lebzeiten göttliche Verehrung empfangen hat, ist längst in positivem Sinn entschieden. In den Quellen tritt das Gottkönigtum des letzten Flaviers deutlich hervor. Dokumente seiner göttlichen Verehrung sind überall im Imperium gefunden worden, vor allem auch in den Ländern griechischer Zunge, in denen Domitian nach dem Vorbild der hellenistischen Könige als *euergétes* und *sotér* verehrt worden ist." Vgl. auch K. SCOTT, Cult 97: "The Greeks had long been accustomed to bestow upon their rulers the divine titles of savior σωτήρ and benefactor εὐεργέτης. Domitian was honoured in the same way: at Brycus on the island of Carpathus the people called him their σωτήρ and εὐεργέτης, and in an inscription from Limyra it is possible that he may have been referred to as the 'saviour of the world'.' Vgl. hierzu 1Joh 4,14: "Und wir haben gesehen und bezeugen, daß der Vater den Sohn gesandt hat als σωτὴρ τοῦ κόσμου." Es ist denkbar, daß sich dieser Vers ausdrücklich gegen den kaiserlichen Anspruch, σωτὴρ τοῦ κόσμου zu sein, richtet.

108 Caligula als einziger Kaiser "wollte sogar auch die Juden zu seiner kultischen Verehrung zwingen, doch bewahrte seine Ermordung sie im letzten Augenblick vor der schwersten Belastungsprobe, der Aufstellung seines Bildes im Tempel. Die Widerstandskraft der Juden war aber so groß, daß kein Kaiser mehr (nicht einmal Nero!) von den Juden das verlangte und sich mit der Fürbitte im Synagogengottesdienst zufriedengab. Diese Linie ist auch nie mehr verlassen worden" (H.-M. SCHENKE/K.M. FISCHER, Einleitung II 295).

die nicht den *fiscus Iudaicus* entrichteten, waren also zum Kaiserkult verpflichtet. Deshalb mußten die Christen stets fürchten, wegen ihrer *vita Iudaica* angezeigt zu werden. Mit Sicherheit gab es unter den Heidenchristen auch unerschrockene Bekenner, doch - und davon scheint der 1Joh zu reden (1Joh 3,14 u.ö.) - auch Menschen, die das öffentliche Bekenntnis zur Gemeinde scheuten, um so nicht in Konflikt mit der Obrigkeit zu kommen.[109] Dies ist die Haltung, gegen die sich der 1Joh wendet.

4. Kinder Gottes und Kinder des Teufels - die "Fronten" im ersten Johannesbrief

4.1 Judenchristen

Der Verfasser des 1Joh polemisiert - wie wir herausgefunden haben - gegen Apostaten, gegen Menschen, die zunächst in der Gemeinde waren, und dann doch wieder sich von ihr distanziert haben. Für die Vermutung, daß es sich bei diesen Menschen im wesentlichen um Judenchristen handelte, spricht 1Joh 2,18-23: 1Joh 2,22f setzt jüdische Gedanken voraus und zielt auf eine Auseinandersetzung mit Judenchristen: "Wer den Sohn leugnet, der hat auch den Vater nicht; wer den Sohn bekennt, der hat auch den Vater."[110] Das Kriterium des Bekenntnisses zu Jesus als dem Christus steht nicht von ungefähr im Zusammenhang mit der vielzitierten Stelle 1Joh 2,19: "Sie sind von uns ausgegangen, aber sie waren nicht von uns. Denn wenn sie von uns gewesen wären, so wären sie ja bei uns geblieben; aber es sollte offenbar werden, daß sie nicht alle von uns sind." Auch das "Gottkennen" (1Joh 2,4) weist auf Judenchristen als Gegner des 1Joh.[111] Der 1Joh hat also Judenchristen im Blick, wenn er von denen spricht, die die Gemeinde von sich aus verlassen haben. Einige Judenchristen waren wieder in die synagogale Gemeinschaft zurückgekehrt. Dadurch hatten sie sich gegenüber den römischen Behörden Vorteile sichern können.[112] Deshalb nennt der Verfasser des 1Joh sie "Lügner" (1Joh 2,22).

Auch der Zuspruch der Gotteskindschaft kann gegen diese Judenchristen gerichtet sein. Juden sind es, die im JohEv die Gotteskindschaft für sich reklamieren:

---

[109] Für die Tatsache, daß zur Regierungszeit des Domitian die Christen wenn nicht verfolgt, so doch bedrängt wurden, spricht eine Passage in dem Brief des Plinius an Kaiser Trajan, in der er davon spricht, daß einige Christen schon 20 Jahre vorher dem Christentum abgeschworen hatten: "*Alii ab indice nominati esse se Christianos dixerunt et mox negaverunt; fuisse quidem, sed desisse, quidam ante triennium, quidam ante plures annos, non nemo etiam ante viginti*" (Plinius, epist. X 96,6). Für diese These spricht aber auch - zumindest was die Gemeinde in Rom angeht - die Notiz zu Beginn des 1. Clemensbriefes, wo von "plötzlichen und Schlag auf Schlag über uns gekommenen Unglücksfällen und Mißgeschicken" geredet wird (1Clem 1,1); und nachdem er die Martyrien des Petrus und Paulus und ihrer Mitstreiter "gefeiert" hat, kommt er auf die Gegenwart zurück mit den Worten "Wir befinden uns auf demselben Kampfplatz" (1Clem 7,1). Nach Auswertung der Quellen kommt auch K. CHRIST, Herrscherauffassung 205, zu dem Schluß, daß für das Ende der Regierungszeit Domitians ein "regional begrenztes Vorgehen gegen offene oder passive Gegner des Kaiserkultes, der gerade in Ephesus ein neues großes und die Christen provozierendes Zentrum erhalten hatte" wahrscheinlich ist. CHRIST stellt zudem fest, "daß die Vorstellung einer domitianischen Christenverfolgung mit zunehmender zeitlicher Distanz von dem Geschehen selbst immer festere Formen und einen immer weiteren Umfang annahm. Den konkreten Anstössen und historischen Beziehungen maß die spätere christliche Tradition kaum mehr Bedeutung bei. Aus den vielen Verfolgten wurden viele verfolgte Christen, aus Gefährdungen in Rom und Kleinasien die allgemeine Verfolgung" (205f).

[110] Vgl. Joh 5,23, wo Jesus einen vergleichbaren Satz zu den Juden sagt.

[111] Vgl. 2Kg 19,19 (= Jer 37,20); Dan 3,45 (LXX); Sir 36,4(f); JosAs 11,10f; SapSal 12,27.

[112] S.o. S. 189f.

"Wir sind nicht unehelich geboren; wir haben einen Vater: Gott" (Joh 8,41b). Nach dem eigenen Selbstverständnis war das *Volk Israel* Kind Gottes.[113] Dagegen scheint der 1Joh - ähnlich wie Joh 8 - Position zu beziehen, indem er die Gottes-kindschaft für die Glaubenden in Anspruch nimmt: "Seht, welche Liebe hat uns der Vater erwiesen, daß wir Gottes Kinder heißen sollen - und wir sind es auch" (1Joh 3,1a)! Die jüdische Gemeinde wird dabei vom 1Joh zum χόσμος hinzuge-zählt[114], da sie sich aus der subjektiven Sicht der Gemeindeglieder faktisch mit dem χόσμος arrangiert zu haben scheint. Zwischen Judentum und heidnischer Ob-rigkeit waren keine vergleichbaren Probleme aufgetreten wie zwischen heid-nischer Obrigkeit und johanneischer Gemeinde. Die synagogale Gemeinde war vom Kaiserkult befreit gewesen.[115] Von daher hat sich der 1Joh auch gegen die Tendenz zu wehren, daß Menschen sich nicht zur johanneischen Gemeinde, son-dern eben zur jüdischen Synagoge bekennen. Deshalb legt er auch besonderen Wert auf die Überzeugung, daß nur derjenige auch an Gott glauben kann, der auch an den Sohn Gottes glaubt (1Joh 2,23).

Das Problem der Apostasie taucht bereits im JohEv auf: In Joh 6,60-71 ist davon die Rede, daß sich viele der Jünger Jesu abwenden und nicht mehr mit ihm gingen (Joh 6,66). Auf diesem Hintergrund werden die Aussagen des 1Joh zu interpretie-ren sein.[116]

Die Auseinandersetzung mit Judenchristen, die wieder zur Synagoge zurückge-kehrt sind, ist also im 1Joh deutlich spürbar. Nach Auffassung des 1Joh gehören "die Juden" zum feindlichen χόσμος, den es zu überwinden gilt. Im JohEv wird "den Juden" attestiert, daß sie Jesu Wort nicht hören könnten (8,43); nach 1Joh 4,5.6 hört jeder, der nicht aus Gott ist, Gott nicht (vgl. Joh 8,47). Auch im JohEv begegnet die Auffassung, daß "die Juden" zum χόσμος gehören (Joh 8,23), doch im JohEv ist es eben noch nicht einfach "beschlossene Sache", sondern erweist sich an der Feindseligkeit "der Juden" gegenüber der johanneischen Gemeinde bzw. ge-genüber Jesus. Während das JohEv die Zugehörigkeit "der Juden" zum χόσμος lei-denschaftlich feststellt, setzt der 1Joh diese Tatsache - so jedenfalls stellt es sich dem Verfasser dar - leidenschaftslos voraus. Und wenn im 1Joh die Kinder Gottes und die Kinder des Teufels einander gegenübergestellt werden (1Joh 3,10), so wird dabei ein deutlicher Anklang an Joh 8,44 spürbar, wo "den Juden" von Jesus Teufelskindschaft attestiert wird.

---

113 Vgl. Hos 11,1-3; 2,1; Jes 1,2; 30,1f; 43,6; 45,10f; 63,7-64,11; Jer 3,4.14.19.22; 31,9.20; Num 11,12; 21,29; Dtn 1,31; 8,5; 14,1; 32,5f.18ff; Ex 4,22f; Mal 1,6; 2,10; 3,17; Ps 68,6f; 103,13; 3Makk 5,7; 6,3.28; Jub 1,28; 2,20; 19,29; 4Esr 6,28; PsSal 17,30; SapSal 9,4.7; 12,7.19-21; 16,21.26; 18,13; 19,6; Tob 13,4 und v.a. den Roman "Joseph und Aseneth".

114 Vgl. Joh 16,1-3, wo offenbar von Juden gesprochen wird, die Maßnahmen gegen die johannei-sche Gemeinde ergreifen, weil sie weder Jesu Vater noch Jesus selber erkannten (ἔγνωσαν), mit 1Joh 3,1b, wo es heißt, daß der χόσμος die Glaubenden nicht kennt, weil er Gott ("ihn") nicht kennt (ἔγνω). Auch 1Joh 3,1 selber deutet auf diesen Gedanken hin. Richtet sich 1Joh 3,1a gegen den jüdischen Anspruch, Kinder Gottes zu sein, und spricht dann 1Joh 3,1b von der Erkenntnislosigkeit des χόσμος, so gehört das Judentum nach Auffassung des 1Joh zum χόσμος hinzu. Unsere Vermutung bestätigt durch einen Vergleich von Joh 8,47, wo Jesus den Ju-den sagt, sie würden seine Worte nicht hören, weil sie nicht von Gott seien, mit 1Joh 4,5f, wo der Verfasser des 1Joh die Alternative aufstellt, entweder aus der Welt zu sein (V. 5) oder aus Gott zu sein (V. 6). Eine Kommunikation zwischen beiden ist nicht möglich.

115 Zwar war die jüdische Religion rechtlich nach wie vor im römischen Reich nicht anerkannt, doch faktisch in der Regel geduldet, vgl.o. S. 189-191.

116 Vgl. F. VOUGA, Johannesbriefe 47f.

Auf dem Hintergrund des johanneischen Dualismus sind Juden und heidnische Umwelt des 1Joh in gleicher Weise auf der Seite der Finsternis, des Teufels und der Lüge.[117]

"'Die Juden' in Joh 8"

Die skizzierte Ablehnung der Juden bzw. derjenigen Judenchristen, die durch ihre offene Distanzierung von der christlichen Gemeinde sich Konflikten mit der heidnischen Obrigkeit entziehen konnten, legt sich auch vom Johannesevangelium her nahe:

Dort werden die Juden als Teufelskinder bezeichnet (Joh 8,44). Über die antijüdische Polemik in Joh 8 ist eine breite Diskussion geführt worden. E. Gräßer hat hierbei die Vermutung geäußert, es handele sich bei den Juden in Joh 8 nicht um ein empirisches Volk, sondern um stilisierte Typen, die auf Grund des Gesetzes Jesus ablehnen: "die jüdische Feindschaft Jesus gegenüber ist ein *Symbol für den Haß der Welt*"[118]. Dagegen ist wiederholt Stellung bezogen worden. H. Thyen meint zu Gräßers These, "die Juden" im JohEv seien nicht bloß "ideale Typen", sondern das konkrete und mächtige Judentum in der Umgebung des Evangelisten, d.h. jede Kräfte, die mit der Führung des Lehrhauses von Jabne nach 70 sich als normative Lehrinstanzen durchzusetzen schienen. "Insofern handelt es sich bei den Aussagen über die Teufelskindschaft und Blindheit der Juden um 'Antijudaismus' im strengsten Sinn."[119]

Im Anschluß an H. Thyen hat auch K. Wengst versucht, diesen Antijudaismus mit der soziologischen Verfaßtheit der johanneischen Gemeinde in Zusammenhang zu bringen.[120] Dies ist vor allem in den beiden neuesten Beiträgen zu diesem Problemkreis der Fall. M. Brumlik[121] setzt die Stellen in Beziehung zu den drei johanneischen ἀποσυνάγωγος-Stellen (Joh 9,22; 12,42; 16,2). Der Ausschluß aus den Synagogen müsse die Jesusanhänger deshalb schwer getroffen haben, weil sie damit den Schutz der jüdischen Religion als *religio licita* verloren hätten. Damit waren sie "den damals durchaus üblichen Verfolgungen asiatischer Mysterienreligionen seitens der römischen Autoritäten ausgesetzt"[122]. Brumlik interpretiert diesen Synagogenausschluß also als "real traumatisierendes Ereignis"[123]. Auf diesem Hintergrund sei der johanneische Antijudaismus zu verstehen; die judenfeindlichen Aussagen seien Ausdruck paranoider Wahnvorstellungen, also Projektionen[124], da aktive Verfolgung von Christen durch Juden nach 70 und vor 135 n.Chr. keinen Anhalt an der soziopolitischen Realität hätten.

Auch E. Stegemann versucht, den johanneischen Antijudaismus auf dem Hintergrund der johanneischen Gemeinde und ihrer Umwelt zu interpretieren.[125] Seiner Überzeugung nach hat die Verteufelung der Juden im JohEv folgenden Hintergrund: Das Bekenntnis zu Jesus als Messias habe den Verdacht revolutionärer Absichten bei der heidnischen Obrigkeit wecken können. "Unter Umständen konnte ... ein Jesusanhänger einer Gerichtsverhandlung durch römische Behörden unterzogen und zur Hinrichtung verurteilt werden, sofern er bei seinem Bekenntnis zu Jesus als Messias blieb."[126] Zu solchen Prozessen mag es aber auch durch Denunziationen von Jesusanhängern durch Juden gekommen sein. Zum Synagogenausschluß sei es weniger aus Gründen der Orthodoxie, sondern vielmehr wegen der politischen und sozialen Gefährlichkeit des Bekenntnisses zu Jesus gekommen. Dem entspreche auch der Versuch im JohEv, die Christologie zu entpolitisieren, d.h. Pilatus wird bei der Hinrichtung Jesu nicht als Schuldiger dargestellt.[127] Wegen dieser (möglichen) Denunziationen bei römischen Behörden wird etwa in Joh 16,2 den Juden alle Schuld an der Unterdrückung der Christusbekenner gegeben.

Der Antijudaismus des Johannesevangeliums hat wohl in der Tat als Grund eine projektive Zurechnung allgemeinen allgemeinen Sozialdrucks an "die Juden". Dabei weist die pauschale Verteufelung der Juden im JohEv vorurteilshafte Züge auf. Im ersten Johannesbrief ist insofern eine Wendung eingetreten, als nicht mehr "die Juden" direkt angegriffen werden; vielmehr bekommen diejenigen die Aggression der Glaubenden zu spüren, die sich aus Gründen der Konfliktvermeidung von der Gemeinde distanzieren und sich offiziell wieder als Juden bezeichnen.

---

117 Vgl. die Redeweise von der συναγογὴ τοῦ σατανᾶ in Apk 2,9; 3,9; vgl. hierzu S. 207f.
118 E. GRÄSSER, Juden 169; vgl. DERS., Polemik 74-90 (= in: DERS., Text und Situation 50-69).
119 H. THYEN, Heil 180.
120 K. WENGST, Gemeinde (²1981; Neuauflage ³1990).
121 M. BRUMLIK, Johannes 102-113.
122 Ebd. 107.
123 Ebd. 107.
124 Vgl. ebd. 103.
125 E. STEGEMANN, Tragödie 114-122.
126 Ebd. 117.
127 Ebd. 118.

Daß mit der Vermutung, Volljuden seien aufgrund ihres Bekenntnisses zu Jesus als dem Messias aus der Synagoge ausgeschlossen worden, vorsichtig umzugehen ist, wird noch zu zeigen sein.[128]

Das JohEv macht die Handlungsweise derer, die sich von Jesus als dem Messias und damit von der christlichen Gemeinde distanzieren, transparent an der Petrus-verleugnung (Joh 13,36-38; 18,15-27).[129]

4.2 An der christlichen Gemeinde interessierte Menschen (Sympathisanten)

Die vorangegangene Untersuchung macht es wahrscheinlich, daß sich der 1Joh noch gegen eine weitere Handlungsweise wendet: Man hält sich zwar zur Gemeinde, wagt aber keine offene Solidarisierung[130] und leugnet im Zweifelsfall die Zugehörigkeit. Dadurch bekennen sich diese Menschen nicht zur johanneischen Gemeinde, obwohl sie sich für sie und das von ihr vermittelte Heil interessieren. Die mangelnde Solidarität dieser Menschen mit der Gemeinde, die glauben, Gemeinschaft mit Gott (1Joh 1,6), Sündlosigkeit (1Joh 1,8.10), Kenntnis von Gott (1Joh 2,4), Sein in Gott (1Joh 2,6) oder Sein im Licht (1Joh 2,9) haben zu können, ohne nach außen als Gemeindeglieder erscheinen zu müssen, macht dem Verfasser des 1Joh besonders zu schaffen. Es geht ihm in seinem Brief - wir sagten es bereits - um "Frontenklärung". Er möchte klarmachen, daß diese Menschen eben nicht zur Gemeinde gehören, möchte eine Trennungslinie zwischen sich und denjenigen ziehen, die sich gerne zur Gemeinde zählen, aber nicht entsprechend handeln, indem er seinen Adressaten die Überzeugung zu vermitteln sucht: "Diese sind auch nicht besser als der κόσμος, sie sind eher noch gefährlicher, weil sie die Solidarität der Gemeinde untergraben." Deshalb verwendet er zur Kennzeichnung der "Abweichler" äußerst grelle Farben: sie sind "πλανῶντες (1Joh 2,26; vgl. 3,7; 2Joh 7)[131] - ἀντίχριστοι (2,18)[132] - τέκνα τοῦ διαβόλου (1Joh 3,10; vgl. 3,8)[133] - ψευδοπροφῆται (4,1)[134] - ψεύσεις (2,4.22; 4,20)[135]".

Auf den Judas des JohEv trifft vergleichbare Charakterisierung zu. Nach außen hin ist er einer der Zwölf, wird aber für den Leser sofort als "διάβολος" denunziert

---

128 S.u. S. 197f.
129 Mit J. AUGENSTEIN, Liebesgebot 28, ist Joh 21 als "Restitution des Verleugners" anzusehen (vgl. ebd. Anm. 88). Zu vergleichen wäre 1Joh 5,16b; ähnlich wie Petrus könnte ein "Sünder zum Tode" restituiert werden; deshalb formuliert der 1Joh so vorsichtig.
130 Dabei kann nicht ausgeschlossen werden, daß es auch Vollmitglieder der Gemeinde gegeben hat, die sich später von ihr distanziert haben (1Joh 2,19).
131 Der Vorwurf "Verführer" hat ja eigentlich nur dann einen Sinn, wenn das, was sie tun und sagen, auf die "Rechtgläubigen" verlockend wirken kann. "Verführer" werden sie genannt, weil sie den Gemeindegliedern vorzuleben versuchen, daß man auch ohne eindeutiges Bekenntnis zu Christus und Gemeinde Gottesgemeinschaft und damit das Heil haben könne. Inwiefern diese Lebensweise eventuell Vorzüge haben kann gegenüber einem eindeutigen Bekenntnis zu Jesus als dem Christus und damit zu einem eindeutigen Bekenntnis zur Gemeinde, vgl. den Abschnitt 3. "Sozialgeschichtliche Verortung", o. S. 185-192.
132 Zur Bezeichnung "ἀντίχριστος" s.u. S. 203-206.
133 "Τέκνα τοῦ διαβόλου" werden die "Abweichler" genannt, um ihre gänzliche Andersartigkeit gegenüber den "wahren" Gemeindegliedern zu unterstreichen. Der Ausdruck entspringt dem vom Verfasser des 1Joh vorausgesetzten Dualismus von Gott und Teufel bzw. Gemeinde und Welt.
134 S.u. S. 204f, Anm. 193.
135 Dabei ist nicht stets an die gleiche Situation gedacht, in der die "Abweichler" lügen: In 1Joh 2,4 und 4,20 lügen die "Abweichler" offenbar den Glaubenden gegenüber, wenn sie behaupten, sie würden Gott kennen (2,4) oder sie würden Gott lieben (4,20). In Joh 2,22 ist die Lüge vor Außenstehenden gemeint. Wer vor Außenstehenden leugnet, daß Jesus der Christus ist, bekennt sich nicht zur Gemeinde.

(Joh 6,70f)[136]. Ähnliches ist in bezug auf die "Antichristen" zu vermuten, die in 1Joh 3,10 auch "τέχνα τοῦ διαβόλου" genannt werden. Diejenigen, die die Gemeinde von sich aus verlassen haben, waren für den Verfasser des 1Joh noch genau bestimmbar gewesen; anders ist es bei denjenigen, die sich selbst zur Gemeinde zählen, doch kein offenes Bekenntnis wagen. Damit gibt es für beide im 1Joh bekämpfte Verhaltensweisen literarische "Vorbilder" im JohEv: Petrus und Judas. "Die Parallelisierung der Ankündigung des Judasverrates mit der Petrusverleugnung legt den Schluß nahe, daß anhand von Judas und Petrus die falsche Jüngerschaft thematisiert wird. Denn diese beiden parallelen Blöcke rahmen das Liebesgebot als Erkennungszeichen der Jüngerschaft Jesu (V. 35) ein."[137]

Deshalb liegt dem Verfassers des 1Joh auch so daran festzustellen, woran es sich erkennen läßt, wer tatsächlich zur Gemeinde gehört - und wer sich nur zu ihr hält, um Anteil am Heil zu bekommen, im Zweifelsfall aber keine Solidarität übt. Wenn diese so charakterisierten "Abweichler" sagen, sie würden Gott kennen (1Joh 2,4), so stellt der 1Joh als Bedingung für die Gotteskenntnis das Befolgen der Gebote Gottes (1Joh 2,3; vgl. 4,7b: "Wer liebt, der ist aus Gott geboren und kennt Gott."). Ähnlich ist seine Argumentation, wenn er auf das "Sein in Gott" zu sprechen kommt (1Joh 2,5f): "Wer sagt, daß er in ihm bleibt, der soll auch leben, wie er gelebt hat." Das Tun der Gerechtigkeit ist in 1Joh 2,29 und 3,10 Kennzeichen der Gotteskindschaft. Was der Verfasser des 1Joh mit den Wendungen "Tun der Gerechtigkeit", "Gottes Gebote halten" oder "Leben, wie er gelebt hat" meint, führt er in 1Joh 2,7-11 sowie in 3,14; 4,7 und 5,1f aus: Es ist vor allem die Liebe zum Bruder, die der 1Joh gegenüber seinen Gegnern wieder und wieder einschärft. Die Bruderliebe als Kennzeichen derer, die zur wahren Gemeinde gehören (1Joh 3,14; 4,7; 5,1f), meint jedoch nichts anderes als die Solidarität mit den Gemeindegliedern auch nach außen. Wer sich nicht solidarisch verhält, kann noch so sehr seine Zugehörigkeit zur Gemeinde betonen, er gehört im Grunde nicht dazu: "Kindlein, laßt uns nicht lieben mit Worten noch mit der Zunge, sondern mit der Tat und mit der Wahrheit" (1Joh 3,18)! Menschen, die sich nur mit Worten zur Gemeinde bekennen, haben also - so der 1Joh - nichts in ihr verloren. So zieht der 1Joh die Grenze scharf zwischen denjenigen, die sich zur Gemeinde bekennen, gerade wenn die Gemeinde in einer Situation äußeren Drucks steht, und denjenigen, die gerne am Heil, das die johanneische Gemeinde für sich in Anspruch nimmt, partizipieren möchten, doch nach außen ihre Zugehörigkeit zur Gemeinde so gut wie möglich verschleiern möchten, um keinen Anstoß zu erregen. Ist diese Frontstellung des 1Joh exegetisch wahrscheinlich gemacht, so haben wir nach religionsgeschichtlichen Analogien zu fragen.

"Die φοβούμενοι *und das Johannesevangelium"*

Eine vergleichbare Haltung ist von den sog. "Gottesfürchtigen" oder "φοβούμενοι" gegenüber den jüdischen synagogalen Gemeinschaften bekannt. "Gottesfürchtige" scheinen zahlenmäßig mit den Proselyten vergleichbar gewesen zu sein.[138] H. Hegermann charakterisiert diese für die Entfaltung des Christentums äußerst wichtige Gruppe so: "Ihr Anschluß an die Synagoge war insofern partiell, als sie sich nicht der Beschneidung unterzogen und nur ausgewählte Ritualgebote beobachteten. Ande-

---

[136] Vgl. Joh 13,2.27.30; 17,12; die Verbindung von ἀντίχριστος und Judas stellt H.-J. KLAUCK, Antichrist 242, her.

[137] J. AUGENSTEIN, Liebesgebot 26 vgl. ebd. 29.

[138] Vgl. F. SIEGERT, Gottesfürchtige 163. SIEGERT gibt hier auch eine genaue Charakterisierung der φοβούμενοι.

rerseits war dieser Anschluß in der Sache total, wenn sie sich, wie der Name zeigt, von aller heidnischen Götterverehrung abgewandt hatten, um fortan allein dem wahren, lebendigen Gott zu dienen."[139]

Diese "Gottesfürchtigen" spielten bei der Ausbreitung des Christentums eine besondere Rolle.[140] In Act 10f wird die Bekehrung des heidnischen Hauptmanns Cornelius berichtet, der ausdrücklich als "εὐσεβὴς καὶ φοβούμενος τὸν θεόν" (Act 10,2) bezeichnet wird. Paulus redet in seinen Synagogenansprachen der Apostelgeschichte grundsätzlich die Juden und die Gottesfürchtigen an (Act 13,26; vgl. 14,1; 16,14; 17,17; 18,7): "Ἄνδρες ἀδελφοί, υἱοὶ γένους Ἀβραὰμ καὶ οἱ ἐν ὑμῖν φοβούμενοι τὸν θεόν." Die Tatsache, daß in Act 17,4 davon gesprochen wird, von Paulus sei eine große Menge der gottesfürchtigen Griechen (τῶν σεβομένων Ἑλλήνων πλῆθος πολύ) bekehrt worden, legt nahe, daß mit dem Ausdruck "οἱ Ἕλληνες" in Joh 7,35 und 12,20 auch "Gottesfürchtige" im Blick sind.[141] Vielleicht ist im JohEv der Ausdruck "οἱ Ἕλληνες" generell die Bezeichnung für die Gottesfürchtigen geworden.

Im Johannesevangelium wird auch von Menschen gesprochen, die ein öffentliches Bekenntnis zu Jesus nicht wagen. Die drei ἀποσυνάγωγος-Stellen (Joh 9,22; 12,42; 16,2) des JohEv sind wohl kaum vom Synagogenbann her zu erklären. Dieser diente innerhalb der Synagoge als Zuchtmittel und war von daher zeitlich begrenzt.[142] Volljuden selbst konnten nicht auf Dauer aus der Synagoge ausgeschlossen werden.[143]

Der Synagogenausschluß wird aber von den meisten Exegeten in Zusammenhang gebracht mit der Einfügung der 12. Bitte, der *birkat ham-minim,* in das Achtzehngebet[144] zur Zeit Gamliels II. nach 90 n.Chr. in Jabne.[145] Daß jedoch die Formulierung der *birkat ham-minim* durch Schmuel den Kleinen sich in erster Linie gegen Christen gerichtet hat, ist - nach G. Stemberger - "aus historischen Gründen unwahrscheinlich. Die (Juden-)Christen dürften im Einflußbereich von Jabne kaum so bedeutend gewesen sein, daß sich die jüdischen Gelehrten speziell damit befassen mußten."[146] Darüber hinaus bezweifelt Stemberger, daß es im Judentum der damaligen Zeit überhaupt eine Orthodoxie gegeben habe, von der sich eine Häresie unterschieden haben könnte.[147] Seiner Meinung nach wurde ein Judenchrist, der sich zu Jesus als dem Christus bekennt, "nicht deswegen gebannt, weil er von der jüdischen Rechtgläubigkeit abweicht - das Bekenntnis zu einem Messias ist im Judentum keine Glaubensfrage ... -, sondern weil er die einheitliche Disziplin durchbricht und so der Gemeinschaft gefährlich werden kann."[148] Nach Stemberger ist also "die Bedeutung der *birkat ha-minim* für

---

[139] H. Hegermann, Judentum 349f.

[140] Zur Diskussion über die Historizität der "Gottesfürchtigen" vgl. F. Siegert, Gottesfürchtige 109-164, der die Belege für die Gottesfürchtigen sämtlich untersucht und diese als Menschen, die ernsthaft an der jüdischen Religion interessiert sind, von den "Sympathisanten", d.h. denen, die irgendwelche jüdischen Bräuche nachahmen oder politisch bloß den Juden wohlgesinnt sind, unterscheiden möchte. Vgl. auch K. Romaniuk, Gottesfürchtigen 66-91. Vgl. hierzu besonders v.a. A.T. Kraabel, Disappearance 113-126; ders., Diaspora 445-464; ders., Greeks 147-157, der die Existenz dieser Gruppe in Zweifel zieht; dagegen bezieht im selben Aufsatzband J.G. Gager, Jews 91-99, dezidiert Stellung, ähnlich T.M. Finn, God-fearers 75-84.

[141] Vgl. E. Schürer, Geschichte III 174f. Dagegen A.T. Kraabel, Disappearance 120f, der der Überzeugung ist, daß die Apostelgeschichte mit ihren Belegen der "Gottesfürchtigen" lediglich zeigen möchte, daß das Christentum eine Weltreligion wurde ohne die biblischen Wurzeln zu verlieren, und nicht auf welche Weise das Christentum eine Weltreligion wurde.

[142] Vgl. K. Wengst, Gemeinde (³1990) 89; W. Stegemann, Synagoge 140.

[143] Vgl. H.P. Strack/P. Billerbeck, Kommentar IV 293-333, bes. 297.328: Auch der "verschärfte Bann" ist nicht unlösbar gewesen.

[144] Vgl. K. Wengst, Gemeinde (³1990) 90, Anm 51. In der dritten Auflage seiner Monographie über das Johannesevangelium stellt Wengst ausdrücklich fest, es sei "sicher nicht angemessen", eine direkte Verbindung zwischen den ἀποσωνάγωγος-Stellen des JohEv und der Einfügung der 12. Bitte der *birkat ham-minim* in das Achtzehngebet herzustellen (90). Die *birkat ham-minim* gehöre aber "in den größeren Kontext, der das 'Klima' in der Zeit und Umwelt des Johannesevangeliums bestimmte" und sei deshalb in diesem Zusammenhang zu besprechen (90). Eben diese relativierenden Sätze fehlen noch in der zweiten Auflage, wodurch ein direkter Zusammenhang zwischen ἀποσυνάγωγος-Stellen und "Ketzersegen" hergestellt wird. Wengst drückt sich also in der dritten Auflage wesentlich vorsichtiger aus als noch in der zweiten (1983) (vgl. 52-61 der zweiten Auflage mit 89-104 der dritten Auflage); vgl. auch J. Blank, Irrlehrer 168: "Hier kann es sich m.E. nur um den 'Großen Synagogenbann' handeln gegenüber den 'Minim' ..."

[145] Vgl. W. Wiefel, Scheidung 226.

[146] G. Stemberger, Synode 17; vgl. auch M. Hasitschka, Anmerkungen 60-63.

[147] G. Stemberger, Synode 17.

[148] Ebd. 18.

die Trennung von Kirche und Synagoge nicht gesichert"[149]. Wenn nun tatsächlich die Einfügung der 12. Bitte in das Achtzehngebet nicht mit den ἀποσυνάγωγος-Stellen des JohEv in Verbindung zu bringen ist, so ist zu fragen, welche Vorgänge hinter diesen drei Stellen im JohEv zu vermuten sind. In Joh 9,22 wird gesagt, daß sich die Eltern des Geheilten vor "den Juden" fürchteten (ἐφοβοῦντο τοὺς Ἰουδαίους), da "die Juden" sich bereits geeinigt hätten, daß, wenn einer ihn als Christus bekennen würde (ὁμολογήσῃ χριστόν)[150], würde er aus der Synagoge ausgeschlossen (ἀποσυνάγωγος γένηται). Auffällig ist, daß die "Eltern" in Joh 9,22 "den Juden" gegenübergestellt werden. Dies deutet darauf hin, daß nur diejenigen aus der Synagoge ausgeschlossen werden konnten, die im Grunde (noch) gar nicht zur Synagoge zählten, nämlich die "Gottesfürchtigen". Auch Joh 12,42 macht diese Deutung wahrscheinlich. Hier wird gesagt, daß viele von den "Oberen" (ἐκ τῶν ἀρχόντων πολλοί) zwar an ihn glaubten, es aber wegen der Pharisäer nicht bekannten, um nicht aus der Synagoge ausgestoßen zu werden. "Gerade unter den Sympathisanten des Judentums fanden sich ja eher hochgestellte Persönlichkeiten."[151] Ein dauernder Ausschluß konnte nur bei denjenigen geschehen, die von vornherein keine Vollmitglieder der Synagoge waren, also bei den sog. "Gottesfürchtigen" (φοβούμενοι).[152]

Was mit den φοβούμενοι im JohEv in bezug auf die Synagoge geschieht, geschieht im Prinzip also *mutatis mutandis* im 1Joh mit ihnen auch in bezug auf die christliche Gemeinde: sie sollen ausgeschlossen werden (vgl. Joh 9,22; 12,42; 16,2). Die bloßen Sympathisanten der Gemeinde sollen nach dem Willen des Verfassers des 1Joh - wenn man das so sagen kann - "ἀπ-ἐκκλησιαστικοί" werden.

Festzuhalten bleibt: Zur Zeit des ausgehenden ersten Jahrhunderts, als die Trennungslinie zwischen christlicher Gemeinde und jüdischer Synagoge noch nicht eindeutig gezogen war, war die Quasi-"Doppelmitgliedschaft" in der christlichen Gemeinde und in der jüdischen Synagoge historische Vorgabe.[153] Vor allem viele von den sog. Gottesfürchtigen, die sich zur jüdischen Synagoge hielten, lernten so die sich herausbildenden christlichen Glaubensinhalte kennen. Mit der allmählichen genauen Profilierung eines Christentums bzw. christlicher Gemeinden wurden dann aber gerade diese Leute vor die Entscheidung gestellt: Orientierung entweder an der Kirche oder an der Synagoge. Diese Entscheidung wurde eben jenen φοβούμενοι von beiden, von jüdischer Synagoge wie von christlicher Gemeinde, abverlangt. Die Unentschlossenen unter ihnen riskierten es, auf Dauer aus beiden Gruppen herausgedrängt zu werden. Bezüglich der Synagoge ist diese Handlungsweise in Joh 9,22; 12,42; 16,2[154] belegt; und nach 1Joh ist in der christlichen Gemeinde ähnlich verfahren worden, da das unentschlossene Verhalten den Zusammenhalt der Gemeinde gefährdete.

---

149 Ebd. 19; zwei Jahre vor STEMBERGER hat bereits P. SCHÄFER, Synode 54-64.116-124, die Bedeutung der *birkat ham-minim* für die Trennung von Kirche und Synagoge in Zweifel gezogen. Allerdings wandte er sich nur gegen die "einseitig apologetische Fixierung auf die Judenchristen" (ebd. 61). Zweck der *birkat ham-minim* sei es gewesen, analog zu allen anderen Benediktionen des Achtzehn-Bitten-Gebets "Gott um Befreiung von den politischen Bedrückern und um Vernichtung der Häretiker zu bitten" (ebd. 61). Daß Judenchristen davon betroffen waren, war wohl nur ein Nebeneffekt. SCHÄFER hält - anders als STEMBERGER - die Existenz einer jüdischen Orthodoxie für möglich.

150 Vgl. die Bekenntnisformeln in 1Joh 2,22; 4,2f; 2Joh 7: es geht um das Bekenntnis zu Jesus als dem Christus.

151 W. STEGEMANN, Synagoge 141; vgl. ebd. Anm. 149; einziges größeres Problem ist die Deutung von Joh 16,2. Hier spricht Jesus die Jünger an, wenn er sagt: "Sie werden euch aus der Synagoge ausstoßen." Denkbar wäre, daß durch den Synagogenausschluß derjenigen "Gottesfürchtigen", die sich offen zu Jesus als dem Christus bekannten, sich die ganze Gemeinde als von der Synagoge ausgeschlossen betrachtete, unbeschadet der Tatsache, daß sie sich bereits selbst von ihr getrennt hatte.

152 Die hier vorgetragene Deutung der ἀποσυνάγωγος-Stellen schließt sich an W. STEGEMANN, Synagoge 141, bzw. Pfarrer E.Reicholds Äußerungen (vgl. ebd. Anm. 149) an.

153 S.o. S. 190.

154 Vgl. W. STEGEMANN, Synagoge 139-142.

Dank der mangelnden Solidarität gegenüber der Gemeinde riskierten die nicht voll beitretenden Wohlhabenderen - sofern vorhanden - kaum eine Anzeige wegen *vita Iudaica*. Zudem konnten sie ihren Besitz für sich behalten (1Joh 3,17f; 4,20f) und kamen so nicht in den Verdacht, eine oppositionelle Gruppe gegen den Kaiser aufzubauen[155], wenngleich sie das Heil, das die christliche Gemeinde verkündigte, für sich in Anspruch nehmen wollten (1Joh 1,6a.8a.10a; 2,4a.6a.9a). Man wird davon ausgehen müssen, daß diese Menschen mit diesem Verhalten recht "gut gefahren" sind. Sie hatten von der Behörde nichts zu befürchten. Anders die christliche Gemeinde, die gegenüber einer derartigen Berechnung besondere Aggressionen freisetzte!

Der erste Johannesbrief entwickelt also für seine Gemeindeglieder eine Strategie, die zum Bekenntnis zu Jesus als dem Messias bzw. zum Bekenntnis der Zugehörigkeit zur Gemeinde aufruft. Dabei wird die ekklesiologische Ausrichtung des 1Joh deutlich: das Bekenntnis zur Zugehörigkeit zur Gemeinde (1Joh 3,11-18; 4,7-21) ist identisch mit dem Bekenntnis zu Jesus als dem Messias (1Joh 2,22-25; 4,1-6).

Eine weitere Beobachtung kann unsere Vermutung stützen: Im 3Joh wird ein innergemeindliches Problem verhandelt. Diotrephes[156] läßt es an der Bruderliebe mangeln (3Joh 9-11). Hier werden ganz andere Töne laut, als sie etwa nach 1Joh 2,11; 4,7 angeschlagen werden müßten. Im 3Joh wird diesem Diotrephes nicht die Geburt aus Gott (1Joh 4,7) oder der Wandel im Licht (1Joh 2,11) abgesprochen; es wird lediglich gesagt, daß der Presbyter ihn an seine Werke erinnern wolle, wenn er kommt. Soche innergemeindlichen Probleme werden also nicht auf den Dualismus "Licht - Finsternis; Kinder Gottes - Kinder des Teufels" o.ä. zurückgeführt. Diotrephes wird, obwohl er es an der Bruderliebe mangeln läßt, nicht in den κόσμος "hinausgedrängt", sondern man versucht, mit ihm zu reden.

Anders als Diotrephes sind die "Sympathisanten" gar nicht in die Gemeinde integriert, sie geben es nur vor. Echte innergemeindliche Probleme werden mit anderen Mitteln gelöst als Probleme, die die Gemeinde mit in Wahrheit Außenstehenden hat.

Wir haben bereits oben auf die Ähnlichkeit hingewiesen, die wir in bezug auf das soziale Umfeld zwischen dem 1Joh und JosAs vermuten.[157] Was die Gegnerschaft von JosAs anlangt stützen wir uns auf das Ergebnis der Analyse von D. Sänger[158]: "Die hier zu Wort kommende bzw. anvisierte Gemeinde sieht sich einer doppelten Frontstellung gegenüber. Zum einen gibt es nichtjüdische Kräfte, die ihre Existenz gefährden. Auf der anderen Seite wird diese Gefahr von innen heraus verstärkt, indem geborene Juden aus Opportunitätsgründen oder auch aus anderen Motiven heraus mit den antijüdischen Kräften paktieren."[159] Auch was die Gegnerschaft angeht, ist die Parallelität des 1Joh mit JosAs verblüffend. Hier wie dort droht

---

155   Vgl. oben Gliederungspunkt 3.2 Christliche Gemeinde und regionale Oberschicht; o. S. 186f.
156   Alle drei Namen, die der 3Joh nennt (Diotrephes, Gajus und Demetrius weisen auf griechischen und das heißt heidenchristlichen Hintergrund. "Διοτρέφης" heißt "der von Zeus Ernährte". Wir können so davon ausgehen, daß der Mann dieses Namens ursprünglich noch Heide war und erst später sich der Gemeinde angeschlossen hat.
157   S.o. S. 41.
158   D. SÄNGER, Erwägungen 86-106.
159   Ebd. 100.

Gefahr von außen und von innen. Die Gotteskindschaftsmotivik bietet sich gerade in Krisenzeiten für bestimmte Gruppen als Maßnahme zur Binnenstabilisierung an.

4.3 Die Opposition zum κόσμος

Für die These, daß der 1Joh gegen starke zentrifugale Kräfte zu kämpfen hat, spricht seine Opposition zum κόσμος. Der 1Joh warnt vor der Liebe zur Welt oder zu weltlichen Gütern; er warnt konkret vor der Begierde des Fleisches (ἐπιθυμία τῆς σαρκός) und der Begierde der Augen (ἐπιθυμία τῶν ὀφθαλμῶν) und der Protzerei des Lebens (ἀλαζονεία τοῦ βίου - 1Joh 2,16). Dazu meint R. Schnackenburg: "Hinter den drei Wendungen darf man keine Systematik vermuten. Sie illustrieren, aber schematisieren nicht."[160] Der Ausdruck "ἡ ἐπιθυμία τῆς σαρκός" erinnert an den Prolog des JohEv, wo vom "θέλημα σαρκός" die Rede ist (Joh 1,13). Der Wechsel von "θέλημα" zu "ἐπιθυμία" erklärt sich daraus, daß 1Joh 2,16 einen pejorativen Akzent setzt. Der Verfasser des 1Joh hat hier den Geschlechtstrieb im Auge, der durch den κόσμος nicht gezügelt wird. "Als *typisch heidnische Laster* gelten der jungen Christenheit gerade die sexuellen Exzesse und Perversionen."[161] Also scheint nicht nur 1Joh 5,21 vor dem Heidentum zu warnen, sondern auch 1Joh 2,16. Mit der Warnung vor der Begierde der Augen ist nicht nur das Begehren fremden Besitzes intendiert, sondern auch das sexuelle Begehren. Zur Warnung vor der ἀλαζονεία meint Schnackenburg: "Die ἀλαζονεία führt zu jener selbstgefälligen gottfernen Geistesverfassung, die man Hoffart nennt."[162] Auch die Warnung davor findet sich in der allgemeinen urchristlichen Sittenlehre, die Jesu Warnung vor dem Reichtum aufnimmt.[163]

Warnungen werden nur dann ausgesprochen, wenn das, wovor gewarnt wird, auf den ersten Blick anziehend wirkt. Im 1Joh wird die Warnung zusätzlich dadurch unterstützt, daß das anziehend Wirkende abgewertet wird.

Diese Warnung vor der Welt und allem, was in der Welt ist[164], läßt sich auf folgendem Hintergrund verstehen: viele Menschen haben die Gemeinde verlassen und sich (wieder) in den κόσμος begeben. Im Gegensatz zu dem Leben als Christusbekenner innerhalb der Gemeinde hat das Leben als heidnischer "Normalbürger" den Vorteil, ohne äußeren und inneren Druck leben zu können. Weder ist die Gefahr einer Anzeige gegeben, noch müssen die Heiden ihre "ἐπιθυμία" zügeln.

Begründet wird die Warnung vor der Welt mit deren Vergänglichkeit. Damit wird deutlich: Es mag dem, der sich nicht daran hält, zwar äußerlich besser gehen; äußerlich kann er sich zwar aus der Todesgefahr gerettet haben, doch er geht des Lebens verlustig. Wer aber den Willen Gottes tut, bleibt in Ewigkeit (μένει εἰς τὸν αἰῶνα - 2,17). Ewiges Leben gibt es nur innerhalb der Gemeinde, gibt es nur für diejenigen, die aus Gott geboren sind. Sie sind diejenigen, die nicht sündigen, die

---

[160] R. SCHNACKENBURG, Johannesbriefe (⁷1984) 128.
[161] Ebd. 113, Hervorhebungen im Zitat vom Verfasser; vgl. Röm 1,24ff; 1Kor 6,9; 1Thess 4,5; 1Tim 1,10; Did 2,2; Barn 19,4; Athenagoras 13,19 u.a.
[162] R. SCHNACKENBURG, Johannesbriefe (⁷1984) 130.
[163] Vgl. v.a. Mk 10,23ff par.; Lk 6,24; 11,41; 12,15.16-21.33; 14,12-14; 16,9.19-31.
[164] Traditionsgeschichtliche Parallelen finden sich hierzu in der Weisheitsschrift aus der Kairoer Geniza (WeishKairGen) Kap. 1,16a: "Wer Gefallen findet an dieser Welt, wird die zukünftige Welt nicht finden." Vgl. auch WeishKairGen 3,3.8; 4,11-14 (vgl. hierzu K. BERGER, Weisheitsschrift 64.123.167.174.227.230).

also Gottes Willen tun. Die Welt wird also schon in 2,15-17 von der Gemeinde geschieden. Wer sich ihr zuwendet, trennt sich von der johanneischen Gemeinde und hat nicht Anteil am ewigen Leben. Wer aber sich weiter zur Gemeinde hält, der hat die Verheißung des ewigen Lebens (1Joh 2,25). Alles außerhalb der Gemeinde ist vergänglicher, feindlicher κόσμος.[165] 1Joh 2,15-17 richtet sich gegen einen *heidnischen* κόσμος, der auf die Gemeindeglieder eine Anziehungskraft ausübt (1Joh 5,21), der der 1Joh entgegenwirken möchte.

Schließlich läßt auch die Bitte des 1Joh, daß die Adressaten sich nicht wundern sollen, wenn sie von der Welt gehaßt werden (1Joh 3,13), auf den Druck schließen, der auf der Gemeinde lastet.[166] Die Gemeinde findet sich in feindlicher Welt vor. Einzige Möglichkeit, sich dieser Feindschaft zu entziehen, wäre die offene Distanzierung von der Gemeinde oder die versteckte Zugehörigkeit zu ihr.[167]

4.4 Die Opposition zur römischen Obrigkeit

4.4.1 Der Kaiser als *pater patriae*

K. Möller hat den Zusammenhang zwischen Gottesprädikationen und den Bezeichnungen der römischen Kaiser aufgezeigt.[168] Schon bevor im Jahre 2 v.Chr. Augustus offiziell als erster römischer Kaiser den Ehrentitel *"pater patriae"*[169] beigelegt bekam, wurde diese Bezeichnung in der Literatur auf ihn immer wieder angewendet.[170] Seit dem Jahr 2 v.Chr. taucht die Bezeichnung *"pater patriae"* dann in der vollständigen Titulatur auf: *"Imperator Caesar Augustus p.m. cos.* XII *tr.p.* XXI *p.p."*[171] Alle auf Augustus folgenden Kaiser haben dann diesen Ehrentitel geführt. Ehe der Titel in die offizielle Anrede der Kaiser aufgenommen wurde, hatte er schon eine Entwicklung durchgemacht, die noch feststellbar ist. A. Alföldi hat dargelegt, daß die Beilegung des Titels *pater patriae* für herausragende Personen ursprünglich Rettern aus der Kriegsnot zuteil wurde. "So wurde Camillus wegen der Bekämpfung der Keltengefahr *pater patriae* genannt."[172] Im Hintergrund steht der Gedanke, daß die Rettung der Heimat und des Volkes aus der drohenden Hand des Feindes einer Neugründung gleichkommt. Ein solcher Retter des Volkes wurde insofern in Kontinuität mit Romulus, dem Gründer der Stadt, gesehen und konnte als *pater patriae* bezeichnet werden. Alföldi meint zu diesem Befund: "Die Beschränkung der Landesvaterschaft auf den Monarchen ... hat jedoch auch

---

165 Hingewiesen sei auf die These K. HAACKERs, Jesus 182f, nach der "ὁ κόσμος" als *"negativer ekklesiologischer Begriff bei Johannes"* auftaucht. Dies ist vor allem für den ersten Johannesbrief zu vermuten, da hier der κόσμος negativer Gegenbegriff zur Gemeinde ist.

166 Dagegen H.-J. KLAUCK, Brudermord 161: "Wahrscheinlich ist die Sprache trotz ihrer Härte symbolisch zu verstehen. Erfahren wird der Haß der Welt momentan in erster Linie im Verhalten der Dissidenten, die der Briefautor in 4,5 dem Kosmos zuordnet."

167 Zum Problem des "πονηρός" (1Joh 2,13f; 3,12; 5,18f) s.u. S. 206-209.

168 K. MÖLLER, Götterattribute.

169 Vgl. Sueton, Leben des Augustus 58, der beschreibt, wie der Senat unter der Wortführung des Valerius Messala Augustus diesen Titel angetragen hat.

170 Unbestreitbar ist, daß der Vater-Titel schon vorher gebräuchlich war; vgl. Dio Cassius 55,10,10: "ἡ ἐπωνυμία ἡ τοῦ πατρὸς ἀκριβῶς ἐδόθη· πρότερον γὰρ ἄλλως ψηφίσματος ἐπεφημίζετο." Vgl. auch die Geschichte des Begriffs bei A. ALFÖLDI, Geburt.
Vgl. Horaz, der in einem im Winter 28 v.Chr. verfaßten Gedicht (C 1,2, Vers 50) Oktavian als *pater atque princeps* bezeichnet (vgl. K. MÖLLER, Götterattribute in ihrer Anwendung auf Augustus, 241f). K. MÖLLER, Götterattribute in ihrer Anwendung auf Augustus, bietet noch Belegstellen bei Ovid, die allerdings alle jünger als 2 v.Chr. sind.

171 Vgl. J. BLEICKEN, Sozialgeschichte 48.

172 A. ALFÖLDI, Geburt (MH 9 [1952]) 211; vgl. ebd. weitere Belege.

in dem Augenblick der Erlangung dieser Ausschließlichkeit das Oberhaupt des Staates von der übrigen Menschheit isoliert, es zu einem kosmischen Allvater erhoben, es nicht nur mit dem königlichen Fürsorger, sondern auch mit dem göttlichen Allvater und dem Staatsgründer-Lichtbringer gleichgesetzt. Die praktischen Verdienste des Retters verblassen, und die abstrakte Theorie gewinnt die Oberhand: statt des Augenblicks der Rettung drängt sich die zeitlose Retterschaft des Allmächtigen in den Vordergrund."[173] Durch diesen Titel sollte "Augustus nicht nur als sorgender Vater der Römer, sondern vor allem als der Neubegründer Roms und damit als zweiter Romulus hingestellt werden"[174].

Die Quellen belegen, daß Augustus sich diesen Titel nicht selbst beigelegt hatte, sondern daß dieser an ihn herangetragen wurde. Cassius Dio bezeugt, daß der Titel *"pater patriae"* die Autorität des Vaters über seine Kinder, aber auch wechselseitige Liebe und Respekt zwischen Herrscher und Beherrschten zum Ausdruck bringt.[175] Insofern galt also der Kaiser als *"pater (familias)"* in bezug auf den Staat. In dieser Weise hat Augustus sich auch selbst verstanden, wie es in den *"Res Gestae"* zum Ausdruck kommt (vgl. RG 9.2; 10.2; 12.1; 21.3; 25.2f; 34.1; 35.1). Dies hat auch E.S.Ramage herausgearbeitet: "The honors and general popularity that play such an important part in the *RG* (= *Res Gestae*) show that the emperor's subjects did indeed love and respect their beneficent father."[176] Deshalb ging er dazu über, die Institutionen der Republik "in eine Großform der Hausgemeinschaft" zu verwandeln.[177] Damit wird deutlich, daß das väterliche Verhältnis, das der Kaiser zu seinen Untertanen entwickelt hatte, "ein Faktor war, der die römische Gesellschaft schon immer maßgebend beeinflußt hatte" und auch "in seiner neuen universellen Anwendung willkommen geheißen" wurde.[178]

Der Titel *pater patriae* konnte darüber hinaus auch religiöse Implikationen tragen: Der Gedanke, daß der Kaiser als Vater seiner Untertanen parallelisiert werden konnte mit Jupiter als Vater der Götter, taucht in den "Fasti" des Ovid auf: "Diesen Namen hast du auf der Erde, welchen im hohen Äther Jupiter hat: du bist der Vater der Menschen, jener der Götter - *hoc tu per terras quod in aethere Iuppiter alto, nomen habes: hominum tu pater, ille deum*."[179] Der *pater patriae* ist *princeps* im Staat in gleicher Weise wie der Familienvater der erste in jeder Familie ist. Als solcher ist der *pater patriae* "the earthly counterpart of father Jupiter"[180].

Der Feststellung von H. Bengtsson ist zuzustimmen, daß dem Kaiser durch Beilegung des Titels *"pater patriae"* keine neuen Vollmachten zuteil wurden.[181] Rechtlich hatte der Titel also keine Bedeutung, doch die Macht des Kaisers, die durch ihn ausgedrückt wurde, war eminent.

---

173 A. ALFÖLDI, Geburt (MH 10 [1953]), 120f.
174 Ebd. 47.
175 53,18,3: "καὶ ἥ γε τοῦ πατρὸς ἐπωνυμία τάχα μὲν καὶ ἐξουσίαν τίνα αὐτοῖς, ἥν ποτε οἱ πατέρες ἐπὶ τοὺς παῖδας ἔσχον, κατὰ πάντων ἡμῶν δίδωσιν, οὐ μέντοι καὶ ἐπὶ τοῦτο ἀρχὴν ἐγένετο ἀλλ᾽ ἔς τε τιμὴν καὶ ἐς παραίνεσιν, ἵν᾽ αὐτοί τε τοὺς ἀρχομένους ὡς καὶ παῖδας ἀγαπῶσιν καὶ ἐκεῖνοί σφας ὡς καὶ πατέρας αἰδῶνται."
176 E.S. RAMAGE, Nature 105.
177 E.A. JUDGE, Gruppen 31.
178 Ebd. 32.
179 Fasti 2.131f; vgl. auch Ovid, Tristia 2.37-40 und Metamorphosen 15,858-860.
180 E.S. RAMAGE, Nature 108.
181 H. BENGTSON, Augustus 60.

Daß auch Domitian der Titel *pater* (*patriae*) beigelegt wurde, darf als sicher gelten.[182] Wie wir oben dargestellt haben, entwickelt der Verfasser des 1Joh ein Familienmodell, nach dem die Glaubenden Gottes Kinder sind - und Gott ist ihr Vater. So grenzen sich die Glaubenden von der heidnischen Gesellschaft dadurch ab, daß sie eine eigene Familie bilden, die sich durch die alleinige Vaterschaft Gottes auszeichnet, sie begeben sich in eine "innere Emigration". Die Liebe zur Welt schließt nach 1Joh 2,15 die Liebe zu Gott aus. Dieser Satz findet seine Entsprechung in der Anschauung, daß in gleicher Weise die Vaterschaft des Kaisers die Vaterschaft Gottes ausschließt.[183]

4.4.2 Der Kaiser als ὁ ἀντίχριστος (1Joh 2,18; 4,3; 2Joh 7)

Ein besonderes Problem ist der Ausdruck ὁ ἀντίχριστος (1Joh 2,18; 4,3; 2Joh 7).[184] Der erste Johannesbrief schwankt zwischen der Anschauung, der "Antichristus" sei eine einzige Person (1Joh 2,18a; 4,3; 2Joh 7) und der, daß es mehrere "Antichristusse" gibt (1Joh 2,18b). Diese Spannung hat sich in der weiteren Überlieferung durchgehalten. So stellt W. Bousset fest: "... die Überlieferung schwankt zwischen der Auffassung des Antichrist als eines vom Teufel regierten Menschen und seiner Identifikation mit dem Satan. Deutlich aber zeigt sich, dass die Auffassung desselben als einer übermenschlich gespenstisch-dämonischen Erscheinung weit verbreitet, uralt - vielleicht die ältere ist und so immer wieder hervorbricht."[185] Der Antichrist ist also der Ausgangspunkt der Antichristen; sie repräsentieren als Kollektiv den Antichristen bereits endgültig.[186]

Für die Gestalt des "Antichristus" - der Ausdruck ist vor der Abfassung der Johannesbriefe nicht nachweisbar - finden sich traditionsgeschichtliche "Vorläufer". Die Figur des endzeitlichen Widersachers Gottes taucht bereits im Danielbuch (7,2-8.16-27) auf. Die der eigentlichen Vision (Dan 7,2-8) beigefügte Deutung (Dan 7,16-27) erläutert, daß das elfte Horn des vierten Tieres Symbol für einen bestimmten frevelhaften König sei.[187] In Dan 7 wird der endzeitliche Widersacher Gottes also mit einem bestimmten König (Antiochus IV. Epiphanes) identifiziert. Auch in der Johannesoffenbarung weist die Schilderung des "Tieres aus dem Meere" (Apk 13) "antichristliche" Züge auf: dieses Tier lästert Gott (Apk 13,5f) und läßt sich selbst anbeten (V. 8), während das zweite Tier die auf der Erde

---

182 K. SCOTT, Cult 133f: "Martial calls Domitian *Ausonius pater* (IX,8,6), and Statius addresses him once as *pater* without qualification (*Silv.*, V,1,167), but otherwise with some qualification to mark him as the father of Rome or of the Roman world: *Ausoniae pater augustissimus urbis* (*Silv.*,IV,8,20); *Latiae pater inclitus urbis* (*Silv.* I,4,95); *pater invlitus orbis* (*Silv.*, III,4,48)."

183 Ähnlich erwartet die Apokalypse den Protest der Glaubenden gegen die heidnische Obrigkeit. Es geht etwa in Apk 18,4 darum, "daß die Christen als Bürger und Angehörige der Stadt Gottes (vgl. 21,2.10) sich von der Lebensweise der gottfeindlichen Stadt trennen und, gegen alle Verlockungen des Konformismus in ihr, allein ihrem Herrn gehorsam bleiben" (J. ROLOFF, Offenbarung 175).

184 Zur Geschichte der Anschauung vom Antichristen vgl. v.a. G.C. JENKS, Origins.

185 Antichrist 91.

186 Vgl. H. PREUSS, Antichrist 39.

187 Dieser König ist identifizierbar; es handelt sich um Antiochus IV. Epiphanes (175-164) (so N.W. PORTEOUS, Danielbuch 78; vgl. J. ROLOFF, Offenbarung 134). Dieser hatte im Jahr 169 den Jerusalemer Tempel geplündert und das Allerheiligste betreten (1Makk 1,21-23; 2Makk 5,15) Zugleich wurde während seiner Regierungszeit jüdischer Opferkult, Sabbatheiligung und Beschneidung verboten (1Makk 1,41-58). Dieser Antiochus IV. Epiphanes darf als Vorläufer der Figur des Antichristen angesehen werden.

wohnenden Menschen verführt (πλανᾷ - Apk 13,14; vgl. 2Joh 7!).[188] Die Hörner von Apk 13 sind nach Apk 17,12f und im Anschluß an Dan 7 mit Königen zu identifizieren.[189]

Der genaue Zusammenhang zwischen den Johannesbriefen und Apk 13 ist hier nicht von Interesse; fest steht allerdings, daß es in der Zeit des frühen Christentums *Machthaber* und keine Irrlehrer waren, hinter denen der endzeitliche Widersacher Gottes gesehen wurde.[190] Die Verwendung der Bezeichnung "Antichristus" weist also bereits darauf hin, daß der 1Joh sich nicht gegen wie auch immer geartete Irrlehre wendet.[191]

Auch die Bezeichnung "ψευδοπροφῆται"[192] (1Joh 4,1) fügt sich in dieses Bild des Antichristen. Das zweite Tier, das in Apk 13,12.14-16 auftaucht, wird in Apk 16,13;

---

188 Vgl. hierzu bes. J.-W. TAEGER, Johannesapokalypse 189. TAEGER konstatiert, daß das erste Tier in Apk 13 "zweifellos ... als Antichrist dargestellt (wird), nicht nur als Widergott (so z.B. V. 1.4 [vgl. Ex 15,11f!].6) wie seine 'Parallelisierung mit Christus' zeigt: vgl. etwa V. 1 mit 19,12; V. 2 mit 5,12; V. 3.12 mit 5,6; 1,18; V. 7 (Motiv des Kriegführens und Siegens) mit 19,11; 5,5; 17,14; V. 7 (die universale Anhängerschaft) mit 5,9; 7,9; V. 16f. (Kennzeichnung der Gefolgschaft) mit 14,1". Auch das zweite Tier aus der Erde trägt - wie TAEGER, ebd. 189, herausgefunden hat - "ebenfalls 'antichristliche' Züge". TAEGER, ebd. 191, sieht im 1Joh die Gegenspielergestalt in viele Antichristen aufgelöst, identifiziert dann diese Antichristen allerdings mit den "aus der Gemeinde hervorgegangenen Irrlehrer(n)" und sieht dadurch die den Adressaten vertraute Erwartung uminterpretiert.

189 Vgl. J. ROLOFF, Offenbarung 136.
    Nur bedingt paßt in diesen Zusammenhang 2Thess 2, wo eine konkrete aber nicht näher identifizierte menschliche Gestalt als Widersacher (ὁ ἀντικείμενος - V 4) bezeichnet wird, und Gott selbst die Macht der Verführung (ἐνέργεια πλάνης - V 11) schickt, um seine Gemeinde zu prüfen. Hier begegnet sogar die Warnung vor der Apostasie (ἡ ἀποστασία - V 3). In der Auslegungsgeschichte wurde in diesem Widersacher von 2Thess 2 häufig das römische Imperium gesehen (vgl. W. TRILLING, Thessalonicher 95-101). Das Motiv der Tempelschändung (vgl. 2Thess 2,4) findet sich bereits in Dan 9,27; 11,41; 12,11; dort bezieht es sich auf die Umwandlung des Tempels in ein Heiligtum des Zeus Olympios und die Aufstellung eines heidnischen Altares auf dem Brandopferaltar durch Antiochus IV. im Jahr 168/7 v.Chr. (vgl. auch den Versuch des Caligula im Jahr 41 n.Chr., ein Bild von sich im Tempel aufstellen zu lassen - Philo, legGai 188). Trotz dieser Parallelen wird heute auf eine genaue Identifizierung des ἀντικείμενος verzichtet (vgl. TRILLING ebd. 102: "Eine Beziehung ... auf den römischen Staat muß als ganz fernliegend und exegetisch abwegig gelten.").

190 Auch wirkungsgeschichtliche Aspekte der Antichristvorstellung lassen diese Theorie als eine mögliche erscheinen: man identifizierte vor allem übermächtige militärische Gegner mit dem Antichristus. So wurde etwa der Ausbruch der französischen Revolution und der anschließende Siegeszug Napoleons I. von der Antichristvorstellung her gedeutet (vgl. S. SEEBASS, Art. Antichrist IV. Reformations- und Neuzeit, TRE 3 [1978], 38f); und im Ersten Weltkrieg diffamierten sich die an ihm beteiligten europäischen Mächte wechselseitig als Antichristen (vgl. SEEBASS, ebd. 41). Die Identifikation des Antichristen mit gegnerischen Regierungen bzw. auch mit Kaisern ist also durchaus vorstellbar.

191 Dagegen G.C. JENKS, Origins 346f, der nicht einen Machthaber hinter dem ἀντίχριστος der ersten beiden Johannesbriefe vermutet: "Were it not for the occurrence of the word, the passage would probably not qualify for listing an an early Antichrist text and would, instead, have been considered under a category of its own since it dies not even seem to include an idea of an End-tyrant. ... There ist no parody of Jesus, such as the 'was, is not, shall be' parody of the *Nero redivivus* figure seen in Revelation. All that these epistles contribute to an understanding of the previous tradition history of the Antichrist myth is an awareness that there was instruction in Christian circles about an eschatological adversary, and (of great significance) the invention of the name, Antichrist". JENKS sieht also lediglich eine eschatologische Gestalt hinter der Figur des Antichristen und keinen realen heidnischen Machthaber.
    J. ERNST, Gegenspieler 168, bemerkt, daß jeder Hinweis auf die politische Ausprägung der Antichristgestalt (in den Johannesbriefen) fehle. Er sei nur als Irrlehrer gebrandmarkt. ERNST ist hier der Hypothese verpflichtet, der 1Joh richte sich gegen Häretiker; deshalb ist er gezwungen, die Antichrist-Gestalt in diese Theorie zu integrieren. Daß die Bezeichnung von Irrlehrern als Antichristen völlig singulär ist, scheint ERNST gar nicht zu berücksichtigen.

192 Die Tatsache, daß "ψευδοπροφῆται" ein eindeutig religiös besetzter Begriff ist, weist darauf hin, daß diejenigen, gegen die der 1Joh Position bezieht, mit ihrem Handeln, Denken und Reden noch etwas innerhalb der Gemeinde bewirken und sich nicht (gänzlich) von ihr distanzieren

19,29; 20,10 als ein Pseudoprophet bezeichnet. Nach M. Wolter weist diese Tatsache "auf die zweite traditionsgeschichtliche Wurzel des Bildes vom Antichrist, nämlich auf das Phänomen der sog. messianischen Propheten"[193]. Die Bezeichnung Pseudoprophet läßt also nicht darauf schließen, daß hier ein anderer (vielleicht ein Irrlehrer) als der Antichrist gemeint ist, sondern eher darauf, daß "das Bild des endzeitlichen Gewaltherrschers ... angereichert (wird) durch Elemente des Erscheinungsbildes der messianischen Propheten"[194].

Nähern wir uns dem Problem von einer anderen Seite! Um den Antichristus des 1Joh genauer identifizieren zu können, hat man sich zu fragen, gegen welche Gruppen von Menschen er Stellung bezieht. Das "Problem" des 1Joh - nämlich die Tatsache, daß Menschen sich nicht offen mit der Gemeinde solidarisieren und daß Menschen sich von der Gemeinde distanzieren - liegt begründet in der durch die römische Obrigkeit verursachten unsicheren Rechtslage der Christen. Die Grundursache der "Probleme" des 1Joh ist also diese Obrigkeit. Sie erweist sich mit ihrem Verhalten als der eigentliche Feind der Gemeinschaft der Kinder Gottes. Die römische Obrigkeit konzentriert sich aber in der Person des Kaisers Domitian, der sich nicht nur als *pater patriae*, sondern auch als *dominus et deus* verehren ließ.[195] *Der* Antichrist, also *der* Erzfeind Jesu und seiner Gemeinde ist also der Kaiser von Rom. Und alle, die sich mit ihm arrangieren, sind nach Auffassung des ersten Johannesbriefes ebenso Gegenspieler und Antichristusse. Unsere Deutung des Antichristus wird bestätigt durch 1Joh 2,18f. *Die* Antichristusse sind es, die die Gemeinde verlassen haben. *Der* Antichrist als Ausgangspunkt von ihnen ist aber im Grunde dafür verantwortlich - so die Überzeugung des 1Joh.

Dazu paßt auch die Terminologie, die der Verfasser des ersten Johannesbriefs wählt: Der Begriff "ἀντίχριστος" dient im 1Joh als Gegenpol zu "Χριστός", und der Begriff "ἀντίχριστοι" als Gegenpol zu den "χρῖσμα ἔχοντες", genauso wie die τέκνα τοῦ θεοῦ den τέκνα τοῦ διαβόλου gegenüberstehen. Der Kaiser als "Antichristus" ist der endzeitliche Widersacher Christi.

Die Antichristen gehören zum feindlichen κόσμος; ihre Gefährlichkeit besteht darin, daß sie innerhalb der christlichen Gemeinde wirken, sich selbst als Christen verstehen, daß aber ihre Handlungsweisen zersetzend und gefährlich für die Gemeinde sind. Wenn der 1Joh das Auftreten der Antichristen als das Kennzeichen der letzten Stunde (ἐσχάτη ὥρα) bezeichnet (2,18), rezipiert er damit nicht nur die überkommene Tradition des *end*zeitlichen Widersachers, sondern versucht zugleich bereits dadurch, die Situation für die Glaubenden zu deuten und zu entschärfen: Es hat ja so kommen müssen, und jetzt geht es darum, noch bis zum ἔσχατον durchzuhalten! Deshalb sagt auch 2Joh 8, nachdem er die Auffassung des

---

wollen, vgl. die Bezeichnung "οἱ πλανῶντες" bzw. die Bezeichnung "οἱ ψεύστεις"; die "Abweichler" lügen auch der Gemeinde gegenüber. Selbst traditionsgeschichtliche Herleitung aus Dtn 13 (vgl. Mk 13,22) muß nicht gegen die hier vorgetragene Interpretation von "ἀντίχριστος" sprechen.

193 M. WOLTER, Gegner 35.
194 M. WOLTER, ebd. 36.
     G. STRECKER, Antichrist 247ff, macht deutlich, daß der messianische Gegenspieler und der Lügenprophet den Menschen zur Lüge, Gesetzlosigkeit und schließlich zum Abfall von Gott verführen.
195 Vgl. T. OKURE, Approach 250: "In the Johannine Epistles, the 'antichrist' is literally one who opposes Jesus, the Christ, or puts himself in his place by denying and refusing to believe and confess Jesus as the Christ, and Son of God. The designation 'antichrist' is thus etymologically intended and most appropriately so."

Antichristen skizziert hat: "Seht euch vor, daß ihr nicht verliert, was wir erarbeitet haben, sondern vollen Lohn empfangt. - βλέπετε ἐαυτούς, ἵνα μὴ ἀπολέσητε ἃ εἰργασάμεθα ἀλλὰ μισθὸν πλήρη ἀπολάβητε." Dies ist eine deutliche Warnung davor, sich im κόσμος einzurichten, sich mit ihm zu arrangieren. Der "volle Lohn" kann mit 1Joh 2,17 auch als "Bleiben in Ewigkeit" bezeichnet werden (vgl. auch 1Joh 3,2).

Aus dem Sprachgebrauch des ersten Johannesbriefes läßt sich also auch eine Opposition zur römischen Obrigkeit ersehen. Die Warnung, sich vor den εἴδωλα zu hüten (1Joh 5,21), spricht ebenfalls dafür.[196]

4.4.3 Der Kaiser als ὁ πονηρός (1Joh 2,13f; 3,12; 5,18f)

Nach 1Joh 5,19 liegt der ganze Kosmos in dem Bösen: "καὶ ὁ κόσμος ὅλος ἐν τῷ πονηρῷ κεῖται." Im Griechischen (wie auch im Deutschen) kann zunächst nicht eindeutig gesagt werden, ob hier "πονηρός" eine maskuline oder eine neutrische Bedeutung hat. Doch wenn 1Joh 2,13f vom Sieg über *den* Bösen (τὸν πονηρόν) spricht, so wird auch in 1Joh 5,19 die maskuline Bedeutung vorliegen. Wer ist aber dieser πονηρός? K. Wengst stellt hierzu fest: "'Der Böse' ist im Urchristentum Bezeichnung des Teufels."[197] Auch die Bezeichnung "ὁ διάβολος" findet sich in 1Joh 3,8.10.[198] Warum redet aber der Verfasser in 1Joh 2,13f; 3,12 und 5,18f vom "πονηρός" und nicht vom "διάβολος"?

Zur Bestimmung des πονηρός sei von 1Joh 5,19 ausgegangen! Daß die Welt im Bösen liege heißt aber kaum etwas anderes, als daß die Welt unter der Macht des Bösen steht. Damit dürfte der Ausdruck "ὁ πονηρός" nichts anderes bedeuten als der im JohEv auftauchende "Fürst dieser Welt - ὁ ἄρχων τοῦ κόσμου τούτου" (Joh 12,31; 14,30; 16,11).

C. Levy-Strauss hat die These vertreten, daß sich in der paradigmatischen Struktur des Mythos die grundlegenden Konflikte einer Gesellschaft zeigen.[199] G. Theißen hat im Anschluß an C. Levy-Strauss für das JohEv die These eines "sozialmythischen Parallelismus" aufgestellt: "Den mythischen Ereignissen im Himmel korrespondieren irdische soziale Erfahrungen."[200] Der manifeste "Herrscher dieser Welt" und damit der Böse, in dem die Welt liegt[201], ist zur Zeit der Abfassung des 1Joh der Kaiser in Rom. Der πονηρός von 1Joh 2,13f; 3,12 und 5,18f hat von daher seine

---

196 Vgl. E. STEGEMANN, Kindlein.
197 K. WENGST, Brief 91.
198 Vgl. Joh 6,70; 13,2 und die Bezeichnung "ὁ σατανᾶς" in Joh 13,27.
199 C. LEVY-STRAUSS, Asdiwal 154-195; vgl. DERS., Anthropologie 226-254.
200 G. THEISSEN, Christentum 14. Nach THEISSEN ist der "Herrscher der Welt" das mythische Gegenstück zur Römerherrschaft" (15). THEISSEN erhärtet seine These durch den verweis auf den Prozeß Jesu vor Pilatus, wo Jesus sich als Gegenspieler des Weltenherrn erweist (Joh 19,63: "Meine Herrschaft ist nicht von dieser Welt. Wenn meine Herrschaft von dieser Welt wäre, würden meine Diener kämpfen, damit ich nicht den Juden ausgeliefert werde. Nun aber ist meine Herrschaft nicht von hier." - 15). Das Gespräch über die Abrahamskindschaft (Joh 8,30ff) dient als weiterer Beleg für die These, daß "die Juden" sich als "Agenten der Weltherrschaft" im JohEv erweisen, indem sie die Hinrichtung Jesu betreiben (Joh 8,37 - THEISSEN, ebd. 17). Für die Plausibilität von THEISSENs These spricht auch, daß in der "Himmelfahrt Jesajas" (AscJes 4,1-4) der römische Kaiser in ähnlicher Weise verteufelt wird. Aber auch das NT kennt die Dämonisierung des Kaisers. THEISSEN verweist hier auf die lukanische Versuchungsgeschichte (Lk 4,6) und auf die Johannesapokalypse (17).
201 Der 1Joh sagt wohlweislich nicht, daß die Welt *aus* dem Bösen ist.

irdische Entsprechung im heidnischen Kaiser Domitian, der sich selbst vergöttlicht hat.[202] Das Abhängigkeitsverhältnis derer, die sich von der Gemeinde distanzieren, und derer, die sich nicht offen zu Gemeinde bekennen möchten, vom "πονηρός" ist darin begründet, daß sie durch ihr Handeln die heidnischen "εἴδωλα" anbeten (vgl. 1Joh 5,21) und damit dem "πονηρός" huldigen.

J.E. Bruns[203] hat auf den Zusammenhang von 1Joh 2,13f und Joh 16,33 hingewiesen: "If we take ὁ πονηρός in the epistle to be, like the prince of this world in the gospel, primarily an agent of death, it is easier to correlate I John 5_{19} with John 16_{33}: the world, i.e., makind (sic!), lies subject to death unless it listens to the life-giving word of Jesus; if it listens, then it passes immediately from death to life (John 5_{24}) because Jesus has conquered death for those who are his."[204] In Joh 16,33 spricht Jesus davon, daß er die Welt besiegt hat ("ἐγὼ νενίκηκα τὸν κόσμον"). Vergleichbares wird in 1Joh 2,13f von den Glaubenden gesagt ("γράφω ὑμῖν, νεανίσκοι, ὅτι νενικήκατε τὸν κόσμον."). Darüber hinaus wird den Glaubenden in 1Joh 5,4 attestiert, auch sie hätten die Welt besiegt: "ὅτι πᾶν τὸ γεγεννημένον ἐκ τοῦ θεοῦ νικᾷ τὸν κόσμον· καὶ αὕτη ἐστὶν ἡ νίκη ἡ νικήσασα τὸν κόσμον." Wenn Jesus die Welt besiegt hat, haben es auch die Glaubenden. Sieg über die Welt heißt aber zugleich Sieg über den "Herrscher der Welt". Ist der "Herrscher dieser Welt" identisch, mit dem "Bösen", dann wird in 1Joh 2,13f genau das Gleiche über die Glaubenden gesagt, was Joh 16,33 von Jesus behauptet. Insofern kann der "πονηρός" die jungen Männer (νεανίσκοι) auch nicht antasten (1Joh 5,18; vgl. Joh 17,15).[205]

Wenn aber gesagt werden kann, die Glaubenden hätten (wie Jesus) die Welt (1Joh 5,4) bzw. ihren Beherrscher (1Joh 2,13f) besiegt, dann wird Jesu Prozeß vor Pilatus zum Vorbild für die Gemeindeglieder, dann müssen sie mit ähnlichen Prozessen rechnen wie der im JohEv dargestellte Prozeß Jesu. Überwindung der Welt geschieht im Prozeß Jesu durch das Wissen, selbst nicht aus dieser Welt zu sein (Joh 19,36), d.h. durch die Erkenntnis des Bösen und durch Verweigerung der Unterwerfung.

Die συναγωγὴ τοῦ σατανᾶ (Apk 2,9; 3,9)
Diese Interpretation des πονηρός in 1Joh 2,13f; 3,12; 5,18f bzw. des ἀντίχριστος in 1Joh 2,18; 4,3; 2Joh 7 paßt auch zur Rede von der συναγωγὴ τοῦ σατανᾶ in Apk 2,9; 3,9. Wenn die Vermutung W. Stegemanns richtig ist, daß hinter diesem Begriff aus der Johannesoffenbarung ein Verhalten von Synagogenmitgliedern steht, "die sich in einem Konfliktfall vor obrigkeitlichen Instanzen ausdrücklich als Juden bezeichnet haben (beachte die zweimal betonte Wendung: ἑαυτοὺς Ἰουδαίους εἶναι!), damit ihrerseits einem den Christen drohenden Konflikt entgangen sind"[206], so wäre auch hier hinter dem σατανᾶς der römische Kaiser zu suchen. Stegemann interpretiert nämlich den Begriff "συναγωγὴ τοῦ σατανᾶ" auf dem Hintergrund von Apk 2,13. Dort heißt es, daß die christliche Gemeinde dort wohne, wo der "Thron des Satans" steht. Dies müsse sich aber auf den Kaiserkult in Pergamon beziehen.[207] "Während nun die Christen mit dem 'Satan' qua Kaiserkult in Konflikt geraten (vgl. auch Apk 2,10), scheinen Juden diesen Konflikt vermeiden zu können unter Berufung auf ihr Judentum."[208] Aus der Sicht der christlichen Gemeinde haben sich damit die sich auf ihr Judentum beru-

---

202 In 1Joh 3,12 ist natürlich der Teufel im Blick. Von Kain kann wohl kaum behauptet werden, er stamme aus "Domitian".
203 J.E. BRUNS, Note 452.
204 Ebd. 452.
205 Vgl. ebd. 452: "Hence we may say that the personified representative of evil, whether he be called Satan (John 13 27), the devil (Joh 8 44; I John 2 13-14, 3 12, 5 18) or the prince of this world, is essentially a 'murderer', an agent of death."
206 W. STEGEMANN, Synagoge 143; vgl. ebd. 255-257.
207 Ebd. 256.
208 Ebd. 144.

fenden Juden(-christen) dem "Satan", d.h. dem römischen Staat und Kaiser, unterworfen. Diese Interpretation der συναγωγή τοῦ σατανᾶ fügt sich in das, was wir bereits über die "Fronten" im ersten Johannesbrief herausgearbeitet haben: Durch Berufung auf ihr Judentum können Judenchristen sich staatlichen Unterdrückungsmaßnahmen entziehen.[209] Die Tatsache, daß eine solche Handlungsweise von Juden(-christen) dazu führt, die jüdische Gemeinde als συναγωγή τοῦ σατανᾶ zu bezeichnen ist auf eine "Aggressionsverschiebung" zurückzuführen: Da die christliche Gemeinde rechtlich nicht abgesichert war, war sie nicht in der Lage, ihre Aggressionen gegen die heidnische Obrigkeit, die als Urheber der Konflikte primär Ziel der Aggressionen sein müßte, zu richten. So wurde die "Frontlinie" zwischen denjenigen gezogen, die den Konflikt mit der heidnischen Obrigkeit auf sich nahmen und denjenigen, die ihn zu umgehen suchten. Die heidnische Obrigkeit wurde nur verschlüsselt als ὁ ἀρχὼν τοῦ κόσμου, ὁ πονηρός, ὁ ἀντίχριστος, ὁ σατανᾶς denunziert. Hier wird deutlich, daß sich der Ton gegenüber der römischen Obrigkeit vom JohEv her über den 1Joh bis hin zur Apk verschärft.

Fassen wir kurz zusammen: Dem ersten Johannesbrief gilt in erster Linie der heidnische κόσμος als Feind. Diese Weltfeindschaft manifestiert sich in Opposition gegen die heidnische Obrigkeit und deren Handeln gegenüber der Gemeinde. Konsequenterweise wendet sich der 1Joh dann auch gegen alle diejenigen, die sich auf unterschiedliche Weise mit diesem κόσμος und der Obrigkeit zu arrangieren suchen, also gegen Apostaten (Judenchristen) und die Menschen, die sich nicht eindeutig zur Gemeinde bekennen (Heidenchristen).

Die Tatsache, daß im 1Joh der verbale Angriff auf die Obrigkeit verschlüsselt erfolgt, stellt den ersten Johannesbrief in die gleiche Tradition wie etwa die Johannesapokalypse (vgl. etwa Apk 13). Wahrscheinlich brach der skizzierte Konflikt allerdings erst gegen Ende der Regierungszeit Domitians richtig auf und wurde dann von der Apokalypse in vergleichbarer Weise theologisch aufzuarbeiten versucht.[210]

Als Hintergrund von 1Joh 4,17-19 können wir uns eine Gerichtsszene vor heidnischer Obrigkeit vorstellen. Hier ist auch die einzige Stelle im 1Joh, an der das Wort κρίσις auftaucht.[211] Selbst wenn auch vom Kontext her an das Endgericht[212] gedacht ist, muß das in 1Joh 4,17-19 entfaltete Szenario ein Vorbild in der Realität der Gemeinde haben: eine Gerichtsverhandlung vor der heidnischen Obrigkeit[213] mit einem Glaubenden als Angeklagten.

---

[209] Diese Beobachtungen sprechen dafür, daß zumindest der 1Joh und die Apk nicht nur in zeitlicher, sondern auch in räumlicher Nähe zueinander geschrieben worden sind; vgl. hierzu bes. J.-W. TAEGER, Johannesapokalypse, mit weiterer Diskussion.

[210] Vgl. A. LINSENMAYER, Stellung 462f.
Zum geschichtlichen Hintergrund des Corpus Johanneum vgl. auch die Ausführungen bei J. AUGENSTEIN, Liebesgebot 170-175.

[211] Vgl. Joh 5,22.24.29.30: Dort kommen die Gerechten gerade nicht ins Gericht (5,29). Vor einer heidnischen Obrigkeit jedoch riskieren gerade die "Gerechten" nicht nur eine Gerichtsverhandlung, sondern auch eine Verurteilung.

[212] Für diese Vermutung spricht 1Joh 2,28, wo von der παρρησία der Glaubenden gesprochen wird, "wenn er offenbart wird"; vgl. hierzu bes. J.-W. TAEGER, Johannesapokalypse 180-185.

[213] Nur hier (1Joh 4,17-19) taucht innerhalb des 1Joh die Furchtproblematik auf. Vergleicht man die Stellen im JohEv, an denen von der Furcht geredet wird, so kommt man zu folgendem Ergebnis: Über die Hälfte aller Belege handeln direkt von der Furcht vor den Juden (Joh 7,13; 9,22; 19,38; 20,19; auch Joh 19,8 gehört in diese Kategorie: Pilatus fürchtet sich, weil er von "den Juden" unter Druck genommen wird). Zweimal wird von einer Angst vor der Naturgewalt gesprochen (Joh 6,19f) und einmal allgemein ("μὴ φοβοῦ" in Joh 12,15) in dem alttestamentlichen Zitat von Sach 9,9. In gleicher Weise läßt sich also auch hier in 1Joh 4,17-19 vermuten, daß von einer Furcht wenn nicht vor "den Juden", so doch vor obrigkeitlichen Behörden, jedenfalls vor bestimmten Menschen geredet wird.

Endgericht oder Gericht vor der heidnischen Obrigkeit - in jedem Fall hat nach 1Joh 4,17-19 der bekennende Glaubende παρρησία.[214] Wer nicht an die Vergebungsfähigkeit Gottes in seinem Sohn glaubt, hat im Endgericht keine παρρησία (vgl. 1Joh 2,28).[215] Ebenso hat derjenige, der nicht die vollkommene Liebe (zu Gott und zu den Brüdern) hat - also die volle Solidarität mit der Gemeinde vor einem heidnischen Gericht teilt -, Furcht vor dem Richter und (eben auch hier) keine παρρησία. Der Hinweis auf Jesus (1Joh 4,17b: "denn wie er ist, so sind auch wir in dieser Welt") ist zugleich ein Verweis auf Jesu Leben und Sterben. Als Brüder Christi riskieren auch sie ihr Leben, so wie Jesus das seine "riskiert" hat. Auch Jesus hatte keine Angst vor seinem heidnischen Richter (vgl. Joh 19,11), der dazu noch nach dem ausdrücklichen Zeugnis des JohEv von seiner Unschuld überzeugt gewesen war (Joh 18,31.38; 19,4.12). Die Entgegensetzung von φόβος und ἀγάπη in 4,17b.18 kann ebenfalls auf eine derartige Gerichtsverhandlung vor der heidnischen Obrigkeit weisen.[216] Wer die wahre Liebe zu den Brüdern *und* zum Vater - zu Gott - hat, braucht nicht nur vor dem göttlichen, sondern auch vor einem weltlichen Gericht keine Angst zu haben, sondern hat den Bösen besiegt (1Joh 2,13f). Deshalb betont 1Joh 4,20 erneut die Verpflichtung, die Brüder zu lieben. Bruderliebe heißt aber Solidarität mit der Gemeinde. Diese Solidarität mit der Gemeinde ist vor dem heidnischen Gericht gefragt. Hier wird deutlich, wer sich zur Gemeinde hält, und wer vor dem Bekenntnis zur Gemeinde Angst hat. Deshalb stehen hier Angst und Liebe einander diametral gegenüber.

4.5 Zur Funktion des ersten Johannesbriefes

Die bisherigen Beobachtungen machen deutlich, daß der 1Joh das Ziel verfolgt, die Binnenstruktur der Gemeinde zu stärken. Dies geschieht zum einen durch den eindringlichen Appell, in der Gemeinde zu bleiben[217], etwa ausgedrückt durch die Warnung vor der Welt (1Joh 2,15f; 5,21) oder durch die Zusage der Gotteskindschaft und des Lebens (1Joh 3,1f.14); dies geschieht aber auch durch die deutliche Ausgrenzung all derer, die sich nicht offen zur Gemeinde bekennen (1Joh 3,17 u.ö.) oder derer, die sich von ihr selbst distanziert haben (1Joh 2,19); dies geschieht des weiteren aber durch verhüllte Denunzierung der heidnischen Obrigkeit als ἀντίχρισος (1Joh 2,18; 4,3; 2Joh 2) und πονηρός (1Joh 2,13f; 3,12; 5,18f).

---

214 Vgl. E. PETERSON, Bedeutungsgeschichte 293: "Wenn wir die Zeugnisse der alten Kirche überblicken, so sehen wir, daß in erster Linie der Märyrer als im Besitz der παρρησία befindlich gedacht wurde. Der Märtyrer hat eine zwiefache παρρησία: eine auf Erden und eine im Himmel. Auf Erden beweist er seine παρρησία gegen die dem Glauben feindliche Obrigkeit. Nach seinem Tode aber hat er παρρησία bei Gott, denn er weilt schon im Paradiese und kann nun als 'Freund Gottes' ihn um alles bitten." Auch wenn im 1Joh nicht vom "Freund Gottes", sondern eher vom "Kind Gottes" gesprochen wird, bleibt der Gedankengang PETERSONs nachvollziehbar.

215 Vgl. F. BÜCHSEL, Art. ἱλασμός, ThWNT 3 (1938), 318,19-20: "Der subjektive Ertrag des ἱλασμός im Menschen ist die παρρησία, die Zuversicht gegenüber dem Gerichte Gottes 4,17; 2,28, ..."

216 In diesen Gedankenkreis paßt auch die bereits erwähnte Beobachtung E. STEGEMANNs, daß "die der forensischen Terminologie der römischen Christenprozesse entsprechenden Begriffe ὁμολογεῖν (*confiteri*) und ἀρνεῖσθαι (*negare*) ... im IJoh gehäuft vorkommen" (Kindlein, 291).

217 Vgl. F.V. FILSON, First John 276: "In a time when certain members of the fellowship have left the group ('They went out from us,' it is said in 2:19), it is of crucial importance to hold the main body of believers together in a vital bond of faith and love."

II. Soziologische Beschreibung der Gemeinden der Johannesbriefe

1. Ortsgemeinde und Hausgemeinde[1]

Die christlichen Gemeinden in neutestamentlicher Zeit verfügten nicht über kirchliche Gebäude oder gar "Gemeindezentren".[2] Man versammelte sich in Wohnhäusern. Die gastgebende Familie war - vermutlich - im besonderen mit dem Christentum verbunden. Dies zeigt auch die vorsichtige Formulierung P. Stuhlmachers: "Da die Häuser und Quartiere der einfachen Bevölkerung in der Antike weder geräumig noch komfortabel genug waren, um einen größeren Menschenkreis zu beherbergen, haben wir uns jene Häuser, in denen die christlichen Hausgemeinden zusammenkommen konnten, im Besitz von wohlhabenderen Christen zu denken."[3]

Solche Hauskirchen bildeten "Grundzelle für die Ortsgemeinde"[4] und damit "die Basiszellen der sich vergrößernden Kirche"! D.W. Rordorf stellt fest, daß "die Sitte, sich in den Häusern von Gemeindegliedern zum Gottesdienst zu versammeln, ... allgemein"[5] war. In einer solchen Hausgemeinde fanden - wie J. Gnilka betont - "die Versammelten Schutz vor einer skeptischen oder ablehnenden Umwelt und gewährten einander unterstützende Solidarität"[6]. Auch die Gemeinden, die den soziologischen Hintergrund der Johannesbriefe bilden, besaßen mit Sicherheit "hausgemeindliche Struktur", d.h. ihre Versammlungen wurden in Privathäusern abgehalten. Daß dabei die Versammlungsorte nicht beliebig gewechselt wurden, läßt sich aus der Tatsache schließen, daß der Name des Hausbesitzers oft zur Identifizierung der Christen fungierte (vgl. Act 18,8f; Röm 16,23; 1Kor 1,16; Kol 4,15). Aufgrund von Röm 16,5 und Phlm 1f können wir vermuten, daß Hausgemeinden zumindest teilweise die Substruktur größerer Ortsgemeinden gebildet haben, d.h. daß sich also eine Ortsgemeinde aus mehreren Hausgemeinden zusammensetzte.[7]

---

[1]　Es ist davon auszugehen, daß sich die drei Johannesbriefe nicht nur an eine einzige Gemeinde richten. Besonders der erste Johannesbrief scheint keine bestimmte Gemeinde im Blick zu haben. Deshalb wird im folgenden gerne von Gemeinden gesprochen.

[2]　Vgl. P. LAMPE, Funktion 537: "Die privaten Haushaltungen sind nahezu die *einzige* Immobilstruktur, die der Kirche in den ersten beiden Jahrhunderten zur Verfügung steht. 'Kircheneigene' Gebäude oder Grundstücke gibt es allerfrühestens im 3.Jahrhundert. ... Kirche existiert in den ersten beiden Jahrhunderten nicht als eigener selbständiger Körper *neben* den privaten Haushaltungen der Christen, sondern ausschliesslich *in* ihnen."

[3]　P. STUHLMACHER, Philemon 71; vgl. P. LAMPE, Funktion 537: "Die sozial gehobenere Schicht unter den Christen trägt die Kirche in ihren Häusern."

[4]　A. v. DOBBELER, Glaube 264.

[5]　D.W. RORDORF, Gottesdiensträume 115.

[6]　J. GNILKA, Philemonbrief 31.

[7]　Vgl. J.E. STAMBAUGH/D.L. BALCH, Umfeld 135: "Die Texte lassen erkennen, daß die christlichen Hausgemeinden sowohl von der gesamten Kirche einer Stadt unterschieden wurden, die sich ebenfalls versammeln konnte (Röm 16,23; 1Kor 14,23), als auch von der einen weltumspannenden Kirche (Kol 1,18; 4,15)." Gegen G. SCHÖLLGEN, Hausgemeinden 79, der der Meinung ist, daß "Paulus als Adressaten seiner Briefe nie eine Teilgemeinde, sondern immer die gesamte Gemeinde der Stadt anspricht und auch sonst keinerlei explizite Kenntnis von regelmäßigen festen Teilversammlungen der Ortsgemeinde verrät". Vgl. zu SCHÖLLGEN auch M. GIELEN, Interpretation sowie DIES., Tradition 86-93, die trotz ihrer Bedenken gegen die These, Hausgemeinden hätten im Urchristentum die Substruktur von Ortsgemeinden gebildet, nicht ausschließen will, "daß - unabhängig von den eigentlichen Gemeindeversammlungen - sich um die ver-

2. Die Selbstbezeichnung der Gemeinden

Aufgrund des herausgearbeiteten Familienmodells läge für die Gemeinden der Johannesbriefe die Selbstbezeichnung "οἶκος (τοῦ) θεοῦ" bzw. "οἰκία (τοῦ) θεοῦ" nahe. Die beiden griechischen Wörter "οἶκος" und "οἰκία" bedeuten nicht exakt dasselbe, überschneiden sich aber in ihren Bedeutungen. Beide bezeichnen primär das Gebäude bzw. Wohnhaus, dann aber auch den Haushalt, die Familie und Sippe. Darüber hinaus hat οἶκος noch die Bedeutungen "Behausung, Zimmer, Vermögen" und οἰκία die Bedeutungen "Verwandte, Klientel, Dienerschaft".[8] Im Unterschied zu "οἰκία" findet sich im Neuen Testament "οἶκος" in der Genitivverbindung "οἶκος (τοῦ) θεοῦ"[9]. Zugleich ist jedoch zu berücksichtigen: Das Motiv "οἶκος (τοῦ) θεοῦ" wird hier zwar auf die Gemeinde bezogen, dabei wird es "aber nicht eigentlich zum Bild einer *familia dei*, sondern οἶκος bleibt wirklich 'Haus', pneumatisches, überirdisches, göttliches, himmlisches Bauwerk".[10] Der fehlende Artikel läßt vermuten, daß auch "οἰκία" in 2Joh 10 die Bedeutung "Bauwerk, Gebäude, Wohnhaus" trägt und kein *terminus technicus* für die Gemeinde ist.[11] "Εἰς οἰκίαν" heißt zudem an jeder weiteren Belegstelle im NT "in ein Haus" bzw. "in irgendein Haus" im Sinne von "in ein Gebäude" (vgl. Mk 6,10; 7,24; Lk 10,7; Act 18,7). So ist auch die Bedeutung "Hausstand, Familie" hier nicht zu vermuten. Keiner der drei Johannesbriefe kennt also eine ausdrücklich zum Familienmodell passende Bezeichnung für die Gemeinde. Das liegt daran, daß es in der griechischen Sprache überhaupt kein exaktes Äquivalent für den Begriff "Familie" gibt.[12] "Οἶκος" und "οἰκία" tragen die Bedeutung "Haus, Wohnhaus, Gebäude, Hausstand".[13] Dagegen werden im Familienmodell des 1Joh theologisch nur die Beziehungen zwischen Vater und den Kindern und zwischen den Kindern untereinander in den Blick genommen.

Einzige sichere Selbstbezeichnung der Gemeinde ist "ἐκκλησία" (3Joh 6.9f). Doch gerade diese Bezeichnung läßt keinen Schluß auf die Verfaßtheit der Gemeinden zu. Paulus kann sowohl Hausgemeinden (Röm 16,5: ἡ κατ' οἶκον ἐκκλησία - die um

---

8 schiedenen christlichen Hausgemeinschaften jeweils ein kleiner, relativ fester Kreis befreundeter Christen bildete, die sich in den Häusern trafen, um Erfahrungen miteinander auszutauschen, Probleme gemeinsam zu lösen oder auch zusammen zu beten" (93).

8   Vgl. hierzu H.-J. KLAUCK, Hausgemeinde 2, sowie DERS., Hausgemeinde und Hauskirche 16.

9   1Pt 2,3-5; 4,17; 1Tim 3,15; Hebr 3,6; vgl. 1Kor 3,16; 2Kor 6,16.

10   O. MICHEL, Art. οἶκος κτλ., ThWNT 5 (1954), 129,31-33; vgl. dazu A. STROBEL, Begriff 91-100, der zu folgendem Schluß kommt: "die Redeweise von der Taufe eines christlichen Hausvaters 'und seines Hauses' braucht die Kinder nicht einzuschließen. Der Begriff des 'Hauses' spricht zwar nicht ausdrücklich dagegen, es kann aber der Sachverhalt sehr wohl der sein, daß die Taufe von 'Kindern' nicht speziell gemeint ist" (100). Der Begriff "οἶκος" konnte also die Verbindung, die zwischen Gott und den Glaubenden bzw. zwischen dem Vater und seinen Kindern geglaubt war, nicht umschreiben.

11   Gegen T. LORENZEN, Hauskirche 342, der stillschweigend voraussetzt, daß "οἰκία" hier "Hauskirche" bedeutet.

12   Im Grunde gibt es auch im Lateinischen kein passendes Äquivalent für das, was wir heute als "Familie" bezeichnen; vgl. B. RAWSON, Family 7: "The nuclear family was small, but what the Romans meant by a *familia* could be much larger. The Roman *familia* consisted of the conjugal family plus dependants (i.e. a man, his wife, and their unmarried children, together with the slaves and sometimes freedmen and foster-children who lived in the same household)."

13   Vgl. dazu H. V. LIPS, Glaube, der eine οἶκος-Ekklesiologie für die Pastoralbriefe nachgewiesen hat (v.a. 94-143). Die "Hausgemeinschaft Gottes" ist dort prägende Leitmetapher für die Gemeinde. Die Bezeichnung "οἶκος" umfaßt allerdings mehr als nur die Familie, nämlich den gesamten Hausstand.

Aquila und Priska versammelte Hausgemeinde[14]), als auch Ortsgemeinden als
ἐκκλησία (Röm 16,1.23; 1Kor 1,2; 11,18; 14,23; 2Kor 1,1; 1Thess 1,1 u.ö.) bezeichnen.[15] Allerdings ist die Tatsache, daß - anders als etwa in Röm 16,5 oder Phlm 2 -
in 3Joh 6.9f nicht von einer κατ᾽ οἶκον ἐκκλησία die Rede ist, immerhin ein Indiz,
daß es eine Ortsgemeinde ist, an die sich der 3Joh richtet.

P. Lampe hat wahrscheinlich gemacht, daß in Rom mindestens fünf, vielleicht sogar acht, "Kristallisationspunkte" christlichen Lebens vorhanden waren. "Anzei-
chen für ein räumliches Zentrum der verschiedenen über die Stadt verstreuten
Kreise bieten sich nirgends. Jeder Kreis dürfte je für sich in einer Wohnung Gottesdienst feiern, so dass er als Hausgemeinde anzusprechen ist."[16] Ähnlich werden
wir uns die Sozialisation der Ortsgemeinde vorzustellen haben, an die der 3Joh
gerichtet war.[17]

Wenn es Diotrephes[18] zum Vorwurf gemacht werden kann, daß er bestimmte
Menschen nicht aufnimmt, so kann davon ausgegangen werden, daß er selber
nicht nur ein Hausherr ist, sondern sogar der Herr eines Hauses, in dem sich eine
Hausgemeinde traf.[19] Die Brüder, die andere umherziehende Christen aufnehmen, wären dann ebenfalls als Hausherren vorzustellen; und wahrscheinlich trifft
sich auch in ihren Häusern eine Gemeinde.[20] Das hieße dann ebenfalls, daß das
Schreiben an die Gemeinde, von dem in 3Joh 9 die Rede ist, ein Schreiben an
eine Ortsgemeinde[21] gewesen sein muß, und nicht an *eine* Hausgemeinde unter
vielen innerhalb eines Ortes gerichtet war - ähnlich wie der Römerbrief an die
Gemeinde von Rom.

Die Tatsache, daß Diotrephes diejenigen aus der Gemeinde stoßen will, die andere aufnehmen, deutet daraufhin, daß unter den Hausgemeinden bereits ein
deutliches Zusammengehörigkeitsgefühl entstanden war; sonst wäre dieses Vorgehen des Diotrephes nicht als so schmerzhaft empfunden worden.

---

[14] Vgl. auch 1Kor 16,19; Phlm 2; Kol 4,15.
[15] Vgl. K.L. SCHMIDT, Art. καλέω κτλ., ThWNT 3 (1938), 508,24-26: "Auch eine noch so kleine
      Gemeinschaft wie die sogenannte *Hausgemeinde* wird ἐκκλησία genannt: R 16,5. 1 K 16,19 wird
      eine solche Hausgemeinde ohne weiteres neben die anderen größeren Gemeinden gestellt; ..."
[16] P. LAMPE, Christen 302; vgl. ebd. 305: "Die stadtrömischen Christen trafen sich in vorkonstanti-
      nischer Zeit - fraktioniert - in über die Weltstadt verstreuten von Privatleuten bereitgestellten
      Räumlichkeiten."
[17] Zu vergleichen wäre der Römerbrief, bei dem Paulus voraussetzte, daß er von einer Hausge-
      meinde zur anderen weitergereicht wurde (vgl. P. LAMPE, Christen 335).
[18] Zur Diskussion um die Person des Diotrephes vgl. H.-J. KLAUCK, Johannesbriefe 158-163.
[19] Vgl. P. LAMPE, Funktion 537f, der feststellt, daß die Häuser der sozial gehobeneren Christen
      die Gemeinden getragen haben. "Die 'Dienste' der Hausbesitzer werden entsprechend immer
      wieder gerühmt; die Tugend der Gastfreundschaft gross geschrieben." Diotrephes war wohl so
      ein Hausbesitzer.
      Vgl. H.-J. KLAUCK, Johannesbriefe 160f: "Diotrephes hat in der Gemeinde, die sich in seinem
      Haus traf, das Kommando übernommen (vom Hausvorsteher zum Gemeindevorsteher war un-
      ter diesen Bedingungen nur ein kleiner Schritt)."
[20] Als Analogie ist auf die ähnlich fraktionierte stadtrömische Judenschaft zu verweisen: "Das
      stadtrömische Judentum bestand aus mehreren selbständigen Synagogengemeinden" (P. LAMPE,
      Christen 306).
[21] Wenn ἐκκλησία die Selbstbezeichnung der Christen untereinander gewesen ist, so könnte man
      fragen, wie die Zusammenkünfte der Christen von außen erschienen; vgl. hierzu o. S. 61 sowie
      P. LAMPE, Christen 313-320.

3. Die Gemeindepraxis

Der erste Johannesbrief will die Gemeindepraxis an Jesus orientieren. Die Rückbesinnung auf den irdischen Jesus dient der Vergewisserung der Richtigkeit des eigenen Lebens und des Lebens der Gemeinde. Die ethischen Ansprüche wie Reinheit (1Joh 3,3), Rechttun (1Joh 3,7), Sündlosigkeit (1Joh 3,5.9) und Lebenseinsatz für andere (1Joh 3,16) werden unmittelbar auf Jesus zurückgeführt. Als Fazit läßt sich mit 1Joh 2,6 sagen: "Wer sagt, daß er in ihm bleibt, der soll auch leben, wie er gelebt hat." Damit versteht sich die Gemeinde als legitime Nachfolgerin Jesu. Das Problem der Sünde, d.h. das Problem, daß die Gemeindeglieder sich eben doch nicht immer als Nachfolger Jesu verhalten haben, ist oben bereits behandelt worden.[22] Hier genügt es festzustellen, daß die Gemeinden des 1Joh eine Art "Gemeindezucht" geführt haben müssen.

3.1 Der Eintritt in die Gemeinde[23]

Von Sakramenten, die in der Gemeinde eine Rolle gespielt haben könnten, erfahren wir aus dem 1Joh nichts.[24] Allerdings weist etwa die Formulierung "das Blut Jesu, seines Sohnes, macht uns rein von aller Sünde" (1Joh 1,7 vgl. 1Joh 1,9) darauf, daß der Brauch der Taufe in der Gemeinde als Initiationsritus gepflegt wurde. Taufe ist das Symbol der Sündenvergebung durch Gott.[25] Sie markiert damit die Aufnahme des sündigen Menschen in die Gemeinschaft der (sündlosen) Kinder Gottes. Wenn tatsächlich - wie J. Roloff meint - Act 2,38 die "zentralen Momente des Taufgeschehens" nennt[26], so spricht das für unsere These, daß in den johanneischen Gemeinden der Ritus der Taufe gepflegt wurde. Angesprochen werden Umkehr und Sündenvergebung (vgl. 1Joh 1,7.9), es findet sich der Rückbezug auf Jesus (vgl. 1Joh 1,7) ebenso wie die Gabe des Geistes (1Joh 3,24; 4,13)[27] und die Eingliederung in das Gottesvolk der Endzeit (vgl. 1Joh 3,1.14). Die Reinigung durch das Blut Christi und die Gabe des Geistes ist im Kontext der Gotteskindschaft zu interpretieren. Geistgabe bedeutet ja nichts anderes als die Zusage der Gotteskindschaft.[28] Mit der Taufe dürfen die Menschen also als Kinder Gottes und damit als in die *familia dei* Inkorporierte gelten. Im 1Joh finden sich also alle wesentlichen Elemente des urchristlichen Taufgeschehens (vgl. Act 2,38).
Täufer eines Bekehrten konnte - das läßt sich aus der Konzeption des Familienmodells schließen - jedes Gemeindeglied sein[29]. Die Person des Täufers war bei dem Taufgeschehen theologisch offenbar unwichtig.[30] Es kam auf das während der Taufe sich vollziehende Geschehen an: die Vergebung des Sünden und die Aufnahme in die Gemeinde.

---

22   S.o. S. 137-147.
23   Vgl. hierzu o. S. 141f und 175-178.
24   Auf das Problem, ob Joh 6,53-58 die Eucharistiefeier im Blick hat, kann hier nicht eingegangen werden.
25   Vgl. 1Joh 5,6f.
26   J. ROLOFF, Neues Testament 230.
27   Auch in Qumran wurde mit dem Eintritt in die Gemeinschaft die Gabe des Geistes Gottes verbunden. Die häufigste Formulierung lautet hier: רוח אשר נתתה בי - Gott gab die רוח in den Beter (1QH 13,19; 16,11; 12,11f; vgl. 17,17). Ausdrücklich wird der Eintritt in die Gemeinde mit der Geistgabe in 1QH 14,8-22 verbunden (vgl. H.-W. KUHN, Enderwartung 130-139).
28   Vgl. o. S. 122-124.
29   Vgl. 1Joh 2,27: "... und ihr habt nicht nötig, daß euch jemand lehrt ..."
30   Anders als etwa in Korinth, vgl. 1Kor 1,10-17.

Die Konzeption einer κοινωνία der Glaubenden untereinander setzt voraus, daß die Zahl der Glaubenden überschaubar war, zumal ein einzelnes Privathaus der Versammlungsort der Gemeinde war. Im Haus konnte Gemeinde als Bruderschaft, als Familie intensiv erlebt werden. Die Konzeption des Familienmodells stammt aus der Erfahrung der häuslichen Zusammenkunft der Gemeinde. Wenn sich die Gemeinde innerhalb eines Privathauses und damit innerhalb einer Familie traf, so lag es nahe, die Familienstruktur auch auf die Gemeinde zu übertragen. Zugleich erwies sich das Familienmodell als Korrektiv gegenüber dem Leiter der Gemeinde. Nicht der *pater familias*, sondern Gott ist derjenige, der der Gemeinde als Vater vorsteht. Das Familienmodell orientiert sich an der Gemeinschaft, die eine (zum Christentum bekehrte) Familie untereinander haben kann.

Die Möglichkeit, daß Brüder einander sündigen sehen können (1Joh 5,16a), spricht auch für diese Überschaubarkeit der Zahl der (Haus-)Gemeindeglieder. Auch der Rigorismus, mit dem gefordert wird, so zu leben, ja so zu sein, wie Jesus, weist auf einen kleineren Kreis von Menschen als Adressaten (bzw. auf kleinere Kreise).

3.2.1 Das Gebet für die Brüder - die geistliche Gemeinschaft

Die geistliche Gemeinschaft wurde hergestellt durch die Gabe des Gottesgeistes an jeden einzelnen Glaubenden (1Joh 3,24; 4,13).[31] Die Geistgabe ist Erkenntnisgrund für die Gemeinschaft mit Gott und darüber hinaus auch für die rechte Gemeinschaft mit den anderen "Brüdern" (vgl. 1Joh 5,2). Garantiert der Geist aber die rechte Gemeinschaft mit Gott, so ist er auch verantwortlich für den gemeinsamen Glauben an Jesus als den Christus bzw. als den Sohn Gottes (1Joh 4,1; 5,6;[32] vgl. 1Joh 2,22f; 3,23; 4,2.15; 5,1.5; vgl. 2Joh 7). Wer so glaubt, "hat" Gott (1Joh 2,23; vgl. 4,15). An Jesus entscheidet sich das Gottesverhältnis.

Die geistliche Gemeinschaft manifestierte sich dann im gemeinsamen Gebet (1Joh 3,22; 5,14.16). Diesem wird Erfüllung verheißen, "wenn es nach seinem Willen ist". Im Grunde korrigiert 1Joh 5,14 die scheinbar bedingungslose Zusage der Gebetserhörung von 1Joh 3,22. Wenn 3,22 die Gebetserhörung vom Einhalten der Gebote abhängig macht, tut das 5,14 vom Willen Gottes. Offenbar hat die Gemeinschaft die Erfahrung gemacht, daß mitunter ihre Gebete nicht erhört worden sind.

Auch eine Gebetsgemeinschaft ist nur in einem kleinen Kreis denkbar. Dabei fällt auf, daß der Verfasser des 1Joh, wenn er vom Gebet spricht, sich ausdrücklich mit seinen Adressaten zusammennimmt (1Joh 5,14f). Die Fürbitte ist nur auf Gemeindeglieder beschränkt[33] (vgl. 1Joh 5,16). Das Heilswirken Gottes ist also - trotz 1Joh 2,2[34] - auf die Gemeinden beschränkt. Die Menschen außerhalb ihrer

---

[31] Vgl. die Gabe des χρῖσμα (1Joh 2,20.27).
[32] Vgl. S. MCKENZIE, Church 215: "The Holy Spirit plays a significant part in uniting the church."
[33] Vgl. E. GAUGLER, Bedeutung 53.
[34] "Und er ist die Versöhnung für unsere Sünden, nicht allein aber für die unseren, sondern auch für die der ganzen Welt." Prinzipiell hat also Jesu Wirken eine universale Dimension.

gelten ja als nicht lebendig.[35] Auch das gemeinsame Gebet unterstreicht die Abgeschlossenheit der johanneischen Gemeinden.

Die geistliche Gemeinschaft fand weiter ihren Ausdruck in der brüderlichen Liebe untereinander und der Liebe zu Gott. Keine der beiden Relationen darf nach 1Joh 4,20 und 5,2 in der anderen aufgehen. Liebe zu Gott bzw. Gemeinschaft mit Gott gibt es nur, wenn auch Liebe zu den Brüdern vorhanden ist (1Joh 1,6f; 4,20), und umgekehrt gilt: Nur wer Gott liebt, kann seine Brüder aus vollem Herzen lieben (1Joh 5,2). Die ausdrückliche Forderung nach Liebe untereinander weist erneut auf einen kleineren Kreis, eine Hausgemeinde, die sich in Privathäusern traf.

3.2.2 Arm und Reich in der Gemeinde - die materielle Gemeinschaft

Die geistliche Gemeinschaft hat sich im Alltag zu bewähren. Diese Bewährung klagt der Verfasser des 1Joh ein, wenn er anprangert, daß es Wohlhabende in der Gemeinschaft gibt, die Armen aus der Gemeinschaft nichts von ihren Gütern abgeben wollen (1Joh 3,17).

Es ist bereits angesprochen worden, daß 1Joh 3,17 die Vermutung nahelegt, daß die Gemeinden, die der 1Joh im Blick hat, nicht nur aus Angehörigen der Unterschicht bestehen.[36] Das Problem der "Armenfürsorge" scheint noch für das JohEv praktisch nicht zu bestehen. Es taucht lediglich auf, als von der Salbung in Bethanien berichtet wird (Joh 12,1-11)[37]. Johannes übernimmt diese Geschichte aus der synoptischen Tradition (vgl. Mk 14,3-9; Mt 26,6-13; Lk 7,36-50), die generell wesentlich mehr die Problematik "Arm und Reich" reflektiert.[38] Auffällig sind aber die Unterschiede, die diesbezüglich das JohEv gegenüber Markus[39] und v.a. Matthäus, der in dieser Perikope noch näher als Markus mit Johannes verwandt ist, aufweist.[40] Sind es bei Markus "einige" (τινες - Mk 14,4), die unwillig werden, weil das Öl, mit dem Jesus gesalbt wird, besser den Armen (πτωχοί)[41] zukommen sollte, so sind es bei Matthäus die Jünger (οἱ μαθηταί - Mt 26,8). Bei Johannes ist es allein Judas, der aufbegehrt (Joh 12,4f). Engagement für die Armen ist im Johannesevangelium deshalb auffällig, weil es völlig unvermittelt thematisiert wird. Mit keinem Wort war vorher davon die Rede gewesen, daß Jesus sich für die ma-

---

35 Daraus erklärt sich auch die Tatsache, daß sich im 1Joh so gut wie keine sozialgeschichtlich auswertbaren Notizen finden. Das Leben außerhalb der Gemeinde ist nicht Gegenstand theologischer Reflexion, da es ein Leben außerhalb der Gemeinde theologisch nicht gibt.

36 S.o. S. 186f.

37 Auf die zweite Belegstelle Joh 13,29 wird noch zu kommen sein.

38 Vgl. zum Problem "Arm und Reich" in der ältesten Jesusüberlieferung, L. SCHOTTROFF/W. STEGEMANN, Jesus 29-88; aber was die Wortstatistik angeht, finden sich bei den Synoptikern wesentlich öfter die Worte "πτωχός" und "πλούσιος" als bei Johannes:
Mt 5,3; 11,5; 19,21.23f; 26,9.11; 27,57;
Mk 10,21.25; 12,41-43; 14,5.7;
Lk 4,18; 6,20.24; 7,22; 12,16; 14,12f.21; 16,1.19-22; 18,22f.25; 19,2.8; 21,1.3.

39 Eine literarische Abhängigkeit des JohEv von den synoptischen Evangelien ist hier auch vorstellbar und wird neuerdings wieder ernsthaft diskutiert.

40 Lukas hat die Passage vollständig umgearbeitet und hat den Gedanken weggelassen, daß das Öl, mit dem Jesus gesalbt wird, um teures Geld, das den Armen zugute kommen könnte, verkauft werden soll.

41 Vgl. zur Terminologie L. SCHOTTROFF/W. STEGEMANN, Jesus 26: "Zur Bezeichnung der Armen in den Evangelien dient durchweg das griechische Wort ptōchos, nicht das Wort penēs. In der griechischen Sprache ist der ptōchos der Bettelarme, der penēs im Unterschied dazu der Arme, der durch eigene angestrengte Arbeit seinen Lebensunterhalt verdienen muß."

teriell Benachteiligten eingesetzt habe. Anders als bei Markus und Matthäus hat bei Johannes die Geschichte von der Salbung in Betanien nicht nur die Funktion, die Einzigartigkeit Jesu herauszustellen, sondern zugleich die Funktion, den Verräter Judas schon vor seinem Verrat zu isolieren. Deshalb wird auch ausdrücklich gesagt, ihm ginge es überhaupt nicht um die Armen (Joh 12,6).

Die zweite Belegstelle im JohEv, die ein Engagement für die Armen anspricht, steht mit Joh 12,1-11 in direkter Verbindung. Judas verläßt den Tisch des letzten Mahles mit Jesus, um - wie die Jünger vermuten - vielleicht den Armen etwas aus dem Beutel, den er verwaltet, zu geben (Joh 13,29). In 12,5 dient das (vorgetäuschte) Engagement ebenfalls nur der Isolierung des Verräters. Die Vermutung der Jünger in 13,29 korrespondiert mit dem Judaswort von 12,5, so daß der Einsatz für die materiell Benachteiligten als eine Art "Steckenpferd" des Judas dargestellt wird, ein Steckenpferd, das ihn von der johanneischen Jesusbewegung isoliert; und zugleich wird ihm unterstellt, er habe dieses ehrenwerte Anliegen nur vorgetäuscht. Das Engagement für die Armen (πτωχοί) spielt in der Jesusbewegung, wie sie das JohEv darstellt, keine Rolle. Im 1Joh taucht aber das Problem der Armenfürsorge auf.[42]

Aufgrund der Textgestalt ist aber auch für den 1Joh nicht damit zu rechnen, daß "πτωχοί" unter den Gemeindegliedern waren. 1Joh 3,17 bezeichnet sie als "χρείαν ἔχοντες"[43], es wird also hier eher an solche gedacht worden sein, die "durch eigene angestrengte Arbeit" ihren Lebensunterhalt verdienen müssen.[44] 1Joh 3,17 wendet sich also dagegen, daß arme Gemeindeglieder sozial und materiell gänzlich entwurzelt werden, und fordert diesbezüglich von den Wohlhabenden Engagement. Wo diese Solidarität mit den Mangelleidenden fehlt, ist - nach Auffassung des 1Joh - Gemeinschaft nicht möglich.

Privateigentum der Glaubenden wird im 1Joh nicht abgewertet oder verteufelt, sondern vorausgesetzt. Es geht nur um eine gerechte Verteilung der Güter. Der Wohlhabende, der nicht bereit ist, von seinem Überfluß den bedürftigen Brüdern abzugeben, disqualifiziert sich selbst und distanziert sich damit von der Gemeinschaft, auch der Gemeinschaft mit Gott.[45]

Darf man davon ausgehen, daß der Riß zwischen Christen und Heiden häufig durch ganze Familien hindurchging und sich die Gemeinden der Johannesbriefe als Ersatz-Familie verstanden, so ist durchaus für diejenigen, die aus Gründen ihres Glaubens mit ihrer leiblichen Familie brechen mußten, auch eine ökonomische Gefährdung anzunehmen. Deshalb legt der 1Joh auch den Nachdruck auf die Unterstützung der Armen durch die Reichen. Die Verweigerung der Unterstützung brächte den Zerfall jeder einzelnen Gemeinde mit sich.[46] Die Unterstützung von Bedürftigen darf als weiteres Charakteristikum für Gemeinden gelten, deren

---

[42] Deswegen kann sich der 1Joh mit seiner Forderung, mit den Bedürftigen zu teilen (1Joh 3,17), auch nicht auf den Jesus des Johannesevangeliums berufen.

[43] Dieser Ausdruck dürfte ein Äquivalent des Wortes "πένης" sein.

[44] L. SCHOTTROFF/W. STEGEMANN, Jesus 26.

[45] Damit dürfen wir für die Gemeinden der johanneischen Briefe andere Eigentumsverhältnisse voraussetzen als etwa in Qumran (vgl. hierzu E. LOHSE, Umwelt 72 bzw. Josephus, bell 2,122 mit 1Joh 3,17).

[46] Bezeichnenderweise setzt sich diese Entwicklung der Entdeckung der sozialen Frage in den johanneischen Schriften in der Johannesoffenbarung weiter fort: Sie enthält "scharfe Töne gegen die Reichen" (W. STEGEMANN, Arm und reich 369 - vgl. Apk 2,9; 3,17; 6,5; 13,16).

Glieder in Privathäusern zusammenkamen und deren Gliederzahl noch überschaubar war (vgl. 1Tim 5,9f).[47]

Die Erwähnung der οἰκία in 2Joh 10 kann nicht als Hinweis darauf ausgewertet werden, daß es auch finanzkräftige Oberschichtsangehörige in den Gemeinden gab. Denn der "Besitz eines 'Hauses' (im Sinne einer Wirtschaftseinheit) oder von einem oder mehreren Sklaven ist keineswegs ein Oberschichtmerkmal oder ein Hinweis auf Reichtum."[48] Dafür spricht auch die Allgemeinheit der Ermahnung in 2Joh 10; denn wenn nur Oberschichtangehörige im Besitz einer οἰκία wären, richtete sich diese Ermahnung nur an eben die Oberschichtangehörigen. Die Erwähnung von οἰκίαι im 2Joh läßt allenfalls vermuten, daß es auch Gemeindeglieder gab (es waren mit Sicherheit die meisten), die nicht bettelarm waren. Sie waren diejenigen, die ihre Infrastruktur für das Zusammentreffen der Gemeindeglieder zur Verfügung stellen konnten und auch stellten.[49]

Doch nicht nur die Weigerung begüterter Gemeindeglieder, den Mangelleidenden materiell unter die Arme zu greifen, auch die Ablehnung des Diotrephes, andere Christen aufzunehmen, darf als eine Aufkündigung der Gemeinschaft betrachtet werden (3Joh 9). Gajus dagegen - so schreibt der Verfasser des 3Joh - handelt vorbildlich, indem er sie aufnimmt (3Joh 8) und dann auch weitergeleitet (3Joh 6). Der 3Joh ist demnach an eine Ortsgemeinde gerichtet, deren Hausgemeinden zwar ein Zusammengehörigkeitsgefühl entwickelten, untereinander jedoch miteinander stritten. Zwischen den einzelnen Häusern, in denen sich jeweils Gemeinden trafen, mag dabei ein Konkurrenzgefühl entstanden sein, so daß die im 3Joh geschilderten Probleme aufkommen konnten.

Gemeinschaft untereinander ist also nur möglich, wenn sie konkrete Auswirkungen hat: "Kinder, laßt uns nicht lieben mit Worten noch mit der Zunge, sondern mit der Tat und mit der Wahrheit" (1Joh 3,18)![50]

3.2.3 Τέκνα θεοῦ ἐσμέν - die Relativierung gesellschaftlicher Unterschiede

Die Gerechtigkeit, die der Verfasser des 1Joh einklagt, ist zurückzuführen auf sein Familienmodell: Wenn alle Glaubenden Gottes Kinder sind, wie können gesellschaftliche Unterschiede wie Reichtum und Armut dann noch eine Rolle spielen? Das Familienmodell ist offene Kritik an diesen gesellschaftlichen Unterschieden. Es macht den Wert eines Menschen nicht abhängig von gesellschaftlichen Gegebenheiten, sondern allein von Gottes Liebe (1Joh 3,1). Jedes Gemeindeglied hat die gleiche Nähe zu Gott. Keiner sollte seinen Bruder etwas zu lehren haben (1Joh 2,20.27), sie sind alle in gleicher Weise Gotteskinder. Wenn also der Verfasser des 1Joh Gerechtigkeit für die bedürftigen Gemeindeglieder einfordert, so möchte er die Tatsache der Gotteskindschaft aller Glaubenden konkretisieren. Die Zusage der Gotteskindschaft ist eine Proklamation der Gleichwertigkeit aller Gemeindeglieder.

---

47 Vgl. H.D. GALLEY, Haus 204f.
48 W. STEGEMANN, Arm und reich 367; dagegen G.THEISSEN, Schichtung 248, der der Überzeugung ist, daß die Erwähnung, daß Menschen "Häuser" (οἶκοι - οἰκίαι) besitzen, ein wahrscheinliches Kriterium für einen gehobenen Sozialstatus ist.
49 Vgl. 3Joh 9f, wo von Diotrephes' Weigerung berichtet wird, Gemeindeglieder aufzunehmen.
50 Der 3Joh nennt diejenigen, die andere aufnehmen, "Gehilfen der Wahrheit" (3Joh 8; vgl. 3Joh 12).

Die Tatsache, daß der 1Joh wieder und wieder auf der Praxis der Bruderliebe insistiert, legt zweierlei nahe: Nicht nur die einzelne Hausgemeinde kämpft mit zentrifugalen Kräften, sondern auch die Gemeinden untereinander drohen ausseinanderzudriften. Die Bezeichnung "Bruder" für jedes einzelne Gemeindeglied, mit der man sich anzureden pflegte, impliziert bereits die Neuartigkeit der Beziehungen zwischen Reichen und Armen, Herren und Sklaven innerhalb der Gemeinde. Aber der 1Joh ist nicht nur Programm, sondern spiegelt auch die Realität wieder, d.h. Bruderliebe wurde innerhalb der Gemeinde bereits praktiziert.

Es geht auch im 1Joh nicht um eine rechte Lehre von Christus, sondern um die verbindlich gelebte Gemeinschaft der Kinder Gottes. Wenn der Verfasser des 1Joh davon spricht, daß die Gemeindeglieder es nicht nötig hätten, sich belehren zu lassen (1Joh 2,27), so ist für ihn die Grundlage der Gemeinschaft im Blick. Ein Vergleich von 1Joh 2,20-22.27 mit 2Joh 9f macht deutlich, daß der Inhalt der "Lehre" die Grundüberzeugung der Gemeinden ist: "Jesus ist der Sohn Gottes bzw. der Christus." Der Begriff der "Lehre" zielt hier auf die Grundüberzeugung der Gemeinschaft und impliziert nicht, daß es unterschiedliche "Lehren" über Jesus geben könne.

3.2.4 Die Gemeinden der Johannesbriefe innerhalb der antiken Gesellschaft

In der neueren Erforschung der antiken Gesellschaft hat sich unter dem maßgeblichen Einfluß von G. Alföldy[51] ein Zwei-Schichten-Modell zur Beschreibung des Aufbaus der römischen Gesellschaft durchgesetzt. Davon soll auch hier ausgegangen werden.[52]

Die Erwähnung der χρείαν ἔχοντες in 1Joh 3,17 weist nicht auf die Bettelarmen, wohl aber auf Menschen die mehr schlecht als recht ihren eigenen Lebensunterhalt verdienen können, auf die das Attribut "πένης" zutrifft. An diesem Befund ändert auch nichts, daß 2Joh 10 den Besitz von οἰκίαι voraussetzt. Ob in den Gemeinden auch Oberschichtangehörige waren, ist schwer auszumachen. Die Ermahnung zur Unterstützung der Bedürftigen (1Joh 3,17) ergeht an Begüterte, wohl Leute aus der Oberschicht, die sich nicht durch Abgabe von ihrem Überfluß mit den Gemeinden solidarisieren. Solche Begüterte werden wir also vor allem im Sympathisantenkreis der Gemeinden zu suchen haben.

3.3 Φιλοπρωτεύειν - das Problem der Gemeindeleitung

Es ist bei den Johannesbriefen zu unterscheiden zwischen der theologischen und der organisatorischen Seite. *Theologisch* gilt Gott als Vater der Glaubenden und damit als Herr der Gemeinde. Bei der egalitären Struktur der Gemeinden taucht aber das Problem der Gemeindeleitung auf. Worte wie "Ihr habt es nicht nötig, daß irgend jemand euch belehrt" (1Joh 2,27b) oder "Seht, welche Liebe hat uns der Vater erwiesen, daß wir Gottes Kinder heißen sollen - und wir sind es auch" (1Joh 3,1) unterstreichen den Gedanken der Gleichwertigkeit und Gleichrangigkeit aller Gemeindeglieder und lassen fragen, wie sich diese Gemeinden organisiert haben.

---

[51] G. ALFÖLDY, Sozialgeschichte v.a. 94.
[52] Vgl. die kurze Zusammenfassung bei W. STEGEMANN, Arm und Reich 348-356, sowie G. ALFÖLDY, Gesellschaft 1-25.

In den Johannesbriefen finden sich vier Begriffe, die auf faktische Über- bzw. Unterordnung von Gemeindegliedern schließen lassen: "πρεσβύτερος" (2Joh 1; 3Joh 1) und "φιλοπρωτεύων" (3Joh 9) sowie die gegenseitigen Bezeichnungen "τεχνία" (1Joh 2,1.12.28; 3,7.18; 4,4; 5,21), "παιδία" (1Joh 2,13) und "τέχνα" (3Joh 4).[53]

Um diese Begriffe und Anreden einzuordnen, wollen wir uns die Situation in einer Gemeinde ins Gedächtnis zurückrufen, die sich in einem Privathaus zur Versammlung trifft.

Die Tatsache, daß unter den ersten Christen schon sehr bald auch Wohlhabende zu finden sind, ist in der Forschung unbestritten (vgl. 1Joh 3,17). So stellt etwa P. Stuhlmacher fest: "Da die Häuser und Quartiere der einfachen Bevölkerung in der Antike weder geräumig nicht komfortabel genug waren, um einen größeren Menschenkreis zu beherbergen, haben wir uns jene Häuser, in denen die christlichen Gemeinden zusammenkommen konnten, im Besitz von wohlhabenderen Christen zu denken."[54] Wir können weiter davon ausgehen, daß derjenige, der sein Haus als Versammlungsort zur Verfügung stellte, von vornherein besondere Aufgaben innerhalb der Gemeinde übernommen hat.[55] "Die Gastgeber üben mindestens in formaler Hinsicht eine Leitungsfunktion aus, indem sie den Raum zur Verfügung stellen, einladen, begrüßen ..."[56] Der Gastgeber genoß also eine Vorrangstellung, die sich nun doch aus den gesellschaftlichen Unterschieden ergab, die nach Auffassung des 1Joh die Gemeinden eigentlich hinter sich lassen sollten.[57] Doch diese faktische Vorrangstellung bestimmter Personen hatte keinen Einfluß auf die theologische Überzeugung, daß alle Glaubenden Gottes Kinder und von daher "Brüder" seien. Setzen wir nun voraus, daß ein solcher Hausbesitzer, der damit auch - zumindest zeitweise - ein Gemeindeleiter war, den ersten Johannesbrief verfaßt hat, so wird verständlich, daß er die Adressaten zwar "τεχνία" nennt, sie theologisch aber als "ἀδελφοί" betrachtet.[58] Der Verfasser des 3Joh ist hier der gleichen

---

53 Die Begriffe "πατέρες" und "νεανίσκοι" (1Joh 2,13f) lassen nicht auf unterschiedliche Stellung innerhalb der Gemeinde schließen. Die Adressaten werden in 1Joh 2,12a und 14a zunächst mit "τεχνία" bzw. "παιδία" angeredet. Die Tatsache, daß dann in "πατέρες" und "νεανίσκοι" unterschieden wird, deutet hin, daß der Verfasser noch einmal die Älteren und die Jüngeren unter seinen "τεχνία" bzw. "παιδία" ansprechen möchte. Vgl. H.-J. KLAUCK, Johannesbriefe 48: KLAUCK meint, "daß aller Wahrscheinlichkeit nach Kindlein/ Knäblein inklusiv die Gesamtheit der Glaubenden meint, während mit den Vätern und den jungen Männern zwei durch Lebensalter und/oder geistige Reife unterschiedene Gruppen herausgehoben werden".
Auf jeden Fall entspricht nicht einem aus der Reihe der "πατέρες" der Begriff "τεχνίον" oder gar "τέχνον", sondern es ist der "πρεσβύτερος", der die Gemeindeglieder mit "ἐμὰ τέχνα" anspricht (vgl. 3Joh 1 mit 3Joh 4).

54 P. STUHLMACHER, Philemon 71.

55 Eine besondere Stellung hatten wohl auch die Erstbekehrten eines Ortes inne. H. V. CAMPENHAUSEN, Amt 72, vermutet unter Hinweis auf Röm 16,23; 1Kor 16,15; Act 18,17: "Sie mögen auch ihr Haus für den Missionar und für die Zusammenkünfte der Gemeinde zur Verfügung gestellt und die damit verbundenen Lasten getragen haben." Die Bereitstellung des Hauses war - selbstredend - allerdings nur dann möglich, wenn es überhaupt vorhanden und geräumig genug war, die (wachsende) Gemeinde aufzunehmen.

56 A. SCHREIBER, Gemeinde 135; wenn D.W. RORDORF, Gottesdiensträume 115, meint "... überall versammelt sich die Lokalgemeinde in den Häusern von Gemeindegliedern, oft der Erstbekehrten oder der Vorsteher der betreffenden Gemeinde", so deutet dies auf eine umgekehrte Ursache-Wirkung-Kette hin: Die Gemeinde-Vorsteher wurden Gemeinde-Vorsteher, weil ihr Haus groß genug war, daß sich die Hausgemeinde dort treffen konnte, und nicht umgekehrt.

57 S.o. S. 214.

58 Vgl. o. S. 128f.

Überzeugung. Zwar kann er sogar von seinen "τέχνα" sprechen (3Joh 4)[59], doch theologisch bleiben sie seine "ἀδελφοί" (3Joh 5.10) bzw. seine φίλοι (3Joh 15)[60]. So wird ebenfalls verständlich, weshalb der Verfasser des 1Joh den Privatbesitz als solchen nicht verteufelt, sondern andere Wohlhabende dazu auffordert, von ihrem Besitz den Bedürftigen etwas abzugeben. Er geht von seinem Besitz aus und sieht wohl ein, daß das Familienmodell auch auf gleiche Besitzverhältnisse hinausläuft; deshalb fordert er "nur" zur Abgabe vom Überfluß der Besitzenden an die Bedürftigen auf.

Beim allmählichen Anwachsen der sich in Privathäusern treffenden Hausgemeinden ist mit W. Vogler anzunehmen, "daß die Gastgeber größerer Hausgemeinden auf Grund der von ihnen - da auch weiterhin - wahrgenommenen (natürlichen) Funktionen entsprechende Aufgaben der Ortsgemeinde zugefallen sind"[61]. P. Lampe hat (für die Gemeinde in Rom) deutlich gemacht, daß die Fraktionierung in Hausgemeinden gerade nicht ausschließt, daß die "verstreuten christlichen Inseln sich in geistlicher Gemeinschaft miteinander wussten, sich als Zellen einer Ekklesia fühlten und zwischen ihnen einheitsbezeugende Bande geknüpft waren"[62].

Bei dem Konflikt, den der 3Joh schildert, handelt es sich um ein Problem, das aus dem Anwachsen verschiedener Hausgemeinden innerhalb einer Ortsgemeinde erwachsen ist. Diotrephes, der bereits Gastgeber einer Gemeindeversammlung war, möchte eine größere Rolle innerhalb der Ortsgemeinde spielen, er möchte *der erste* in dieser zusammenwachsenden Ortsgemeinde sein (φιλοπρωτεύων- 3Joh 9).[63] Für den Verfasser des 3Joh ist es keine Frage, daß es für die Hausgemeinde

---

[59] Mit dieser Bezeichnung meint er aber nichts anderes als der Verfasser des 1Joh, wenn er von seinen τεχνία spricht. Im Hintergrund steht hier ein Lehrer-Schüler-Verhältnis.

[60] Die Tatsache, daß der 3Joh die Vokabeln "τέχνα" und "φίλοι" gebraucht, um zwischenmenschliche Relationen zu beschreiben, deutet darauf hin, daß bereits hier das Familienmodell allmählich aufgeweicht wurde. Beim Anwachsen der sich in Privathäusern treffenden Ortsgemeinden - wie wir es für den 3Joh voraussetzen - mußte zwangsläufig das Zusammengehörigkeitsgefühl darunter leiden. Daraus ergaben sich dann wohl auch die Probleme mit Diotrephes.
Aber schon im 2Joh deutet sich eine Aufweichung des Familienmodells an; denn dort gelten die Glaubenden nicht als "τέχνα τοῦ θεοῦ", sondern als "τέχνα τῆς κυρίας" - Kinder der Herrin (= Gemeinde) (2Joh 1.4.13). Die Tatsache, daß "eine bürgerliche Gemeinde in der gehobenen Sprache der Rhetoren durch den feierlichen Namen 'Herrin' ausgezeichnet" werden konnte (F.J. DÖLGER, *Domina* 215), spricht dafür, daß zumindest die Adressaten-Gemeinde des 2Joh sich sehr eng zusammengeschlossen hatte.
Für die Tatsache, daß der zweite und dritte Johannesbrief zeitlich vom ersten Johannesbrief zu trennen ist, spricht auch die Beobachtung R. BERGMEIERs, Verfasserproblem 93-100, daß der ἀλήθεια-Begriff "im II(III) Joh nicht mehr dualistisch-metaphysisch orientiert" ist (96) - im Gegensatz zum 1Joh.
Aufs Ganze gesehen läßt sich jedoch auch der 2Joh aus den Verhältnissen heraus erklären, wie wir sie für den 1Joh erarbeitet haben, "wenn man zwischen den einzelnen Gemeinden an verschiedenen Orten und in verschiedenen Häusern differenziert" (H.-J. KLAUCK, Johannesbriefe 158).

[61] W. VOGLER, Bedeutung Sp.792.

[62] P. LAMPE, Christen 335; vgl. ebd.: "Das heisst aber, dass *im Verkehr mit auswärts* die stadtrömischen Christen als eine Einheit angeschrieben werden konnten."
Es geht hier - *nota bene* - nicht um eine Lokalisierung der Gemeinden der johanneischen Briefe in Rom; es kommt lediglich auf die Analogie an.

[63] Man wird nicht sagen können, Diotrephes sei ein monarchischer Bischof gewesen, dagegen spricht der Ausdruck "φιλοπρωτεύων", d.h. er *wollte* der Erste sein, war es tatsächlich wohl (noch) nicht. Im Profangriechischen finden sich die Wörter φιλοπρωτεία, sowie φιλοπρωτός (vgl. W. BAUER, Wörterbuch, Sp. 1426); letzteres Adjektiv hat die Bedeutung "nach der ersten Stelle, nach der Alleinherrschaft streben".

220

bestimmte Gemeindeleiter geben muß. Diotrephes aber möchte darüber hinaus der zusammenwachsenden Ortsgemeinde ständig vorstehen.[64]

Nach F.V. Filson hat die Rolle der Gastgeber der Hausgemeinden vorbildhaft auf die sich in dieser Zeit entwickelnde Rolle der Gemeindevorsteher (etwa der ἐπίσ-κοποι) gewirkt: "The house church was the training ground for the Christian leaders who were to build the church after the loss of 'apostolic' guidance, and everything in such a situation favored the emergence of the host as the most prominent and influential member of the group."[65] Genau diese sich entwickelnde Rolle scheint der Verfasser des 3Joh zu bekämpfen. Durch den Ehrgeiz des Diotrephes, der Erste zu sein, werden die Gemeindeglieder, die doch alle Gottes Kinder sind (1Joh 3,1) und der Belehrung nicht bedürfen (1Joh 2,2), entmündigt. Deshalb wendet sich der Verfasser des 3Joh gegen Diotrephes. A. v. Harnack vermutet, daß dem 3Joh folgender Gegensatz zugrundeliegt: "es ist der Kampf der alten patriarchalischen und provinzialen Missionsorganisation gegen die sich konsolidierende Einzelgemeinde, die zum Zweck ihrer Konsolidierung und strengen Abschliessung nach aussen den monarchischen Episkopat aus ihrer Mitte hervortreibt."[66] Möglicherweise ist die Frage, ob Diotrephes hier bereits einen Monepiskopat[67] anstrebt[68], tatsächlich positiv zu beantworten. Die Struktur, die dieser Organisationsform im 3Joh entgegengestellt wird, ist jedoch wohl kaum die "alte patriarchalische und provinziale Missionsorganisation", sondern die "familiäre" Verfaßtheit, die von der prinzipiellen Gleichheit und Gleichwertigkeit aller Gemeindeglieder ausgeht und aufgrund der es abgelehnt werden muß, wenn einer sich über andere erheben will.

Analoge Verhältnisse hat P. Lampe für die Gemeinde von Rom vermutet. Seiner Meinung nach ist die Entstehung des monarchischen Episkopats durch die Tatsache zumindest gefördert worden, daß die Gemeinde in der Korrespondenz mit auswärts als Einheit angeschrieben werden konnte.[69] Aus dem "Außenminister" der Hausgemeinden, also demjenigen, der für den Verkehr mit auswärts zuständig war, sei der "monarchische Episkopos" allmählich entstanden.[70] Bezüglich 3Joh ist anzumerken, daß es gerade nicht Diotrephes ist, der angeschrieben wird. Aber vielleicht versucht der 3Joh bereits dadurch korrigierend zu wirken.[71]

---

64 Vgl. A. SATAKE, Gemeindeordnung 17: "Die Abwehr jeder Art von hierarchischer Organisation ist hier deutlich erkennbar."
65 F.V. FILSON, significance 112.
66 A. v. HARNACK, Über den dritten Johannesbrief 21.
67 G. SCHÖLLGEN, Monepiskopat 146-151, der konstatiert, daß bis auf eine Ausnahme "'monarchischer Episkopat' in den ersten drei Jahrhunderten weder für die theologische Konzeption noch für die tatsächliche Machtbefugnis des Bischofsamtes eine zutreffende Bezeichnung" sei (ebd. 151). Dagegen sei mit "Monepiskopat" das "Amt des Einzelbischofs" gemeint (ebd.).
68 Vgl. in HARNACKs Gefolge C.K. BARRETT, Christentum 261, der die "Gruppe" des Diotrephes bereits für "monarchisch" hält.
69 P. LAMPE, Christen 335.
70 Ebd. 345.
71 G. SCHÖLLGEN, Hausgemeinden 74-90, vermutet dagegen, daß "die theologische Konsequenz der οἶκος-Ekklesiologie ... der monarchische Episkopat" sei (86); dann wäre Diotrephes lediglich im Begriff gewesen, diese Konsequenz praktisch zu ziehen. Doch durch das Familienmodell des 1Joh wird eine solche Spitzenstellung bereits implizit kritisiert.
Die vorgetragene Interpretation wendet sich gegen die von R. SCHNACKENBURG, Streit 18-26, der annimmt, daß der Verfasser des 3Joh nichts gegen das Bischofsamt des Diotrephes habe, ihn aber wegen der Verweigerung der Aufnahme von Missionaren "tadeln muß" (26).
Zu den in der Literatur zum Streit des Presbyters mit Diotrephes vorgetragenen Deutungsversuchen vgl. v.a. J.-W. TAEGER, Rebell 267-271. Nach TAEGERs Vorschlag ist der Presbyter und nicht Diotrephes der Neuerer: "Wenn er (= Diotrephes) mit dieser Einstellung in einer jo-

Für die Vorbehalte des 3Joh gegen Diotrephes' Absichten spricht auch, daß die Bezeichnung φιλοπρωτεύων für Diotrephes eindeutig pejorative Untertöne trägt. Im Profangriechischen findet sich das Verbum φιλοπρωτεύειν zwar nicht, aber dafür der Ausdruck φιλόπρωτος (Plutarch, Solon 29.3; Alcibiades 2.2; de tranquillitate animi 12 [471D]; Dio Cassius, Historiae Romanae 9.40.5 u.ö.). Jedesmal taucht dieses Wort in negativer Bedeutung auf. So führt etwa Plutarch, de tranquillitate animi 12, das Streben nach Vorrang auf die φιλαυτία zurück.[72] Mit dem Attribut φιλοπρωτεύων versucht also der Presbyteros zu zeigen, daß Diotrephes sich einen Vorrang anmaßen möchte, der ihm nicht zukommt.

Zu beachten ist in diesem Zusammenhang besonders der neueste Versuch, das Problem des Streites, der im 3Joh geschildert wird, zu lösen; er stammt von B. Bonsack[73]. Bonsack wendet sich zunächst gegen die Auffassung, daß diejenigen, die Diotrephes sich aufzunehmen weigert (3Joh 9f: ἐπιδέχεσθαι), die umherziehenden Brüder von 3Joh 5-8 (ὑπολαμβάνειν) sein müßten. Nach seiner Überzeugung ist von einem relativ genau abgegrenzten Freundeskreis des Presbyteros, also einer johanneischen *"ecclesiola"*, auszugehen, der von der ἐκκλησία als ebenfalls legitim anerkannt sein möchte, aber zum Teil auf Ablehnung (Diotrephes) stößt (bes. S. 48). Dieser Vorschlag Bonsacks ließe sich durchaus in unsere Konzeption integrieren. Die *ecclesiola*, von der er spricht, wäre dann eine "johanneische Hausgemeinde", die sich als Gemeinschaft der Kinder Gottes versteht. Die Frage, ob diese *ecclesiola* innerhalb oder gar neben einer Ortsgemeinde bestand, ist im Grunde unerheblich.

Die Tatsache, daß der Verfasser von "seinen Kindern" (3Joh 4) spricht, deutet darauf hin, daß einst er selbst diese (Haus-)Gemeinde gegründet hatte, die aber nun von Gajus übernommen wurde.[74] Von daher ist ihm wohl auch der Titel "ὁ πρεσβύτερος" beigelegt worden. G. Bornkamm vermutet zur Person des πρεσβύτερος: "Man wird sich den 'Ältesten' ... nicht als Amtsträger, sondern als einen besondere Hochschätzung genießenden Lehrer ... zu denken haben müssen ..."[75] Zu dieser Deutung des πρεσβύτερος fügt sich problemlos die Anrede der Adressaten

---

hanneischen Gemeinde mehrheitsfähig ist und der Betroffene im Schreiben an den Freund dem nur Diffamierendes entgegenzusetzen hat, dürfte Diotrephes starke Argumente auf seiner Seite haben, müssen seine Bedenken gegen den Presbyter so gewichtig sein, daß sie sowohl seinen starken Rückhalt in der Gemeinde als auch die Schärfe der Auseinandersetzung erklären. Das scheint mir nur möglich zu sein, wenn der Presbyter, obgleich kein Irrlehrer, doch ein johanneischer Neuerer ist" (ebd. 279f). Diese Vermutung halten wir mit B. BONSACK, Presbyteros 49, prinzipiell für "sehr erwägenswert". Unsere Deutung geht jedoch vom Familienmodell des 1Joh aus und kommt durch das auf Diotrephes angewendete Wort "φιλοπρωτεύων" zu dem Schluß, daß Diotrephes der "Neuerer" sein müsse.

72 In Solon 29.3 geht es darum, daß das Streben der Seele nach Vorrang herausgelesen (ἐξαιρεῖσθαι) wird; in Alcibiades 2.2 wird das Streben nach Vorrang unter die πάθη, die Leiden, eingereiht. Und nach Dio Cassius, histRom 9.40.5 hat Pyrrhus, weil er φιλπόλεμος und φιλόπρωτος ist, alles verloren.

73 Presbyteros 44-62.

74 Vergleichbares könnte auch für den 1Joh vermutet werden, da auch dort der Verfasser seine Adressaten mit "τεκνία" anspricht und sich häufig mit den Glaubenden durch das Personalpronomen "wir" bzw. "uns" zusammenschließt (vgl. v.a. 1Joh 3,1.14.16; 4,9 u.ö.).

75 G. BORNKAMM, Art. πρέσβυς κτλ., ThWNT 6 (1959), 671,8-10; vgl. 128; vgl. H. SCHLIER, Kirche 147: "...ὁ πρεσβύτερος, was aller Wahrscheinlichkeit nach noch kein Amtstitel, sondern eine Bezeichnung seiner Würde und Autorität ..." ist; vgl. E. KÄSEMANN, Ketzer 175: "Allgemein abgelehnt wird die Beziehung des Titels auf das kirchliche Presbyteramt, ..."; vgl. ebd. Anm. 28; vgl. E. GAUGLER, Bedeutung 74: "Der Verfasser nennt sich im Eingang zu II und III ὁ πρεσβύτερος. Das Wort ist hier offenbar im Sinn von 'Traditionszeuge' (vgl. I 1,1ff.) gebraucht."

als "ἐμὰ τέχνα" in 3Joh 4. Ein Lehrer spricht seine Schüler mit "τέχνα" an.[76] Der Brief drückt die Verbundenheit mit seiner früheren Gemeinde aus und stärkt ihr den Rücken gegen das Verhalten des Diotrephes.

Fassen wir kurz zusammen: "Unser" πρεσβύτερος[77] war wahrscheinlich ein Gemeindeleiter[78]. Er nennt die Glieder seiner früheren Gemeinde "τεχνία" oder auch "ἐμὰ τέχνα", da sie in das Haus kommen, dem er als *pater familias* vorsteht oder vorstand.[79] Theologisch bleibt jedoch die Struktur der Gemeinde egalitär, d.h. vor Gott sind alle gleich, alle sind seine Kinder und damit untereinander Geschwister ("Brüder"). Die Unterschiede bei den Glaubenden in der gemeindlichen Stellung sind *iure humano*, während *iure divino* alle gleichwertig und -berechtigt sind. Im Blick der Gemeinden der Johannesbriefe sind also nicht besondere *Ämter*, sondern besondere *Personen*, die die Leitungsfunktionen übernehmen. Das Familienmodell erweist sich - zumindest was die Johannesbriefe angeht[80] - als sicheres Korrektiv gegenüber einem alleinigen Führungsanspruch einer einzigen Person. Die Stellung des (jeweils gastgebenden) Hausvaters wird relativiert durch den Gedanken der Vaterschaft Gottes.

Die gebrandmarkten Handlungen des Diotrephes gehen aber noch weiter. Als Leiter einer Hausgemeinde ist er nicht bereit, umherziehende Brüder aufzunehmen (3Joh 9), mehr noch, er versucht diejenigen, die das tun, zu "exkommunizieren" (3Joh 10). Ferner meint der Verfasser des 3Joh, Diotrephes mache *"uns"* schlecht (λόγοις πονηροῖς φλυαρῶν ἡμᾶς - 3Joh 9). Auch Diotrephes muß der Überzeugung gewesen sein, mit seinen Handlungen auf dem Boden der Gemeinschaft zu stehen. Er verweigerte die Aufnahme der Brüder (vgl. 1Kor 5,11-13) wohl unter Berufung auf 2Joh 10. Die Umherziehenden brachten die "Lehre", daß Jesus der Christus ist, seiner Meinung nach offenbar nicht mit. Denkbar wäre etwa, daß er in den Umherziehenden bloße "Landstreicher" gesehen hatte. Deshalb sah er sich auch gezwungen, alle diejenigen, die mit den Fremden Kontakt hatten, aus der Gemeinde zu stoßen; denn auch sie hatten Anteil an den seiner Meinung nach bösen Werken der Fremden. Diotrephes handelt also so, als ob die Gesandten

---

[76] Ähnlich wird es sich mit der Anrede "τεχνία" im 1Joh verhalten, wenngleich hier der Briefschreiber sich nicht als "ὁ πρεσβύτερος" identifiziert. Die Tatsache, daß der 2Joh von "τέχνα τῆς χυρίας" (2Joh 1.4.13) spricht, deutet darauf hin, daß hier die Gemeinden als ganze die Lehrfunktion für ihre Gemeindeglieder übernommen haben. Vgl. auch für Paulus 1Kor 4,14; 2Kor 6,13; Gal 4,19; vgl. Timotheus bzw. Onesimus als Kind des Paulus in 1Kor 4,17 bzw. Phlm 10.

[77] Gemeint ist der Verfasser des zweiten und dritten Johannesbriefs.

[78] Über die Person des πρεσβύτερος hat sich in der Forschung die Meinung durchgesetzt, die C.H. DODD, Epistles LXIV, so formuliert: "The authority with which our author speaks is more than local. It appears, however, that another quasitechnical use of the term was current for a short time, mainly or even exclusively in the Province of Asia - the home, to all appearance, of our Presbyter ... a group of teachers who formed a link between the apostles and the next generation."
Vgl. auch K.P. DORNFRIED, authority 328: "Our thesis is that 2 and 3 John, as well as I John, were written by the presbyter, who was not only an ecclesiastical officer, but *the* most important presbyter in a regional network of churches; and, further, that he directed and controlled the missionary activity in his region."

[79] Vgl. die Verbindung von "πατήρ" und "πρέσβυς", die G. BORNKAMM in seinem Artikel πρέσβυς κτλ. aufzeigt, ThWNT 6 (1959), 676,12-19; in philosophischen Schulen wurde der Professor oft "πρεσβύτερος" genannt (Epiktet, diss. 1,9,10). Auch "unser" πρεσβύτερος bezeichnet wie ein Lehrer seine Adressaten immer wieder als τεχνία, παιδία oder sogar ἐμὰ τέχνα.

[80] Vgl. die These, daß der monarchische Episkopat analog der Stellung des Hausvaters sich herausgebildet hat, bei G. SCHÖLLGEN, Hausgemeinden 89.

nicht die rechte "Lehre" mitgebracht hätten.[81] Dies deutet der Verfasser des 3Joh als üble Nachrede des Diotrephes gegenüber den anderen Gemeindegliedern.[82] Doch trotz allem möchte der πρεσβύτερος das innergemeindliche Problem gütlich lösen. Er will Diotrephes nicht aus der Gemeinde stoßen, sondern ihn an seine Werke erinnern (3Joh 10), d.h. er möchte ihn zur Besinnung bringen, indem er ihm deutlich machen will, was er überhaupt tut. Der Verfasser scheint ja der Überzeugung zu sein, Diotrephes wisse gar nicht, was er tut; er reagiert auf die Handlungen des Diotrephes so, als glaube er, dem Ganzen liege ein Mißverständnis zugrunde. Offenbar ist auch er der Meinung, Diotrephes habe die Fremden nicht richtig verstanden und sei der Überzeugung, sie hätten nicht die "Lehre", von der in 2Joh 10 die Rede war, obwohl sie sie in Wahrheit gehabt hatten.[83] Auch der 3Joh sich wendet sich nicht gegen eine häretische Auffassung.

3.4 Zusammensetzung und Größe der johanneischen Gemeinden

Aus der Bestimmung der Menschen, gegen die sich der erste Johannesbrief richtet, geht hervor, daß die Gemeinden sich aus Juden- wie aus Heidenchristen zusammensetzten. Die Christen haben entsprechend ihrer Herkunft auf verschiedene Weise versucht, mit dem äußeren Druck umzugehen. Die einen verzichteten auf ein offenes Bekenntnis, und die anderen arrangierten sich wieder mit ihrer früheren jüdischen Gemeinde. Für den Gedanken von Gemeinden aus Juden- und Heidenchristen sprechen weitere Stellen im JohEv: Nach Joh 11,52 soll Jesus sterben "um die verstreuten Kinder Gottes zusammenzubringen". H. Klein[84] assoziiert hier zurecht Joh 10,16: "Es kann kein Zweifel darin bestehen, daß die 'Schafe der anderen Hürde' die Missionsgemeinden aus der Welt des Heidentums sind ..." Auch die Bitte der Hellenisten, zu Jesus zu kommen, der nicht entsprochen wird, deutet auf die Entschränkung des Heiles erst nach Jesu Tod hin.[85] Über die Größe von solchen Gemeinden, die sich in Privathäusern treffen, läßt sich nur spekulieren. Die Größe des Raumes, in dem man sich traf, wird der Gemeinde ihre Grenze gesetzt haben. Die meisten Exegeten setzen diese Obergrenze bei 40 fest.[86] Auch die Gemeinden, an die die Johannesbriefe adressiert waren, haben wir uns wohl kaum größer vorzustellen, da die intensive geistliche und materielle Gemeinschaft, die etwa der 1Joh fordert, und die "Bruderschaft" der Glaubenden sonst nicht praktikabel gewesen sein können.

---

81 Diese These wird nicht durch den Verweis darauf, daß 2Joh 10 und 3Joh 9 unterschiedliche Terminologie verwenden, widerlegt: 2Joh 10 spricht vom "λαμβάνειν" der Fremden und 3Joh 9 vom "ἐπιδέχεσθαι". Zwischen beiden Briefen liegt - wenn man schon voraussetzt, sie seien vom selben Verfasser - mit Sicherheit eine geraume Zeit.

82 Daß Diotrephes die Glaubenden *gegenüber der Welt* schlecht macht, ist aufgrund der emotionalen Abschottung der Gemeinden von der Welt wenig wahrscheinlich (vgl. unten "5. Die Außenbeziehungen der Gemeinde", S. 225f).
Zu der vorgetragenen Interpretation vgl. auch diejenige von A. MALHERBE, Aspects 92-112.

83 Zu den in der Literatur vorgetragenen Interpretationen des Streits zwischen dem "πρεσβύτερος" und Diotrephes vgl. F. VOUGA, School 371-385, bes. 374-377.

84 G. KLEIN, Gemeinschaft 63f.

85 Vgl. G. KLEIN, ebd. 64f, wo noch weitere Belege folgen.

86 T. LORENZEN, Hauskirche 338; J. GNILKA, Philemonbrief 27; P. STUHLMACHER, Philemon 72; vgl. im Unterschied dazu H.-J. KLAUCK, Hausgemeinde 14, der sie bei der Zahl 30 setzt.

4. Der Missionserfolg der Gemeinden - innergemeindliche Probleme

Die vermutete hausgemeindliche Substruktur der Ortsgemeinden impliziert folgendes Problem: Als selbst die größten Privathäuser für die Gemeindeversammlungen zu klein wurden, müssen sich die Gemeinden geteilt haben. Aus der "Mutter"-gemeinde entwickelten sich Tochter- bzw. Schwestergemeinden (vgl. 2Joh 13), die sich in derselben Stadt wie die "Mutter"-Gemeinde zu etablieren suchte. Es tauchte damit aber das Problem der Über- und Unterordnung der verschiedenen Gemeinden auf. Hatte etwa die Muttergemeinde und deren Leiter den Primat vor der Tochtergemeinde? Diotrephes scheint dieser Ansicht gewesen zu sein.

Doch allen innerkirchlichen Streitereien zum Trotz scheint die Verständigung der Hauskirchen untereinander durch äußeren Druck[87] gefördert worden sein, dem die Christen in den 90er Jahren des ersten Jahrhunderts ausgesetzt waren.[88] Deutlich ist zudem die Milde, mit der der Verfasser des 3Joh den Diotrephes behandeln will. Er möchte die Probleme gütlich lösen. Es gilt in einer Situation äußerer Bedrängnis zusammenzuhalten. Dazu kommt, daß das Gebot der Bruderliebe auch in einer Situation der Meinungsverschiedenheit gilt und sich gerade da zu bewähren hat (vgl. 2Joh 5).

5.Die Außenbeziehungen der Gemeinden

5.1 Μὴ ἀγαπᾶτε τὸν κόσμον - Abkapselung

Gegenüber der "Welt" zog sich die Gemeinde - zumindest die Hausgemeinden des 1Joh - zurück. Der Verfasser ruft dazu auf, nicht die Welt liebzuhaben (1Joh 2,15), er erklärt seinen Adressaten, warum sie von der Welt gehaßt werden (3,13; vgl. 4,5f), er attestiert der Welt, daß sie im Bösen liegt (ἐν τῷ πονηρῷ κεῖται - 5,19) und behauptet, daß die Glaubenden nicht nur den Bösen (2,13f), sondern auch die Welt (4,4; 5,4) besiegt hätten. Auch die Handlungsempfehlung, die der 2Joh gegenüber denen gibt, die nicht die Lehre mitbringen, daß Jesus der Christus ist, sie nämlich nicht aufzunehmen und nicht zu grüßen (2Joh 10f), zeugt nicht von besonderer Liebe zur "Welt". Diese Ablehnung der Welt ist auch im 3Joh spürbar. Dort wird ausdrücklich betont, daß die umherziehenden Christen von Heiden nichts annehmen sollten (μηδὲν λαμβάνοντες ἀπὸ τῶν ἐθνικῶν - 3Joh 7).

Doch es darf als sicher gelten, daß die christlichen Gemeinden auch nach außen eine - womöglich unbeabsichtigte - Wirkung erzielt haben. Wie die Christen da - trotz sozialer Unterschiede - miteinander lebten, wie sie einander auch materiell unter die Arme griffen (vgl. Joh 13,35), dies alles bewirkte, daß von diesem Kreis eine Ausstrahlungskraft ausging, die missionarisch werbend auf die Umwelt wirkte. Die christlichen Gemeinden wuchsen durch ihren Zusammenhalt. Diese glaubwürdige missionarische Existenz der Gemeinden war im Grunde unbeabsichtigt.

---

[87] Vgl. T. LORENZEN, Hauskirche 342: Es "zwangen Verfolgungen durch politische und religiöse Gegner zur Solidarität aller Christen." Vgl. W. VOGLER, Bedeutung, Sp. 791: "(Lokale) Verfolgungen von seiten ihrer Umwelt haben die Hausgemeinden gleichfalls veranlaßt, sich in Ortsgemeinden enger zusammenzuschließen."

[88] Vgl. den Abschnitt über die "Gegner der Johannesbriefe" und die sozialgeschichtliche Verortung o. S. 170-209 bzw. S. 185-192.

In 1Joh 2,2 ist jedoch auffälligerweise die Welt - und nicht bloß die Gemeinde - Ziel des Heilshandelns Gottes.[89] Aber aus 1Joh 2,2 eine rege Missionstätigkeit der Gemeinden schließen zu wollen, wäre eine Überinterpretation. Jesu Sein als "ἱλασμός" wirkt sich praktisch zwar nur für die Gemeinden aus, ist aber prinzipiell auf die ganze Welt gerichtet. Die ausdrückliche Betonung dieses Zieles des Heilshandelns Gottes in Christus läßt sogar darauf schließen, daß die empirische Gemeinde sich kritisch vom κόσμος distanziert hatte.

Diese kritische Distanz zur Welt brachte für die Gemeinden ein großes Problem: Man entwickelte ein elitäres Bewußtsein. Es entstanden geschlossene, selbstzufriedene Gruppen. Nicht in der Verkündigung an die Welt, sondern in der Tatsache des Bestehens der eigenen Gemeinde sah man das Ziel des Heilshandelns Gottes in Christus. Die Gemeinschaft betrachtete sich selbst als Erfüllung der Heilstat Gottes (1Joh 4,9).

5.2 Wandernde Brüder als Missionare

Joh 13,20 deutet darauf hin, daß den Gemeinden das Phänomen im Namen Christi umherziehender Menschen bekannt war.[90] Im 1Joh erfahren wir darüber jedoch nichts. Es ist bereits darauf hingewiesen worden, daß der 3Joh, ja teilweise auch schon der 2Joh, sich bereits etwas von dem Familienmodell der reinen Hausgemeinde löst und im Kontext des Anwachsens der jeweiligen Hausgemeinde bzw. des Zusammenhalts der Hausgemeinden innerhalb eines Ortes zu interpretieren ist.[91] Insofern ist es auch nicht weiter verwunderlich, daß im 3Joh - und versteckt auch im 2Joh - Nachrichten auftauchen, die auf einen missionarischen und damit nicht rein negativen Bezug zur Welt schließen lassen. Was hat es etwa mit denjenigen auf sich, die "wegen des Namens (Gottes) ausgezogen sind" (ὑπὲρ γὰρ τοῦ ὀνόματος ἐξῆλθον - 3Joh 7), bzw. mit denjenigen, die die Adressaten des 2Joh nicht ins Haus (εἰς οἰκίαν) aufnehmen dürfen (2Joh 10)? Diese Leute, um deren Aufnahme durch die Hausgemeinden auch der 3Joh kreist, waren wohl umherziehende Wandermissionare.[92] Denkbar wäre auch, daß sie nur die Verbindung unter den verschiedenen Orts- vielleicht auch Hausgemeinden aufrecht erhalten sollten. Eine Entscheidung für die eine oder andere Möglichkeit ist aufgrund der geringen Textbasis schwer möglich. E. Käsemann meint hierzu: "Daß genauer Heidenmissionare gemeint sind, ergibt sich aus der gut urchristlichen Begründung, die Boten dürften von den Heiden keine Mittel annehmen und seien darum auf die Hilfe der Gemeinde angewiesen."[93] Es ist denkbar, daß diese Leute sich auch ausdrücklich auf den 1Joh berufen haben, indem sie leben wollten wie Jesus: "Wer sagt, daß er in ihm bleibt, der soll auch leben, wie er gelebt hat" (1Joh 2,6; vgl. 1Joh 3,3.5.7.9.16). Sie waren es, die wirklich ernst machen wollten mit dem Anspruch, zu leben wie Jesus gelebt hat. Damit versuchten diese Leute das Ideal der Vergangenheit wiederaufleben zu lassen: Auch Jesus war - nach dem übereinstim-

---

89 Vgl. zur missionarischen Existenz der Gemeinde, die das JohEv im Blick hat U. SCHNELLE, Ekklesiologie bes. 38-43; offenbar hat sich seit der Niederschrift des JohEv doch vieles für die Gemeinde(n) geändert. Das läßt die Dämonisierung des κόσμος (1Joh 5,18) sowie die Stärkung der Binnenstabilität durch die Entfaltung des Familienmodells vermuten.

90 Zu dieser Problematik vgl. M.R. RUIZ, Missionsgedanke.

91 Vgl. o. S. 220, Anm. 60.

92 So W. VOGLER, Bedeutung, Sp. 793.

93 E. KÄSEMANN, Ketzer 169f.

menden Zeugnis der vier Evangelien - umhergezogen. 3Joh 7f läßt offen, ob die wandernden Christen freiwillig sich auf ihre Wanderschaft begeben haben oder ob sie aus einer materiellen Notlage heraus sich zu ihrer Existenzform entschlossen haben. In jedem Fall sind sie auf "Sympathisanten in den Ortsgemeinden"[94] angewiesen, zumal sie darauf verzichteten, von den ἐθνικοί[95] unterstützt zu werden. Es scheint so, daß am Ende des ersten nachchristlichen Jahrhunderts das Ideal der umherziehenden Wandermissionare wieder aufkommt. Die Notiz in 3Joh 7f ist dann ein Reflex auf das typische Rollenverhalten in der Jesusbewegung, die G. Theißen skizziert hat[96].

Mit dem Auftauchen der umherwandernden Heidenmissionare wurde das Aufgabengebiet der einzelnen Gemeinden größer. Nicht nur die Pflege der eigenen Gemeinschaft wurde geübt, sondern es galt, jene Missionare ideell und materiell zu unterstützen. Im 3Joh werden die Taten des Gajus als vorbildhaft dargestellt. Er hatte den Umherziehenden Liebe erwiesen (3Joh 5) und sie sogar weitergeleitet (3Joh 6). Diese Missionare (und nicht irgendwelche anderen Leute - vgl. 2Joh 10) galt es für die christlichen Gemeinden, ins Haus (εἰς οἰκίαν) aufzunehmen, zu beherbergen (3Joh 8). Die Hausgemeinden der 2. und 3. Generation wurden so "Rückgrat der in ihrer Zeit betriebenen Ausbreitung des Evangeliums"[97].

Durch diese Leute wurde die elitäre Abschottung der Hausgemeinde aufgebrochen. Mission wurde als Aufgabe erkannt und wahrgenommen. Als Ziel des Heilshandelns Gottes galt nicht nur die Gemeinschaft von Christen, sondern auch die Gewinnung neuer Menschen für das Leben als Kinder Gottes (vgl. 1Joh 2,2; Joh 17,20).

6. Zusammenfassung

6.1 Die Gemeinden der johanneischen Briefe als Hausgemeinden

Auffällig bleibt, daß die Johannesbriefe terminologisch wenig auf eine hausgemeindliche Verfaßtheit schließen lassen. Begriffe wie ἡ κατ᾿ οἶκον ἐκκλησία (1Kor 16,19; Röm 16,6; Phlm 2; Kol 4,15) oder οἰκεῖος τῆς πίστεως (Gal 6,10) finden sich im Corpus Johanneum nicht. Dies ist insofern jedoch nicht weiter verwunderlich, als für das Familienmodell - wie es der Verfasser des 1Joh zugrundelegt - kein Begriff zur Verfügung stand. Gleichwohl haben wir mit einer hausgemeindlichen Verfaßtheit der Gemeinschaften der Johannesbriefe zu rechnen. "Die Hausge-

---

[94] G. THEISSEN, Soziologie 21-26

[95] F. VOUGA, Johannesbriefe 90, vermutet, "Ἐθνικοί" seien "entweder die Heiden = die heidnischen Hörer der Predigt (Mt 5,47; 6,7; 18,17; ...) oder sogar Christen, die nicht zum joh Verband gehören (...).

[96] Vgl. G. THEISSEN, Soziologie, der in seiner Rollenanalyse drei unterschiedliche Hauptrollen untersucht: die "Rolle des Menschensohnes" (3Joh 7: Denn um seines Namens willen ..." - vgl. THEISSEN, ebd. 26-32), die "Rolle der Wandercharismatiker" (3Joh 7: "... sind sie ausgezogen und nehmen von den Ἐθνικοί nichts an." - Vgl. THEISSEN, ebd. 14-21) und die "Rolle der Sympathisanten in den Ortsgemeinden" (3Joh 8: "Solche sollen wir nun aufnehmen, damit wir Gehilfen der Wahrheit werden." - vgl. THEISSEN, ebd. 21-26).
THEISSEN wird diesbezüglich zurecht von L. SCHOTTROFF/W. STEGEMANN, Jesus 106, vorgeworfen, er unterscheide nicht zwischen dem literarischen Ideal des einfachen Lebens der Jünger im Lukasevangelium und der historischen Jesusbewegung. Interessanterweise hält nämlich der am Ende des ersten nachchristlichen Jahrhunderts schreibende Lukas in seinem Evangelium dieses Ideal besonders wach (vgl. L. SCHOTTROFF/W. STEGEMANN, Jesus 102-113).

[97] W. VOGLER, Bedeutung, Sp. 793.

meinde war, so dürfen wir zusammenfassend sagen, Gründungszentrum und Baustein der Ortsgemeinde, Stützpunkt der Mission, Versammlungsstätte für das Herrenmahl, Raum des Gebetes, Ort der katechetischen Unterweisung, Ernstfall der christlichen Brüderlichkeit."[98] Trifft diese Charakterisierung H.-J. Klaucks für frühchristliche Hausgemeinden zu, so dürfen wir annehmen, daß der Kreis von Gemeinden, an die sich die drei Johannesbriefe richteten, solche Hausgemeinden waren, die in Privathäusern ihre Versammlungen abhielten. Das Familienmodell legt diese hausgemeindliche Verfaßtheit der Gemeinden auf jeden Fall nahe.

6.2 Die Gemeinden der johanneischen Briefe als Sekten

6.2.1 Zum Begriff "Sekte"

Die Einführung des Begriffs "Sekte" bzw. "sect" oder "sectarian movement" ist m.E. für die neutestamentliche Zeit nicht ganz unproblematisch.[99] Gleichwohl kann er dazu verhelfen, daß die Konturen der ersten christlichen Gemeinden schärfer werden. "Sekte" impliziert nicht zwangsläufig das Vorhandensein einer wie immer gearteten "Orthodoxie".[100] "Sekte" soll in unserem Zusammenhang - mit P.-G. Weber[101] - als soziale Organisationsform in den Blick genommen werden, als ein "soziales System". "Unter sozialem System soll ... ein Sinnzusammenhang von sozialen Handlungen verstanden werden, die aufeinander verweisen und sich von einer Umwelt nicht dazugehöriger Handlungen abgrenzen lassen."[102]
Ohne auf die breite Sektendiskussion eingehen zu können, die sich in der Soziologie ausgehend von M. Weber[103] und E. Troeltsch[104] gebildet hat, sollen hier ledig-

---

[98] H.-J. KLAUCK, Hausgemeinde 15; vgl. auch P. LAMPE, Funktion 538, der die Hausgemeinden folgendermaßen charakterisiert: "Im Vokabular moderner Gruppentheorie ließe sich formulieren: Solche Kleingruppen bieten Raum für persönliche Kontakte und affektive Beziehungen (positiver wie negativer Art!). Die Interaktionshäufigkeit ist gross. Gemeinsame Wert- und Zielvorstellungen entwickeln sich leicht. Der einzelne hat das Gefühl, 'zu Hause' zu sein. Gegenüber der Umwelt bildet sich ein Solidaritätsgefühl heraus - freilich mit der Gefahr, die Offenheit nach aussen hin zu verlieren."

[99] H.-J- KLAUCK, Johannesbrief 281 hat u.a. folgende Bedenken geäußert: "Was seine Herkunft angeht, ist der Begriff der Sekte eng dem Gegenüber zu den verfaßten Kirchen verhaftet. ... Ebenso erscheint es sehr schwierig, einen wertfreien Gebrauch des Terminus Sekte zu etablieren."

[100] Vgl. die Verwendung des Begriffs αἵρεσις in Act 28,22. αἵρεσις meint hier eine in sich geschlossene Gruppe im Gegenüber zur Gesellschaft.
Vgl. P.-G. WEBER, Religiosität 31f: "Wir können nicht schon immer dann, wenn sich eine sektiererische Gemeinschaft quasi durch Selektion von einem spezifisch organisierten Sozialsystem (Kath. Kirche oder Evgl. Landeskirche) separiert, ohne weiteres von einer Sekte sprechen. Eine solche Gemeinschaft kann den Grundmerkmalen einer sozialen Gruppe entsprechen. Unter einer sozialen Gruppe wollen wir ganz allgemein ein zweckgerichtetes, mit einem gemeinsamen Handlungsziel und Normensystem zwischenmenschliches Zusammenspiel mehrerer sozialer Personen (Kollektivgedanke) verstehen. Erst dann, wenn eine solche Gruppe durch Differenzierung eine formalisierte Strukturbeziehung formiert (Exklusivität der Gemeinschaft, Mitgliedschaftmotivation) und diese an spezifischen Zwecken orientiert (Bruderschaftgeist, Leitbild der urchristlichen Gemeinde) sowie mindestens die Intention nach rational gestaltet (Führerschaft, Folgschaft, Ämter und Rollendifferenzierung formalisiert), können wir von einem spezifisch organisierten Sozialsystem sprechen. Von einer Sekte sei daher immer dann gesprochen, wenn sie im hier verstandenen Sinne strukturiert ist."

[101] Ebd. 32.

[102] N. LUHMANN, Soziologie 115; vgl. auch B. WILSON, Sekten 28, der bei seinen allgemeinen Aussagen über Sekten in verschiedenen Kulturbereichen und Epochen "die Gegenüberstellung von Kirche und Sekte vermeiden" möchte. Zur Problematik der Kirche-Sekte-Distinktion vgl. W. STEGEMANN, Synagoge 22f.

[103] Religionssoziologie I (1922 - ⁵1963).

[104] Soziallehren (1922).

228

lich im Anschluß an R. Scroggs[105] und B. Wilson[106] die Charakteristika von religiösen Sekten zusammengestellt und sodann mit den Merkmalen der johanneischen Gemeinden verglichen werden.

(1) Nach Scroggs ist der Ursprung einer Sektenbewegung im Protest zu suchen.[107] In ihrer Zusammenkunft drücken die Sektenmitglieder ihren Protest gegen finanzielle, religiöse oder politische Unterdrückung aus.

(2) Ein weiteres Merkmal ist die Ablehnung der in der Gesellschaft vorherrschenden Weltsicht.[108] Dabei erscheinen die einzelnen der Sekte entgegengerichteten gesellschaftlichen Kräfte aus Sicht der Sekte eine Allianz einzugehen. Die Sektenmitglieder selbst sind zwar auf das gesellschaftliche Umfeld angewiesen, doch man entwirft eine diesem Umfeld gänzlich andere Realität.

(3) Die Sekte ist egalitär aufgebaut.[109] Ihre Mitglieder sind einander gleichgestellt, alle sozialen Unterschiede (Vermögen, Geburt, Alter, Geschlecht ...) sind im Grunde belanglos.

(4) Die Sekte bietet jedem Liebe und Annahme innerhalb der Gemeinschaft.[110] Damit erweist sich die Sekte als die wahre Familie ihrer Mitglieder.

(5) Sektenmitglieder werden nicht geboren; es wird von ihnen ein bewußter Eintritt gefordert.[111]

(6) Die Sekte verlangt eine totale Verpflichtung von ihren Mitgliedern.[112] Andernfalls würden die Grenzen der Sekte zur Welt verwischt. Partielle Partizipation an der Sekte ist also ausgeschlossen. "Wird dieses Problem nicht befriedigend gelöst, sinkt der Verfestigungsgrad, d.h. das Ausmaß der theoretischen Stützkonzeption ..."[113]

(7) Als fakultatives Merkmal führt Scroggs an[114], daß einige Sekten ein ausgeprägtes endzeitliches Bewußtsein hätten.

(8) Nach B. Wilson tritt die Sekte "für ein anderes Autoritätsprinzip als dasjenige der orthodoxen Tradition ein" und behauptet dessen Überlegenheit. "Die Autori-

---

105 R. SCROGGS, Communities 3-7
106 Sekten 27-29 sowie ders., Sects 1: "The sect is a clearly defined community; it is of a size which permits only a minimal range of diversity of conduct; it seeks itself to rigidify a pattern of behaviour and to make coherent its structure of values; it contends actively against every other organization of values and ideals, and against every other social context possible for its adherents, offering itself as an allembracing, divinely prescribed society. The sect is not only an ideological unit, seeking to enforce behaviour on those who accept belief, and seeking every occasion to draw the feithful apart from the rest of society and into the company of each other. ... The sect, as a protest group, has always developed its own distinctive ethic, belief and practices, against the background of the wider society; its own protest is conditioned by the economic, social, ideological and religious circumstances prevailing at the time of its emergence and development."
107 R. SCROGGS, ebd. 3f.
108 R. SCROGGS, ebd. 4f.
109 R. SCROGGS, ebd. 5.
110 R. SCROGGS, ebd. 5f; vgl. B. WILSON, Sekten 28: "Auch hat die Sekte einen ausgeprägten Sinn für Solidarität: Wer aufgenommen worden ist, gilt als 'einer von uns'. Dieses 'Wir' schließt alle anderen aus, ..."
111 R. SCROGGS, Communities 6; vgl. B. WILSON, Sekten 28: "Der Beitrittswillige entscheidet sich selbst für die Sekte; doch beruht die Entscheidung auf Gegenseitigkeit: Die Sekte akzeptiert ihn oder lehnt ihn ab."
112 R. SCROGGS, Communities 6f; vgl. B. WILSON, Sekten 28: "Die Sekte ist eine Körperschaft, welche die totale überzeugungsmäßige Bindung ihrer Mitglieder fordert. Diese hat stärker zu sein als alle anderen Bindungen, sei es an den Staat, den Volksstamm, die Klasse oder an die Sippe, sofern sie diese nicht überhaupt völlig ausschaltet."
113 P.-G. WEBER, Religiosität 20.
114 Communities 7.

tät, auf die sich eine Sekte beruft, kann die einem charismatischen Führer zuteil gewordene besondere Offenbarung sein, die Neuinterpretation heiliger Schriften oder der Gedanke, daß wahrhaft Gläubigen Offenbarung geschenkt wird."[115]

(9) Zwischen gesellschaftlichem Umfeld und Sekte besteht ein tiefer ideologischer Graben. Rettung und Heil gibt es nur für die Sektenmitglieder, während das gesellschaftliche Umfeld den dunklen Hintergrund bildet, auf dem das Heil der Sekte umso heller erstrahlt.[116]

Diesen Charakteristika sollen nun die Entsprechungen in den Gemeinden der johanneischen Briefe gegenübergestellt werden.

6.2.2 Charakteristika der Gemeinden der johanneischen Briefe

(1) Die johanneischen Gemeinden werden literarisch faßbar in einer Zeit sozialer Instabilität, sozialen Wandels und großer Rechtsunsicherheit (Domitian)[117]. Auch wenn sich keine materielle Unterdrückung der Gemeindeglieder wahrscheinlich machen läßt, ist der Protest gegen den kaiserlichen Anspruch auf göttliche Verehrung spürbar.

(2) Die Antwort der Gemeinden auf ihr gesellschaftliches Umfeld besteht in der Propagierung einer *anderen, neuen Realität*. Darauf weist der dem 1Joh zugrundeliegende Dualismus, der vor allem dort spürbar wird, wo der Verfasser des 1Joh vom Haß und Unverständnis der Welt gegenüber der Gemeinde spricht (1Joh 3,1c.13; 4,5f; vgl. Joh 8,47; 15,19; 18,37). In der Episode von der Verwerfung Jesu in Nazareth (Mk 6,1-6 par.) scheint das Ergehen von christlichen Gemeinden - auch der johanneischen (vgl. Joh 6,42) - christologisch verdichtet zu sein. Wenn nach Mk 6,5 Jesus in seiner Heimat (ἐν τῇ πατρίδι αὐτοῦ) verachtet (ἄτιμος) ist, so gilt das offenbar genauso für die johanneischen Gemeinden in der Welt. Genauso wie der Hintergrund der Verwerfung Jesu in Nazareth dessen Gottessohnschaft (Mk 1,11; 9,7; 15,39) ist, also die Tatsache, daß er letzten Endes doch nicht aus Nazareth stammt, ist der Hintergrund des Hasses und Unverständnisses der Welt gegenüber den Gliedern der johanneischen Gemeinde die Tatsache, daß sie eben doch nicht in ihrer Heimat (πατρίς) sind, sondern daß sie als Kinder Gottes aus Gott sind (1Joh 4,4-6; 5,19).

Die verwandschaftlichen Beziehungen werden durch das Familienmodell neu definiert. Durch Inkorporation in die Gemeinschaft der Kinder Gottes verlieren die alten Familienbindungen ihre Gültigkeit. Die Gemeinschaft versucht, verlorene Familienbindungen zu ersetzen.[118]

---

[115] Sekten 29.
[116] Vgl. B. WILSON, Sekten 29: An das einzelne Sektenmitglied werden ganz bestimmte Anforderungen gestellt. "Man erwartet von ihm eine vorbildliche Lebensführung im Sinn der Sekte, und infolgedessen sind die Freiwilligkeit seiner Bindung und die ihm auferlegte Probe der Würdigkeit nur dann möglich, wenn er ein persönliches Bewußtsein der eingegangenen Verpflichtung besitzt. Weil Sekten eine unterschiedlichen Grad der Verpflichtung ablehnen, ist die sittliche Reinheit der Sekte völlig identisch mit derjenigen ihrer einzelnen Mitglieder." Vgl. auch F. WATSON, Paul 40: "The sect's members need to know exactly where they stand, for if they are unclear about this they may fall victim to the specious arguments of the sect's opponents ..."
[117] Vgl. o. S. 185-192.
[118] Auch diese Erfahrung hat sich im MkEv (Mk 3,31-35; Mk 10,28-31) niedergeschlagen.

Die verschiedenen Gegnergruppen des 1Joh sind oben bereits eingehend erörtert worden.[119] Der Verfasser des 1Joh faßt dabei seine Gegner im Begriff κόσμος zusammen. In diesem Begriff sieht er Juden, Apostaten und Obrigkeit verkörpert.[120] Auffällig ist, daß es dem 1Joh weniger darum geht, missionarisch zu wirken, also neue Gemeindeglieder zu werben, sondern es geht um Bestandswahrung. Zentrifugale Kräfte sind der Grund für den Haß der Gemeindeglieder gegen die Welt (1Joh 2,15). Der Verfasser des 1Joh will mit dem Familienmodell als Programm zunächst lediglich diesen Kräften entgegenwirken; zentripetale Kraft wird dabei kaum entwickelt. Dies scheint sich dann mit dem 3Joh zu ändern.[121]

(3) Die *Struktur* also, die die christlichen Gemeinden der Welt entgegensetzt, ist *egalitär*. Dies wird schon in den paulinischen Gemeinden deutlich (1Kor 12,13; Gal 3,28; 5,6; vgl. Eph 2,15; Kol 3,11). Durch die Teilnahme an der Gemeinschaft der Kinder Gottes wird der bisherige Status aufgehoben. Als Kinder Gottes sind alle "Brüder" (ἀδελφοί) und haben es nicht nötig, daß sie jemand belehrt (1Joh 2,27). Unterschiede wie Armut und Reichtum sollen innerhalb der Gemeinde nicht mehr gelten: der Reiche wird ermahnt, dem bedürftigen "Bruder" von seinem Überfluß abzugeben (1Joh 3,17).

Die Gemeinde, deren Bild wir skizziert haben, fühlt sich von der Welt ausgeschlossen und schließt sich selbst von der Welt ab. Damit versucht sie hinter sich zu lassen, was in der Welt Bedeutung hat: Herkunft, Reichtum (vgl. 1Joh 3,17), Judentum, Heidentum, Obrigkeit. Die Identität der Gemeinde(glieder) wird von Gott her bestimmt (1Joh 3,1) und ist somit den Anfeindungen der Welt entzogen. Dadurch wird trotz des äußeren Drucks Selbstbewußtsein und Grundvertrauen erzeugt. In Gott wissen sich die Gemeindeglieder geborgen (1Joh 5,18c; vgl. 4,17f).

(4) Als Kinder Gottes schulden die Gemeindeglieder einander *Liebe und Solidarität* (1Joh 3,14c.16-18 u.ö.).[122] Von der Gemeinschaft her wird die gesamte Existenz der Gemeindeglieder bestimmt. Alte und junge Menschen (1Joh 2,12-14), wohlhabende und ärmere (3,17) nehmen am Gemeinschaftsleben teil. "Leben" gibt es ja nur für die Gotteskinder.[123] Die Gemeinschaft dient zugleich der Vergewisserung der eigenen Überzeugungen, die ständig von der Außenwelt angezweifelt werden.[124]

(5) Alle bisher aufgeführten Charakteristika setzen den *bewußten Eintritt in die Gemeinde* voraus. Diesen scheint 1Joh 3,14a vor Augen zu haben. Theologisch werden Gotteskinder aus Gott geboren; dazu bekennen sie sich mit dem Eintritt in die Gemeinde bzw. ihrer Taufe. Dieser Schritt setzt einen Willensentschluß voraus, der angesichts der bedrängten Lage der Gemeinde nicht einfach gefallen sein dürfte.

(6) Der 1Joh schließt eine partielle Partizipation von Personen an den Gemeinden als Aktionszentrum aus. Die Gemeinden benötigen klare Grenzziehungen. Menschen, die sich nicht offen zur Gemeinde bekennen, gehören auf die Seite des

---

[119] Vgl. o. S. 192-209.
[120] Vgl. o. S. 200f.
[121] Vgl. o. S. 226f.
[122] Vgl. o. S. 129-134.178-181.
[123] Vgl. o. S. 118-121.
[124] Vgl. 1Joh 5,13: "Das habe ich euch geschrieben, damit ihr wißt, daß ihr das ewige Leben habt, die ihr glaubt an den Namen des Sohnes Gottes." Vgl. auch 1Joh 3,14a: "Wir wissen, daß wir aus dem Tod in das Leben gekommen sind, ..."

Teufels als dessen Kinder (1Joh 3,10). Angesichts äußerer Pressionen und innerer Aufweichungsbestrebungen wird versucht, die Gliedschaft theoretisch zu stützen, die Glieder ihres Heilsbesitzes (1Joh 2,23) gewiß zu machen.

(7) Ein weiteres Merkmal der Gemeinschaft der Kinder Gottes ist das *Bewußtsein, in der Endzeit zu leben* (1Joh 2,18). Die Kinder Gottes leben zwischen dem bereits Erfüllten (1Joh 3,1) und dem, was noch aussteht (1Joh 3,2). Diese Spannung gilt es für sie auszuhalten. Dabei bildet das Familienmodell auch hier den Hintergrund: Zukunftshoffnung gibt es nur für die Kinder Gottes, also für diejenigen, die das Leben haben. Als solche wissen sie sich in der Endzeit und erwarten das letzte Eingreifen ihres Vaters, während die "Welt" bei dem Ausblick auf die Zukunft (1Joh 3,2) überhaupt nicht in den Blick kommt, da die zur Welt Gehörigen nach 1Joh 3,14a bereits tot sind.

(8) Der Verfasser des 1Joh stellt ausdrücklich heraus, daß es die Glaubenden nicht nötig hätten, belehrt zu werden (1Joh 2,27) und stellt damit deren Gleichwertigkeit auch ihm selbst gegenüber heraus.

(9) *Zukünftige Rettung* und *gegenwärtiges Heil* gibt es nur für die (standfesten) Glieder der Gemeinde. Der Verfasser des 1Joh stellt an die Gemeindeglieder den Anspruch ethischer Perfektion (1Joh 3,9). Dadurch soll - theologisch gesehen - die messianische Heilsgemeinde abgebildet werden. Soziologisch hat dieser Anspruch die Funktion, die Gemeinden von ihrer Umwelt abzuheben. Daraus ergibt sich die Notwendigkeit, Menschen, die dem Anspruch nicht genügen, aus den Gemeinden zu drängen (vgl. 1Joh 5,16). Die Gemeinden sind existentiell auf das Bewußtsein der eigenen Sündenreinheit angewiesen, das sie von ihrem gesellschaftlichen Umfeld abhebt. Auch der bereits mehrfach angesprochene vom Verfasser des 1Joh vorausgesetzte Dualismus[125] fügt sich in dieses Bild.

6.2.3 Bilanz

Alle vorausgesetzten Charakteristika haben ihre Entsprechung in den johanneischen Gemeinden. Wenn wir uns also die Anschauung von religiösen Sekten - wie sie vor allem in der amerikanischen Exegese[126] vorherrscht - zu eigen machen, können die Gemeinden der johanneischen Briefe durchaus als "Sekten" bezeichnet werden: es sind Gemeinschaften, die die Welt und sich selbst anders interpretiert haben als es Außenstehende taten. Sie rangen um ihre Überzeugungen und um ihre ganze Existenz in polemischer Abgrenzung zu ihrer feindlichen Umwelt.[127]

---

[125] Vgl. o. S. 135f; vgl. F. WATSON, Paul 40.

[126] Vgl. aber auch H.-G. WEBER, Religiosität 20: "Die Sekte als soziale Protestform hat die Aufgabe, den systemkonformen Kollektivgedanken (auserwählte Schar) wachzuhalten und individualistische Privatisierungsformen religiöse(r) Partizipation auszuschalten. Je divergierender die theoretische Stützkonzeption der Sekte zur Umwelt steht, desto höher liegt ihre Chance zur Verfestigung ihres sektiererischen Charakters."

[127] Vergleichbare Strukturen und Handlungsweisen finden sich auch in anderen urchristlichen Gemeinden:
J.H. ELLIOTT, Home 73-84.107-118, weist dies für die Gemeinde nach, die hinter dem 1. Petrusbrief steht.
F. WATSON, Paul (1986), und M.Y. MACDONALD, Churches (1988), analysieren Merkmale von Sekten an paulinischen und deuteropaulinischen Gemeinden.
J.E. STANLEY, Apocalypse (1986), 412-421, untersucht diesbezüglich die Johannesapokalypse.

Quellen und Literatur

1. Die Abkürzungen für Zeitschriften, Serien und Lexika richten sich nach dem Abkürzungsverzeichnis der Theologischen Realenzyklopädie (TRE), zusammengestellt von Siegfried Schwertner, Berlin/New York 1976 (IATG).

2. Biblische und außerkanonische Schriften sind abgekürzt nach K. Galling (Hg.), Die Religion in Geschichte und Gegenwart, 3. Auflage (RGG[3]), Band 1 (1957), XVIf.

3. Darüber hinaus werden folgende Abkürzungen verwendet:

AGSK	Abhandlungen der geistes- und sozialwissenschaftlichen Klasse, Wiesbaden
BET	Beiträge zur biblischen Exegese und Theologie, Frankfurt (Main)
EWNT	Exegetisches Wörterbuch zum Neuen Testament, Stuttgart u.a.
FzaS	Forschungen zur antiken Sklaverei, Wiesbaden
JSNT	Journal for the Study of the New Testament, Sheffield
NTOA	Novum Testamentum et Orbis Antiquus, Freiburg (Schweiz)/Göttingen
NTSSA	The New Testament Society of South Africa, Pretoria
ÖTK	Ökumenischer Taschenbuch-Kommentar, Gütersloh
PzB	Protokolle zur Bibel, Klosterneuburg
QSGNM	Quellen und Studien zur Geschichte der Naturwissenschaften und der Medizin, Berlin
SBLSP	Society of Biblical Literature. Seminar Papers, Atlanta
SKK.NT	Stuttgarter Kleiner Kommentar. Neues Testament, Stuttgart
StOR	Studies in Oriental Religions, Wiesbaden
TANZ	Texte und Arbeiten zum neutestamentlichen Zeitalter, Tübingen
ZBK.NT	Zürcher Bibelkommentare. Neues Testament, Zürich

4. Einzelne Wörterbuch- und Lexikonartikel sind nur in den Anmerkungen verzeichnet.

I. Quellen

Thesaurus Linguae Graecae, Pilot CD ROM#C. University of California, Irvine 1987

1. Bibelausgaben (AT und NT)

Aland, K. (Hg.): Synopsis Quattuor Evangeliorum, Stuttgart [12]1982
Elliger, K./Rudolph, W. (Hg.): Biblia Hebraica Stuttgartensia, Stuttgart 1967/77
Nestle, E.u.E./Aland, K.u.B. (Hg.): Novum Testamentum Graece, Stuttgart [26]1979
Rahlfs, A.: Septuaginta 1 und 2, Stuttgart 1935 ([12]1962)
Septuaginta. Vetus Testamentum Graecum, hg. v. R. Hanhart/W. Kappler, Göttingen 1931ff
Weber, R. u.a. (Hg.): Biblia Sacra Iuxta Vulgatam Versionem 1 und 2, Stuttgart 1969

2. Apokryphen und Pseudepigraphen

Becker, J.: Die Testamente der zwölf Patriarchen, JSHRZ III/1, Gütersloh 1974
Berger, K.: Das Buch der Jubiläen, JSHRZ II/3, Gütersloh 1981
Bonwetsch, G.N.: Die Bücher der Geheimnisse Henochs. Das sogenannte slavische Henochbuch, TU III,14,2 (44,2), 1922
Charles, R.H.: The Apocrypha and Pseudepigrapha of the Old Testament, 2 Bde., Oxford 1913 (Nachdruck Oxford 1978/79)
Charlesworth, J.H. (Hg.): Old Testament Pseudepigrapha 1 & 2, London 1983-85
Georgi, D.: Weisheit Salomos, JSHRZ III/4, Gütersloh 1980
Holm-Nielsen, S.: Die Psalmen Salomos, in: W.G.Kümmel (Hg.), Poetische Schriften, JSHRZ IV, Gütersloh 1974/1977/1983, 49-112
Jonge, M.d.: Testamenta XII Patriarcharum. Ed. According to Cambridge University Library MS Ff I.24 fol 203a-262b, PVTG 1, Leiden 1964

Kautzsch, E.: Die Apokryphen und Pseudepigraphen des Alten Testaments, 2 Bde., Tübingen 1900 (Nachdruck Darmstadt 1962)

Rießler, P.: Altjüdisches Schrifttum außerhalb der Bibel, Freiburg/Heidelberg 1928 (Nachdruck 1984)

Uhlig, S.: Das Äthiopische Henochbuch, JSHRZ V/6, Gütersloh 1984

3. Sonstige jüdische Texte (ohne Qumran)

Burchard, C.: Ein vorläufiger griechischer Text von Joseph und Aseneth, DBAT 14 (1979), 2-53

Burchard, C.: Verbesserungen zum vorläufigen Text von Joseph und Aseneth, ebd. 16 (1982), 37-39

Burchard, C.: Joseph und Aseneth, JSHRZ II/4, Gütersloh 1983

Cohn, L./Wendland, P.: Philonis Alexandrini Opera quae supersunt, Bd. 1-7, Berlin 1896-1930 (Nachdruck Berlin 1962/63)

Cohn, L./Heinemann, I./Adler, M./Theiler, W.: Philo von Alexandrien, Die Werke in deutscher Übersetzung, Bd. 1-7, Berlin 1962-64

Colson, F.H./Whitaker, G.H.: Philo with an English Translation I-X, LCL, London 1929-1962

Niese, B. (Hg.): Flavii Iosephi Opera, Berlin 1885-1895

Michel, O./Bauernfeind O. (Hg.): Flavius Josephus, De Bello Judaico - Der jüdische Krieg (griechisch-deutsch), Darmstadt 1959-1969

Siegert, F.: Drei hellenistisch-jüdische Predigten. Ps.-Philon, "Über Jona", "Über Simson" und "Über die Gottesbezeichnung 'wohltätig verzehrendes Feuer'", WUNT 20, Tübingen 1980

Wendland, P.: Neu entdeckte Fragmente Philos, nebst einer Untersuchung über die ursprüngliche Gestalt der Schrift "De Sacrificiis Abelis et Caini", Berlin 1891

Thackeray H.S./Marckus, R.: Josephus in nine volumes with an English Translation, LCL, London 1974-1981

4. Qumran

Allegro, J.M.: Discoveries in the Judaean Desert of Jordan. V. Qumran Cave 4, I (4Q158 - 4Q186), Oxford 1986

Baillet, M./Milik, J.T./Vaux, R.d.: Discoveries in the Judaean Desert of Jordan. III. Les 'petites grottes' de Qumrân. Exploration de la falaise. Les grottes 2Q, 3Q, 5Q, 6Q, 7Q à 10Q. Le rouleau de cuivre, Oxford 1962

Baillet, M.: Un recueil liturgique de Qumrân, Grotte 4: "Les paroles des luminaires", RB 68 (1961), 195-250

Bardtke, H.: Die Handschriftenfunde am Toten Meer, I: Mit einer kurzen Einführung in die Text- und Kanonsgeschichte des Alten Testaments, Berlin [3]1963; II: Die Sekte von Qumran, Berlin [2]1961

Barthélemy, D./Milik, J.T.: Qumran Cave I, Discoveries in the Judaean Desert I., Oxford 1964

Burrows, M.: The Dead Sea Scrolls of St. Mark's Monastery. I. The Isaiah Manuscript and the Habakuk Commentary, New Haven 1950

Burrows, M.: The Dead Sea Scrolls of St.Mark's Monastery. II. Fasc. 2: Plates and Transcription of the Manual of Discipline, New Haven 1951

Dupont-Sommer, A.: Die essenischen Schriften vom Toten Meer, übers. v. W.W. Müller, Tübingen 1960

Lohse, E.: Die Texte aus Qumran. Hebräisch und Deutsch, Darmstadt [2]1971

Maier, J./Schubert, K.: Die Qumran-Essener. Texte der Schriftrollen und Lebensbild der Gemeinde, UTB 224, München 1973

Sukenik, E.L.: The Dead Sea Scrolls of the Hebrew University, Jerusalem 1955

5. Pagane griechische und lateinische Autoren

Apollodorus, The Library, in two Volumes, with an English Translation by Sir J.G. Frazer, LCL, London/Cambridge 1976-1979

Dio Cassius, Dio's Roman History in nine Volumes with an English Translation, Bd. 8, hg. v. E. Cary, LCL, London/Cambridge 1968

Diodorus of Sicily, Bibliotheca Historica in twelve Volumes with an English Translation by C.H. Oldfather u.a., LCL, London/Cambridge 1961-1969

Dionysi Halicarnassensis Antiquitatum Romanarum, hg.v. K.Jacoby, BiTeu, Leipzig 1885-1925 (Nachdruck Stuttgart 1967)

Epictetus, Epicteti Dissertationes ab Arriano digestae, hg.v. E.Schenkl, BiTeu, Leipzig 1916

Epiktet, Unterredungen und Handbüchlein der Moral, hg.v. A.v.Gleichen-Rußwurm, Deutsche Bibliothek, Berlin o.J. (1956)

Epictetus, The Discourses as reported by Arrian, the Manual, and Fragments in two Volumes with an English Translation by W.A.Oldfather, LCL, London/Cambridge 1978/79

Corpus Hermeticum (Ed. Budé) 1-4, hg. v. A.D. Nock/A.J. Festugière, Paris 1972/73

Homer, Die Odyssee, dt.v. W. Schadewaldt, Hamburg [3]1980

Homer, Die Odyssee, Griechisch und Deutsch, hg. v. B.Snell, Berlin/Darmstadt 1956

Homer, Ilias, übertr. v. W. Schadewaldt, insel-tb 153, Frankfurt/Main 1975

Plato in twelve Volumes with an English Translation, LCL, London/Cambridge 1968-1984

Platon, Sämtliche Werke, hg. v. E. Loewenthal, Köln [6]1969

Plutarchi Moralia, hg. v. W.R. Paton/M. Pohlenz/C. Hubert u.a., 5 Bde., BiTeu, Leipzig [2]1971-74

Plutarch's Moralia in fifteen Volumes, Bd. 6 with an English Translation by W.C. Helmbold, LCL, London/Cambridge 1970

The Sentences of *Sextus*. A Contribution to the History of Early Christian Ethics, hg. v. H. Chadwick, Cambridge 1959

Suetonius, De vita Caesarum in two Volumes with an English Translation, hg. v. J.C. Rolfe, LCL, London/Cambridge 1979

6. Hymnen und Liturgien

Dieterich, A., Eine Mithrasliturgie, hg. v. O. Weinreich Leipzig/Berlin [3]1923 (Nachdruck Darmstadt 1966)

Homerische Hymnen, hg. v. A. Weiher, griechisch-deutsch, München [4]1979

7. Sonstige Quellen

Berger, K.: Die Weisheitsschrift aus der Kairoer Geniza. Erstedition, Kommentar und Übersetzung, TANZ 1, Tübingen 1989

Beyerlin, W. (Hg.): Religionsgeschichtliches Textbuch zum Alten Testament, Grundrisse zum Alten Testament 1, Göttingen [2]1985

Cumont, F.: Textes et monuments figurés relatifs aux mystères de Mithra I: Introduction, Bruxelles 1896 (Nachdruck Ann Arbor 1981)

Dittenberger, W.: Sylloge Inscriptionum Graecarum II, Leipzig [3]1916

Ioannis Stobaei Anthologium, Libri duo priores, qui inscribi solent eclogai physicae et ethicae, rec. C. Wachsmuth, Volumen 1, Berlin 1884

II. Hilfsmittel

1.Konkordanzen und Indizes

1.1 Computer-Software (Programme zur Erschließung des *Thesaurus Linguae Graecae*)

Baima, J.: LBase 5.0. Silver Mountain Software - Software for Scholars, Dallas 1990

Smith, R.M./Smith, M.D./Dumont, D.J.: Searcher 2.0, Santa Barbara o.J.

1.2 Bücher

Wahl, C.A.: *Clavis Librorum Veteris Testamenti Apocryphorum Philologica*, hg. v. J.P. Bauer, München 1953 (Nachdruck Graz 1972)

Concordance Grecque des *Pseudépigraphes d'Ancien Testament*, hg. v. A.-M. Denis OP, Löwen 1987

A Concordance to the *Septuagint and the other greek Versions of the Old Testament* (including the Apocryphal Books) 1-3, hg. v. E. Hatch/H.A. Redpath, Graz 1975

קונקורדנציה חדשה לתורה נביאים וכתובים - A New Concordance of the Bible, *Thesaurus of the Language of the Bible, Hebrew and Aramaic, Roots, Words, Proper Names, Phrases and Synonyms 1-3*, hg. v. A. Even-Shoshan, Jerusalem 1977-1980

Vollständige Konkordanz zum *griechischen Neuen Testament* unter Zugrundelegung aller modernen kritischen Textausgaben und des Textus receptus 1-2, hg. v. K. Aland, Berlin/New York 1978-83

A Complete Concordance to *Flavius Josephus* 1-4, hg. v. K.H. Rengstorf, Leiden 1973-1983

Konkordanz zu den *Qumrantexten*, hg. v. K.G. Kuhn u.a., Göttingen 1960

Nachträge zur Konkordanz zu den *Qumrantexten*, hg. v. K.G. Kuhn, RdQ 4 (1963), 163-234

Index *Philoneus*, hg. v. G. Mayer, Berlin/New York 1974

Philonis Alexandrini Opera quae supersunt Vol 7,1.2: Indices ad Philonis Alexandrini Opera composuit I. Leisegang, Berlin 1926/1930

Wortindex der lateinisch erhaltenen *Pseudepigraphen zum Alten Testament*, TANZ 3, zusammengestellt von W. Lechner-Schmidt, Tübingen 1990

2. Grammatiken

Blass, F./Debrunner, A./Rehkopf, F.: Grammatik des neutestamentlichen Griechisch, Göttingen [14]1976

Bergsträßer, G.: Hebräische Grammatik mit Benutzung der von E.Kautzsch bearbeiteten 28. Auflage von W. Gesenius' hebräischer Grammatik, Leipzig 1918/1929 (Nachdruck Hildesheim 1962)

Funk, R.W.: A Greek Grammar of the New Testament and Other Early Christian Literature (F. Blass and A. Debrunner). A Translation and Revision of the ninth-tenth German edition incorporating supplementary notes of A. Debrunner, Chicago/Toronto [3]1967

Hoffmann, E.G./Siebenthal, H.v.: Griechische Grammatik zum Neuen Testament, Richen (Schweiz) 1985

Kühner, R./Gerth, B.: Ausführliche Grammatik der griechischen Sprache. II. Satzlehre, 1, Hannover/Leipzig [3]1898; 2, ebd. [3]1904

Moulton, J.H.: A Grammar of New Testament Greek, Edinburgh, I [3]1957, II (u. Mitarbeit von W.F. Howard) 1960, III (by N.Turner) 1963

3. Wörterbücher und Lexika

Bauer, W.: Griechisch-deutsches Wörterbuch zu den Schriften des Neuen Testaments und der frühchristlichen Literatur, hg. v. K. u. B. Aland, Berlin/New York [6]1988

Gemoll, W.: Griechisch-Deutsches Schul- und Handwörterbuch. Berlin/Leipzig [4]1937

Gesenius, W./Buhl, F.: Hebräisches und aramäisches Handwörterbuch über das Alte Testament, Berlin/Göttingen/Heidelberg [17]1915 (Nachdruck Berlin/Göttingen/Heidelberg 1962)

Gesenius, W.: Hebräisches und Aramäisches Handwörterbuch über das Alte Testament, hg. v. R. Meyer/H. Donner, 18.Auflage, 1.Lieferung (א - ג), Berlin u.a. 1987

Köhler, L./Baumgartner, W.: Lexicon Veteris Testamenti Libros, Leiden 1958

Liddell, H.G./Scott, R.: A Greek-English Lexicon, Oxford [9]1958

Schleusner, J.F.: Novus Thesaurus Philologico-Criticus sive Lexicon in LXX et reliquos interpretes Graecos ac scriptores apocryphos Veteris Testamenti, London 1829

Wahl, C.A.: Clavis Librorum Veteris Testamenti Apocryphorum Philologica, Leipzig 1853 (Nachdruck Graz 1972)

III. Sekundärliteratur

1. Bibliographien, Forschungsberichte

Bauer, W.: Johannesevangelium und Johannesbriefe, ThR 1 (1929), 135-160

Becker, J.: Aus der Literatur zum Johannesevangelium, ThR 47 (1982), 279-301.305-347

Belle, G.v.: Johannine Bibliography 1966-1985, A Cumulative Bibliography on the Fourth Gospel, BEThL 82, Leuven 1988

Haenchen, E.: Aus der Literatur zum Johannesevangelium, ThR 23 (1955), 295-335

Haenchen, E.: Neuere Literatur zu den Johannesbriefen, ThR 26 (1960), 1-43.267-291

Malatesta, E.: St. John's Gospel, 1920-1965, A Cumulative and Classified Bibliography of Books and Periodical Literature on The Fourth Gospel, AnBib 32, Rom 1967

Radice, R./Runia, D.T.: Philo of Alexandria. An Annotated Bibliography (1937-1986), VigChr Suppl. 8, Leiden/New York/Kopenhagen/Köln 1988

Schnackenburg, R.: Johannes-Forschung seit 1955, in: M. de Jonge (Hg.), L'Evangile de Jean. Sources, rédaction, théologie, BEThL 44, Gembloux 1977, 19-44

Sieben, H.J.: Voces. Eine Bibliographie zu Wörtern und Begriffen aus den Patristik (1918-1978), Bibliographia Patristica Supplementum 1, Berlin/New York 1980

Thyen, H.: Aus der Literatur zum Johannesevangelium in: ThR 39 (1974), 1-69.222-253.289-330; ThR 42 (1977), 211-270; ThR 43 (1978), 328-359, ThR 44 (1979), 97-134

2. Kommentare zum Johannesevangelium und zu den Johannesbriefen

Asmussen, H.: Wahrheit und Liebe. Eine Einführung in die Johannesbriefe, UCB 22, Hamburg [3]1957

Balz, H.: Die Johannesbriefe, in: ders./W. Schrage: Die "Katholischen" Briefe, NTD 10, Göttingen 1973, 150-216

Baumgarten, O.: Die Johannesbriefe, SNT 4, Göttingen 1918

Baur, W.: 1., 2. und 3. Johannesbrief, SKK.NT 17, Stuttgart 1991

Belser, J.E.: Die Briefe des hl. Johannes, Freiburg i.Br. 1906

Brooke, A.E.: The Johannine Epistles, ICC, Edinburgh 1912 (Nachdruck 1957)

Brown, R.E.: The Epistles of John, The Anchor Bible, New York 1982

Bultmann, R.: Die drei Johannesbriefe, KEK 14, Göttingen 1967

Dodd, C.H.: The Johannine Epistles, MNTC, London 1946

Düsterdieck, F.: Die drei johanneischen Briefe, Göttingen I-II/1.2, Göttingen 1852-1856

Gaugler, E.: Die Johannesbriefe, Zürich 1964

Haering, T.: Die Johannesbriefe, Stuttgart 1927

Hauck, F.: Der erste, zweite und dritte Brief des Johannes, in: ders., Die Briefe des Jakobus, Petrus, Judas und Johannes (Kirchenbriefe) . Kirchenbriefe, NTD 10, Göttingen [5]1949, 113-161

Holtzmann, H.J.: Evangelium, Briefe und Offenbarung des Johannes, Handcommentar zum NT IV, Tübingen [3]1908

O'Neill, J.C.: The Puzzle of 1st John. A New Examination of Origins, London 1966

Overbeck, F.: Das Johannesevangelium. Studien zur Kritik seiner Erforschung, Tübingen 1911

Rothe, R.: Der erste Brief des Johannes praktisch erklärt, hg. v. K. Mühlhäußer, Wittenberg 1878

Schnackenburg, R.: Die Johannesbriefe, HThK 13/3, Freiburg ([1]1953) [7]1984

Schnackenburg, R.: Das Johannesevangelium, Teil I-III, HThK 4, Freiburg-Basel-Wien (1965. 1971.1975) [4]1979.[2]1977.[3]1979

Schneider, J.: Die Briefe des Jakobus, Petrus, Judas und Johannes. Die Katholischen Briefe, NTD 10, Göttingen [10]1967

Schunack, G.: Die Briefe des Johannes, ZBK.NT, Zürich 1982

Strecker, G.: Die Johannesbriefe, KEK 14, Göttingen 1989

Vouga, F.: Die Johannesbriefe, HNT 15/III, Tübingen 1990

Vrede, W.: Der erste Johannesbrief. Der zweite Johannesbrief. Der dritte Johannesbrief, HSNT 9, Bonn [4]1932, 143-192

Wengst, K.: Der erste, zweite und dritte Brief des Johannes, ÖTK 16, GTB 502, Gütersloh/ Würzburg 1978

Westcott, B.F.: The Epistles of St. John, London [4]1966

Windisch, H.: Der erste Johannesbrief. Der zweite Johannesbrief. Der dritte Johannesbrief, HNT 4/2, Tübingen 1911, 103-140

3. Abhandlungen, Aufsätze, Monographien

Aland, K.: Die Stellung der Kinder in den frühen christlichen Gemeinden - und ihre Taufe, TEH 138, München 1967

Alföldi, A.: Die Geburt der kaiserlichen Bildsymbolik. Kleine Beiträge zu ihrer Entstehungsgeschichte, MH 7 (1950), 1-13; MH 8 (1951), 190-215; MH 9 (1952), 204-243; MH 10 (1953), 103-124; MH 11 (1954), 133-159

Alföldy, G.: Die römische Gesellschaft - Struktur und Eigenart, Gym. 83 (1976), 1-25

Alföldy, G.: Römische Sozialgeschichte, Wiesbaden [3]1984

Allmen, D.v.: La famille de Dieu. La symbolique familiale dans le Paulinisme, OBO 41, Freiburg (Schweiz)/Göttingen 1981

Augenstein, J.: Das Liebesgebot im Corpus Johanneum, Diss. Heidelberg 1992

Balss, H.: Die Zeugungslehre und Embryologie in der Antike. Eine Übersicht, QSGNM 5, Berlin 1936, 1-82

Bardy, G.: Cérinthe, RB 30 (1921), 344-373

Barnes, T.D.: Legislation against the Christians, JRS 58 (1968), 32-50

Barrett, C.K.: Johanneisches Christentum, in: J. Becker (Hg.), Die Anfänge des Christentums. Alte Welt und Neue Hoffnung, Stuttgart/Berlin/Köln/Mainz 1987, 255-278

237

Bauer, W.: Rechtgläubigkeit und Ketzerei im ältesten Christentum, hg. v. G. Strecker, BHTh 10, Tübingen ²1964

Bauernfeind, O.: Die Fürbitte angesichts der Sünde zum Tode, in: Von der Antike zum Christentum, FS V. Schulze, Stettin 1931, 45-54

Baur, P.: Gott als Vater im AT. Eine biblisch-theologische Untersuchung, ThStKr 72 (1899), 483-507

Becker, J.: Untersuchungen zur Entstehungsgeschichte der Testamente der zwölf Patriarchen, AGJU 8, Leiden 1970

Bejick, U.: Basileia. Vorstellungen vom Königtum Gottes im Umfeld des Neuen Testaments, Diss. Heidelberg 1990

Bengtson, H.: Die Flavier - Vespasian, Titus, Domitian. Geschichte eines römischen Kaiserhauses, München 1979

Bengtson, H.: Kaiser Augustus, Sein Leben und seine Zeit, München 1981

Berger, K.: Apostelbrief und apostolische Rede. Zum Formular frühchristlicher Briefe, ZNW 65 (1974), 190-231

Berger, K.: Die impliziten Gegner. Zur Methode des Erschließens von "Gegnern" in neutestamentlichen Texten, in: Kirche, FS G. Bornkamm, hg. v. D. Lührmann/G. Strecker, Tübingen 1980, 373-400

Berger, K.: Formgeschichte des Neuen Testaments, Heidelberg 1984

Berger, K.: Hellenistische Gattungen im Neuen Testament, ANRW II 25/2 (1984), 1031-1432.1831-1885

Berger, K.: Die Männlichkeit Gottes, EK 12 (1988), 712-714

Bergmeier, R.: Zum Verfasserproblem des II. und III. Johannesbriefs, ZNW 57 (1966), 93-100

Bergmeier, R.: Glaube als Gabe nach Johannes. Religions- und theologiegeschichtliche Studien zum prädestinatianischen Dualismus im vierten Evangelium, BWANT 112, Stuttgart/Berlin/Köln/Mainz 1980

Berner, W.D.: Initiationsriten in Mysterienreligionen, im Gnostizismus und im antiken Judentum, Diss. Göttingen 1972

Best, Th.F.: The sociological Study of the NT. Promise and Peril of a New Discipline, SJTh 36 (1983), 181-194

Betti, E.: Wesen des altrömischen Familienverbands (Hausgemeinschaft und Agnatengenossenschaft), ZSRG.R 71 (1954), 1-24

Betz, O.: Die Geburt der Gemeinde durch den Lehrer, NTS 3 (1956/57), 314-326

Betz, O.: Das Volk seiner Kraft: Zur Auslegung der Qumran-hodajah iii,1-18, NTS 5 (1958/59), 67-75

Beutler, J.: Die Johannesbriefe in der neuesten Literatur (1978-1985), ANRW II 25,5 (1988), 3773-3790

Beutler, J.: Das Hauptgebot im Johannesevangelium, in: K. Kertelge (Hg.), Das Gesetz im NT, QD 108, Freiburg 1986, 222-236

Blank, J.: Krisis. Untersuchungen zur johanneischen Christologie und Eschatologie, Freiburg 1964

Blank, J.: Die Irrlehrer des ersten Johannesbriefes, Kairos(St) 26 (1984), 166-193

Bleicken, J.: Verfassungs- und Sozialgeschichte des Römischen Kaiserreiches 1, UTB 838, Paderborn/München/Wien/Zürich ³1989

Bockmuehl, M.N.A.: Das Verb φανερόω im Neuen Testament. Versuch einer Neuauswertung, BZ 32 (1988), 87-99

Böcher, O.: Der johanneische Dualismus im Zusammenhang des nachbiblischen Judentums, Gütersloh 1965

Böklen, E.: ΜΟΝΟΓΕΝΗΣ, ThStKr 101 (1929), 54-90

Boer, P.A.H.de: The Son of God in the Old Testament, OTS XVIII (1973), 188-207

Bogart, J.: Orthodox and Heretical Perfectionism in the Johannine Community as Evident in the First Epistle of John, SBLDS 33, Missoula 1977

Boismard, M.-E.: The First Epistle of John and the Writings of Qumran, in: J.Charlesworth (Hg.), John and Qumran, London 1972, 156-165

Bonhöffer, A.: Epictet und die Stoa. Untersuchungen zur stoischen Philosophie, Stuttgart 1890 (Nachdruck Stuttgart/Bad Cannstatt 1968)

Bonhöffer, A.: Die Ethik des Stoikers Epictet, Stuttgart 1894 (Nachdruck Stuttgart/Bad Cannstatt 1968)

Bonhöffer, A.: Epiktet und das Neue Testament, RGVV 10, Berlin 1911 (Nachdruck Berlin 1964)

Bonsack, B.: Der Presbyteros des dritten Johannesbriefs und der geliebte Jünger des Evangeliums nach Johannes, ZNW 79 (1988), 45-62

Bornkamm, G.: Sohnschaft und Leiden, Hebräer 12,5-11, in: ders., Geschichte und Glaube 2. Teil, GAufs. IV, Beiträge zur evangelischen Theologie 53, München 1971, 214-224

Bousset, W.: Der Antichrist in der Überlieferung des Judentums, des neuen Testaments und der Alten Kirche, Göttingen 1895

Braude, W.: Jewish Proselyting in the First Five Centuries of the Common Era, the Age of Tannaim and Amoraim, Diss. Providence 1940 (Microfilm Ann Arbor 1968)

Braumann, G.: Vorpaulinische christliche Taufverkündigung bei Paulus, BWANT 5/2, Stuttgart u.a. 1962

Braun, H.: Literar-Analyse und theologische Schichtung im 1Joh, ZThK 48 (1951), 262-292

Brosseder, J.: Gott der Vater - Gott der Schöpfer, in: A. Falaturi/J.J. Petuchowski/W. Strolz (Hg.), Universale Vaterschaft Gottes. Begegnung der Religionen, Veröffentlichungen der Stiftung Oratio Dominica: Weltgespräch der Religionen 14, Freiburg/Basel/Wien 1987, 32-50

Brown, R.E.: The Qumran Scrolls and the Johannine Gospel and Epistles, CBQ 17 (1955), 560-567

Brown, R.E.: The Relationship of the Fourth Gospel Shared by the Author of I John and by His Opponents, in: Text and Interpretation, FS M.Black, hg. v. E. Best/R.M. Wilson, Cambridge 1979, 57-68

Brown, R.E.: Ringen um die Gemeinde, Der Weg der Kirche nach den Johanneischen Schriften, übers. v. B. Michl, Salzburg 1982

Brown, S.: Koinonia as the Basis of New Testament Ecclesiology?, OiC 12 (1970), 157-167

Brownlee, C.: Messianic Motifs of Qumran and the New Testament, NTS 3 (1956/57), 12-30

Brox, N.: Der erste Petrusbrief, EKK XXI, Zürich/Einsiedeln/Köln/Neukirchen-Vluyn [2]1986

Brumlik, M.: Johannes: Das judenfeindliche Evangelium, Kirche und Israel 4 (1989), 102-113

Bruns, J.E.: A Note on Jn 16,33 and I Jn 2,13-14, JBL 86 (1967), 451-453

Büchli, J.: Der Poimandres. Ein paganisiertes Evangelium. Sprachliche und begriffliche Untersuchungen zum 1.Traktat des Corpus Hermeticum, WUNT II.27, Tübingen 1987

Büchsel, F.: Johannes und der hellenistische Synkretismus, Beiträge zur Förderung christlicher Theologie II.16, Gütersloh 1928

Büchsel, F.: Zu den Johannesbriefen, ZNW 28 (1927), 235-241

Bull, K.-M.: Gemeinde zwischen Integration und Abgrenzung. Ein Beitrag zur Frage nach dem Ort der joh Gemeinde(n) in der Geschichte des Urchristentums, BET 24, Frankfurt (Main) u.a. 1992

Bultmann, R.: Das religiöse Moment in der ethischen Unterweisung des Epiktet und das Neue Testament, ZNW 13 (1912), 97-110.177-191

Bultmann, R.: Das Urchristentum im Rahmen der antiken Religionen, Zürich 1949

Bultmann, R.: Theologie des Neuen Testaments, durchgesehen und ergänzt von O. Merk, UTB 630, Tübingen ([1]1953) [9]1984

Bultmann, R.: Analyse des ersten Johannesbriefes, in: ders., Exegetica. Aufsätze zur Erforschung des Neuen Testaments, hg. v. E. Dinkler, Tübingen 1967, 105-123

Bultmann, R.: Die kirchliche Redaktion des ersten Johannesbriefes, in: ebd., 381-393

Burge, G.M.: The Anointed Community. The Holy Spirit in the Johannine Tradition, Grand Rapids 1987

Burkert, W.: Antike Mysterien. Funktionen und Gehalt, München 1990

Byrne, B.: Sons of God - Seed of Abraham. A Study of the Idea of the Sonship of God of All Christians in Paul against the Jewish Background, AnBib 83, Rom 1979

Cadbury, H.J.: The ancient physiological notions underlying John I,13 and Hebrews XI,11, Exp. 9 (1924), 430-439

Calder, W.M.: Adoption and Inheritance in Galatia, JThS 31 (1930), 372-374

Calhoun, G.M.: Zeus the Father in Homer, TPAPA 66 (1935), 1-17

Campenhausen, H.v.: Kirchliches Amt und geistliche Vollmacht in den ersten drei Jahrhunderten, BHTh 14, Tübingen 1953 ([2]1963)

Campbell, J.Y.: Κοινωνία and its Cognates in the New Testament, JBL 51 (1932), 352-380

Carman, A.S.: Philo's Doctrine of the Divine Father and the Virgin Mother, AJTh 9 (1905), 491-518

Chamberlain, J.V.: Further Elucidation of a Messianic Thanksgiving Psalm from Qumran, JNES 14,3 (1955), 174-188

Childs, B.S.: Exodus. A Commentary, OTL, London 1974 ([6]1987)

Christ, K.: Zur Herrscherauffassung und Politik Domitians. Aspekte des modernen Domitianbildes, SZG 12 (1962), 187-213

Clapperton, J.A.: τὴν Ἁμαρτίαν (1 John iii.4), ET 47 (1935/36), 92f

Clemen, C.: Beiträge zum geschichtlichen Verständnis der Johannesbriefe, ZNW 6 (1905), 271-281

Coetzee, J.C.: Life (Eternal Life) in John's Writings and the Qumran Scrolls, NTSSA, Neotestamentica 6 (1972), 46-62

Coetzee, J.C.: The Holy Spirit in 1John, NTSSA, Neotestamentica 13 (1979), 43-67

Conner, W.T.: The Faith of the New Testament, Nashville 1940

Conzelmann, H.: "Was von Anfang war", in: Neutestamentliche Studien für R. Bultmann zu seinem 70. Geburtstag, hg. v. W. Eltester, BZNW 21, Berlin [2]1957, 194-201

Conzelmann, H.: Heiden - Juden - Christen. Auseinandersetzungen in der Literatur der hellenistisch-römischen Zeit, BHTh 62, Tübingen 1981

Cook, W.R.: Hamartiological Problems in First John, BS 123 (1966), 249-260

Cooke, G.: The Sons of (the) God(s), ZAW 76 (1964), 22-47

Couture, P.: The Teaching Function in the Church of Ist John (1John 2,20.27). A contribution to Johannine ecclesiology and ecumenics, Rom 1968

Coyle, J.K.: Empire and Eschaton. The Early Church and the Question of Domestic Relationships, EeT 12 (1981), 35-94

Cullmann, O.: Der johanneische Kreis. Sein Platz im Spätjudentum, in der Jüngerschaft und im Urchristentum. Zum Ursprung des Johannesevangeliums, Tübingen 1975

Culpepper, R.A.: The Johannine School. An evaluation of the Johannine-School hypothesis based on an investigation of the nature of ancient schools, SBLDS 26, Missoula 1975

Culpepper, R.A.: Rezension zu M.Vellanickal, The Divine Sonship of Christians in the Johannine Writings, AnBib 72, Rom 1977, JBL 98 (1979), 447-449

Culpepper, R.A.: The Pivot of John's Prologue, NTS 27 (1981), 1-31

Cumont, F.: Die Mysterien des Mithra. Ein Beitrag zur Religionsgeschichte der römischen Kaiserzeit, [3]1923 (Nachdruck Darmstadt 1963)

Cumont, F.: Die orientalischen Religionen im römischen Heidentum, nach der 4. französischen Auflage unter Zugrundelegung der Übersetzung Gehrichs bearbeitet von A. Burckhard-Brandenberg, Darmstadt [6]1972

Dahl, N.A.: Der Erstgeborene des Satans und der Vater des Teufels (Polyk. 7,1 und Joh 8,44), in: Apophoreta, FS E. Haenchen, hg. v. W. Eltester, BZNW 30, Berlin 1964, 70-84

Deißmann-Merten, M.: Zur Sozialgeschichte des Kindes im antiken Griechenland, in: J. Martin/A. Nitschke (Hg.) Zur Sozialgeschichte der Kindheit. Veröffentlichungen des "Instituts für historische Anthropologie e.V." Band 4, Düsseldorf 1982, 267-316

Delaney, C.: The Meaning of Paternity and the Virgin Birth Debate, Man 21 (1986), 494-513

Delling, G.: Zur Taufe von "Häusern" im Urchristentum, in: ders., Studien zum Neuen Testament und zum hellenistischen Judentum. GAufs. 1950-1968, hg. v. F. Hahn/T. Holtz/N. Walter, Göttingen 1970, 288-310

Delling, G.: Die Bezeichnung "Söhne Gottes" in der jüdischen Literatur der hellenistisch-römischen Zeit, in: J. Jervell/W.A. Meeks (Hg.), God's Christ and His People, Oslo/Bergen/ Tromsö 1977, 18-28

Delling, G.: Die "Söhne (Kinder) Gottes" im Neuen Testament, in: Die Kirche des Anfangs, FS H. Schürmann, hg. v. R. Schnackenburg u.a., Freiburg/Basel/Wien 1978, 615-631

Dey, J.: ΠΑΛΙΓΓΕΝΕΣΙΑ, Ein Beitrag zur Klärung der religionsgeschichtlichen Bedeutung von Tit 3,5, Münster 1937

Dibelius, M.: Die Isisweihe bei Apuleius und verwandte Initiations-Riten, in: ders., Botschaft und Geschichte, GAufs. II: Zum Urchristentum und zur hellenistischen Religionsgeschichte, hg. v. G. Bornkamm, Tübingen 1956, 30-79

Dieterich, A.: Mutter Erde. Ein Versuch über Volksreligion, Leipzig 1905

Dinkler, E.: Die Taufterminologie in 2Kor 1,21f, in: ders., Signum Crucis. Aufsätze zum Neuen Testamemt und zur christlichen Archäologie, Tübingen 1967, 99-117

Dobschütz, E.v.: Die urchristlichen Gemeinden. Sittengeschichtliche Bilder, Leipzig 1902

Dölger, F.J.: Domina Mater Ecclesia und die "Herrin" im zweiten Johannesbrief, AuC 5 (1936), 211-217

Donatus, A.M.: An Outline of St. John's Doctrine on the Divine Sonship of the Christian, MelT 8 (1955), 1-26.53-71; MelT 9 (1956), 14-38

Dornfried, K.P.: Ecclesiastical Authority in 2-3 John, in: M. de Jonge (Hg.), L'Evangile de Jean, BEThL 44, Gembloux 1977, 325-333

Dürr, L.: Heilige Vaterschaft im Antiken Orient, in: Heilige Überlieferung, FS I. Herwegen, hg. v. O. Casel, Münster 1938, 1-20

Dupont-Sommer, J.: La mère du Messie et la mère de l'Aspic dans un hymne de Qoumran, RHR 147,2 (1955), 174-188

Edanad, A.: Johannine Vision of Covenant Community, Jeevadhara 11 (1981), 127-140

Eichholz, G.: Glaube und Liebe im 1. Johannesbrief, EvTh 4 (1937), 411-437

Eichholz, G.: Erwählung und Eschatologie im 1. Johannesbrief, EvTh 5 (1938), 1-28

Eichrodt, W.: Theologie des Alten Testaments 1-3, Berlin [5]1957 und [4]1961

Eißfeldt, O.: El im ugaritischen Pantheon, Sächsische Akademie der Wissenschaften 98,4, Berlin 1951

Eißfeldt, O.: Sohnespflichten im Alten Orient, in: ders., KS 4, hg. v. R. Sellheim/F. Maass, Tübingen 1968, 264-270

Eliade, M.: Geschichte der religiösen Ideen 1-4, Freiburg/Basel/Wien 1978-1991

Eliade, M.: Das Mysterium der Wiedergeburt. Versuch über einige Initiationstypen, übers. v. E. Moldenhauer, Frankfurt/Main 1988

Elliger, K.: Deuterojesaja. Teilband 1: Jesaja 40,1-45,7, BK AT 11,1, Neukirchen-Vluyn 1978

Elliott, J.H.: A Home for the Homeless. A Sociological Exegesis of 1 Peter, Its Situation and Strategy, Philadelphia 1981

Erbse, H.: Untersuchungen zur Funktion der Götter im homerischen Epos, UaLG 24, Berlin/ New York 1986

Eyben, E.: Fathers and Sons, in: B. Rawson, Marriage, Divorce, and Children in Ancient Rome, Canberra/Oxford 1991, 112-143

Ernst, J.: Die eschatologischen Gegenspieler in den Schriften des Neuen Testaments, BU 3, Regensburg 1967

Faller, O.: Griechische Vergottung und christliche Vergöttlichung, Gregorianum 6 (1925), 405-435

Feldmeier, R.: Die Krisis des Gottessohnes. Die Gethsemaneerzählung als Schlüssel der Markuspassion, WUNT II/21, Tübingen 1987

Filson, F.: The significance of the early house churches, JBL 58 (1939), 105-112

Filson, F.: I John: Purpose and Message, Interp. 23 (1969), 259-276

Finn, T.M.: The God-fearers Reconsidered, CBQ 47 (1985), 75-84

Forestell, J.T.: Rezension zu M.Vellanickal, The Divine Sonship of Christians in the Johannine Writings, AnBib 72, Rom 1977, CBQ 43 (1981), 485f

Forkman, G.: The Limits of the Religious Community. Expulsion from the Religious Community within the Qumran Sect, within Rabbinic Judaism and within Primitive Christianity. CB.NT 5, Lund 1972

Frankemölle, H.: Jahwebund und Kirche Christi. Studien zur Form- und Traditionsgeschichte des "Evangeliums" nach Matthäus, NA NF 10, Münster 1974

Frend, W.H.C.: The Persecutions: some Links between Judaism and the Early Church, JEH 9 (1958/59), 141-158

Frend, W.H.C.: Martyrdom and Persecution in the Early Church. A Study of a Conflict from the Maccabees to Donatus, New York 1967

Friedrich, G.: Das Lied vom Hohenpriester im Zusammenhang von Hebr. 4,14-5,10, ThZ 18 (1962), 95-115

Fürst, H.: Verlust der Familie - Gewinn einer neuen Familie (Mk 10,29f Parr.), in: Studia Historico-Ecclesiastica, FS L.G.Spätling, Pontificio Ateneo Antoniano, Bibliotheca 19, hg. v. I. Vazquez, Rom 1977, 17-47

Gager, J.G.: Kingdom and Community. The Social World of Early Christianity, Englewood Cliffs 1975

Gager, J.G.: The Origins of Anti-Semitism. Attitudes towards Judaism in Pagan and Christian Antiquity. New York/Oxford 1983

Gager, J.G.: Jews Gentiles and Synagogues in the Book of Acts, in: G.W. Nickelsburg/G.W. McRae (Hg.), Christians among Jews and Gentiles. Essays in Honor of Krister Stendahl an his sixty-fifth Birthday, Philadelphia 1986, 91-99

Galley, H.D.: Das "Haus" im Neuen Testament, EKLZ 15 (1961), 201-205

Gasparro, G.S.: Mithraism and Mystery Phenomenology (Résumé), in: U. Bianchi (Hg.), Mysteria Mithrae. Proceedings of the International Seminar on the Religio Historical Character of Roman Mithraism with particular Reference to Roman and Ostian Sources. Rome and Ostia, March 28-31 1978, Leiden 1979, 319-356

Gaugler, E.: Die Bedeutung der Kirche in den johanneischen Schriften, Bern 1925

Gennrich, P.: Die Lehre von der Wiedergeburt, die christliche Zentrallehre in dogmengeschichtlicher und religionsgeschichtlicher Beleuchtung, Leipzig 1907

George, A.R.: Communion with God in the New Testament, London 1953

Gerstenberger, E.S./Schrage, W.: Frau und Mann, Biblische Konfrontationen, Stuttgart/Berlin/ Köln/ Mainz 1980

Gerstenberger, E.S.: Jahwe - ein patriarchaler Gott? Traditionelles Gottesbild und feministische Theologie, Stuttgart/Berlin/Köln/Mainz 1988

Giebel, M.: Das Geheimnis der Mysterien. Antike Kulte in Griechenland, Rom und Ägypten, Zürich/München 1990

Gielen, M.: Zur Interpretation der pln. Formel Ἡ ΚΑΤ᾽ ΟΙΚΟΝ ΕΚΚΛΗΣΙΑ, ZNW 77 (1986), 109-125

Gielen, M.: Tradition und Theologie neutestamentlicher Haustafelethik. Ein Beitrag zur Frage einer christlichen Auseinandersetzung mit gesellschaftlichen Normen, BBB 75, Frankfurt (Main) 1990

Ginsburg, M.S.: Fiscus Judaicus, JQR 21 (1930/31), 281-291

Gnilka, J.: Der Philemonbrief, HThK X/4, Freiburg/Basel/Wien 1982

Görres, F.: Das Christenthum und der römische Staat zur Zeit des Kaisers Vespasianus, ZWTh 21 (1878), 492-536

Goldhahn-Müller, I.: Die Grenze der Gemeinde. Studien zum Problem der zweiten Buße im Neuen Testament unter Berücksichtigung der Entwicklung im 2. Jh. bis Tertullian, GTA 38, Göttingen 1989

Goppelt, L.: Theologie des Neuen Testaments, hg. v. J. Roloff, Göttingen [3]1981

Gräßer, E.: Die Juden als Teufelssöhne in Joh 8,37-47, in: W.P. Eckert u.a., Antijudaismus im Neuen Testament?, Göttingen 1967, 157-170 (= ders., Text und Situation. GAufs. zum Neuen Testament, Gütersloh 1973, 70-83)

Gräßer, E.: Die antijüdische Polemik im Johannesevangelium, NTS 11 (1964/65), 74-90 (= in: ders., Text und Situation. GAufs. zum Neuen Testament, Gütersloh 1973, 50-69)

Graf, F.: Eleusis und die orphische Dichtung Athens in vorhellenistischer Zeit, RGVV XXXIII, Berlin/New York 1974

Graillot, H.: Le culte de Cybèle, mère des dieux, à Rome et dans l'Empire Romain, Paris 1912

Gray, J.: The Hebrew Conception of the Kingship of God: its Origin and Development, VT 6 (1956), 268-285

Grayston, K.: The Meaning of Parakletos, JSNT 13 (1981), 67-82

Grill, J.: Untersuchungen über die Entstehung des vierten Evangeliums I und II. Das Mysterienevangelium des hellenisierten kleinasiatischen Christentums, Tübingen 1902/23

Grimm, B.: Untersuchungen zur sozialen Stellung der frühen Christen in der römischen Gesellschaft, Diss. München 1974 (Bamberg 1975)

Grundmann, W.: Die Gotteskindschaft in der Geschichte Jesu und ihre religionsgeschichtlichen Voraussetzungen, Studien zu deutscher Theologie und Frömmigkeit 1, Weimar 1938

Grundmann, W.: Zur Rede Jesu vom Vater im Johannes-Evangelium. Eine redaktions- und bekenntnisgeschichtliche Untersuchung zu Joh 20,17 und seiner Vorbereitung, ZNW 52 (1961), 213-230

Grundmann, W.: Der Geist der Sohnschaft. Eine Studie zu Röm. 8,15 und Gal. 4,6, zu ihrer Stellung in der paulinischen Theologie und ihren traditionsgeschichtlichen Grundlagen, TKS 1 (1963), 172-192

Grundmann, W.: Die Frage nach der Gottessohnschaft des Messias im Lichte von Qumran, in: S. Wagner (Hg.), Bibel und Qumran, Beiträge zur Erforschung der Beziehungen zwischen Bibel- und Qumranwissenschaft, H. Bardtke zum 22.9.1966, Berlin 1968, 86-111

Grundmann, W.: Die Essener und die Leute von Qumran, in: J. Leipoldt/W. Grundmann, Umwelt des Urchristentums I: Darstellung des neutestamentlichen Zeitalters, Berlin [6]1982, 234-267

Gunkel, H.: Genesis, Göttingen [3]1910 (Nachdruck Göttingen [9]1977)

Gyllenberg, R.: Gott der Vater im AT und in der Predigt Jesu, StOr 1 (1925), 51-60

Haacker, K.: Jesus und die Kirche nach Johannes, ThZ 29 (1973), 179-201

Haag, H.: Sohn Gottes im Alten Testament, ThQ 154 (1974), 223-231

Haedicke, W.: Die Gedanken der Griechen über Familienherkunft und Vererbung, Diss. Halle/Saale 1937

Hahn, F.: Einheit der Kirche und Kirchengemeinschaft in neutestamentlicher Sicht, in: F. Hahn/ K. Kertelge/R. Schnackenburg, Einheit der Kirche, Grundlegung im Neuen Testament, QD 84, Freiburg/Basel/Wien 1979, 9-51

Hainz, J.: Ekklesia. Strukturen paulinischer Gemeinde-Theologie und Gemeinde-Ordnung, BU 9, Regensburg 1972

Hainz, J.: Koinonia. 'Kirche' als Gemeinschaft nach Paulus, BU 16, Regensburg 1982

242

Hanse, H.: "Gott haben" in der Antike und im frühen Christentum. Eine religions- und begriffsgeschichtliche Untersuchung, RGVV 27, Berlin 1939

Harnack, A.v.: Über den dritten Johannesbrief, TU 15/3 (1897), 3-27

Harnack, A.v.: Die Terminologie der Wiedergeburt und verwandter Erlebnisse in der ältesten Kirche, TU 49/3, Leipzig 1918, 97-143

Harper, W.R.: A critical and exegetical Commentary on Amos and Hosea, ICC, Edinburgh 1905 (Nachdruck Edinburgh 1973)

Hasenclever, J.: Christliche Proselyten der höheren Stände im ersten Jahrhundert, JPTh 8 (1882), 34-78.230-271

Hasitschka, M.: Sozialgeschichtliche Anmerkungen zum Johannesevangelium, PzB 1 (1992), 59-67

Haufe, G.: Die Mysterien, in: J. Leipoldt/W. Grundmann (Hg.), Umwelt des Urchristentums I. Darstellung des neutestamentlichen Zeitalters, Berlin [5]1966, 101-126

Hatch, E.: Die Gesellschaftsverfassung der christlichen Kirchen im Altertum, 8 Vorlesungen, Vom Verfasser autorisierte Übersetzung der 2. durchgesehenen Auflage (Oxford 1882), besorgt und mit Exkursen versehen von A. v. Harnack, Gießen 1883

Hauck, F.: Die Freundschaft bei den Griechen und im Neuen Testament, Sonderabdruck der Zahn-Festgabe, Leipzig 1928, 211-228

Hegermann, H.: Das griechischsprechende Judentum, in: J. Maier/J. Schreiner (Hg.), Literatur und Religion des Frühjudentums, Würzburg 1973, 328-352

Heiligenthal, R.: Ist der "Antijudaismus" konstitutiv für das Christentum? Zum sogen. Antijudaismus im Johannesevangelium, DtPfrBl 92 (1992), 187-191

Heise, J.: Bleiben. Menein in den Johanneischen Schriften, HUTh 8, Tübingen 1967

Hengel, M.: Der Sohn Gottes. Die Entstehung der Christologie und die jüdisch-hellenistische Religionsgeschichte, Tübingen [2]1977

Herkenrath, J.: Sünde zum Tode, in: Aus Theologie und Philosophie, FS F. Tillmann, Düsseldorf 1950, 119-138

Hermisson, H.J.: Deuterojesaja 45,8ff, BK.AT 11,2, Lieferung 1, Neukirchen-Vluyn 1987

Herntrich, V.: Der Prophet Jesaja, Kap 1-12, ATD 17, Göttingen 1950

His, W.: Die Theorien der geschlechtlichen Zeugung, AAnth 4 (1870), 197-220

Hodges, Z.C.: Fellowship and Confession in 1 John 1:5-10, BS 129 (1972), 48-60

Hoffmann, P.: Priestertum und Amt im Neuen Testament. Eine Bestandsaufnahme, in: ders., Priesterkirche, Theologie zur Zeit 3, Düsseldorf 1987, 12-61

Hofius, O.: "Erwählt vor der Grundlegung der Welt" (Eph 1,4), ZNW 62 (1971), 123-128

Hofrichter, P.: Nicht aus Blut sondern monogen aus Gott geboren. Textkritische, dogmengeschichtliche und exegetische Untersuchung zu Joh 1,13-14, FzB 31, Würzburg 1978

Hofrichter, P.: Il significato dei "sangui" in Gv 1,13 - una chiave allo sviluppo dottrinale del christianesimo primitivo, in: F. Vattoni (Hg.), Sangue e antropologia nella letteratura cristiana, Atti 3, Rom 1983, 569-593

Hofrichter, P.: Im Anfang war der "Johannesprolog". Das urchristliche Logosbekenntnis - die Basis neutestamentlicher und gnostischer Theologie, BU 17, Regensburg 1986

Hollander, H.W.: Joseph as an Ethical Model in the Testaments of the Twelve Patriarchs, SVTP 6, Leiden 1981

Holm-Nielsen, S.: Hodayot. Psalms from Qumran, AThD 2, Aarhus 1960

Holm-Nielsen, S.: "Ich" in den Hodajoth und die Qumrangemeinde, in: H. Bardtke (Hg.), Qumranprobleme, Vorträge des Leipziger-Symposions über Qumran-Probleme vom 9. bis 14.10.1961, Deutsche Akademie der Wissenschaften, Sektion für Altertumswissenschaften 42, Berlin 1963, 217-229

Hommel, H.: Der allgegenwärtige Himmelsgott. Eine religions- und formengeschichtliche Studie, ARW 23 (1926), 193-206

Horst, P.W.v.d.: A Wordplay in 1 Joh 4,12, ZNW 63 (1972), 280-282

Houlden, J.L.: Salvation Proclaimed. II. 1John 1,5-2,6: Belief and Growth, ET 93 (1982), 132-136

Hübner, E.: Credo in Deum patrem?, EvTh 23 (1963), 646-672

Inman, V.K.: Distinctive Johannine Vocabulary and the Interpretation of 1Joh 3:9, WThJ 40 (1977), 136-144

Jenks, G.C.: The Origins and Early Development of the Antichrist Myth, BZNW 59, Berlin/ New York 1991

Jeremias, G.: Der Lehrer der Gerechtigkeit, StUNT 2, Göttingen 1963

Jeremias, J.: Abba, Studien zur neutestamentlichen Theologie und Zeitgeschichte, Göttingen 1966

Jeremias, J.: Neutestamentliche Theologie 1: Die Verkündigung Jesu, Gütersloh [4]1988

243

Judge, E.A.: Christliche Gruppen in nichtchristlicher Gesellschaft. Die Sozialstruktur christlicher Gruppen im ersten Jahrhundert, Neue Studien Reihe 4, Wuppertal 1964

Käsemann, E.: Ketzer und Zeuge. Zum johanneischen Verfasserproblem, in: ders., Exegetische Versuche und Besinnungen 1, Göttingen [6]1970, 168-187

Käsemann, E.: Zum Verständnis von Römer 3,24-26, in: ders., Exegetische Versuche und Besinnungen 1, Göttingen [6]1970, 96-100

Karl, W.A.: Johanneische Studien I. Der erste Johannesbrief, Freiburg/Leipzig/Tübingen 1898

Keresztes, P.: The Jews, the Christians, and Emperor Domitian, VigChr 27 (1973), 1-28

Kern, O.: Die Religion der Griechen 1-3, Berlin 1963

King, J.S.: R.E. Brown on the History of the Johannine Community, ScrB 13 (1983), 26-30

Kittler, R.: Erweis der Bruderliebe an der Bruderliebe?! Versuch der Auslegung eines "fast unverständlichen" Satzes im 1. Johannesbrief, KuD 16 (1970), 223-228

Klauck, H.-J.: Die Hausgemeinde als Lebensform im Urchristentum, MThZ 32 (1981), 1-15

Klauck, H.-J.: Hausgemeinde und Hauskirche im frühen Christentum, SBS 103, Stuttgart 1981

Klauck, H.-J.: Neue Literatur zur urchristlichen Hausgemeinde, BZ NF 26 (1982), 288-294

Klauck, H.-J.: Gemeinde ohne Amt? Erfahrungen mit der Kirche in den johanneischen Schriften, BZ 29 (1985), 193-220

Klauck, H.-J.: Der Antichrist und das johanneische Schisma. Zu 1Joh 2,18-19, in: Christus bezeugen, FS W. Trilling, hg. v. K. Kertelge/T. Holtz/C.-P. März, EThSt 59, Leipzig 1989, 237-248

Klauck, H.-J.: Brudermord und Bruderliebe. Ethische Paradigmen in 1 Joh 3,11-17, in: Neues Testament und Ethik, FS R. Schnackenburg, hg. v. H. Merklein, Freiburg/Basel/Wien 1989, 151-169

Klauck, H.-J.: Gespaltene Gemeinde. Der Umgang mit den Sezessionisten im ersten Johannesbrief, in: ders., Gemeinde - Amt - Sakrament. Neutestamentliche Perspektiven, Würzburg 1989, 59-68

Klauck, H.-J.: Die Johannesbriefe, EdF 276, Darmstadt 1991

Klauck, H.-J.: Bekenntnis zu Jesus und Zeugnis Gottes. Die christologische Linienführung im ersten Johannesbrief, in: Anfänge der Christologie, FS F.Hahn, hg. v. C. Breytenbach/ H. Paulsen, Göttingen 1991, 239-306

Klees, H.: Herren und Sklaven, Die Sklaverei im oikonomischen und politischen Schrifttum der Griechen in klassischer Zeit, FzaS 6, Wiesbaden 1975

Klein, G.: Das wahre Licht scheint schon. Beobachtungen zur Zeit- und Geschichtserfahrung einer urchristlichen Schule, ZThK 68 (1971), 261-326

Klein, G.: Die Gemeinschaft der Gotteskinder. Zur Ekklesiologie der johanneischen Schriften, in: Kirchengemeinschaft - Anspruch und Wirklichkeit, FS G. Kretschmar, hg. v. W.-D. Hauschild/C. Nicolaisen/D. Wendebourg, Stuttgart 1986, 59-67

Klöpper, D.: Zur Lehre der Sünde im 1. Johannesbrief. Erläuterungen von 5,16-fin, ZWTh 43 (1900), 585-602

Klos, H.: Die Sakramente im Johannesevangelium. Vorkommen und Bedeutung von Taufe, Eucharistie und Buße im vierten Evangelium, SBS 46, Stuttgart 1970

Körte, A.: Zu den eleusinischen Mysterien, ARW 18 (1915), 116-126

Koffmahn, E.: Die Selbstbezeichnungen der Gemeinde von Qumran auf dem Hintergrund des Alten Testaments, Diss. Wien 1959

Koliadis, M.G.: Die Jugend im Athen der klassischen Zeit. Ansätze zu einer historischen Jugendforschung, EHS XI/353, Frankfurt/M. u.a. 1988

Koskenniemi, H.: Studien zur Idee und Phraseologie des griechischen Briefes bis 400 n.Chr., AASF 102/2, Helsinki 1956

Kotzé, P.P.A.: The Meaning of 1John 3:9 with Reference to 1John 1:8 and 10, NTSSA, Neotestamentica 13 (1979), 68-83

Kraabel, A.T.: The Disappearence of the 'God-Fearers', Numen 28 (1981), 113-126

Kraabel, A.T.: The Roman Disapora: Six Questionable Assumptions, JJS 33 (1982), 445-464

Kraabel, A.T.: Greeks, Jews and Christians in the Middle Half of Acts, in: G.W. Nickelsburg/ G.W. McRae (Hg.), Christians among Jews and Gentiles. FS K. Stendahl, Philadelphia 1986, 147-157

Kranz, W.: Griechentum. Eine Geschichte der griechischen Kultur und Literatur, Baden-Baden/ Stuttgart 1952

Krauss, S.: Talmudische Archäologie II, Leipzig 1911 (Nachdruck Hildesheim 1966)

Kreissig, H.: Zur sozialen Zusammensetzung der frühchristlichen Gemeinden im ersten Jahrhundert u.Z., Eirene 6 (1967), S, 91-100

Kreissig, H.: Wirtschaft und Gesellschaft im Seleukidenreich. Die Eigentums und die Abhängigkeits-
verhältnisse, SGKA 16, Berlin 1978

Kruijf, T.C.d.: "Nicht wie Kain (der) vom Bösen war ...", Bijdr. 41 (1980), 47-63

Kubo, S.: 1John 3:9: Absolute or Habitual?, AUSS 7 (1969), 47-56

Kügler, J.: In Tat und Wahrheit. Zur Problemlage des ersten Johannesbriefes, BN 48 (1989), 61-88

Kümmel, W.G.: Einleitung in das Neue Testament, Heidelberg [21]1983

Kuhn, H.-W.: Enderwartung und gegenwärtiges Heil. Untersuchungen zu den Gemeindeliedern von
Qumran, StUNT 4, Göttingen 1966

Kutsch, E.: Salbung als Rechtsakt im Alten Testament und im Alten Orient, BZAW 87, Berlin 1963

Lacey, W.K.: "Patria Potestas", in: B.Rawson (Hg.), The Family in Ancient Rome, London 1986, 121-
144

Lagrange, M.-J.: La Régénération et la Filiation, RB 38 (1929), 63-81.201-214

Lammers, B.: Die Menein-Formeln der Johannesbriefe. Eine Studie zur johanneischen Anschauung
von der Gottesgemeinschaft, Diss. Rom 1954

Lampe P.: Zur gesellschaftlichen und kirchlichen Funktion der "Familie" in neutestamentlicher Zeit.
Streiflichter, Ref. 31 (1982), 533-542

Lampe, P.: Die stadtrömischen Christen in den ersten beiden Jahrhunderten. Untersuchungen zur
Sozialgeschichte, WUNT II/18, Tübingen [2]1989

Langbrandtner, W.: Weltferner Gott oder Gott der Liebe. Der Ketzerstreit in der johanneischen Kirche. Eine exegetisch-religionsgeschichtliche Untersuchung mit Berücksichtigung der koptisch-
gnostischen Texte aus Nag-Hammadi, BET 6, Frankfurt (Main) u.a. 1977

Langer, B.: Gott als "Licht" in Israel und Mesopotamien. Eine Studie zu Jes 60,1-3.19f., ÖBS 7, Klo-
sterneuburg 1989

Lattke, M.: Einheit im Wort. Die spezifische Bedeutung von "agape", "agapan" und "filein" im Johannes-Evangelium, StANT 41, München 1975

Lausberg, H.: Handbuch der literarischen Rhetorik. Eine Grundlegung der Literaturwissenschaft, 2
Bde., München [2]1973

Law, R.: The Tests of Life. A Study of the First Epistle of St.John, Edinburgh [3]1914 (Nachdruck
Grand Rapids 1979)

Leaney, A.R.C.: 'Conformed to the Image of His Son' (Rom. VIII. 29), NTS 10 (1963/64), 470-479

Leeuw, G.v.d.: Phänomenologie der Religion, NTG 3, Tübingen [4]1977

Le Frois, B.J.: The Spiritual Motherhood of Mary in John 1:13, CBQ 13 (1951), 422-431

Leipoldt, J.: Die Mysterien, in: ders., Von den Mysterien zur Kirche, GAufs., Hamburg/Bergstedt, 5-
50

Leisegang, H.: Der Heilige Geist. Das Wesen und Werden der mystisch-intuitiven Erkenntnis der
Philosophie und Religion der Griechen 1.1: Die vorchristlichen Anschauungen und Lehren
vom Pneuma und der mystisch-intuitiven Erkenntnis, Leipzig/Berlin 1919 (Nachdruck Darmstadt 1967)

Leisegang, H.: Pneuma Hagion. Der Ursprung des Geistbegriffs der synoptischen Evangelien aus der
griechischen Mystik, VFVRG 4, Leipzig 1922

Lesky, E.: Die Zeugungs- und Vererbungslehre der Antike und ihr Nachwirken, Akademie der Wissenschaften und der Literatur Wiesbaden, AGSK 19, Wiesbaden 1950

Levy-Strauss, C.: Die Sage von Asdiwal, in: C.A. Schmitz (Hg.), Religionsethnologie, Frankfurt 1964,
154-195

Levy-Strauss, C.: Die Struktur der Mythen, in: ders., Strukturale Anthropologie, Frankfurt 1967, 226-
254

Lieu, J.M.: "Authority to become Children of God". A Study of 1 John, NT 23 (1981), 210-228

Lieu, J.M.: The Theology of the Johannine Epistles, Cambridge 1991

Lindblom, J.: Das ewige Leben. Eine Studie über die Entstehung der religiösen Lebensidee im
Neuen Testament, Uppsala/Leipzig 1914

Linsenmayer, A.: Die Stellung der flavischen Kaiser zum Christentum, HJ 25 (1904), 447-464

Lips, H.v.: Glaube - Gemeinde - Amt. Zum Verständnis der Ordination in den Pastoralbriefen,
FRLANT 122, Göttingen 1979

Lorenzen, T.: Die christliche Hauskirche, ThZ 43 (1987), 333-352

Lührmann, D.: Rechtfertigung und Versöhnung. Zur Geschichte der paulinischen Tradition, ZThK
67 (1970), 437-452

Lütgert, W.: Die Liebe im Neuen Testament, Ein Beitrag zur Geschichte des Urchristentums, Leipzig
1905 (Nachdruck Gießen 1986)

Luhmann, N.: Soziologie als Theorie sozialer Systeme, in: ders., Soziologische Aufklärung. Aufsätze zur Theorie sozialer Systeme 1, Opladen [3]1972, 113-136

Lussier, E.: God is Love, According to St. John, New York 1977

Lyall, F.: Roman Law in the Writings of Paul - Adoption, JBL 88 (1969), 458-466

MacDonald, M.Y: The Pauline Churches: A Socio-historical Study of Institutionalization in the Pauline and Deutero-Pauline Writings, Cambridge/New York 1988

Malatesta, E.: Interiority and Covenant. A Study of εἶναι ἐν and μένειν ἐν in the First Letter of Saint John, AnBib 69, Rom 1978

Malatesta, E.: The Love the Father has given us, The Way 22 (1982), 155-163

Malherbe, A.J.: Ancient Epistolary Theorists, OJRS 5 (1977), 3-77

Malherbe, A.J.: Social Aspects of Early Christianity, Philadelphia [2]1983, 92-112

Malina, B.J.: The New Testament World: Insights from cultural Anthropology, Atlanta 1981

Malina, B.J.: Mother and Son, BTB 20 (1990), 54-64

Malmede, H.H.: Die Lichtsymbolik im Neuen Testament, StOR 15, Wiesbaden 1986

Manson, T.W.: Entry into Membership of Early Church, JThS 48 (1947), 25-33

Manson, T.W.: The Lord's Prayer, BJRL 38 (1955/56), 99-113

Mays, J.L.: Hosea. A Commentary, OTL, London 1969

McCarthy, D.J.: Notes on the Love of God in Deuteronomy and the Father-Son Relationship between Yahweh and Israel, CBQ 27 (1965), 144-147

McCasland, V.: "Abba, Father", JBL 72 (1953), 79-91

McClendon, J.W.: The Doctrine of Sin and the First Epistle of John: A Comparison of Calvinist Wesleyan, and Biblical Thought, Southwestern Baptist Theological Seminary, Diss. Princeton 1953

McDermott, M.: The Biblical Doctrine of *KOINONIA*, BZ NS 19 (1975), 64-77.219-233

McFayden, D.: The Occasion of the Domitianic Persecution, AJT 24 (1920), 46-66

McKenzie, S.: The Church in I John, RestQ 19 (1976), 211-216

Mell, U.: Neue Schöpfung. Eine traditionsgeschichtliche und exegetische Studie zu einem soteriologischen Grundsatz paulinischer Theologie, BZNW 56, Berlin/New York 1989

Mensching, G. (Hg.): Das lebendige Wort. Texte aus den Religionen der Völker, Darmstadt/Genf 1952

Michel, O./Betz, O.: Von Gott gezeugt, in: Judentum, Urchristentum und Kirche, BZNW 26, FS J. Jeremias, hg. v. W. Eltester, Berlin/New York [2]1964, 3-23

Michl, J.: Der Geist als Garant des rechten Glaubens, in: Vom Wort des Lebens, FS M. Meinertz, hg. v. N. Adler, NTA.E 1, Münster 1951, 142-151

Michl, J.: Sündenbekenntnis und Sündenvergebung in der Kirche des Neuen Testaments, MThZ 24 (1973), 189-207

Miguéns, M.: Sin, Prayer, Life in 1 Jn 5:16, in: Studia Hierosolymitana II: Studi esegetici, FS B.Bagatti, Jerusalem 1976, 64-82

Miller, J.W.: The Concept of the Church in the Gospel according to John, Diss. Princeton 1976 (Microfilm Ann Arbor 1977)

Möller, K.: Götterattribute in ihrer Anwendung auf Augustus. Eine Studie über die indirekte Erhöhung des ersten Princeps in der Dichtung seiner Zeit, Wissenschaftliche Schriften Reihe 9, Geschichtswissenschaftliche Beiträge 101, Idstein 1985

Mommsen, Th.: Römisches Strafrecht, Leipzig 1899 (Nachdruck Darmstadt 1961)

Montefiore, H.W.: God as Father in the Synoptic Gospels, NTS 3 (1956/57), 31-46

Moody, D.: The Theology of the Johannine Letters, SWTJ 13 (1970), 7-22

Moreau, J.: Die Christenverfolgung im römischen Reich, Aus der Welt der Religion. Forschungen und Berichte NF 2, Berlin/New York 1971

Müller, U.B.: Die Geschichte der Christologie in der johanneischen Gemeinde, SBS 77, Stuttgart 1975

Müller, U.B.: Die Menschwerdung des Gottessohnes. Frühchristliche Inkarnationsvorstellungen und die Anfänge des Doketismus, SBS 140, Stuttgart 1990

Mussner, F.: ΖΩΗ. Die Anschauung vom "Leben" im 4. Evangelium unter Berücksichtigung der Johannesbriefe, MThS 5, München 1952

Muth, R.: Einführung in die griechische und römische Religion, Darmstadt 1988

Nauck, W.: Die Tradition und der Charakter des ersten Johannesbriefes. Zugleich ein Beitrag zur Taufe im Urchristentum und in der alten Kirche, WUNT 3, Tübingen 1957

Nauck, W.: Das οὖν-paräneticum, ZNW 49 (1958), 134-135

Nilsson, M.P.: Vater Zeus, ARW 35 (1938), 156-171

Nilsson, M.P.: Geschichte der griechischen Religion I und II. Handbuch der Altertumswissenschaften 5.2, München I [2]1955, II [2]1961

Noack, B.: On I John II. 12-14, NTS 6 (1959/60), 236-241

Nötscher, F.: Hodajot (Psalmenrolle), BZ NF 2 (1958), 128-133

Nötscher, F.: Biblische Altertumskunde, Die Heilige Schrift des Alten Testamentes, Ergänzungsband 3, Bonn 1940

Normann, F.: Die von der Wurzel "φιλ" gebildeten Wörter und die Vorstellung der Liebe im Griechentum, Diss. Münster 1952

Noth, M.: Die israelitischen Personennamen im Rahmen der gemeinsemitischen Namengebung, Stuttgart 1928 (Nachdruck Hildesheim 1966)

Noth, M.: Überlieferungsgeschichtliche Studien I: Die sammelnden und bearbeitenden Geschichtswerke im Alten Testament, Halle 1943 (Nachdruck Darmstadt 1967)

Noth, M.: Das vierte Buch Mose. Numeri, ATD 7, Göttingen 1966

Okure, T.: The Johannine Approach to Mission. A Contextual Study of John 4,1-42, WUNT II/31, Tübingen 1988

O'Neill, J.C.: The Puzzle of 1 John. A new Examination of Origins, London 1966

Onuki, T.: Gemeinde und Welt im Johannesevangelium. Ein Beitrag zur pragmatischen und theologischen Funktion des johanneischen "Dualismus", WMANT 56, Neukirchen-Vluyn 1984

O'Rourke, J.J.: Eis and en in John, BiTr 25 (1975), 139-142

Osten-Sacken, P.v.d.: "Christologie, Taufe, Homologie" - Ein Beitrag zu Apc Joh 1,5f., ZNW 58 (1967), 255-266

Osten-Sacken, P.v.d.: Römer 8 als Beispiel paulinischer Soteriologie, FRLANT 112, Göttingen 1975

Osten-Sacken, P.v.d.: Die Heiligkeit der Tora. Studien zum Gesetz bei Paulus, München 1989

Painter, J.: The Farewell Discourses and the History of Johannine Christianity, NTS 27 (1980/81), 525-543

Painter, J.: The "Opponents" in 1 John, NTS 32 (1986), 48-71

Pancaro, S.: 'People of God' in St. John's Gospel, NTS 16 (1969/70), 114-129

Panikulam, G.: Koinonia in the New Testament. A Dynamic Expression of Christian life, AnBib 85, Rom 1979

Pascher, J.: Η ΒΑΣΙΛΙΚΗ ΟΔΟΣ: Der Königsweg zu Wiedergeburt und Vergottung bei Philon von Alexandria. Studien zur Geschichte und Kultur des Altertums 17.3/4, Paderborn 1931

Perkins, P.: Koinonia in 1 John 1:3-7: The Social Context of Division in the Johannine Letters, CBQ 45 (1983), 631-641

Perlitt, L.: Der Vater im Alten Testament, in: H. Tellenbach (Hg.), Das Vaterbild in Mythos und Geschichte (Ägypten, Griechenland, Altes Testament, Neues Testament), Stuttgart/Berlin/Köln/Mainz 1976, 50-101

Pesch, R.: "Ihr müßt von oben geboren werden". Eine Auslegung von Jo 3,1-12, BiLe 7 (1966), 208-219

Peterson, E.: Zur Bedeutungsgeschichte von Παρρησία, in: Zur Theorie des Christentums, hg. v. W.Koepp, FS R. Seeberg 1, Leipzig 1929, 283-297

Piper, O.A.: 1 John and the Didache of the Primitive Church, JBL 66 (1947), 437-451

Pohlenz, M.: Die Stoa. Geschichte einer geistigen Bewegung I und II, Göttingen I [6]1984, II [5]1980

Pope, M.H.: El in the Ugaritic Texts, VT.S 2 (1955)

Porteous, N.W.: Das Danielbuch, ATD 23, Göttingen 1962

Pratscher, W.: Gott ist grösser als unser Herz. Zur Interpretation von 1.Joh.3,19f., ThZ 32 (1976), 272-281

Preez, J.d.: "Sperma autou" in 1 John 3:9, NTSSA, Neotestamentica 9, Pretoria 1975, 105-112

Preisker, H.: Christentum und Ehe in den ersten 3 Jahrhunderten. Eine Studie zur Kulturgeschichte der Alten Welt, Berlin 1926 (Nachdruck Aalen 1979)

Preuß, H.: Der Antichrist, BZSF V/4, Lichterfelde-Berlin 1909

Preuß, H.D.: Deuteronomium, EdF 164, Darmstadt 1982

Preuß, H.D.: Theologie des Alten Testaments 1: JHWHs erwählendes und verpflichtendes Handeln, Stuttgart/Berlin/Köln 1991

Pribnow, H.: Die johanneische Anschauung vom "Leben". Eine biblisch-theologische Untersuchung in religionsgeschichtlicher Beleuchtung, GThF 4, Greifswald 1934

Procksch, O.: Wiederkehr und Wiedergeburt, in: Das Erbe Martin Luthers und die gegenwärtige theologische Forschung, in: Theologische Abhandlungen, FS L. Ihmels, hg. v. R. Jelke, Leipzig 1928, 1-18

Rad, G.v.: Theologie des Alten Testaments I und II, München [8]1982-84

Ramage, E.S.: The Nature and Purpose of Augustus' "Res Gestae", Historia 54, Wiesbaden/ Stuttgart 1987

Rawson, B.: The Roman Family, in: B.Rawson (Hg.), The Family in Ancient Rome. New Perspectives, London/Sydney 1986, 1-57

Rebell, W.: Zum neuen Leben berufen. Kommunikative Gemeindepraxis im frühen Christentum, Kaiser-Taschenbücher 88, München 1990

Reicke, B.: Neutestamentliche Zeitgeschichte, Die biblische Welt von 500 v.Chr. bis 100 n.Chr., Berlin/New York [3]1982

Reim, G.: Zur Lokalisierung der johanneischen Gemeinde, BZ 32 (1988), 72-86

Reitzenstein, R.: Der Poimandres, Studien zur griechisch-ägyptischen und frühchristlichen Literatur, Leipzig 1904 (Nachdruck Darmstadt 1966)

Reitzenstein, R.: Die hellenistischen Mysterienreligionen nach ihren Grundgedanken und Wirkungen Leipzig/Berlin [3]1927

Reitzenstein, R./Schaeder, H.H.: Studien zum antiken Synkretismus aus Iran und Griechenland, Leipzig/Berlin 1926 (Nachdruck Darmstadt 1965)

Rese, M.: Das Gebot der Bruderliebe in den Johannesbriefen, ThZ 41 (1985), 44-58

Rhys, H.W.: A Study of the Understanding of Sin in the Scriptures, AThR 35 (1953), 18-27

Richardson, C.C.: The Exegesis of 1 John 3,19-20. An Ecumenical Misinterpretation?, in: Disciplina Nostra, FS R. Evans, hg. v. D.F. Winslow, Philadelphia 1979, 31-52.190-198

Richter, G.: Zum gemeindebildenden Element in den johanneischen Schriften, in: ders., Studien zum Johannesevangelium, Regensburg 1977, 383-414

Ringgren, H./Weiser, A./Zimmerli, W.: Sprüche, Prediger, Das Hohelied, Klagelieder, Das Buch Esther, ATD 16, Göttingen [3]1981

Ritter, R.: Die aristotelische Freundschaftsphilosophie nach der Nikomachischen Ethik, Diss. München 1963

Robinson, J.A.T.: The Destination and Purpose of the Johannine Epistles, NTS 7 (1960/61), 56-65

Röhser, G.: Metaphorik und Personifikation der Sünde. Antike Sündenvorstellungen und paulinische Hamartia, WUNT II/25, Tübingen 1987

Roloff, D.: Gottähnlichkeit, Vergöttlichung und Erhöhung zu seligem Leben. Untersuchungen zur platonischen Angleichung an Gott, UaLG 4, Berlin/New York 1970

Roloff, J.: Neues Testament. Neukirchener Arbeitsbücher [3]1982

Roloff, J.: Die Offenbarung des Johannes, ZBK NT 18, Zürich 1984

Romaniuk, K.: Die "Gottesfürchtigen" im Neuen Testament. Beitrag zur neutestamentlichen Theologie der Gottesfurcht, Aegyptus 44 (1964), 66-91

Romaniuk, K.: Die vollkommene Liebe treibt die Furcht aus. Eine Auslegung von 1Joh 4,17-18, BiLe 5 (1964), 80-84

Rondelle, H.K.I.: Perfection and Perfectionism. A dogmatic-ethical study of Biblical Perfection and phenomenal Perfectionism, Kampen 1971

Rondet, H.: Bemerkungen zu einer Theologie der Sünde, GuL 28 (1955), 28-44.106-116

Rordorf, D.W.: Was wissen wir über die christlichen Gottesdiensträume der vorkonstantinischen Zeit? ZNW 55 (1964), 110-128

Rost, L.: Einleitung in die alttestamentlichen Apokryphen und Pseudepigraphen einschließlich der großen Qumran-Handschriften, Heidelberg 1971

Rudolph, W.: Hosea, KAT 13.1, Gütersloh 1966

Rudolph, W.: Haggai - Sacharja 1-8 - Sacharja 9-14 - Maleachi, KAT 13.4, Gütersloh 1976

Ruiz, M.R.: Der Missionsgedanke des Johannesevangeliums. Ein Beitrag zur johanneischen Soteriologie und Ekklesiologie, FzB 55, Würzburg 1987

Rupprecht, F.: "Den Felsen, der dich gebar, täuschtest du ...", Gott als gebärende Frau in Dtn 32,18 und anderen Texten der Hebräischen Bibel, Kirche und Israel 3 (1988), 53-66

Rusam, F.: Hymnische Formeln in Apokalypse 1, Diss. Kiel 1970

Sabourin, L.: "Who Was Begotten ... of God" (Jn 1:13), BTB 6 (1976), 86-90

Sänger, D.: Erwägungen zur historischen Einordnung und zur Datierung von "Joseph und Aseneth", ZNW 76 (1985), 86-106

Sampley, J.P.: Pauline Partnership in Christ: Christian Community and Commitment in Light of Roman Law, Philadelphia 1980

Satake, A.: Die Gemeindeordnung in der Johannesapokalypse, WMANT 21, Neukirchen-Vluyn 1966

Schäfer, K.: Gemeinde als "Bruderschaft". Ein Beitrag zum Kirchenverständnis des Paulus, EHS.T 333, Frankfurt (M.)/Bern/New York/Paris 1989

Schäfer, P.: Die sogenannte Synode von Jabne, Jud. 31 (1975), 54-64.116-124

Scheffer, T.v.: Homer und seine Zeit, Wien/Leipzig 1925

Schenke, H.-M.: Determination und Ethik im ersten Johannesbrief, ZThK 60 (1963), 203-215

Schenke, H.-M./Fischer, K.M.: Einleitung in die Schriften des Neuen Testaments I und II, Gütersloh 1978/79

Schenke, L.: Das johanneische Schisma und die 'Zwölf' (Johannes 6.60-71), NTS 38 (1992), 105-121

Schenker, A.: Gott als Vater - Söhne Gottes. Ein vernachlässigter Aspekt einer biblischen Metapher, in: ders., Text und Sinn im Alten Testament. Textgeschichtliche und bibeltheologische Studien, OBO 103, Freiburg (Schweiz)/Göttingen 1991, 1-53

Schenker, A.: Elemente volkstümlicher Religion im Alten Testament, ders., Text und Sinn im Alten Testament. Textgeschichtliche und bibeltheologische Studien, OBO 103, Freiburg (Schweiz)/ Göttingen 1991, 55-67

Schlafer, F.G.: The Johannine Doctrine of Christian Sonship, Diss. Southern Baptist Theological Seminary, Louisville 1948/49

Schlier, H.: Die Bruderliebe nach Evangelium und Briefen des Johannes, in: Mélanges Bibliques, FS B. Rigaux, hg. v. Mgr.A. Descamps/R.P. A. d. Halleux, Gembloux 1970, 235-245

Schlier, H.: Die Kirche nach den Johannesbriefen, in: J. Feiner/M. Löhrer (Hg.), Mysterium Salutis. Grundriß heilsgeschichtlicher Dogmatik 4.1: Das Geschehen in der Gemeinde, Einsiedeln/ Zürich/Köln 1972, 146-152

Schließke, W.: Gottessöhne und Gottessohn im Alten Testament. Phasen der Entmythisierung im Alten Testament, BWANT 97, Stuttgart/Berlin/Köln/Mainz 1973

Schmid, J.: Joh 1,13, BZ NS 1 (1957), 118-125

Schmid, O./Stählin, W.: Geschichte der griechischen Literatur I und II, München 1920-1948 (Nachdruck München 1961-1974)

Schmidt, P.: Vater-Kind-Bruder. Biblische Begriffe in anthropologischer Sicht, Düsseldorf 1978

Schmidt, W.H.: Die Schöpfungsgeschichte der Priesterschrift. Zur Überlieferungsgeschichte von Genesis 1,1-2,4a und 2,4b-3,24, WMANT 17, Neukirchen-Vluyn 1964

Schmidt, W.H.: Königtum Gottes in Ugarit und Israel. Zur Herkunft der Königsprädikationen Jahwes, BZAW 80, Berlin/New York [2]1966

Schmidt, W.H.: Alttestamentlicher Glaube in seiner Geschichte, Neukirchen-Vluyn [6]1987

Schmidt, W.H.: Exodus I: Exodus 1-6, BK.AT 2, Neukirchen-Vluyn 1988

Schnackenburg, R.: Die johanneische Gemeinde und ihre Geisterfahrung, in: Die Kirche des Anfangs, FS H.Schürmann, hg. v. R. Schnackenburg u.a., 1977, 277-306

Schnackenburg, R.: Die Einheit der Kirche unter dem Koinonia-Gedanken, in: F. Hahn/ K. Kertelge/R. Schnackenburg (Hg.), Einheit der Kirche. Grundlegung im Neuen Testament, QD 84, Freiburg/Basel/Wien 1979, 52-93

Schnelle, U.: Antidoketische Christologie im Johannesevangelium. Eine Untersuchung zur Stellung des Vierten Evangeliums in der johanneischen Schule, FRLANT 144, Göttingen 1987

Schnelle, U.: Johanneische Ekklesiologie, NTS 37 (1991), 37-50

Schöllgen, G.: Monepiskopat und monarchischer Episkopat. Eine Bemerkung zur Terminologie, ZNW 77 (1986), 146-151

Schöllgen, G.: Hausgemeinden, ΟΙΚΟΣ-Ekklesiologie und monarchischer Episkopat. Überlegungen zu einer neuen Forschungsrichtung, JAC 31 (1988), 74-90

Schoenberg, M.W.: Huiothesia: The Word and the Institution, Scrip. 15 (1963), 115-123

Schoenberg, M.W.: St.Paul's Notion on the Adoptive Sonship of Christians, Thom. 28 (1964), 51-75

Schottroff, L.: Der Glaubende und die feindliche Welt. Beobachtungen zum gnostischen Dualismus und seiner Bedeutung für Paulus und das Johannesevangelium, WMANT 37, Neukirchen-Vluyn 1970

Schottroff, L./Stegemann, W.: Jesus von Nazareth - Hoffnung der Armen, UB 639, Stuttgart/Berlin/ Köln [3]1990

Schreiber, A.: Die Gemeinde in Korinth. Versuch einer gruppendynamischen Betrachtung der Entwicklung der Gemeinde von Korinth auf der Basis des 1.Korintherbriefes, NTA NF 12, Münster 1977

Schürer, E.: Geschichte des jüdischen Volkes im Zeitalter Jesu 1-4, Leipzig [3]1898-1902 (Nachdruck Hildesheim/New York 1970)

Schütz, R.: Die Vorgeschichte der johanneischen Formel ὁ θεὸς ἀγάπη ἐστιν, Göttingen 1917

Schulz, A.: Nachfolgen und Nachahmen. Studien über das Verhältnis der neutestamentlichen Jüngerschaft zur urchristlichen Vorbildethik, StANT 6, München 1962

Schweitzer, W.: Gotteskindschaft, Wiedergeburt und Erneuerung im Neuen Testament und in seiner Umwelt, Diss. Tübingen 1944

Schweizer, E.: Gemeinde und Gemeindeordnung im Neuen Testament, AThANT 35, Zürich ²1962

Schweizer, E.: Die Kirche als Leib Christi in den paulinischen Homologumena bzw. Antilegomena, in: ders., Neotestamentica, Deutsche und englische Aufsätze 1951-1963, Zürich/Stuttgart 1963, 272-292.293-316

Schweizer, E.: Der Kirchenbegriff im Evangelium und den Briefen des Johannes, in: ders., Neotestamentica, Deutsche und englische Aufsätze 1951-1963, Zürich/Stuttgart 1963, 254-271

Scott, C.A.A.: The "Fellowship", or κοινωνία, ET 35 (1923/24), 567

Scott, C.C.A.: Hermetica II: Notes on the Corpus Hermeticum, Oxford 1925

Scott, K.: The Imperial Cult under the Flavians, Ancient Religion and Mythology, Stuttgart 1936 (Nachdruck New York 1975)

Scroggs, R.: The Earliest Christian Communities as Sectarian Movement, in: Christianity, Judaism and other Greco-Roman Cults Part 2: Early Christianity, FS M. Smith, hg. v. J. Neusner, Leiden 1975, 1-23

Seeberg, R.: Die Sünden und die Sündenvergebung nach dem ersten Brief des Johannes, in: Das Erbe Martin Luthers und die gegenwärtige theologische Forschung. Theologische Abhandlungen, FS Ludwig Ihmels, hg. v. R.Jelke, Leipzig 1928, 19-31

Seesemann, H.: Der Begriff *Koinonía* im Neuen Testament, BZNW 14, Gießen 1933

Segovia, F.: The Love and Hatred of Jesus and Johannine Sectarianism, CBQ 43 (1981), 258-272

Sellin, E.: Wann wurde das Moselied Dtn 32 gedichtet?, ZAW 43 (1925), 161-173

Shellens, M.S.: Das sittliche Verhalten zum Mitmenschen in Anschluß an Aristoteles, Hamburg 1958

Siegert, F.: Gottesfürchtige und Sympathisanten, JSJ 4 (1973), 109-164

Sjöberg, E.: Wiedergeburt und Neuschöpfung im palästinischen Judentum, ST 4 (1950), 44-85

Sjöberg, E.: Neuschöpfung in den Toten-Meer-Rollen, ST 9 (1955), 131-136

Ska, J.-L.: "Petits enfants, prenez garde aux idoles". 1Jn 5,21, NRTh 101 (1979), 660-874

Smallwood, E.M.: Domitians's Attitude toward the Jews and Judaism, CP 51 (1956), 1-13

Smith, D.M.: Johannine Christianity: Some Reflections on its Character and Delineation, NTS 21 (1975), 222-248

Söderblom, N.: Das Werden des Gottesglaubens, Untersuchungen über die Anfänge der Religion, Leipzig 1916

Söderblom, N.: Kompendium der Religionsgeschichte, Berlin/Schöneberg ⁶1931

Sparks, H.F.D.: The Doctrine of the Divine Fatherhood in the Gospels, in: Studies in the Gospel, Essays in Memory of R.H.Lightfoot, hg. v. D.E. Nineham, Oxford 1957, 241-262

Speigl, J.: Der römische Staat und die Christen. Staat und Kirche von Domitian bis Commodus, Amsterdam 1970

Stambaugh, J.E./Balch, D.L.: Das soziale Umfeld des Neuen Testaments, übers. v. G. Lüdemann, NTD Ergänzungsreihe 9, Göttingen 1992

Stanley, J.E.: The Apocalypse and Contemporary Sect Analysis, SBLSP, hg. v. K.H. Richards, Atlanta 1986, 412-421

Stegemann, E.: "Kindlein, hütet euch vor den Götterbildern!" Erwägungen zum Schluß des 1. Johannesbriefes, ThZ 41 (1985), 284-294

Stegemann, E.: Die umgekehrte Tora. Zum Gesetzesverständnis des Paulus, Jud. 43 (1987), 4-20

Stegemann, E.: Die Tragödie der Nähe. Zu den judenfeindlichen Aussagen des Johannesevangeliums, Kirche und Israel 4 (1989), 114-122

Stegemann, W.: Lasset die Kinder zu mir kommen. Sozialgeschichtliche Aspekte des Kinderevangeliums, in: W. Schottroff/W. Stegemann (Hg.), Traditionen der Befreiung 1: Methodische Zugänge, München/Gelnhausen/Berlin/ Stein 1980, 114-144

Stegemann, W.: Die Versuchung Jesu im Matthäusevangelium. Mt 4,1-11, EvTh 45 (1985), 29-44

Stegemann, W.: Nächstenliebe oder Barmherzigkeit. Überlegungen zum ethischen und soziologischen Ort der Nächstenliebe, in: H.Wagner (Hg.), Spiritualität. Theologische Beiträge im Auftrag des Dozentenkollegiums anläßlich des 40jährigen Bestehens der Augustana-Hochschule Neuendettelsau, Stuttgart 1987, 59-82

Stegemann, W.: Tora - Nomos - Gesetz. Zur Bedeutung des Judentums für das Christentum <unveröffentlicht> Neuendettelsau 1989

Stegemann, W.: Arm und Reich in neutestamentlicher Zeit, in: G.K. Schäfer/T. Strohm (Hg.), Diakonie - biblische Grundlagen und Orientierungen. Ein Arbeitsbuch zur theologischen Verständigung über den diakonischen Auftrag, Heidelberg 1990, 345-375

Stegemann, W.: Zwischen Synagoge und Obrigkeit. Zur historischen Situation der lukanischen Christen, FRLANT 152, Göttingen 1991

Stemberger, G.: Die sogenannte "Synode von Jabne" und das frühe Christentum, Kairos(St) NF 19 (1977), 14-21

Stevens, M.: Maternity and Paternity in the Mediterranean: Foundations for Patriarchy, BTB 20 (1990), 47-53

Stöver, H.D.: Christenverfolgung im Römischen Reich. Ihre Hintergründe und Folgen, Düsseldorf/Wien 1982

Strack, H./Billerbeck, P.: Kommentar zum Neuen Testament aus Talmud und Midrasch, Bd. 1-6, München 1926-1961

Strecker, G.: Die Anfänge der johanneischen Schule, NTS 32 (1986), 31-47

Strecker, G.: Der Antichrist. Zum religionsgeschichtlichen Hintergrund von 1 Joh 2,18.22; 4,3 und 2 Joh 7, in: T. Baarda u.a. (Hg.), Text as Testimony. Essays on New Testament and Apocryphal Literature, FS A.F.J. Klijn, Kampen 1988, 247-254

Strobel, A.: Der Begriff des "Hauses" im griechischen und römischen Privatrecht, ZNW 56 (1965), 91-100

Strobel, A.: Erkenntnis und Bekenntnis der Sünde in neutestamentlicher Zeit, AzTh I.37, Stuttgart 1968

Strotmann, A.: "Mein Vater bist du!" (Sir 51,10). Zur Bedeutung der Vaterschaft Gottes in kanonischen und nichtkanonischen frühjüdischen Schriften, Frankfurt/Main 1991

Stuhlmacher, P.: Der Brief an Philemon, EKK XVIII, Zürich/Einsiedeln/Köln/Neukirchen-Vluyn 1975

Suggit, J.N.: I John 5:21: TEKNIA, ΦΥΛΑΞΑΤΕ ΕΑΥΤΑ ΑΠΟ ΤΩΝ ΕΙΔΩΛΩΝ, JThS NS 36 (1985), 386-390

Suitbertus a Joanne a Cruce: Die Vollkommenheitslehre des 1. Johannesbriefes, Bib. 39 (1958), 319-333.449-470

Swadling, H.C.: Sin and Sinlessness in I John, SJTh 35 (1982), 205-211

Swetnam, J.: On Romans 8,23 and the 'Expectation of Sonship', Bib. 48 (1967), 102-108

Taeger, J.-W.: Der konservative Rebell. Zum Widerstand des Diotrephes gegen den Presbyter, ZNW 78 (1987), 267-287

Taeger, J.-W.: Johannesapokalypse und johanneischer Kreis. Versuch einer traditionsgeschichtlichen Ortsbestimmung am Paradigma der Lebenswasser-Thematik, BZNW 51, Berlin/New York 1989

Taylor, T.M.: "Abba, Father" and Baptism, SJTh 11 (1958), 62-71

Theißen, G.: Soziologie der Jesusbewegung. Ein Beitrag zur Entstehungsgeschichte des Urchristentums, TEH 194, München ([1]1977) [4]1985

Theißen, G.: Gewaltverzicht und Feindesliebe (Mt 5,38-48/Lk 6,27-38) und deren sozialgeschichtlicher Hintergrund, in: ders., Studien zur Soziologie des Urchristentums, WUNT 19, Tübingen ([1]1979) [3]1989, 160-197

Theißen, G.: Soziale Schichtung in der korinthischen Gemeinde. Ein Beitrag zur Soziologie des hellenistischen Urchristentums, in: ders., Studien zur Soziologie des Urchristentums, WUNT 19, Tübingen ([1]1979) [3]1989, 231-271

Theißen, G.: Christentum und Gesellschaft im Johannesevangelium < unveröffentlichtes Vortrags-Manuskript>, Bern 1983

Theißen, G.: Lokalkolorit und Zeitgeschichte in den Evangelien. Ein Beitrag zur Geschichte der synoptischen Tradition, NTOA 8, Freiburg (Schweiz)/Göttingen 1989

Theobald, M.: Die Fleischwerdung des Logos. Studien zum Verhältnis des Johannesprologs zum Corpus des Evangeliums zum ersten Johannesbrief, NTA NF 20, Münster 1988

Theobald, M.: Geist- und Inkarnationschristologie, ZKTh 112 (1990), 129-149

Thornton, L.S.: The Common Life in the Body of Christ, London [4]1963

Thüsing, W.: Glaube an die Liebe - Die Johannesbriefe, in: J. Schreiner/G. Dautzenberg (Hg.), Gestalt und Anspruch des Neuen Testaments, Würzburg 1969, 282-298

Thyen, H.: Studien zur Sündenvergebung im Neuen Testament und seinen alttestamentlichen und jüdischen Voraussetzugen, FRLANT 96, Göttingen 1970

Thyen, H.: "Denn wir lieben die Brüder", in: Rechtfertigung, FS E.Käsemann, hg. v. J. Friedrich/ W. Pöhlmann/P. Stuhlmacher, Tübingen/Göttingen 1976, 527-543

Thyen, H.: "Das Heil kommt von den Juden" in: Kirche, FS G.Bornkamm, Tübingen 1980, 163-184

Townsend, J.: The Sin unto Death, RestQ 6 (1962), 147-150

Trier, J.: Vater. Versuch einer Etymologie, ZSRG.G 65 (1947), 232-260

Trilling, W.: Der zweite Brief an die Thessalonicher, EKK XIV, Zürich/Einsiedeln/Köln/Neukirchen-Vluyn 1980

Tröger, K.-W.: Die hermetische Gnosis, in: ders. (Hg.), Gnosis und Neues Testament, Gütersloh 1973, 97-119

Troeltsch, E.: Die Soziallehren der christlichen Kirchen und Gruppen. GS I/3, Tübingen 1922 (Nachdruck Aalen 1977)

Trudinger, P.: Concerning Sins, Mortal and Otherwise. A Note on 1John 5,16-17, Bib. 52 (1971), 541f

Tsakonas, B.: A Comparative Study of the Term "Son of God" in St.Paul, the Old Testament, the Hellenistic World and in Philo, Theol(A) 36 (1965), 457-472.629-639; 37 (1966), 99-121

Tuñi, J.O.: Las Comunidades Joanicas. Particularidades y evolución de una tradición cristiana muy especial, Bilbao 1988

Twisselmann, W.: Die Gotteskindschaft der Christen nach dem Neuen Testament, BFChTh 41.1, Gütersloh 1939

Vaux, R.de: Das Alte Testament und seine Lebensordnungen I: Fortleben des Nomadentums. Gestalt des Familienlebens. Einrichtungen und Gesetze des Volkes, Freiburg/Basel/Wien [2]1964

Vellanickal, M.: The Divine Sonship of Christians in the Johannine Writings, AnBib 72, Rom 1977

Venetz, H.-J.: "Durch Wasser und Blut gekommen". Exegetische Überlegungen zu 1. Joh 5,6, in: Die Mitte des Neuen Testaments. Einheit und Vielfalt neutestamentlicher Theologie, FS E. Schweizer, hg. v. U. Luz/H. Weder, Göttingen 1983, 345-361

Vermaseren, M.J.: Mithras, Geschichte eines Kultes, urban-Bücher 83, Stuttgart 1965

Vielhauer, P.: Erwägungen zur Christologie des Markusevangeliums, in: ders., Aufsätze zum Neuen Testament, TB 31, München 1965, 199-214

Vielhauer, P.: Geschichte der urchristlichen Literatur. Einleitung in das Neue Testament, die Apokryphen und die Apostolischen Väter, Berlin/New York 1975

Vitrano, S.P.: The Doctrine of Sin in 1 John, AUSS 25 (1987), 123-131

Vogler, W.: Die Bedeutung der urchristlichen Hausgemeinden für die Ausbreitung des Evangeliums, ThLZ 107 (1982), Sp. 785-794

Vogt, J.: Der Vorwurf der sozialen Niedrigkeit des frühen Christentums, Gym. 82 (1975), 401-411

Volkmann, R.: Leben, Schriften und Philosophie des Plutarch von Chaeronea, Berlin 1869 (Nachdruck Leipzig 1970)

Vorländer, H.: Mein Gott. Die Vorstellungen vom persönlichen Gott im Alten Orient und im Alten Testament, AOAT 23, Kevelaer/Neukirchen-Vluyn 1975

Vorster, W.S.: Heterodoxy in 1 John, NTSSA, Neotestamentica 9, Pretoria 1975, 87-97

Vouga, F.: The Johannine School: A Gnostic Tradition in Primitive Christianity?, Bib. 69 (1988), 371-385

Vriezen, T.C.: Die Erwählung Israels nach dem Alten Testament, AThANT 24, Zürich 1953

Warnach, V.: Agape, Die Liebe als Grundmotiv der neutestamentlichen Theologie, Düsseldorf 1951

Watson, F.: Paul, Judaism and the Gentiles. A sociological Approach, MSSNTS 56, Cambridge 1986

Weber, M.: Aufs. zur Religionssoziologie 1, Tübingen 1920 ([9]1988)

Weber, P.-G.: Religiosität und soziale Organisationsformen in Sekten. Eine religionssoziologische Studie dreier Sektengruppen, Köln/Wien 1975

Weiser, A.: Der Prophet Jeremia, ATD 20/21, Göttingen [5]1966

Weiß, K.: Orthodoxie und Heterodoxie im 1. Johannesbrief, ZNW 58 (1967), 247-255

Weiß, K.: Die Gnosis im Hintergrund und im Spiegel der Johannesbriefe, in: K.-W. Tröger (Hg.), Gnosis und Neues Testament. Studien aus Religionswissenschaft und Theologie, Gütersloh 1973, 341-356

Wendt, H.H.: Die Johannesbriefe und das johanneische Christentum, Halle 1925

Wengst, K.: Häresie und Orthodoxie im Spiegel des ersten Johannesbriefes, Gütersloh 1976

Wengst, K.: Probleme der Johannesbriefe, ANRW II 25,5 (1988), 3753-3772

Wengst, K.: Bedrängte Gemeinde und verherrlichter Christus. Ein Versuch über das Johannesevangelium, München [3]1990 (Neukirchen-Vluyn [1]1981)

Wennemer, K.: Der Christ und die Sünde nach der Lehre des ersten Johannesbriefes, Geist und Leben 33 (1966), 370-376

Werner, P.: Leben und Liebe im alten Griechenland, übers.v. U. v. Sobbe, Freiburg (Schweiz) 1977

Westermann, C.: Das Buch Jesaja - Kap 40-66, ATD 19, Göttingen 1966 ([4]1981)

Whaling, T.: Adoption, PTR 21 (1923), 223-235

Wiedemann, T.: Adults and Children in the Roman Empire, London 1989

Wiefel, W.: Die Scheidung von Gemeinde und Welt im Johannesevangelium auf dem Hintergrund der Trennung von Kirche und Synagoge, ThZ 35 (1979), 213-227

Wilamowitz-Moellendorf, U.von: Platon I und II, Berlin 1919

Wilamowitz-Moellendorf, U.von: Der Glaube der Hellenen I und II, Berlin 1931/32 (Nachdruck Darmstadt 1976)

Wilckens, U.: Der Brief an die Römer, EKK VI/1-3, Zürich/Einsiedeln/Köln/Neukirchen-Vluyn I [2]1987, II 1980, III 1982

Wildberger, H.: Jahwes Eigentumsvolk, Eine Studie zur Traditionsgeschichte und Theologie des Erwähungsgedankens, AThANT 37, Zürich 1960

Wildberger, H.: Die Neuinterpretation des Erwählungsglaubens Israels in der Krise der Exilszeit, in: Wort - Gebot - Glaube, FS W. Eichrodt, hg. v. J. Stoebe, AThANT 59, Zürich 1970, 307-324

Wilken, R.L.: The Christians as the Romans saw them, New Haven/London 1984

Williams, A.L.: "My Father" in Jewish Thought of the First Century, JThS 31 (1929/30), 42-47

Wilson, B.R.; Sects and Society: A Sociological Study of the Elim Tabernacle, Christian Science, and Christadelphians, Berkeley 1961

Wilson, B.: Religiöse Sekten, München 1970

Windisch, H.: Taufe und Sünde im ältesten Christentum bis auf Origenes. Ein Beitrag zur altchristlichen Dogmengeschichte, Tübingen 1908

Windisch, H.: Friedensbringer - Gottessöhne. Eine religionsgeschichtliche Interpretation der 7. Seligpreisung, ZNW 24 (1925), 240-260

Winter, P.: Der Begriff 'Söhne Gottes' im Moselied Dtn 32,1-43, ZAW 67 (1955), 40-48

Wischmeyer, O.: Vorkommen und Bedeutung von Agape in der außerchristlichen Antike, ZNW 69 (1978), 212-238

Wischmeyer, O.: Das Adjektiv ἀγαπητός in den paulinischen Briefen. Eine traditionsgeschichtliche Miszelle, NTS 32 (1986), 476-480

Wittenberger, W.: Ort und Struktur der Ethik des Johannesevangeliums und des ersten Johannesbriefes, Diss. Jena 1971

Wlosok, A.: Die Rechtsgrundlagen der Christenverfolgungen der ersten zwei Jahrhunderte, Gym. 66 (1959), 14-32

Wlosok, A.: Rom und die Christen. Zur Auseinandersetzung zwischen Christentum und römischem Staat, Der altsprachliche Unterricht XIII.1, Stuttgart 1970

Wolff, H.W.: Dodekapropheton 1. Hosea, BK.AT 14.1, Neukirchen-Vluyn 1961

Woll, D.B.: Johannine Christianity in Conflict: Authority, Rank, and Succession in the First Farewell Discourse, SBLDS 60, Chico 1981

Wolter, M.: Rechtfertigung und zukünftiges Heil. Untersuchungen zu Röm 5,1-11, BZNW 43, Berlin/New York 1978

Wolter, M.: Die anonymen Schriften des Neuen Testaments. Annäherungsversuch an ein literarisches Phänomen, ZNW 79 (1988), 1-16

Wolter, M.: Die Pastoralbriefe als Paulustradition, Jahrbuch der Akademie der Wissenschaften in Göttingen 1988, 25-27

Wolter, M.: Der Apostel und seine Gemeinden als Teilhaber am Leidensgeschick Jesu Christi: Beobachtungen zur paulinischen Leidenstheologie, NTS 36 (1990), 535-557

Wolter, M.: Evangelium und Tradition. Juden und Heiden zwischen solus Christus und sola scriptura (Gal 1,11-24; Röm 11,25-36), in: H.H.Schmid (Hg.), Sola Scriptura, Gütersloh 1991, 200-213

Wolter, M.: Der Gegner als endzeitlicher Widersacher. Die Darstellung des Feindes in der jüdischen und christlichen Apokalyptik. in: F.Bosbach (Hg.), Feindbilder. Die Darstellung des Gegners in der politischen Publizistik des Mittelalters und der Neuzeit, Bayreuther Historische Kolloquien 6, Köln/Weimar/Wien 1992, 23-40

Worden, T.: The Meaning of "Sin", Scrip. 9 (1957), 44-53

Woude, A.S.v.d.: Die messianischen Vorstellungen der Gemeinde von Qumran, SSN 3, Assen 1957

Wrede, W.: Charakter und Tendenz des Johannesevangeliums, SGV 37, Tübingen [2]1933

Wurm, A.: Die Irrlehrer im ersten Johannesbrief, BSt(F) VIII.1, Freiburg 1903

Zahn, Th.: Der Stoiker Epiktet und sein Verhältnis zum Christentum. Rede beim Antritt des Prorektorats der kgl.-bayr. Friedrich-Alexander-Universität am 3.November 1894, Erlangen/Leipzig 1895

Zeller, E.: Die Philosophie der Griechen in ihrer geschichtlichen Entwicklung III.1: Die nacharistotelische Philosophie, Hildesheim [6]1963

Ziegler, J.: Die Liebe Gottes bei den Propheten, Ein Beitrag zur alttestamentlichen Theologie, ATA 11.3, Münster 1930

Ziehen, L.: Rezension zu O.Kern, Die griechischen Mysterien der Klassischen Zeit. Nach drei in Athen gehaltenen Vorträgen, Berlin 1927, Gn. 5 (1929), 150-154

Zinzow, A.: Ζεὺς πατήρ und θεὸς πατήρ, ZKWL 3 (1882), 189-224

Register ausgewählter Bibelstellen

1. Altes Testament

Gen

20,12	21.116

Ex

4,22	35f.39.45.50.57.193

Num

11,12	37.57.193
21,29	52.193

Dtn

1,31	38.44..53.193
8,5	38f.44.53.58.193
14,1	48.53.193
21,18	38.42.47.51.97
21,20	42.47.51
32	49f
32,5	53.78.87.193
32,6	50.53
32,18	49.53

Hi

38,28	32.49

Ps

2,7	31f.184
68,6f	41.51.193
103,13	50f.53.193

Prv

3,12	38f.51.53

Jes

1,2	36f.53.193
11,9	46.139
30,1	42.47.49.51.123.193
43,6	44f.48.53.193
45,10f	48f.193
63,7-64,11	44.193
66,13	43.59

Jer

3,4	36.193
3,14	42f.45.53.193
3,19	47f.51.58.80.193
3,22	42f.53.193
31,9	39.43.53.193
31,20	35.37.43.53.193

Hos

2,1	33.41f.45f.54.78.139.193

Am

11,1-3	32-35.38.53.57.193
11,1	39.42.72.89
3,2	28.31.47

Mal

1,2	34.50
1,6	34.50.53.193
2,10	50.53.193
3,17	44f.50.53.193

2. Neues Testament

Mt

1,20	72f.112.118
5,9	73f.76.124
5,47	75.167.227
5,48	72.74.167
6,1	74.93.95
6,14f	74.92.95
6,32	11.72.74
7,11	11.72.74.95
11,27	11.72.75.94
18,35	73.75.92
19,28	75
23,8f	75.167
28,10	75.84.94.167f

Mk

1,11	35.91.127.230
3,31-35	93.161.230
8,38	11.72.92
9,7	92.127.230
11,25	72.92f
13,32	11.72.92
14,36	11.88f.92f.95

Lk

6,36	11.72.94
9,26	11.72.94
10,22	11.72.94
11,13	11.72.95
20,36	76.95.124

Joh

1,12f	12.117.121.158.188
1,12	11.118.124.149.155f
1,13	11.111.158.160f.200
1,14	110.147.155.183
1,18	110.147f.155
2,22	126.129.158
3,3	11.111.117.158

3,5	11.117.124.151	8,19	77.84.90.124.148
3,6	11.117.144.154	8,21	77.81.84
3,16	84.120.147.154f.188	8,23	77-80.83f
3,36	120.154f.158	8,29	20.83.84.89
4,1	129.141.171	9,4	77-80
5,24	119.154f.158.207f	9,8	77f.82.84.88
5,40	143.154f.158	9,26	77.84
6,40	110.120.154f.158	16,5	210f
6,65	110.136.143	16,23	85.210.212.219
7,3	126.129.156		
8,23	149.152.193	1.Kor	
8,37	77.132.159	1,2	90.212
8,38	110.129.159	1,9	83.106
8,41	45.111.114.158f.193	3,16	124.211
8,44	193f.207	4,14	81.127.223
8,47	149.153f.193.230	4,17	81.127.223
9,22	176.194.197f.208	6,11	124.141
10,10	154f	15,20	84f.90.103
10,14	156.158.164	15,23	84f.90.103
11,52	11.124.149.157f.188.224	16,15	85.159.219
12,1-11	215f	16,19	212.227
12,42	176.181.194.197f		
13,1	110.144.156.158.164	2.Kor	
13,15	132.156.188	1,1	85.90.212
13,27	196.206f	6,13	81.223
13,34	132.134.179	6,14-7,1	91
13,35	129.164.196.225	6,18	77.84
14,6	110.143.154		
14,18	26.41.143.158.188	Gal	
14,19	126.152.154.158	3,26	77.84.86.124
14,26	110.123.151	3,29	81.88
15,13-15	126.156.158.164	4,4-7	84.86-88.164
15,15	109f.125.129	4,4	78.83
15,26	110.123.151	4,5	77.80
16,2	176.194.197f	4,6	83.87-89.92.95
16,13	123.151.158	4,7	80f.88.164
16,33	152.186.207	4,28	77f.85.88
17,3	154.158.183		
18,37	109.144.154.230	Eph	
20,17	75.8411.110.126.128f.132.141.149.156.158.161.167	2,18	76.86f
		5,26	102.141
20,21	110.152	Phil	
20,22	123.151.158	4,1	85.127
20,31	120.149.154f.188	Kol	
21,5	125.128	1,18	20.210
		4,9	85.118.127
Act		4,15	85.159.210.212.227
13,26	96.197		
15,22	96.168	1.Tim	
18,7	197.211	6,2	85.100.127
Röm		2.Tim	
6,4	83.87.88.90	1,2	86.100.127
8,14-16	89.164		
8,14	77.83f.124	Tit	
8,15	77-83.87-89.92.95	2,11-15	100-102.104
8,16f	77.80.84	3,4-8	100-102.104
8,17	81.88.164		

3,5	76.100-102.104.134.168f

3,10	11.87.106.109.124.	4,20	106.109.128.134.
	126f.135.137.149.		137.171.195.199.209.215
	156.170f.186.	4,21	106.111.133
	193.195f.206.232	5,1f	118.120.196
3,11	111.130f.179	5,1	11.108f.111.125.
3,12	126f.201.206-209		136.149.155f.161.
3,13	127-129.135.171.		168f.171.184.187.214
	186.201.225.230	5,2	11.106.109.124.128.
3,14	106.111.118f.135f.		134.137.149.182.214f
	142.144.154.161.167.	5,3	111.133.182
	185f.192.196.209.	5,4f	135.152.171
	213.222.231	5,4	11.109.111.118.125.
3,15	109.120.170		136.149.168f.186.207.225
3,16	111.130.132.146.	5,5	148f.159.171.
	185.188.213.222.226		184.187.214
3,17	106-108.133.180.	5,6f	177.213
	186.199.209.215f.218f.231	5,6	122.151.154.214
3,18	106.128.130.	5,9-13	147.149
	132.196.217.219	5,11-13	120.135.154
3,19f	111.138.140.142.178	5,12	109.154f
3,21	106.109.120.	5,13	122.144.155.157.183.188.231
	127.137.143	5,14	109.120.143.145.214
3,23	106.130f.133.147.	5,16	11.109.119.126f.142.
	149.159.179.187.214		145f.154.195.214.232
3,24	82.108.110.122-124.	5,18f	201.209
	137.146.149.152.213f	5,18	11.109.111.125.
4,1-5	182-185.199		137-139.144.146.155.
4,1	106.127.137.172.		168f.171.206-209.226.231
	195.204.214	5,19	135.171.225.230
4,2	135.170f.183.198.214	5,20	108.134.140.
4,3	171.203-206.207.209		147-149.152.154.191
4,4-6	135f.230	5,21	128.144.174.200f.
4,4	118.128.149.		206f.209.219
	171.219.225		
4,5f	171.193.225.230	2.Joh	
4,6	108f.114.118.	4	110.220.223
	137.149.153	5	130.179.225
4,7-21	131.133.136.	7	159.182-185.187.195.
	163.181.185.199		198.203-206.207.214
4,7	11.106.108f.111.	9	108-110.154.218
	118.125.127.130.	10	143.162.211.
	136.156.168f.		217.223f.226f
	178f.196.199	13	128.220.223.225
4,9f	133.149.154.178.183		
4,9	84.134.137.147.	3.Joh	
	154f.171.177.222.226	1	106.127.219
4,11	106.127.130.	3	11.109.126
	133f.146.178f.182	4	219f.222f
4,12	106.108.133.	5	11.106.109.126f.220.227
	137.148f.156	6	211f.217.227
4,13	82.108.110.	7	186.225.227
	122-124.152.213f	9f	211f.217.222
4,14	110.149.171.183f.191	9	220.223f
4,15	108.137.149.	10	11.109.126.220.223f
	156.171.184.214	15	128.220
4,16	106.108.183		
4,17	109.120.183	Apk	
4,19	106.111.120.134.161	2,9	194.207.216
4,20f	11.106.126f.178	3,9	194.207

Autorenregister

Register ausgewählter griechischer Begriffe

Das von Theologie und Religionswissenschaft bislang ge-
zeichnete Jesus-Bild betont insbesondere Jesu Differenz
zum jüdischen Gesetz. Diese Sichtweise muß heute in wesentlichen Punkten korrigiert werden.
Für Jesus war das Gesetz nicht endgültig, aber auch das
damalige Judentum war in Gesetzesdingen keineswegs
unflexibel und unnachgiebig. Die kritische Haltung Jesu
gegenüber dem Gesetz kann
schon aufgrund der großen Ge-
setzesvielfalt nicht in dem Maße **Ingo Broer (Hrsg.)**
exzeptionell und kategorisch ge-
wesen sein, wie man es mit den ## *Jesus und*
neutestamentlichen Texten zu ## *das jüdische Gesetz*
belegen versucht hat. So ist
auch die Hauptursache für Jesu 1992. 224 Seiten. Kart. DM 49,80
Tod am Kreuz nicht mehr in der ISBN 3-17-011835-8
„Aufhebung des Gesetzes"
durch den historischen Jesus und in einem sich daraus er-
gebenden Konflikt mit den jüdischen Autoritäten zu sehen.
Vielmehr stellt sich immer deutlicher heraus, daß Jesus
letztlich mit seiner Kritik am jüdischen Tempel und mit der
Voraussage der Tempelzerstörung seinen Tod am Kreuz
provoziert hat: Ein Wort oder gar eine Demonstration gegen den Tempel als Ort der Gegenwart Gottes war gleichbedeutend mit einer – todeswürdigen – Kritik an Gott
selbst, und die Voraussage der Tempelzerstörung galt als
Leugnung der Erwählung Israels.

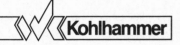 Verlag   Postfach 80 04 30
W. Kohlhammer 7000 Stuttgart 80

40-193 025 MFG1